DE GODEN VAN GOTHAM

Lyndsay Faye

DE GODEN VAN GOTHAM

Vertaald door Maaike Bijnsdorp en Lucie Schaap

VAN HOLKEMA & WARENDORF
Uitgeverij Unieboek | Het Spectrum bv, Houten – Antwerpen

Oorspronkelijke titel: *The Gods of Gotham*
Omslagontwerp: Davy van der Elsken | DPS Design
Omslagbeeld Mulberry Street: DPS Design & Prepress Studio
Omslagbeeld meisje: Vanessa Munoz | Trevillion Images
Opmaak: ZetSpiegel, Best

ISBN 978 90 00 30351 9 | NUR 305

© 2012 by Lyndsay Faye
© 2012 Nederlandstalige uitgave: Maaike Bijnsdorp & Lucie Schaap en
Uitgeverij Unieboek | Het Spectrum bv, Houten – Antwerpen
Eerste druk
Oorspronkelijke uitgave: G.P. Putnam's Sons

www.unieboekspectrum.nl

Van Holkema & Warendorf maakt deel uit van
Uitgeverij Unieboek | Het Spectrum bv
Postbus 97, 3990 DB Houten

Voor mijn familie, van wie ik heb geleerd dat als je een fikse tegenslag te verwerken krijgt en struikelt op je voorgenomen pad, je gewoon weer opkrabbelt en je weg vervolgt of opkrabbelt en een kleine omweg neemt.

In de zomer van 1845 werd in de stad New York na jarenlang fel politiek gekrakeel uiteindelijk een politiemacht gevormd. De aardappel, een gewas dat ook op een klein oppervlak en relatief onvruchtbare grond een voedzame oogst levert, had lange tijd het basisvoedsel gevormd van Ierse pachtboeren. In het voorjaar van 1844 berichtte de Gardener's Chronicle and Agricultural Gazette, *een krant voor de land- en tuinbouw, bezorgd dat een van een schimmel afkomstige woekerziekte veel schade toebracht aan de aardappeloogst. Voor deze ziekte, zo meldde de* Chronicle *aan haar lezers, was geen aantoonbare oorzaak te vinden noch bestond er een remedie tegen. Die twee gebeurtenissen zouden de stad New York voorgoed een ander aanzicht geven.*

• George Washington Matsell, *The Secret Language of Crime: Vocabulum or the Rogue's Lexicon* (G.W. Matsell & Co., 1859) •

DE ERFENIS VAN DE PILGRIM FATHERS

Zij, koene mannen, eed'le vrouwen – waarom in zee gestoken?
Waarom de band met huis en haard zo ruw voorgoed verbroken?
Van Boven wordt verordend dat men de ziel aldus bevrijdt;
Niet enkel voor zichzelf, maar opdat geen enk'le mens nog lijdt:
Voor het verre West'lijk rijk hebben zij verruild hun woning,
'Voor een Kerk zonder Bisschop, een Staat zonder een Koning.'
Prins noch Prelaat kan hen nog onderwerpen aan zijn woord,
Vrijheid wijst hun de weg, godsvrucht brandt in hun borst.
Want naar het oordeel van hun dapper hart is het beter niet te bestaan
dan onder een despoot te sidderen, waar de ziel niet vrij kan gaan;
Storm en ijs trotseert de balling, dan wacht de bekroning:
'Een Kerk zonder Bisschop, een Staat zonder een Koning.'

• *Hymne gezongen na een voordracht in de Tabernacle,*
New York, 1843 •

DE
GODEN
VAN
GOTHAM

PROLOOG

Toen ik aan mijn bureau in de Tombs aan mijn verslag begon, noteerde ik:

In de nacht van de eenentwintigste augustus 1845 wist een van de kinderen te ontsnappen.

Van alle beproevingen die een politieman in New York dagelijks voor zijn kiezen krijgt, zou je niet verwachten dat de plicht schriftelijk verslag uit te brengen mij het meest tegenstaat. Maar zo is het wel. Het koude zweet breekt me al uit als ik alleen maar aan het schrijven van zo'n verslag denk.

Van politieverslagen wordt verwacht dat er staat 'X heeft Y vermoord met gebruikmaking van Z'. Maar feiten zonder beweegredenen, zonder het verhaal erachter, zijn niet meer dan wegwijzers waarvan de letters zijn vervaagd. Even betekenisloos als grafstenen zonder opschrift. En het stuit me tegen de borst om levens terug te moeten brengen tot kale statistische gegevens. Verslagen bezorgen me net zo'n houten kop als een avond pimpelen met slechte rum uit New England. In de droge opsomming van feiten is geen plaats voor het verhaal waaróm mensen beestachtige dingen uithalen – uit liefde of walging, ter zelfverdediging of uit inhaligheid. Of, zoals in dit geval, voor God, al denk ik niet dat het God erg zal hebben behaagd.

Als Hij het al heeft gezien. Ik heb het gezien en het heeft mij bepaald niet behaagd.

Kijk bijvoorbeeld wat er gebeurt als ik probeer een voorval uit mijn jeugd te beschrijven op de manier waarop ik geacht word een politieverslag op te stellen:

> *In oktober 1826 is in het gehucht Greenwich Village brand uitgebroken in een stal direct naast de woning van Timothy Wilde, zijn oudere broer Valentine Wilde en hun ouders Henry en Sarah. Hoewel het brandje aanvankelijk weinig voorstelde, vonden beide volwassenen de dood toen het vuur na een petroleumexplosie oversloeg op het woonhuis.*

Ik ben die Timothy Wilde en ik zal er niet omheen draaien: daarmee is nog niets gezegd. Geen moer. Ik maak al mijn leven lang tekeningetjes met houtskool om mijn vingers bezig te houden en het ingesnoerde gevoel van mijn borst te verlichten. Een stuk slagerspapier met daarop een schets van een uitgebrand huis waaruit alleen nog zwartgeblakerde steunbalken omhoogsteken zegt meer dan dat handjevol zinnen.

Maar ik begin steeds beter thuis te raken in het optekenen van misdrijven nu ik de koperen ster van de politie draag. Er vallen zoveel slachtoffers in de oorlogen over God die hier in de straten woeden. Ik weet wel dat je je eertijds pas katholiek kon noemen als de afdruk van je schoen op de nodige protestantse nekken stond, maar het verstrijken van honderden jaren en het oversteken van een onafzienbare oceaan had die wrok tussen ons toch wel mogen verdrinken. In plaats daarvan zit ik hier verslag te doen van een bloedbad. Al die kinderen. En niet alleen kinderen, maar ook volwassen

Ieren en Amerikanen en iedereen die de pech heeft erin verzeild te raken. Ik hoop maar dat het optekenen ervan tenminste nog iets van een passend gedenkteken vormt. Als ik eenmaal genoeg inkt heb verbruikt, zullen de scherpe krassen van de details in mijn hoofd enigszins vervaagd zijn, is mijn hoop. Ik was ervan uitgegaan dat de droge, houtige geur van oktober en de venijnige kou van de wind die in de mouwen van mijn jas blaast intussen al iets van de nachtmerrie van augustus zouden hebben uitgewist.

Ik had het mis. Maar ik heb me wel in ergere dingen vergist.

Ik zal vertellen hoe het allemaal begon, nu ik het meisje in kwestie beter ken en als mens kan schrijven in plaats van als drager van een koperen ster:

In de nacht van de eenentwintigste augustus 1845 wist een van de kinderen te ontsnappen.

Het meisje was tien jaar, woog achtentwintig kilo en was gekleed in een dun wit nachthemd met een strookje kant langs de wijde, met fijne steekjes vastgezette kraag. Haar donkerrode krullen waren opgestoken in een losse knot boven op haar hoofd. Het zuchtje wind door het open venster voelde warm aan op de plaatsen waar haar nachtjapon van haar ene schouder was gegleden en haar blote voeten de planken raakten. Ze vroeg zich plots af of er een kijkgaatje in haar slaapkamermuur zat. Geen van de jongens of meisjes had dat ooit ontdekt, maar het was wel typisch iets voor hén. Die nacht voelde elke werveling van de lucht als adem op de huid, die haar bewegingen vertraagde tot slome, slappe schokjes.

Om te ontsnappen had ze drie gestolen dameskousen aan de onderste haak van het ijzeren luik van haar slaapkamer vastgebonden. Ze trok haar nachtjapon los van haar lichaam. Hij was doornat en de plakkerige stof bezorgde haar kippenvel. Ze stapte op goed geluk uit het raam, greep in de benauwde, zinderende augustuslucht de kousen stevig vast, liet zich langs het geïmproviseerde touw naar beneden glijden en kwam neer op een leeg biervat.

Het meisje liep in haar nachthemd Greene Street uit en kwam via Prince Street uit bij de wild stromende rivier de Broadway, waar ze zich aan de schaduwen vastklampte als aan een reddingsboei. Om tien uur 's avonds gonst het op Broadway van de mensen. Ze trotseerde een plotselinge stortvloed van moirézijde. Gladde types met dubbel geknoopte vesten van zwart fluweel stroomden massaal de saloons binnen die van vloer tot plafond met spiegels bekleed waren. Stuwadoors, politici, handelaars, een groepje krantenjongens met niet aangestoken sigaren tussen de roze lippen. Wel duizend paar ronddwalende waakzame ogen. Wel duizend manieren om te worden betrapt. En de zon was al onder, dus waarden in alle hoeken de zondige zusters rond: de hoeren met hun krijtwitte boezems, akelig bleek onder hun rouge, in kluitjes van vijf of zes waarvan de samenstelling werd bepaald door het bordeel waaraan ze verbonden waren en door wie diamanten droeg en wie zich alleen maar kon tooien met gebarsten, vergeelde imitaties.

Het kind wist zelfs de rijkste en blozendste straatmadelieven eruit te pikken. Ze herkende feilloos wie de dames waren en wie de *mabs*.

Toen er een ruimte viel tussen de huurrijtuigen en koetsen schoot ze als een mot de schaduw uit. Haar verlangen onzichtbaar de brede hoofdstraat over te steken gaf haar vleugels. Haar blote voeten vlogen over de glibberige, pikzwarte drab die uit de spleten tussen de straatkeien opwelde en ze struikelde bijna over een afgeknaagde maïskolf.

Haar hart stond stil, een plotselinge paniekscheut. Ze zou struikelen, ze zouden haar zien en alles zou verloren zijn.

Hadden ze de andere kinchen *snel of langzaam vermoord?*

Maar ze struikelde niet. De koetslampen die in de tientallen etalageruiten weerkaatsten, bevonden zich nu achter haar en ze vloog al weer verder. Een paar gilletjes en één kreet van schrik was alles wat ze in haar kielzog achterliet.

Niemand keek naar haar om. Maar dat was ook eigenlijk niemand aan te rekenen, niet in een stad van deze omvang. Het was niet meer dan de afgestomptheid van vierhonderdduizend mensen die tot één blauwzwarte poel van onverschilligheid waren samengesmolten. Daar zijn wij kopersterren voor, denk ik... zodat er af en toe toch iemand blijft staan om te kijken.

Ze vertelde later dat de dingen om haar heen op slechte schilderijen hadden geleken – alles grof en tweedimensionaal, druipende waterverf langs de rand van bakstenen gebouwen. Ik ken die gemoedstoestand wel, dat niet helemaal aanwezig zijn. Ze herinnert

zich nog een rat die op de stoep aan een stuk ossenstaart zat te knagen, daarna niets meer. Sterren aan een nachtelijke midzomer-
hemel. Het lichte ratelen van de tram naar Harlem die langsrijdt
over de ijzeren rails, de huid van de twee oververhitte paarden ervoor nat en glimmend in het gaslicht. Een passagier met een hoge
hoed die met een lege blik in de richting staart waar hij vandaan
komt en met zijn vingertoppen zijn horloge langs de richel van het
raam laat glijden. De openstaande deur van een meubelmakerij vol
zaagmeel waaruit de half voltooide kasten en losse stoelpoten naar
buiten puilen, even onsamenhangend als haar gedachten.

Dan weer een langdurige, samengeklonterde stilte waarin ze
niets zag. Vol walging trok ze de stijf opdrogende stof nog een keer
van haar huid.

Het meisje sloeg Walker Street in, langs een groepje dandy's met
hun door nat glimmende zeepkrullen omlijste monocles, fris en vol
energie na een bad in de marmeren kuipen van Stoppani. Die hadden echter evenmin oog voor haar. Ze stormde immers op de beerput van Wijk 6 af, dus daar zou ze ook wel thuishoren.

Ze zag er tenslotte ook Iers uit. Ze wás ook Iers. Welk normaal
mens zou zich druk maken om een Iers wichtje dat naar huis holde?

Tja, ik dus.

Ik besteed een aanzienlijk deel van mijn gedachten aan zwerfkinderen. Ik sta veel dichter bij de kwestie. Ten eerste omdat ik er
zelf een ben geweest, of tenminste zo goed als. En ten tweede
omdat het de taak van de politie is om de graatmagere, smoezelige
kinchen waar mogelijk op te pakken. Ze als vee bijeen te drijven
en in een ratelende gevangenwagen over Broadway naar het Opvoedingsgesticht te vervoeren. Maar die boefjes staan in onze maat-
schappij lager in aanzien dan melkkoeien en vee samendrijven is
een stuk eenvoudiger dan zwerfkinderen. Een kind dat door de
politie in een hoek wordt gedreven, staart je aan met een blik die
te fel is om kwaadaardig te zijn, een blik die iets hulpeloos heeft en
tegelijkertijd woedend is... iets wat ik herken. En dus zal ik nooit,
onder geen enkele omstandigheid, zoiets doen. Al hing mijn broodwinning ervan af. Al hing mijn leven ervan af. Al hing het leven van
mijn bróér ervan af.

Maar op de avond van de eenentwintigste augustus was ik met

mijn gedachten niet bij zwerfkinderen. Ik stak Elizabeth Street over en liep er even fier en onverzettelijk bij als een zak zand. Een halfuur eerder had ik vol weerzin de koperen ster van mijn jas gerukt en tegen een muur gesmeten. Nu zat het ding in mijn zak en prikte samen met mijn huissleutel irritant in mijn vingers. Om stoom af te blazen stak ik in gedachten een tirade af tegen mijn broer. Met boosheid kan ik veel beter uit de voeten dan met wanhoop.

Moge Valentine Wilde rotten in de hel, herhaalde ik steeds weer bij mezelf, en elk van die verrekte briljante ideeën uit die verrekte kop van hem ook.

Op dat moment knalde het meisje blindelings tegen me op, doelloos als een snipper papier in de wind.

Ik greep haar bij de armen. Haar droge, wild heen en weer schietende ogen staken helder lichtgrijs af, zelfs in het door roetwalmen vervaagde maanlicht, als scherven van de afgebroken vleugel van een waterspuwer op een kerktoren. Ze had een gezicht dat je niet makkelijk vergat, rechthoekig als een schilderijlijst, met zwaarmoedige, volle lippen en een duidelijke wipneus. De bovenkant van haar schouders was met lichte sproetjes bezaaid en ze was niet erg groot voor een tienjarige, hoewel ze zich met zo'n zelfverzekerdheid gedroeg dat ze misschien groter leek dan ze in werkelijkheid was.

Maar het enige wat me die avond voor de deur van mijn huis meteen opviel, zodra ze struikelend tegen mijn benen tot stilstand was gekomen, was dat ze van top tot teen onder het bloed zat.

1

Tot en met de eerste juni hadden in totaal zevenduizend immigranten voet aan wal gezet [...] en de regeringsvertegenwoordiger aldaar had te horen gekregen dat voor de komende periode 55.000 personen een overtocht hadden geboekt, nagenoeg allemaal uit Ierland. Volgens sommige schattingen zullen er zeker 100.000 naar Canada en Amerika komen. Daar komen er dan vermoedelijk nog eens 75.000 uit andere Europese landen bij.

• *New York Herald*, zomer 1845 •

Dat ik politieman ben geworden in Wijk 6 van de stad New York had ik zo beraamd noch gewenst.

Het is niet het soort werk waarvan ik me had voorgesteld dat ik het op mijn zevenentwintigste zou doen. Anderzijds durf ik er wat om te verwedden dat iedere andere politieman hetzelfde zal beweren aangezien dit werk drie maanden geleden nog niet eens bestond. Onze beroepsgroep bestaat nog maar net. Misschien moet ik om te beginnen vertellen hoe het zover was gekomen dat ik zo'n drie maanden geleden, in de zomer van 1845, om werk verlegen zat, al vind ik het knap lastig om daarover te praten. De gebeurtenissen van toen behoren tot mijn slechtste herinneringen. Ik zal doen wat ik kan.

Op achttien juli stond ik achter de bar in Nicks oesterkelder, waar ik sinds mijn zeventiende werkte. Door de deur boven aan de trap viel het zonlicht als een rechthoek naar binnen en brandde het stof de vloerplanken in. Ik hou van de maand juli. Die doet me altijd denken aan dat typische juliblauw dat zich boven de hele wereld uitstrekte toen ik in de zomer dat ik twaalf was op de veerboot van en naar Staten Island werkte, mijn hoofd in de nek en mijn mond vol frisse, zilte lucht. Maar de zomer van 1845 was allesbehalve fris. De lucht was wee en vochtig als een broodoven omstreeks elf uur in de ochtend en de gistende geur bleef de hele dag achter in je keel hangen. Ik probeerde uit alle macht de smerige lucht te negeren, een mengeling van koortsig zweet en de stank van het dode karrenpaard dat half weggeduwd in de steeg om de hoek lag. Het beest leek mettertijd steeds doder te worden. Er wordt wel beweerd dat er in New York vuilnismannen zijn, maar dat is een sprookje. Zoals iedere ochtend had ik de krant al van voor tot achter gelezen. De *New York Herald* lag open voor me en wist te vertellen dat het kwik naar vijfendertig graden was gestegen en dat nog meer arbeiders aan de hitte waren bezweken. Mijn hoge dunk van juli werd gestaag ondermijnd. Voor geen goud wilde ik echter mijn humeur laten verzieken. Vooral die dag niet.

Mercy Underhill kon ieder moment de kroeg binnenkomen, dat wist ik zeker. Ze was al vier dagen niet meer geweest, wat voor ons doen een record was. Ik moest ook nodig met haar praten. Of dat op zijn minst proberen. Ik had net besloten dat ik me niet langer zou laten weerhouden door mijn bewondering voor haar.

Nicks oesterkelder was net zo ingericht als vergelijkbare bars. Ik was bijzonder gesteld op die herkenbaarheid: een zeer lange toog, die bovendien breed genoeg was voor de tinnen oesterschotels en de vele bierpullen en glazen whisky of korenbrandewijn. Nicks oesterkelder lag half onder de grond en het was er doorgaans dan ook duister. Maar in de ochtend wist de zon door het grotduister te dringen, waardoor we nog even zonder de met geel beklede olielampen konden, die groezelige rooksporen op het pleisterwerk achterlieten. Er stonden geen losse meubels, maar langs de muren waren verschillende zithoekjes met houten banken en gordijnen die je desgewenst kon dichttrekken, al deed niemand dat ooit. Nicks oesterkelder was niet het adres voor geheime afspraakjes, maar het toneel van de hectische jonge beren en stieren van de beurs die elkaar na een twaalf uur durende handelsdag dwars door onze kelder van alles toeriepen terwijl ik meeluisterde.

Ik was bezig een kruik whisky af te vullen voor een roodharig joch dat ik nog niet eerder had gezien. Langs de oever van de East River wemelt het van de spichtige buitenlanders die hun zeebenen trachten kwijt te raken; Nicks oesterkelder bevond zich aan New Street, niet ver van de rivier. Terwijl het kereltje op me wachtte hield hij zijn hoofd wat schuin en lagen zijn kleine tengels op de cederhouten toog. Hij leek wel een musje, te groot om acht te kunnen zijn, te schuchter voor een tienjarige. Hij was zo mager dat hij bijna doorzichtig leek en hij speurde met glazige ogen naar restjes eten.

'Voor je ouders?' Ik veegde mijn vingers aan mijn voorschoot af en drukte de kurk op de aardewerken kruik.

'Voor pa.' Hij schokschouderde.

'Achtentwintig cent.'

Hij trok een hand met een ratjetoe aan munten uit zijn zak.

'Twee shilling staat gelijk aan vijfentwintig cent, geef me die maar en dan is het wel goed. Ik heet Timothy Wilde. Ik schenk mijn glazen vol en leng mijn waar nooit aan.'

'Dank u wel,' zei hij, en hij strekte zijn handen uit naar de kruik.

Zo kwam het dat ik de donkere stroopvegen op de onderste helft van de mouwen van zijn haveloze hemd zag, een souvenirtje van het meest recente vat stroop waarop hij het voorzien had gehad en dat voor hem net iets te hoog moest hebben gestaan. Mijn jonge klant was dus een suikerdief. Interessant.

Dat is nou typisch iets van barkeepers: er ontgaat hun weinig. Ik zou als barman niet veel voorstellen als ik het verschil niet zag tussen twee jongens die allebei een kruik whisky bij me kwamen halen, de een een havenrat uit Sligo met als specialisatie handel in oneigenlijk verkregen stroop en de ander de zoon van de plaatselijke wethouder. Een barman verdient aanzienlijk meer als hij alert is en ik legde iedere cent die ik kreeg opzij. Voor iets wat van zo'n levensbelang was dat je het niet meer gewoon belangrijk kon noemen.

'Als ik jou was zou ik een ander vak kiezen.'

Hij kneep zijn heldere zwarte kraaloogjes tot spleetjes.

'De stroophandel,' lichtte ik toe. 'Als het niet je eigen waar is, valt dat hier niet in goede aarde.' Hij verschoof een van zijn ellebogen en werd met de seconde onrustiger. 'Je hebt vermoedelijk een lepel en jat uit de vaten op de markt als de eigenaar staat af te rekenen. Vergeet die stroop nou maar en ga eens praten met de krantenjongens. Die verdienen ook heel aardig en incasseren geen slaag als de stroopverkopers hun sluwe facies gaan herkennen.'

Het joch knikte even zenuwachtig en rende toen weg met de van condens parelende kruik in zijn armen geklemd. Ik keek hem na en voelde me wereldwijs en behulpzaam op de koop toe.

'Goede raad heeft bij dat canaille geen zin,' zei Hopstill vanaf het andere uiteinde van de toog, waar hij aan zijn ochtendborreltje zat te nippen. 'Hij was beter af geweest als hij onderweg hierheen was verdronken.'

Hopstill komt oorspronkelijk uit Londen en is niet echt een gezelligheidsdier. Hij heeft een mismoedig paardengezicht en vaalgele wangen. Dat komt van de zwavel voor het vuurwerk. Hij is van beroep bliksemmaker en zit de hele dag op een zolderkamertje prachtige flitsknallen te maken voor de schouwspelen in Niblo's Garden. Van kinderen moet Hopstill niets hebben. Ik heb geen last van ze, hou juist van hun onbevangenheid. Hopstill moet ook niets van Ieren hebben. Wat dat laatste betreft staat hij bepaald niet alleen. Ik vind het niet eerlijk om de Ieren te verwijten dat ze het laagste, smerigste werk doen, terwijl ze alleen het laagste, smerigste werk aangeboden krijgen. Maar eerlijkheid is in onze stad niet bepaald een topprioriteit. En zelfs het laagste, smerigste werk ligt dezer dagen niet voor het oprapen, het is voor het merendeel al weggekaapt door hun Ierse landgenoten.

'Heb je de *Herald* niet gelezen?' vroeg ik, en ik deed mijn opperste best om niet kwaad te worden. 'Veertigduizend immigranten sinds afgelopen januari. En van jou moeten ze allemaal maar lid worden van het dievengilde? Hun goede raad geven is alleen maar verstandig. Ikzelf werk liever dan dat ik zou moeten stelen, maar zou toch liever stelen dan verhongeren.'

'Alleen een dwaas neemt de moeite,' schamperde Hopstill en hij duwde zijn handpalm door de schoven grijs stro die voor zijn haar moesten doorgaan. 'Heb jíj de *Herald* niet gelezen? In die modderpoel die ze hun vaderland noemen kan ieder moment een burgeroorlog uitbreken. En nu heb ik uit Londen vernomen dat hun aardappelen zijn gaan rotten. Had je dat al gehoord? Ze zijn gaan rótten, vervloekt als een plaag in het oude Egypte. Niet dat het iemand verbaast. Mij zul je niet betrappen op enige omgang met een volk dat zo zwaar Gods toorn over zich heeft afgeroepen.'

Ik knipperde even met mijn ogen. Het was niet de eerste keer dat ik versteld stond van de diepzinnige filosofieën van een klant over leden van de katholieke kerk, terwijl ze alleen de Ierse vertegenwoordigers daarvan in levenden lijve kenden. Diepzinnige filosofieën van klanten die voor het overige zo op het oog volledig bij hun verstand leken. *Novices worden meteen al door de priesters verkracht. De priesters die het grondigst te werk gaan komen het snelst hogerop, zo werkt het daar. Ze worden zelfs pas echt gewijd nadat ze een verkrachting op hun naam hebben staan. Kom op, Tim, jij weet toch zeker ook wel dat de paus leeft van het vlees van geaborteerde foetussen? Dat is algemeen bekend. Ik zeg: nooit niet, zeg ik, nooit niet dat ik die kamer aan een Ier verhuur. Je moet er toch niet aan denken met al die rituelen waarmee ze duivels oproepen? Dat wil je toch niet bij onze kleine Jem in huis?* Het papendom wordt algemeen beschouwd als een verziekte afwijking van het christendom die de antichrist op de wereld heeft afgestuurd en die, mocht hij zich verder kunnen uitbreiden, de wederkomst van de Heer zal tegenhouden. Ik neem niet de moeite op dit soort idiotie te reageren en wel om twee redenen: gekken koesteren hun zekerheden als zuigelingen en van het onderwerp alleen al krijg ik pijn in mijn rug. Bovendien zal ik in mijn eentje het tij vermoedelijk niet kunnen keren. Amerikanen hebben al zo'n fijne kijk op buitenlanders sinds in 1798 de vier wetten ten aanzien van vreemdelingen en staatsondermijnend gedrag zijn aangenomen.

Hopstill vatte mijn zwijgen ten onrechte op als instemming. Hij knikte en nipte verder aan zijn borrel. 'Zodra ze voet aan wal zetten, stelen die schooiers alles wat los- en vastzit. Die moeite kun je je dus wel besparen.'

Dát ze hier voet aan wal zetten stond vast. Onderweg van Nicks oesterkelder naar huis liep ik vaak over de kade die twee straten verderop parallel aan South Street ligt. Daar meren schepen aan die uitpuilen van de passagiers als volgevreten muizen die krioelen van de vlooien. Dat is al jaren het geval, was zelfs zo tijdens de Paniek van 1837 toen ik menigeen van de honger heb zien creperen. Er is nu weer werk, er moeten spoorbanen aangelegd worden en pakhuizen gebouwd. Maar of je nu medelijden met de immigranten hebt of foetert dat ze beter kunnen worden verzopen, over één ding zijn alle inwoners het roerend eens: ze zijn met zo ontstellend velen. En van die velen is het merendeel Iers en die zijn weer allemaal katholiek. Nagenoeg iedereen onderschrijft ook de onvermijdelijk volgende gedachte: we hebben de middelen noch de wens hen te voeden. Als het allemaal nog erger wordt, zullen de bestuurders van onze stad in de buidel moeten tasten en een of ander systeem moeten gaan opzetten om ervoor te zorgen dat de buitenlanders niet langer bij elkaar kruipen in steegjes langs de waterkant, waar ze bij zakkenrollers om korstjes oud brood bedelen tot ze het rollen zelf hebben geleerd. Nog geen week geleden was ik langs een schip gelopen dat wel zeventig, tachtig broodmagere, uit Ierland afkomstige passagiers had uitgebraakt; de emigranten hadden met een glazige blik naar de vóór hen verrijzende stad staan staren alsof het een fata morgana was.

'Dat getuigt niet echt van naastenliefde. Toch, Hops?' zei ik.

'Naastenliefde heeft er niets mee te maken.' Hij wierp me een kwade blik toe en zijn kroes belandde met een doffe klap op de toog. 'Of beter gezegd: in deze stad doen we niet aan naastenliefde waar naastenliefde je reinste tijdverspilling is. Ik leer nog liever een varken goede manieren dan een Ier. En doe mij maar zo'n schotel oesters.'

Ik riep de bestelling van twaalf oesters met peper door naar Julius, de jonge zwarte kerel die de schelpen schoonschrobde en opende. Hopstill weet iedere opgewekte gedachte te verzuren. Ik stond op het punt hem dat te zeggen, toen een donkere schaduw de bundel scherp licht die vanaf de trap naar beneden viel in tweeën sneed en Mercy Underhill de kelder binnenkwam.

'Goedemorgen, meneer Hopstill,' zong ze met haar zachte melodieuze stem. 'Wilde.'

Als Mercy Underhill ook maar iets volmaakter was geweest, zou je niet zo snel verliefd op haar worden. Maar ze heeft precies genoeg gebreken om ervoor te zorgen dat dat belachelijk eenvoudig is. Ze heeft bijvoorbeeld zo'n gleufje in haar kin, als de inkeping in een perzik, en haar blauwe ogen staan tamelijk ver uit elkaar, waardoor ze je onbegrijpend lijkt aan te kijken als ze met je praat. Maar in haar hoofd tref je geen greintje onbegrip aan, een eigenschap die volgens sommige mannen juist niet voor haar pleit. Mercy is zonder meer een boekenwurm; ze is bleek als een ganzenveer en door haar vader, de eerwaarde Thomas Underhill, uitsluitend grootgebracht met teksten en betogen. Zo een man al in de gaten heeft dat ze mooi is, zal hij er een heidens karwei aan hebben haar zover te krijgen dat ze opkijkt uit de nieuwste uitgave van Harper Brothers Publishing.

Maar we doen wat we kunnen.

'Twee pinten, graag... twee? Even denken, ja, dat moet genoeg zijn. Twee pinten rum uit New England, alsjeblieft Wilde,' zei ze. 'Waar hadden jullie het over?'

Ze had geen kruik bij zich, alleen haar open tenen mand met daarin bloem en kruiden waartussen de vertrouwde stukjes papier naar buiten staken met daarop haastig neergepende, half voltooide gedichten. Ik pakte een pot van geribbeld glas van een plank. 'Hopstill beweerde dat New York over het geheel net zo menslievend is als een doodskistenmaker in een pestdorp.'

'Rum,' zei Hopstill kortaf. 'Nooit gedacht dat u en de eerwaarde rumdrinkers zijn.'

Mercy overdacht zijn opmerking terwijl ze een lok van haar glanzende zwarte haar die steeds weer uit haar kapsel ontsnapte gladstreek. Haar onderlip ligt net iets verder naar achteren dan haar bovenlip en ze trekt die onderlip altijd iets in als ze nadenkt. Dat deed ze nu.

'Wilde, wist jij dat *elixir proprietatis* het enige middel is dat onmiddellijk soelaas biedt als er gevaar is voor dysenterie?' vroeg ze. 'Ik verpulver saffraan met mirre en aloë, meng dat vervolgens met rum uit New England en laat het geheel een week of twee in de volle zon gisten.'

Mercy overhandigde me een handvol tien-centstukken. Het deed me nog steeds goed om zo'n hoopje rinkelende muntjes te zien. Tijdens de Paniek waren alle munten compleet verdwenen en zag je in plaats daarvan alleen kwitanties voor restaurantmaaltijden en bonnetjes voor koffie. Het kon gebeuren dat iemand tien uur graniet had gehouwen en zijn loon uitbetaald kreeg in melk en schelpdieren uit Jamaica.

'Dat zal je leren suggestieve vragen te stellen over het gedrag van een Underhill, Hops,' liet ik Hopstill over mijn schouder weten.

'Heeft meneer Hopstill wel echt een vraag gesteld, Wilde?' vroeg Mercy.

Zo doet ze dat nou altijd en verdorie, telkens weer sta ik daar met een droge tong en m'n mond vol tanden. Ze knippert even met haar ogen, zet die wazige onschuldige blik op, maakt een quasi-vrijblijvende opmerking en je staat in je hemd. Hopstill vatte dat hij feitelijk in de ban was gedaan en snoof chagrijnig. En dat door een jonge vrouw die afgelopen juni tweeëntwintig was geworden. Geen idee waar ze dat soort dingen oppikte.

'Ik draag dit wel even tot de hoek van jullie straat,' bood ik aan en ik kwam van achter de toog tevoorschijn met Mercy's sterkedrank.

In mijn hoofd speelde maar één vraag: zou je het nou wel doen? Ik was inmiddels ruim tien jaar goed bevriend met Mercy. Ik zou ook alles bij het oude kunnen laten: dingen voor haar dragen, die lok in haar nek bewonderen en erachter trachten te komen wat ze las zodat ik dat ook kon gaan lezen.

'Waarom verlaat je je post?' Ze glimlachte naar me.

'De geest van het avontuur heeft me gegrepen.'

Het was tjokvol in New Street. De schittering van de kastoren hoeden boven een zee van marineblauwe overjassen deed pijn aan mijn ogen. New Street is maar kort en komt in het noorden uit op Wall Street. De straat omvat slechts twee huizenblokken, uitsluitend gigantische stenen winkelpuien met luifels die de voetgangers beschermen tegen de felle zindering van de zon. Pure koopmansgeest. Aan ieder afdak hangt een uithangbord en op ieder bord en tegen iedere muur zit een aanplakbiljet: KLEURIGE HALSDOEKEN – TIEN VOOR ÉÉN DOLLAR, WHITTINGS HANDZEEP – UW GARANTIE TEGEN RINGWORM. Alle muren en schuttingen van alle dichtbevolkte straten op het eiland zijn behangen met kranten vol schreeuwende koppen, het afbladderende nieuws van vorig jaar schijnt vaag door de advertenties die er recenter overheen geplakt zijn. Ik ontdekte een houtgravure van de zelfgenoegzaam lachende kop van mijn broer Val die op een deur was bevestigd en moest een grijns onderdrukken: VALENTINE WILDE STEUNT DE VORMING VAN EEN PO-LITIEKORPS VOOR DE STAD NEW YORK.

Ook goed. In dat geval zou ik me er vermoedelijk tegen uitspreken. De misdaad viert hoogtij, diefstal is een zeker feit, geweldpleging is aan de orde van de dag en moorden blijven doorgaans onopgelost. Maar mocht Val inderdaad voor de heftig bediscussieerde nieuwe politiemacht zijn, dan koos ik liever voor anarchie. Tot vorig jaar was er in heel de stad geen smeris te zien geweest, afgezien dan van een niet zo lang geleden gevormde groep buitenbeentjes, de zogenaamde Harper's Police, met blauwe jassen aan waardoor ze hooguit beter herkenbaar zijn voor de aangeschoten medemens die zin heeft in een potje matten. New York had uiteraard wel een nachtwacht, bestaande uit stokoude brave borsten die de hele dag zwoegden en vervolgens de nacht wegsnurkten in hun wachthuisjes, waar ze door de snel groeiende boevenpopulatie naarstig in de gaten werden gehouden. Meer dan vierhonderdduizend zielen maakten onze straten onveilig, het steeds wisselende bonte gezelschap bezoekers van heinde en ver meegerekend. En dan hadden we nog geen vijfhonderd nachtwakers die in hun verticale doodskisten de nacht versliepen en hooguit de strijd aangingen met hun dromen die als kegels binnen hun leren helmen stuiterden. Over de ordehandhaving bij dag kan ik kort zijn: die was in handen van negen man.

Maar als mijn broer Valentine iets steunt, zal dat naar alle waarschijnlijkheid niet zo'n verstandig idee zijn.

'Ik dacht dat je misschien wel een krachtpatser kon gebruiken om je door de menigte te loodsen,' zei ik tegen Mercy. Dat was niet uitsluitend serieus bedoeld. Ik ben stevig en snel bovendien, maar geen goliath. Hooguit drie centimeter langer dan Mercy, op een goede dag. Maar voor Napoleon was lengte geen reden om het Rijnland niet binnen te vallen en ik delf ongeveer net zo vaak het onderspit als hij.

'O? O, is dat het. Heel aardig van je, ja.'

Echt verrast was ze niet, dat zag ik aan de manier waarop haar ogen, zo blauw als het ei van een roodborstje, me aankeken en ik bedacht dat ik voorzichtig moest zijn. Bij Mercy is niets wat het lijkt. Maar ik ken de stad door en door en ook Mercy Underhill kent weinig geheimen voor me. Ik ben geboren in een bedompt hutje in Greenwich Village nog voordat New York daar ook maar aan grensde en ken Mercy al sinds haar negende; ik ben met haar grillen opgegroeid.

'Vanochtend vroeg ik me iets af.' Ze zweeg, haar ver uiteenstaande ogen keken me even recht aan en toen weer weg. 'Het is misschien wel raar. Je zult me uitlachen.'

'Als je me vraagt dat niet te doen, zal ik dat niet doen.'

'Weet je, ik vraag me af waarom je nooit mijn naam zegt, Wilde.'

's Zomers waait er nooit een frisse wind door New York. Maar toen we Wall Street in liepen, waar we de ene na de andere bank en de bijbehorende lange rij Griekse zuilen passeerden, rook het aangenaam fris. Misschien herinner ik me dat alleen met terugwerkende kracht zo, maar plotseling leek alles zuiver stof en hete steen. Schoon als perkament. Die geur was een fortuin waard. 'Ik weet niet wat je bedoelt,' zei ik.

'Zie je wel. Het spijt me... het klinkt raadselachtiger dan ik bedoel.' Mercy trok haar onderlip nauwelijks waarneembaar in, hooguit een fractie van een warme, vochtige centimeter, en op dat moment meende ik die ook te kunnen proeven. 'Je had ook gewoon kunnen zeggen: "Ik weet niet wat je bedoelt, *miss Underhill*." En dan was het onderwerp verder afgedaan.'

'Wat denk je zelf dat het betekent?'

Ik ontweek behendig een gat in de stoep en trok Mercy er met een grote boog omheen zodat haar zachtgroene zomerrok ruisend uitwaaierde. Misschien had ze de verraderlijke spelonk ook zelf al gezien, ze schrok namelijk helemaal niet van mijn actie, draaide zelfs haar hoofd niet even om. Wanneer je een stukje met Mercy oploopt, zou je daar afhankelijk van hoe ze gemutst is soms net zo goed niet kunnen lopen, zo weinig lijkt ze je op te merken. En ik ben dan ook niet bepaald een zondag, zeg maar. Ik ben nooit een speciale gelegenheid geweest. Ik ben al die andere dagen in de week. Er gaat trouwens een heel leger mannen zoals ik onopgemerkt aan haar voorbij. Maar daar zou ik iets aan kunnen doen, dat dacht ik althans.

'Wil je me wijsmaken dat je mijn naam een geschikt onderwerp van gesprek vindt, Wilde?' vroeg ze, en ze keek erbij alsof ze haar lach moest bedwingen.

Het nam niet weg dat ik haar tuk had. Niemand beantwoordt ooit een vraag van haar met een wedervraag zoals zij evenmin ooit gehoor geeft aan een vraag door die te beantwoorden. Dat is nog zo'n gebrek van Mercy dat me bezighoudt. Ze is de dochter van een predikant, dat zeker, maar ze is ook scherp als een mes. Dat heb je echter alleen in de gaten als je goed naar haar luistert.

'Weet je wat ik graag zou willen?' reageerde ik met een vraag, aangezien ik dacht dat het zo werkte. 'Ik heb wat geld opzij kunnen zetten, zo'n vierhonderd in contanten. Niet zoals al die idioten die de eerste de beste dollar die ze overhouden inzetten op de prijs van Chinese thee. Ik wil een lapje grond kopen, bijvoorbeeld op Staten Island, en een veerboot uitbaten. Stoomschepen kosten wat, maar ik heb de tijd om een goed aanbod af te wachten.'

Ik dacht terug aan mezelf als twaalfjarige: twee jaar wees, vel over been en ziekelijk bleek. Hoe het me puur door koppig te blijven proberen gelukt was werk te krijgen bij een kolossale, maar niettemin zachtaardige schipper uit Wales. Dat was gedurende een van de magerste periodes die Valentine en ik ooit hadden doorgemaakt en nadat we al een week uitsluitend van melige appels hadden geleefd. Misschien had die kerel dat wel doorgehad en me daarom aangenomen als dekknecht. Ik herinnerde me hoe ik bij de reling had gestaan die ik net had gepoetst tot de vellen aan mijn vingers hingen, op de voorsteven, met mijn hoofd in de nek, terwijl een uitzinnig midzomeronweer was losgebarsten onder een nog immer fel brandende zon. Vijf minuten lang hadden het boegwater en de regen samen in het verblindende licht gedanst en vijf minuten lang had ik me niet afgevraagd of het mijn broer daar op Manhattan Island al was gelukt zichzelf de dood in te jagen. Het voelde heerlijk. Alsof je werd uitgevlakt.

Mercy pakte me iets steviger beet. 'Wat is het verband tussen je verhaaltje en mijn vraag?'

Wees een vent en waag het erop, dacht ik.

'Misschien wil ik je niet miss Underhill noemen, zal ik dat ook nooit willen,' antwoordde ik. 'Misschien zeg ik liever Mercy tegen je. Hoe heb jij het liefst dat men je noemt?'

Die avond in Nicks oesterkelder was ik een talisman, een helder stralende geluksbrenger. Al mijn bleke, veredelde broodspelers, alle aan faro of champagne of morfine of wat dan ook verslaafde klanten, de fanaten die verslingerd zijn aan de beurs en in de achterkamertjes van koffiehuizen met een klamme handdruk handeltjes sluiten, allemaal zagen zij dat het geluk mij toelachte en wilden daarin delen. Een drankje van Timothy Wilde was even waardevol als een klap op je schouders van een lid van de familie Astor.

'Nog eens drie flessen champagne!' riep een opgeschoten kerel genaamd Inman. Hij kon amper ademen, zozeer werd hij gemangeld door al die ellebogen van de in zwarte jassen geklede omstanders. Ik vroeg me wel eens af waarom de handelaren direct na het verlaten van de beursvloer het volgende hectische slagveld opzochten.

'Neem er eentje op mijn rekening, Tim! De katoen staat hoger genoteerd dan ooit!'

De mensen vertellen me van alles. Dat is altijd al zo geweest. De informatie sijpelt uit ze weg als gedroogde bonen uit een kapotte zak. Sinds ik in een oesterkelder werk is dat alleen maar erger geworden. Het kan ongelooflijk nuttig zijn, maar is bij vlagen ook enorm vermoeiend, alsof ik voor de ene helft barman ben en voor de andere een zwart gat in de grond, een fluks gegraven kuil waarin je je diepste geheimen kunt begraven. Als Mercy dat nou ook eens ging doen, dat zou werkelijk een wonder zijn.

Tegen negenen, bij zonsondergang, liep het eerlijke werkzweet tappelings langs mijn rug. Mannen wie om allerlei andere redenen het zweet was uitgebroken, bestelden drank en oesters alsof de wereld van haar as was gekanteld. Kennelijk zat er niets anders op dan de kelk te legen tot we allemaal van de aardbol af zouden glijden. Ik werkte voor tien, nam aan, gaf door, pareerde scherpe opmerkingen met grappen en telde de inkomende stroom munten.

'Nog goed nieuws te melden, Timothy?'

'We hebben voldoende champagne koud staan om een ark drijvende te houden,' riep ik terug naar Hopstill, die weer was opgedoken. Julius, die iedere dag geurende theebladeren in zijn haar vlecht, stond ineens achter me met een emmer vers geschaafd ijs. 'Het volgende rondje is van het huis.'

Zoals ik het zag, had Mercy Underhill geen van mijn opmerkingen van de hand gewezen. Ze had ook niet iets gezegd als: 'Je lijkt onjuiste veronderstellingen te koesteren', of: 'Laat me met rust.' Ze had wel allerlei losse opmerkingen gemaakt voordat ik afscheid van haar had genomen op de hoek van Pine Street en William Street, toen de wind uit het oosten, waar de koffiehuizen de lucht vulden met een zwaar, branderig aroma, iets was aangetrokken.

Ze had bijvoorbeeld gezegd: 'Ik kan me voorstellen dat mijn achternaam je niet zo aanstaat, Wilde. Underhill, het doet mij denken aan dood en begraven.' En ze had gezegd: 'Jouw ouders, God hebbe hun ziel, hebben je de achternaam nagelaten van een Lord Kanselier van Engeland. Ik zou zo graag in Londen wonen. Het moet zo heerlijk koel zijn 's zomers in Londen, met parken waar echt gras groeit en waar alles sappig groen is van de regen. Dat vertelde mijn moeder me althans altijd wanneer de zomer in New York ondraaglijk leek.' Dat was een regelmatig terugkerende verzuchting van Mercy, ongeacht het seizoen, een soort gebedje voor haar overleden moeder, Olivia Underhill, die geboren was in Londen en die even eigenzinnig en grootmoedig en vol verbeelding en bijzonder was geweest als haar enig kind.

Verder had Mercy gezegd: 'Hoofdstuk twintig van mijn boek is af. Is dat geen ontzaglijk aantal? Had je ooit gedacht dat ik zover zou komen? Zul je me eerlijk zeggen wat je ervan vindt als ik het afheb?'

Als ze me wilde ontmoedigen, moest ze iets beter haar best doen.

Ik was dan wel geen geleerd man of een geestelijke, maar de eerwaarde Thomas Underhill was zeer op me gesteld. Barkeepers zijn de steunpilaren van de gemeenschap, de naaf van het wiel van New York, en ik had vierhonderd glanzende zilveren dollars in mijn stromatras verborgen zitten. Zoals ik het zag, zou Mercy Underhill Mercy Wilde moeten heten. En als dat een feit was, zou ik nooit van mijn leven meer weten welke wending een gesprek zou nemen.

'Geef me vijftig dollar en ik maak binnen veertien dagen een rijk man van je, Tim!' schreeuwde Inman me van meters verderop vanuit de kolkende menigte toe. 'De telegraaf van Sam Morse kan je een zorgeloos leven bezorgen!'

'Houd je klatergoud en loop naar de hel,' riep ik vrolijk terug, en ik pakte een vaatdoekje. 'Speculeer jij wel eens, Julius?'

'Ik zou nog eerder geld verbranden dan ermee op de beurs te speculeren,' antwoordde Julius zonder op te kijken. Hij trok net behendig met zijn stevige vingers een stel kletsnatte champagneflessen open. Julius is een verstandig man, rap en rustig. 'Boven een vuurtje kun je tenminste je soep opwarmen. Denk je dat ze doorhebben dat zij de Paniek destijds hebben veroorzaakt? Denk je dat ze daar nog aan terugdenken?'

Ik luisterde niet langer naar Julius, maar liet me in plaats daarvan nog eens als door laudanum bedwelmen door de laatste zinnen die Mercy tegen me had gezegd.

'Je hebt me niet gekwetst, hoor. Ik ben tenslotte niet met die naam getrouwd.'

Het was volgens mij voor het eerst dat ik haar iets had horen zeggen wat direct ter zake deed. Dat wil zeggen, voor het eerst sinds ze een jaar of vijftien was geweest en dan nog had die opmerking een zekere indirecte charme. Het was daarom een bedwelmend, heftig moment geweest. Het moment waarop ik ontdekte dat Mercy die iets bijna doodgewoons zei net zo mooi is als Mercy die in rondjes om de dingen heen praat als een vlammend rode vlieger in de wind.

Om vier uur 's ochtends zette Julius de zwabber in de hoek en stopte ik hem twee dollar extra toe. Hij knikte. Moe gewerkt en met een laatste krachtsinspanning liepen we samen naar de trap die oprees naar de ontwakende stad.

'Vraag jij je wel eens af hoe het zou zijn om 's nachts te slapen?' vroeg ik, terwijl ik de deur achter ons afsloot.

'Mij zal je na zonsondergang nooit in een bed betrappen. Dan kan de duvel me ook niet vinden,' antwoordde Julius en hij grinnikte om zijn eigen grapje.

We waren op straathoogte op het moment dat het ochtendgloren opvlamde en met rode tentakels de horizon aftastte. Zo duidde mijn brein althans wat ik vanuit mijn ooghoek zag. Julius had de situatie sneller door.

'Brand!' brulde hij met zijn diepe, sonore stem. Hij legde zijn handen om zijn scherp gevormde lippen en riep: 'Brand in New Street!'

Even bleef ik in het donker als bevroren staan kijken naar de rode streep die zich aan de hemel aftekende, waarmee ik me net zo nutteloos betoonde als een inspecteur van defecte gaslampen. Vanuit mijn maag voelde ik het bekende misselijke gevoel opstijgen dat het woord 'brand' altijd bij me oproept.

2

De ontploffing was tot in Flushing te horen. Men dacht eerst aan een aardbeving. Asdeeltjes kwamen neer op Staten Island en de zon was gedurende de ochtend tot enkele kilometers boven New Jersey verduisterd.

• *New York Herald*, juli 1845 •

D e tweede verdieping van de winkel aan de overkant zag eruit alsof er een gloeiende zon in opgesloten zat. Vinnige gele tongen schoten uit de buitenste ramen terwijl het vuur zelf bezit had genomen van wat een flink binnenmagazijn moest zijn geweest. Brand is in deze contreien vrijwel even gewoon als een rel en minstens zo dodelijk, maar hier stond een pand in lichterlaaie zonder dat maar iemand al alarm had geslagen. Het vuur moest zich razendsnel hebben uitgebreid, wat de oorzaak ook was geweest. Een niet gedoofde lamp naast een berg ruwe katoen, een smeulende sigarenpeuk in een afvalbak – elk achteloos foutje kon genoeg zijn geweest. Het pakhuis tegenover Nicks oesterkelder is groot en reikt bijna van straathoek tot straathoek. Mijn hart sloeg nog een slag over toen ik besefte dat als de gloed zo helder was, de complete verdieping in brand moest staan en de vlammen zich tot aan de muren van het aanpalende gebouw uitstrekten.

Eén tel later en Julius en ik renden al op de vuurzee af. In New York ren je naar nog niet ontdekte branden toe, niet ervandaan, en je doet wat je kunt tot de brandweerkorpsen, die uitsluitend uit vrijwilligers bestaan, ter plekke zijn. Er zijn wel mensen verbrand, omdat er niemand was die ze naar buiten kon helpen. Ik wierp een blik over mijn schouder en hoewel ik het geluid haatte, luisterde ik of ik het geklingel van de brandweerbel kon horen.

'Hoe kan het dat nog niemand het heeft gezien?' hijgde ik. 'Ik begrijp het niet.'

Julius hield even stil om nog eens 'Brand!' te roepen en rende vervolgens weer achter me aan.

Geleidelijk kwamen er steeds meer buurtgenoten aan lopen. Onder de zwartgrijze hemel staarden ze vol ontzag en met de eigenaardige sensatiezucht van een stadsbewoner naar de brede band van vlammen op de bovenste verdieping. Achter ons scheurde eindelijk het geluid van de dichtstbijzijnde brandweerbel door de nacht, steeds één slag om de andere brandweerkorpsen te waarschuwen dat ze naar Wijk 1 moesten komen. Even later nam de klok in het torentje op het stadhuis voorbij het park de slagen over.

'Wacht even,' zei ik en ik trok fel aan Julius' schouder.

De overige ramen van het magazijn vlamden als een rijtje lucifers een voor een op. De vonken waren kennelijk alle verdiepingen binnengedrongen en het vuur verslond de ruimtes alsof het enorme gebouw was opgetrokken uit papier. Het barsten van glas klonk als een scherp pistoolsalvo, maar ik begreep niet meteen hoe dat kwam.

Onmiddellijk daarna besefte ik het wel en dat was oneindig veel erger.

'Het is het magazijn van Max Hendrickson,' fluisterde ik.

Julius sperde zijn bruine ogen wijd open.

'Jezus sta ons bij,' zei hij. 'Als het vuur zijn voorraad walvistraan bereikt...'

Rood katoenflanel schoot langs ons heen toen een brandweerman met loshangende bretels en zijn eigenaardig gevormde leren helm schuin op het hoofd de hoek van Exchange Place om kwam vliegen. Die wil natuurlijk koste wat kost de dichtstbijzijnde brandkraan voor zijn eigen korps opeisen, dacht ik, terwijl een vertrouwd gevoel van minachting me beving. Hij deed het alleen om achteraf met de eer te kunnen strijken.

Dat deed me beseffen hoe heikel mijn eigen toekomst was geworden.

'Snel, ga redden wat je kunt,' beval Julius me nog voordat ik iets had gezegd. 'En bid dat je over een uur of wat nog een huis hebt.'

Ik woonde in Stone Street, twee straten onder het zuidelijke puntje van New Street en dan Broad Street uit. Ik rende razendsnel de hoek om, weg van het verdoemde gebouw, en dacht alleen nog aan Mercy, mijn woning en de vierhonderd zilveren dollars. Ik moest en zou dat geld redden, al werd het mijn dood. In een oogwenk passeerde ik de winkelruiten waar ik ontelbare keren langs was gelopen en waar in het duister tussen alle andere waar hier en daar luxe fauteuils, in leer gebonden boeken of balen stof zichtbaar waren. Mijn zware schoenen vlogen over de afgesleten straatkeien en ik holde alsof ik probeerde de hel te ontvluchten.

Daar begon mijn vergissing al. De hel bleek namelijk voor me te liggen, ruim een straat verwijderd van de brand in New Street.

Op hetzelfde moment dat ik er aankwam, begon Broad Street 38 met een knal als een ruw ontwaakte vulkaan steen te spuwen. Granieten brokstukken ter grootte van een volwassen vent scheerden over mijn hoofd. Toen ik struikelend tot stilstand kwam, waren er al immense ladingen steen in de tegenoverliggende gebouwen geslingerd.

Mijn eerste gedachte was: godallemachtig, iemand heeft een bom tot ontploffing gebracht. Maar terwijl voor mijn ogen het gigantische magazijn uit elkaar spatte, herinnerde ik me ergens in mijn door hellevuur verbijsterde achterhoofd dat Broad Street 38 tegenwoordig gebruikt werd voor salpeteropslag. De alom gewaardeerde compagnons Crocker en Warren hadden er buskruit opgeslagen. Wat welbeschouwd eeuwig zonde was voor New York. Terwijl mijn trommelvliezen barstten van het geknal, dacht ik alleen maar: pure pech, er moet ergens een raam hebben opengestaan. Gloeiende deeltjes van de brand in New Street waren kennelijk op de wind over de hoofdweg hierheen gedreven en door dat open raam een ruimte vol kruitvaten binnengedwarreld. Te midden van alle razernij zweefden ijle krullen as doodstil hoog boven de straatkeien. Misschien was het niet zo slim van me om op dat moment te mijmeren over pech of niet, maar ontploffende salpeteropslagen hebben blijkbaar een vertragende uitwerking op mijn brein.

Het duurde dan ook even eer ik me omdraaide en begon te rennen. Ik was nog geen twee stappen verder of een vrouw vloog langs me heen, met wijdopen mond en haar gezicht verstard in een blik van ontzetting. Haar haar golfde in een trage boog achter haar aan. Ze droeg maar één schoen en op de wreef van haar ontblote voet zat een bloederige veeg. Op dat moment begon ik rare dingen te zien. Gelijktijdig drong het tot me door dat ook ik vloog. Toen hoorde ik, nee, vóélde ik – ik was namelijk omgeven door stilte – hoe de aarde zelf doormidden scheurde met een gemak en even rafelig alsof het een versleten lapje katoen betrof.

Toen ik mijn ogen weer opensloeg, had de planeet zichzelf binnenstebuiten gekeerd. En was ze nog volop aan het ontploffen.

Mijn hoofd rustte op een deur in een deurkozijn, maar deuren horen niet horizontaal te liggen. Ik vroeg me af waarom dat bij deze wel het geval was. En waarom ik omgeven was door kolossale brokstukken steen.

Een armlengte bij me vandaan snuffelde een klein vlammetje, niet groter dan dat van een lucifer, aan de rode kalfsleren schoen van de vrouw. Boosheid om dat ene vlammetje dat zo zelfvoldaan vorderde, laaide in me op. Ik wilde de schoen redden en teruggeven aan de vliegende vrouw, maar ontdekte dat ik mijn armen niet kon bewegen. Mijn rechterwijsvinger trilde alsof hij een simpel, los van mij functionerend beestje was. Door een scheur zag ik een streep lucht en ik vroeg me af hoe het kon dat de dag zo snel was aangebroken.

'Tim! Timothy!'

Ik kende die stem en werd overspoeld door ergernis, maar ook door een zuivere, dierlijke angst die onder de schrik golfde. Hij zat dus niet zo onder de morfine dat hij niet meer rechtop kon staan. Natuurlijk niet. Dat zou al te gemakkelijk zijn geweest. In plaats daarvan schreed hij kennelijk zo het middelpunt van het spektakel in waar scherven en zwavel vrijelijk op hem neer regenden. Hoe kon het ook anders.

'Timothy! Geef een gil, laat horen waar je zit! In godsnaam, Tim, geef antwoord!'

Mijn tong duwde koppig tegen de achterkant van mijn tanden. Ik wilde niet dat de eigenaar van die stem me zo zou zien, in een spreidstand als een Chinees danseresje en zelfs niet meer in staat om een verschroeide schoen op te pakken. Ik wilde evenmin dat de eigenaar van die stem ook maar in de buurt kwam van een magazijn dat veranderd was in 's werelds grootste kanon. Maar het enige wat ik voortbracht was een gemoffeld 'nee'.

Iets plakkerigs liep langs mijn wang. Het rook metaalachtig.

Licht, veel te veel licht.

Een brede bundel geel licht die als uit een goddelijke schouw naar beneden scheen, verblindde me bijkans toen iemand stenen begon weg te rukken. Alleen de bovenste helft van mijn lichaam bleek deels onder het puin te liggen. Mijn benen lagen vrij en mijn gezicht al snel eveneens toen een pas geschoren, maar ruig ogende man een zwaar ijzeren luik opzij smeet.

'Jezus christus, Tim. Julius Carpenter heeft je leven gered. Hij vertelde me welke kant je op was gegaan. In deze hele straat is vrijwel geen levende ziel meer te bekennen.'

Ik keek met knipperende ogen op naar mijn zes jaar oudere broer, een imposante met roet besmeurde haak- en ladderdrager, met zijn bijl zwaaiend aan zijn riem en zijn gezicht een donkere vlek tegen de achtergrond van de vlammenzee achter hem. De boosheid in mijn borstkas ebde weg en maakte plaats voor een plotseling gevoel van opluchting. Toen hij me aan mijn armen omhoogtrok, slikte ik een schreeuw in en eenmaal rechtop lukte het me als door een wonder op beide benen te blijven staan. Hij legde mijn arm over zijn schouder, op de ruwe rode stof van zijn brandweertenue, en begon zo snel als ik hem kon bijbenen te lopen. We gingen dezelfde weg terug die ik was gekomen, strompelend door het puin alsof het rul zand op het strand was.

'Er is een vrouw, Val,' zei ik hees. 'Ik zag haar dicht bij me op de grond vallen. We moeten haar…'

'Houd even je waffel, man,' gromde Valentine Wilde. Mijn oren suisden zo dat ik hem alleen hoorde omdat hij vlak naast mijn hoofd sprak. 'Je bent volgens mij flink daas. Wacht tot we hier weg zijn, dan kan ik je beter bekijken.'

'Die vrouw…'

'Ik heb een stuk van haar gezien, Timothy. Die wordt vandaag met een schep te ruste gelegd. Houd nu even je kop, wil je.'

Ik herinner me verder weinig, tot het moment waarop Valentine onder een gaslantaarn in New Street bleef staan en mij tegen een bakstenen muur liet leunen. Wat net nog een half uitgestorven straat met bakstenen bedrijfspanden was geweest, was nu een overhoopgehaald wespennest. Er waren al wagens van ten minste drie verschillende brandweerkorpsen en tussen alle mannen in het rood liep een vervaarlijk strak lijntje van bijna zichtbare spanning. Niet eentje hing de bink uit of stond te ruziën om een brandkraan of droeg een boksbeugel. Iedere keer dat de blik van de ene brandweerman die van een andere kruiste, sprak uit zijn ogen alleen maar: *En nu?* En nu? Zeker de helft van hen keek naar mijn broer, hun ogen gleden zijn kant op en bleven bij zijn kop hangen. Wilde. Wilde kent geen angst. Wilde weet wat hem te doen staat. Wilde beent een vlammenzee in alsof het een plantsoentje is. Goed dan, Wilde. Wat nu? Ik wilde ze allemaal het zwijgen opleggen, mijn blote handen op hun mond duwen, ervoor zorgen dat ze hem niet zouden roepen.

Ik vroeg me af wat ze eigenlijk precies van hem verwachtten. Hoe moest hij voorkomen dat de stad uit elkaar knalde?

'Je hebt het zwaar te verduren gehad, kerel. Ga snel naar de dichtstbijzijnde chirurgijn,' zei Valentine. 'Ik zou je zelf wel naar het ziekenhuis willen brengen, maar het is te ver en de jongens hier hebben me nodig. De hele stad fikt af als we niet…'

'Ga dan,' kuchte ik bitter. Als ik voor één keer toegaf, zou hij misschien uit pure tegendraadsheid tot zijn verstand komen. Ik word nergens nijdiger van dan van mijn broers bezetenheid van open vuur. 'Ik moet even langs huis en dan…'

'Je doet wat ik zeg,' beet mijn broer me toe. 'Zoek een chirurgijn. Je bent zwaarder gewond dan je denkt, Tim.'

'Wilde! Kom eens helpen. Het breidt zich verder uit!'

Mijn broer werd opgeslokt door een kolkende massa roodhemden die elkaar bevelen toeriepen en pluimen water uit slangen spoten die dwars door de luie rookkrullen in de lucht sneden. Met een ruk van mijn hoofd keek ik opzettelijk weg van Val. Ik zag de zwaarlijvige verschijning van George Washington Matsell een groepje jammerende vrouwspersonen van brandende huizen naar de trappen van het Custom House loodsen. Rechter Matsell is niet zomaar een bestuurder. Voor de New Yorkers is hij een halve legende om wie je niet heen kunt, alleen al omdat hij bijna evenveel weegt als een bizon. Achter een solide burgerleider als Matsell aan lopen was zo goed als een garantie dat je jezelf in veiligheid bracht.

Maar ik strompelde naar huis, misschien omdat ik zo woest was, misschien ook omdat ik een dreun op mijn kop had gehad. De wereld die ik kende was gek geworden. Geen wonder dus dat dit ook voor mij gold.

Ik liep door een sneeuwstorm van loodkleurige vlokken richting het zuiden en voelde me roekeloos en losgeslagen. Midden op Bowling Green staat een fontein, een vrolijk gutsende waterpartij. De fontein klaterde onveranderd, je hoorde er alleen niets van omdat uit de ramen van de omliggende stenen gebouwen vlammen als watervallen naar beneden stortten. Rood vuur raasde opwaarts en rood getint water stortte neerwaarts en ik strompelde langs de bomen met beide armen om mijn buik geslagen en vroeg me af waarom mijn gezicht aanvoelde alsof ik net vanuit het zilte water van Coney Island de kou van een stevige maartbries in was gestapt.

Stone Street bleek een slagveld van vlammen te zijn. Ik zag mijn eigen huis deels ter aarde storten en deels weggevoerd worden op opwaartse luchtstromen. Bij de aanblik daarvan knapte er iets in mij. Overtollig bluswater van de brandweerwagens begon om mijn voeten te sijpelen en veranderde al snel in een stroom die kippenbotjes en vertrapte slablaadjes meevoerde. Ik stelde me voor hoe ook mijn gesmolten zilver door de gootjes tussen de straatkeien wegvloeide. Wat ik in tien jaar bij elkaar had gespaard, zag er nu voor mijn geestesoog uit als een kwikzilveren stroom die de zolen van mijn schoenen in spiegels veranderde.

'Alleen maar stoelen,' snikte een vrouw. 'We hadden een tafel en het linnengoed had hij ook best mee kunnen grissen. Alleen maar stoelen, alleen maar stoelen, alleen maar stoelen.'

Ik opende mijn ogen. Ik was doorgelopen, dat wist ik, maar kennelijk met mijn ogen dicht. Ik bevond me op het zuidelijkste puntje van het eiland, midden in Battery Gardens. Maar dat zag er compleet anders dan anders uit.

De Battery is een promenade voor mensen die tijd hebben om te flaneren. De grond is bezaaid met sigarettenpeuken en pindadoppen, dat wel, maar de zeewind blaast de zorgen zo uit je botten en de platanen ontnemen je niet het zicht op de bossen van New Jersey aan de andere oever van de Hudson. Het is een prachtige plek, even geliefd bij de stedelingen als bij mensen van buiten; allemaal leunen ze 's middags tegen de ijzeren relingen waar ieder voor zich over het water staart.

Maar de Battery was verworden tot een meubelmagazijn. De vrouw die in een stoel zat te schommelen, had er daar in totaal vier van. Links van me lag een lading katoenbalen die uit de vlammen waren gered. Kisten met thee balanceerden als een wankelende toren van Babel op een hoge berg bezemstelen. Een halfuur eerder had in de lucht nog de geur van rottende zomer gehangen, nu rook je het verkoolde aroma van brandende walvistraan.

'Hemeltjelief,' zei een vrouw die ten minste vijftig pond suiker keurig verpakt in een zak meezeulde en was blijven staan om naar mijn gezicht te staren. 'Daar moet nodig een dokter naar kijken, meneer.' Ik hoorde amper wat ze zei. Ik was neergezegen op het gras tussen de schommelstoelen en de katoenbalen en dacht maar aan één ding, het enige waaraan een eerzuchtige kerel uit New York die langzaam zijn bewustzijn verliest terwijl de stad om hem heen uit elkaar spat kan denken: als ik nog eens tien jaar moet sparen, kiest ze een ander.

Toen ik berooid, misselijk en gedesoriënteerd ontwaakte had mijn broer al een nieuw beroep voor me gevonden. Zo'n type is Valentine nu eenmaal, helaas.

'Kijk, hij is wakker. Kanjer,' teemde mijn broer. Hij zat achterstevoren op een stoel die hij met de rugleuning naar mij toe bij mijn bed had gezet. Zijn stevige, blond behaarde arm bungelde over het kale cederhout, in zijn hand hield hij een half afgeknauwde sigaar. 'Grote delen van New York staan nog overeind, maar dat geldt niet voor jouw hok of je werkplek. Ik ben er geweest. Ze zien er beide uit als de binnenkant van mijn open haard.'

We leefden allebei dus nog en dat klonk best goed. Maar waar was ik? Op de vensterbank een paar meter van me vandaan stonden een aantal potten met kruiden en een kom asperges die opgewekt en fier overeind stonden, ter versiering of voor een toekomstig maaltje. Toen viel mijn oog op een immens, magnifiek schilderij van een Amerikaanse arend met in zijn klauwen een bos pijlen aan de tegenoverliggende muur en ik kermde inwendig.

De woning van Val, aan Spring Street. Ik was er al maanden niet meer geweest. Hij woont op de eerste verdieping van een degelijk, keurig rijtjeshuis. Zijn muren hangen vol met hysterische politieke aanplakbiljetten en de gebruikelijke stoere patriottische afbeeldingen van George Washington en Thomas Jefferson. Brandweermannen zijn de helden van New York en die helden verdienen hun geld in de politiek. Voor het feit dat ze zich onbesuisd in laaiende vlammenzeeën werpen krijgen ze immers geen cent. Het leven van een brandweerman ziet er kort gezegd zo uit: ter verstrooiing blussen ze branden, slaan ze gedurende georganiseerde gezamenlijke knokpartijen hun rivalen van andere brandweerkorpsen verrot en drinken en hoereren ze een eind weg dwars door de Bowery. Hun werk bestaat uit ervoor zorgen dat hun vrienden worden gekozen of benoemd voor bepaalde functies binnen de gemeente, zodat ze elkaar allemaal over en weer steeds opnieuw kunnen kiezen en benoemen. De mensen zouden hier harder tegen protesteren als ze de brandweermannen niet zo hoog hadden zitten. Want wie heeft er nog iets tegen een boef als hij gekleed in rood katoen je kind aanpakt dat jij uit het raam van een brandend huis in zijn veilige handen laat zakken?

Ik ben daar allemaal niet tegen bestand. Tegen politiek noch tegen een langdurige blootstelling aan Val.

Valentine is een Democraat, net zoals andere mensen arts zijn of stuwadoor of brouwer. Zijn doel binnen het politieke veld is de gehate Whigs te verbrijzelen. De Democraten maken zich niet zo druk om die paar antivrijmetselaren die er uitsluitend op uit zijn Amerika ervan te doordringen dat de vrijmetselaars ons allemaal in onze slaap willen vermoorden. Ze liggen ook niet bepaald wakker van de Liberty Party; de New Yorkers zijn er weliswaar zeer content mee dat de slavernij hier in 1827 volledig is afgeschaft, maar dat wil nog niet zeggen dat het *bon ton* is om lid te worden van een politieke beweging die zich inzet voor het welzijn van zwarten. Val windt zich vooral op over het gekuip van de Whigs: het zijn voor het merendeel handelaren, artsen en juristen, de welgestelden en degenen die daar graag bij zouden willen horen, heren met schone handen die van leer trekken als het gaat om de verhoging van in- en uitvoerrechten en de modernisering van de banken. De standaardreactie van de Democraten op argumenten van de Whigs is de natuurlijke deugdzaamheid van de boeren te loven en vervolgens de stembussen uit de Whig-districten in de Hudson te gooien.

Het belangrijkste verschil tussen hen is volgens mij echter niet politiek van aard. Zoals ik het zie, willen de Democraten het liefst dat alle, maar dan ook echt alle belastingplichtige Ieren hun stem op hen uitbrengen en willen de Whigs dat alle, maar dan ook echt alle belastingplichtige Ieren worden afgevoerd naar Canada.

Ik walg daar alleen maar van, al moet ik toegeven dat mijn broer er wel bij vaart. En voor iemand die altijd nalaat de bovenste twee knoopjes van zijn brandweerhemd dicht te knopen en die morfine nuttigt zoals de meeste mensen tonic, is hij in huishoudelijk opzicht belachelijk proper. Hij veegt iedere ochtend de vloer aan en om de maand poetst hij zijn haardijzers met rum.

'Heb je dorst? Water, rum, een borrel, bier?' Mijn broer stond op, rommelde wat in de keuken en zette toen hij terugkwam twee kroezen op de tafel naast me neer. 'Hier, neem maar welke je wilt. Wist je dat in Broad Street 38 niet alleen salpeter lag, maar dat de kelder ook nog eens tjokvol brandewijn lag? Niet te geloven, vaten vol van dat spul, Tim. Pech op pech, zo erg heb ik het nog nooit meegemaakt…'

Terwijl hij verder sprak, kneep ik mijn ogen samen om scherper te kunnen zien. Val had een halfslachtige poging ondernomen om eruit te zien als een geslaagde Bowery Boy en droeg een net wit overhemd, een zwarte broek en een half dichtgeknoopt zijden vest met geborduurde pioenen. Hij zag er gewassen en gezond uit, maar was ook overduidelijk uitgeput. Mijn broer is sprekend mij, maar dan in een grotere uitvoering. Hij heeft een jongensachtig gezicht, kuiltjes in zijn wangen, donkerblond haar, een sterk wijkende haargrens en diepzinnige wallen onder zijn heldergroene ogen. Al hebben die bij geen van ons beiden veel te maken met een diepzinnige geest. Bij Val al helemaal niet. Nee, Val is eerder zo iemand die ladderzat en met een bulderende lach zo diep als het laagste register van een pijporgel uit een hoerenkast komt zwalken, waar hij zo-even iemand aan zijn mes heeft geregen, met aan iedere stevige arm een bewonderend snolletje. Hij is de belichaming van de Amerikaanse rouwdouwer. Als mijn broer lacht, krimpt hij ineen alsof hij eigenlijk niet hoort te lachen. En dat hoort hij ook niet. Nooit struinde er een zwartgalliger man in geruwde wollen pandjesjas door de etterende straten van New York.

'Het was spectaculair, Tim,' besloot Val met een scheve grijns zijn verhaal. 'En de vingervlugge brigade meteen aan de slag natuurlijk. Ik zag zelfs een schrander oudje van een jaar of zeventig dat zoveel sigaren achterover had gedrukt dat hij ze her en der in zijn kloffie had weggestopt. Beide broekspijpen had hij met touw om zijn enkels dichtgebonden en vervolgens volgeladen.'

Toen begon het me te dagen wat er mis met me was, afgezien van mijn aanzienlijke verwondingen: ik zat zwaar onder het laudanum. Mijn broer had me na het vertrek van de dokter (ik mocht althans hopen dat hij dat was) zo'n enorme dosis toegediend, dat het beeld van broekspijpen die uitpuilden van de sigaren me de stuipen op het lijf joeg. Valentine is erg precies wat betreft de hoeveelheid azijn die hij in de vissaus doet en hij doet bij de koffie alleen melk die eerst gekookt is, maar een vent bij wie zoveel verdovende middelen door de aderen stromen, kan zich makkelijk vergissen als het om de juiste dosis opiaten gaat. Intussen voelde ik de venijnig spitse tanden van een raadselachtige pijn aan de rechterhelft van mijn gezicht knagen. Ik wilde voelen wat daar zat. Misschien wel weten wat het precies was.

'Hou nou maar op over die sigaren. Hoe ben ik hier beland?' vroeg ik met zware tong.

'Ik heb je ontdekt in de Battery in een vesting van de Heilige Schrift. Een van m'n brandweermaten had je daar gezien in het gezelschap van het Bijbelgenootschap, plat op je rug, buiten westen. Ik had je toch gezegd dat je naar een chirurgijn moest gaan, eigenwijze snotneus. Maar ieder Partijlid weet natuurlijk wie mijn broer is en ze lieten me onmiddellijk weten dat je was gesignaleerd. Die lijmelaars waakten over je levenloze lichaam en hun 1261 bijbels die ze hadden weten te redden uit Nassau Street.'

Lijmelaars. Gelovigen dus. Ik kreeg een visioen van drie mannen in sleetse klerikale tweed kleding afgezet tegen een morsige sterrenhemel die stonden te kibbelen over hoe veilig het was om een van hen bij mij en de stapel bijbels achter te laten terwijl de twee anderen delen van hun drukpers gingen halen. Een van hen had gezegd dat ze misschien beter een dokter konden gaan halen, waarop de anderen hadden gezegd dat dat een belachelijk plan was. God zou mij kracht geven mits zij er maar voor zorgden dat Zijn persen niet beschadigd raakten. Ik was op dat moment niet in de positie om ook een duit in het zakje te doen.

'Toen ik daar aankwam, droegen ze je aan mij over,' vertelde Val rustig verder en hij plukte een verdwaald draadje tabak van zijn tong. 'Je hebt twee behoorlijk gekneusde ribben en… ach, verder eigenlijk niets waarvoor je lang plat zou moeten blijven.'

'Het spijt me vreselijk dat je door mij een brand hebt moeten missen.'

'Maar ik heb voor ons allebei alles goed geregeld,' zei Val, alsof hij de draad oppakte van een gesprek dat we al eerder hadden gevoerd. 'We gaan allebei beginnen in een nieuwe betrekking, beste Tim. Een die met name jou op het lijf geschreven is.'

Ik lette niet op hem.

Ik zat met mijn vingers te friemelen aan het verband van vette watten waarmee de rechterbovenhoek van mijn gezicht was ingepakt. Met mijn oog was niets aan de hand, dat wist ik, ik kon namelijk zo helder als wat zien, al legde het laudanum overal een glanzend laagje overheen. En als ik Val goed had begrepen, was het een wonder dat ik er slechts met een paar gekneusde ribben vanaf was gekomen. Dan moest het met mijn kop verder ook wel meevallen, toch?

De woorden die mijn broer me met spijt in zijn stem had toegebeten, maar ook gejaagd omdat hij zich al weer had omgedraaid om mensen uit instortende huizen te kunnen redden, speelden echter steeds weer door mijn hoofd. Droog als schuurpapier was die stem geweest. Zo had ik hem al jaren niet meer horen praten. Dus toen ik me voorstelde hoe ik eruit zou zien, voelde ik me ineens wee worden vanbinnen.

Je bent zwaarder gewond dan je denkt, Tim.

'Ik hoef jouw baantjes niet. Hoge ogen proberen te gooien voor een bestuurszetel of werken als brandkraanopzichter is niets voor mij,' bracht ik met moeite uit, mijn eigen gedachtegang negerend.

'Er zit goed geld in, dat kan ik je wel zeggen.' Valentine was opgestaan, begon zijn knopen dicht te doen en liet intussen het natte uiteinde van de sigaar in de hoek van zijn expressieve mond bungelen. 'Ik heb voor ons allebei een aanstelling versierd, vanochtend nog, via de Partij. Die van mij is… tja, die stelt natuurlijk wel wat meer voor. En in dit district. Voor jou kon ik alleen een plek in Wijk 6 versieren. Je moet daar dan ook wonen, zult een nieuw onderkomen moeten vinden. Van straatagenten wordt nou eenmaal verwacht dat ze in de wijk wonen waar ze ook patrouilleren. Maar dat is geen punt. Je oude huis zal inmiddels wel richting de rivier worden gespoten.'

'Wat het ook is: néé.'

'Niet zo heetgebakerd, Timothy. Ze zijn een politiekorps aan het oprichten.'

'Dat weet iedereen. Bovendien heb ik dat aanplakbiljet van je zien hangen. Ik kreeg er niet echt warme gevoelens bij.'

Ik had zo mijn bedenkingen over die hele politiekwestie, maar desondanks, of misschien juist daarom, was dit het eerste politieke onderwerp in jaren dat ik op de voet volgde. Brave burgers eisten luidkeels de oprichting van een politiemacht terwijl hun minder brave stadsgenoten duidelijk te kennen gaven dat de vrije burgers van New York het nooit zouden pikken als de stad een staand leger zou krijgen. In juni werd er een wet over de kwestie aangenomen, een zege voor de Democraten, en de brave burgers hadden uiteindelijk gewonnen, dankzij onvermoeibare schurken als mijn broer, mannen die niet terugdeinsden voor gevaar en niet vies waren van macht en steekpenningen.

'Dat zul je snel anders zien, temeer daar je nu zelf een politieman bent.'

'Ha!' stootte ik bitter uit, wat gepaard ging met een pijnscheut dwars door mijn knar. 'Tof van je. Jij wilt me in een blauwe dwangbuis steken zodat ik het mikpunt word voor de rotte eieren van de echte kerels?'

Valentine snoof verachtelijk en kreeg het op de een of andere manier voor elkaar dat ik me in zijn gezelschap nog kleiner voelde dan normaal gesproken al het geval was. Dat is een hele kunst. Maar hij is er een meester in.

'Denk je dat een vrije republikein als ik er ook maar over zou piekeren om in blauw uniform de straat op te gaan? Natuurlijk niet, Tim. We hebben nu een echt politiekorps, zonder uniformen, met George Washington Matsell zelf aan het hoofd. Voorgoed, beweren ze.'

Ik knipperde wazig met mijn ogen. Matsell, de even beruchte als corpulente bestuurder die ik tijdens de grote brand onnozele omstanders naar de betrekkelijke veiligheid van het Custom House had zien dirigeren. Verschillende bronnen hadden mij verschillende dingen verteld: dat hij niet meer was dan een verwilderde homp spek, dat hij de rechtschapen hand Gods was die de orde op straat zou herstellen, dat hij een machtsbeluste imbeciel was, dat hij een goedige filosoof was die een boekhandel dreef waar hij de verachtelijke boeken van Robert Dale Owen en Thomas Paine verkocht en dat hij een vervloekte vuile Brit was. Ik had bij elke beschrijving braaf geknikt alsof er geen enkele twijfel aan de waarheid ervan bestond. Dat vooral omdat het me geen moer kon schelen. Wat wist ik nou helemaal van besturen en bestuurders?

Voor wat betreft het idee dat ik lid zou worden van het nieuwe politiekorps, dat moest Val hebben verzonnen om me voor gek te zetten.

'Ik red het prima zonder je hulp,' zei ik.

'Ja, vast,' sneerde Valentine, en hij liet een van zijn bretels knallen.

Ik kwam heel behoedzaam overeind. De kamer tolde om me heen alsof ik een meiboom was. Een gloeiende flits drukte een brandmerk op mijn slaap.

Niets is zo erg als het lijkt, dacht ik met het laatste restje van mijn koppige optimisme. Het kon gewoon niet. Ik was al eens alles kwijtgeraakt, toen ik tien was. Talloze andere mensen die ik kende was het evenzo vergaan en allemaal waren ze opgekrabbeld en weer doorgegaan. Of ze waren opgekrabbeld en hadden een iets gewijzigde koers gekozen.

'Ik ga weer achter de bar staan,' besloot ik.

'Heb je er ook maar enig benul van hoeveel mensen sinds vanochtend zonder werk zitten?'

'In een hotel of in een van de andere betere oesterkelders.'

'Hoe voelt je gezicht, Tim?' vroeg Valentine bars.

Er hing opeens zwavel in de lucht. Een hete, bruuske woede steeg in mijn keel op.

'Alsof ik een klap met een strijkbout heb gekregen,' antwoordde ik.

'En jij denkt dat het er fraaier uitziet dan dat het voelt?' vroeg hij zacht spottend. 'Je hebt een probleem, broertje van me. Je hebt een portie hete olie over je heen gehad, op een plek waar iedereen het kan zien. Als jij barkeeper wilt worden achter een meterlange grenen plank in het achtereind van een groentezaak, dan drink ik op je geluk. Maar je zult eerder welkom zijn in Barnum's American Museum als "De man die een deel van zijn ponem verloor" dan dat je aan de slag kunt achter de bar van een hotel.'

Ik beet hard op het puntje van mijn tong en proefde een metalige smaak.

Ik dacht niet langer aan manieren om geld te verdienen zodat ik Valentines vervloekte kipfricassee niet hoefde te eten. Mijn broer kan net zo goed koken als schoonmaken. Ik probeerde zelfs niet te bedenken of het me zou lukken lang genoeg op mijn benen te blijven staan om hem een linkse directe te verkopen.

Nee, dacht ik. Twee dagen geleden had je nog een berg zilver en een ongeschonden gezicht.

Ik verlangde naar Mercy Underhill zoals je kunt verlangen naar lucht om te ademen, maar hoopte op hetzelfde moment dat ze me nooit meer zou zien. Mercy had het voor het kiezen. En ik was van een man die veel meehad veranderd in heel iemand anders: een uiterst dubieuze vent wiens bezit uit niets meer bestond dan een verwonding waarvan het klamme zweet me uitbrak als ik me alleen al voorstelde die te moeten aanschouwen en een al even beschamende broer die de kost verdiende met het in elkaar rammen van zwartgallige Whigs in pandjesjassen.

'Ik haat je,' zei ik botweg tegen Valentine.

Dat was troostend, zoals slechte whisky die in je strot brandt. Bitter en vertrouwd.

'Dan zou ik die verdomde baan zeker nemen; hoef je ook niet bij mij te wonen,' zei hij gelaten.

Valentine haalde zijn stevige vingers door zijn stugge haardos en liep naar zijn bureau, waar hij zichzelf een glas rum inschonk. Compleet onaangedaan, wat toevallig de meest onuitstaanbare eigenschap is van mijn onuitstaanbare oudere broer. Als het hem ook maar een donder kon schelen dat ik hem haatte, dan zou ik verdomme hebben gewild dat hij dat enigszins had getoond.

'Wijk 6 is het secreet van de hel,' zei ik fijntjes.

'Eén augustus.' Valentine sloeg zijn rum achterover en trok vervolgens met een tweede ongeduldige knal zijn bretels recht. Zijn groene ogen keken me onderzoekend aan terwijl hij zijn prachtig glanzende zwarte jas pakte. 'Je hebt tien dagen om een logement te vinden in Wijk 6. Als je politiek actief zou zijn, had ik meer voor je kunnen doen, hier in Wijk 8 iets voor je kunnen regelen, maar dat ben je nu eenmaal niet, hè?'

Hij trok zijn wenkbrauwen op en gezien mijn politieke tekortkomingen probeerde ik zijn blik gepast tartend te beantwoorden. Daar kreeg ik alleen maar hoofdpijn van, dus liet ik me weer terugvallen in de kussens.

'Het is vijfhonderd dollar per jaar plus wat je er maar bij kunt harken via beloningen of smeergeld van de schurken die granig in de centen zitten. En je kunt natuurlijk ook altijd bordelen afromen. Het zal mij aan m'n reet roesten.'

'Inderdaad,' zei ik.

'Wat ik dus zei: ik heb het allemaal met Matsell geregeld. We beginnen allebei op één augustus. Ik word commandant.' En hij voegde er met de nodige dikdoenerij aan toe: 'Een man met aanzien in de gemeenschap. Het betaalt trouwens ook aardig. En ik houd genoeg tijd over om met m'n maten branden te bestrijden. Wat zeg je daarvan?'

'Ik zeg alleen dit: ik ga nog liever naar de hel.'

'Dat komt dan mooi uit,' antwoordde Valentine met een kille glimlach waar een begrafenisondernemer zich nog voor zou schamen. 'Daar zul je de komende tijd tenslotte vertoeven.'

Toen ik de volgende ochtend wakker werd, voldoende ontnuchterd om weer helder te kunnen denken, lag mijn broer in een scherpe walm van absint op een veldbed voor zijn open haard te ronken. Op het tafeltje naast het bed lag de *Herald* voor me klaar. Als hij zou willen, had Val na lezing van de relevante stukken een advocaat met zijn eigen argumenten het graf in kunnen praten, maar zelf voor nieuwskoppen zorgen gaat hem over het geheel beter af dan zich in de bijbehorende artikelen verdiepen. Daarom wist ik dat die krant er voor mij lag. En dit las ik, nadat ik scherp naar adem had gehapt omdat ik een pijnscheut kreeg die zo fel brandde dat ik even dacht dat mijn gezicht opnieuw in de fik stond:

EXTRA NEW YORK HERALD, *DRIE UUR IN DE MIDDAG: VERWOESTEN- DE VUURZEE: De grootste en meest verwoestende brand in deze stad sinds de grote brand van december 1835 heeft de lagergelegen delen van de stad in puin gelegd. Volgens een eerste inventarisatie zijn drie- honderd gebouwen tot de grond afgebrand...*

Ik zag even onscherp, mijn ogen wilden gewoon niet verder.

Het geschatte verlies bedraagt vijf à zes miljoen dollar...

En dat was iets wat ik instinctief al wist, dat ik me gewoonweg wel had moeten realiseren ondanks mijn jammerlijke lichamelij- ke gesteldheid. Er was daar langs de Hudson enorm veel geld in rook opgegaan. Dat was duidelijk. Maar geld noch gebouwen kwelden mijn gevloerde broer, waren debet aan de diepe groef die tussen zijn wenkbrauwen lag, hoewel hij op dat moment nog ladderzat moest zijn. Er is één kant aan Val die opweegt tegen al zijn minpunten en die zich uit in de wijze waarop hij verliezen door brand berekent. Die staat ergens onuitwisbaar in zijn gestel gegrift. Meer dan van mijn echte verwondingen voelde ik daar- om pijn, een rauw meelevend verdriet, toen ik dit las:

Aangenomen wordt dat door de verschrikkelijke ontploffing vele levens verloren zijn gegaan.

Het uiteindelijke aantal dodelijke slachtoffers was, Christus zij dank, dertig, wat gezien de godvergeten chaos nog betrekkelijk weinig was.

Maar het was nog steeds te veel voor Valentine. En voor mij. Veel te veel.

3

... de paapse landen van Europa braken jaar na jaar hun achterlijke, bijgelovige en ontaarde inwoners op onze kusten uit, niet slechts met tientallen, maar met honderdduizenden tegelijk, die meteen de hoogste voorrechten eisen van de hier geboren en getogen bewoners en van het land zelf.

• *De Amerikaanse protestant ter verdediging van de burgerlijke en godsdienstige vrijheid in de strijd tegen de paapse horden, 1843* •

W ie als arme sloeber in New York wil overleven, moet oog hebben voor buitenkansjes.

Toen Valentine en ik op een dag als zestien- en tienjarige als enige overgeblevenen van de Wildes wakker werden, leerden we die overlevingstruc snel. Drie dagen na de brand, toen ik al weer op de been was maar nog bij elk onverwacht hard geluid als een straatkat wegdook, besefte ik dat ik ofwel Vals aanbod om bij de politie te gaan kon accepteren, ofwel de stad zou moeten verlaten om boerenknecht te worden. Aangezien het erop leek dat ik in deze nachtmerrie gevangenzat, besloot ik bij de politie te beginnen en er onmiddellijk weer mee te stoppen zodra ik iets beters zou kunnen krijgen.

Op de ochtend van de tweeëntwintigste juli woei er een sterke bries van zee, die dwars door de zomerstank sneed. Ik liep Spring Street af en langs de ananasverkopers en de draaiorgelman op Hudson Square, op zoek naar een nieuw onderkomen. Speurend naar een buitenkansje. Ik zou heel wat buitenkansjes nodig hebben met een jaarloon van vijfhonderd dollar. Bij Nick had ik nog minder verdiend, maar dat was nooit een probleem geweest. Niet als je alle extraatjes in aanmerking nam, alle fooien die halvegaren met Franse manchetten me hadden toegestopt en de poen die in Julius' en mijn zakken had gerinkeld als we na het werk ieder ons weegs waren gegaan. Een vast salaris was heel wat anders – het was onveranderlijk en beangstigend. Ik zou nog maar een fractie verdienen van mijn vroegere inkomsten, gesteld dat ik niet van plan was voor een extra zakcentje madammen af te persen.

New Yorkse wijken zijn veranderlijker dan het weer. Spring Street, waar Val woont, is een mengelmoes van mensen in alle soorten en maten: unionisten met hun kraag over de revers van hun blauwe uniformjas en hun keurig geborstelde kepies, vrolijke negermeisjes die je ogen wakker schudden met hun kanariegele en knaloranje jurken, zelfgenoegzame predikanten in bruine wol en met dunne kousen. Er zijn kerken in Spring Street en eethuisjes die naar varkenskoteletjes met gebakken ui ruiken. Het is geen Broadway ten noorden van Bleecker, waar de buitensporig rijke beau monde en haar personeel elkaar over en weer de maat nemen, maar het is ook geen Wijk 6.

En daarheen was ik op weg.

Toen ik de wijk via Mulberry Street betrad met twee dollar van Val, die brandden in mijn zak, werd me onmiddellijk duidelijk dat er te midden van die godverlaten katholieke ellende geen buitenkansjes te halen vielen. En verder dacht ik: moge God verhoeden dat het gerucht van die zieke aardappelen hier ver vandaan waar is.

Wat betreft de drommen immigranten die onophoudelijk de kades aan South Street op stromen: ik wist nu waar die heen gingen. De wijk bestond uit niets anders dan Ieren en honden en ratten die allemaal dezelfde vlooien deelden. Ik heb niets op met de Nativisten die het liefst alle immigranten zouden weren, maar kon evenwel niet voorkomen dat een huivering van sympathiserende afkeer mijn keel dichtschroefde. Ze waren met zovelen – met tientallen tegelijk zwermden ze aan alle kanten langs me heen – dat ik me op één enkeling moest concentreren om niet duizelig te worden. Ik richtte mijn blik op een nog slaperige boerenjongen van een jaar of dertien in een broek met doorgesleten knieën en zonder schoeisel, maar wel met blauwe kousen, die langs me heen strompelde en een kruidenierswinkeltje op de hoek binnenging. Hij liep langs de bleke, rottende kolen die bij de ingang uitgestald lagen en stevende regelrecht op de whiskybar af. Zijn houding weerspiegelde de scheve stand van het gebouw waar hij was binnengegaan. Wijk 6 was op een moeras gebouwd dat de Collect Pond heette, maar als je dat niet wist, moest het je wel verwonderen dat de huizen er zo vreemd scheef stonden en lukraak op de achtergrond van de lucht leken te zijn vastgenaaid.

Ik stapte over het verse kadaver van een aangereden hond en baande me een weg door de menigte. Alle mannen liepen doelbewust winkels binnen waar oneetbare groenten werden verkocht, de handen van de vrouwen gloeiden roder dan hun haar van het harde werken, en de kinderen... de kinderen leken afwisselend doodongelukkig en uitgehongerd. Ik heb in het voorbijgaan maar één presentabele man gezien. Een priester met een bolrond hoofd, fletsblauwe ogen en een strakke witte boord. Maar goed, hij stond dan ook degenen bij die er het beroerdst aan toe waren, dat hoopte ik althans.

Nee, voor een Amerikaan vielen er geen buitenkansjes te halen in Mulberry. Bovendien was het zo warm dat mijn gezicht gloeide en er nog meer vettigheid in het toch al zo vettige verband terechtkwam. Of misschien wel iets anders, maar die gedachte schoof ik snel van me af.

Mijn gezicht was nooit echt een Michelangelo geweest, maar het had me geen slechte diensten bewezen. Ovaal, een tikje bol, wat wel jeugdig stond, en praktisch identiek aan dat van mijn broer. Een breed en hoog voorhoofd, diepe inhammen en het haar onbestemd blond. Rechte neus, kleine mond met een omgekeerd half maantje waar de lippen overgaan in kin. Lichte huid ondanks onze meedogenloze zomers. Ik had me nooit zo druk gemaakt om mijn smoelwerk, want als ik zin had gehad in een gezellig uurtje of twee met een winkelmeisje dat toevallig niets omhanden had of een kamermeisje dat er wel pap van lustte, hadden ze altijd wel toegehapt. Het was dus een prima kop – ik hoefde mijn beurs niet te trekken als ik wilde rollebollen – en ik kreeg wel eens te horen dat ik niet makkelijk lachte, iets wat mensen er blijkbaar toe aanzet je hun levensverhaal te vertellen en je vervolgens wat kleingeld toe te stoppen voor je geduld.

Nu had ik echter geen idee meer hoe ik eruitzag. Ook zonder dat ik gruwde van mijn eigen verschijning, vergreep ik me al aan mijn broers laudanum om de lichamelijke pijn te bedwingen.

'Aansteller,' was het commentaar van mijn broer, en hij schudde zijn hoofd terwijl hij aandachtig zijn koffiebonen stond te roosteren. 'Houd nou eens op met dat schijterige gedrag, man. Kijk in de spiegel, dan heb je het gehad.'

'Sodemieter op, Valentine.'

'Hoor eens, Tim, ik begrijp heel goed dat je in het begin wilde wegkruipen, je bent tenslotte altijd al een huilebalk geweest, maar...'

'Uiterlijk morgen ben ik hier weg,' riep ik op weg naar buiten, waarmee ik een einde aan het gesprek maakte.

Toen ik via Walker Street Elizabeth Street in liep, drukte ik verrast mijn vuisten in mijn nog beroete zakken. Voor me openbaarde zich een mirakel, de verwezenlijking van alle buitenkansjes die ik me kon wensen.

De stoepjes en luiken in deze buurt waren weliswaar niet fonkelnieuw, maar ze waren met azijn geboend en glansden respectabel. Aan de waslijnen tussen de huizen hingen geen futloze sleetse lompen, maar wapperde netjes versteld wasgoed, wat me een gevoel van geborgenheid gaf. En recht voor mijn neus stond een keurig, bescheiden bakstenen rijtjeshuis van twee verdiepingen met een bordje KAMERS TE HUUR, PER DAG OF PER MAAND. Op de benedenverdieping was de bakkerij van mevrouw Boehm gelegen, zoals de fraaie belettering op een kleine markies aangaf. En op nog geen drie meter van de voordeur stond een pomp voor schoon Crotonwater.

Dat waren op je vingers nageteld vier mogelijke buitenkansjes.

Ten eerste betekende de pomp zuiver Westchesters rivierwater en niet de smerige drab die je uit de ondergrondse putten van Manhattan haalt. Om via een pijpleiding rechtstreeks water uit de Croton in huis te krijgen, moest je huisbaas vooruitbetalen en dat hij dat zou doen was even waarschijnlijk als dat de Atlantische Oceaan zou dichtvriezen zodat je naar Londen zou kunnen lopen. Dan kon je beter in de buurt van een gratis openbare pomp wonen. Ten tweede betekende een kamer boven een bakkerij oud brood van de vorige dag. Een bakker zal duizend keer eerder zijn buren een overgebleven roggebrood geven dan een vreemde. Ten derde stoken bakkerijen hun ovens tweemaal daags op en dat betekende voor de naderende novembermaand een fractie van de gebruikelijke stookkosten, aangezien de ovens tijdens het bakken van de karwijbroodjes meteen ook de vloer erboven zouden verwarmen.

En ten slotte betekende 'mevrouw Boehm' dat we met een weduwe van doen hadden. Vrouwen mogen geen eigen bedrijf beginnen, maar ze kunnen er wel een erven als hun gedrag onbesproken is. Verder zag ik dat de verf van het woord 'mevrouw' nieuwer was dan die van haar achternaam. Dat was het vierde buitenkansje. Als je je huur niet kunt betalen en een weduwe heeft een lekkend dak dat gerepareerd moet worden, hoefde je niet per se meteen weer op straat te staan.

Ik duwde de bakkerijdeur open.

Heel klein, maar met veel liefde onderhouden. Op een eenvoudige grenen toonbank lagen stapels roggebroden en bruine boerenbroden. De kleinere lekkernijen lagen uitgestald op een grote schaal met een bloemenpatroon. Ik zag rozijnen uit zoete broodjes steken en mijn zintuigen werden op scherp gezet door de geur van gekonfijte sinaasappelschil.

'Kwam u voor brood, meneer?'

Mijn ogen schoten van de baksels naar de vrouw die ze had gemaakt en die haar handen aan haar schort afveegde terwijl ze op me af kwam. Mevrouw Boehm leek ongeveer van dezelfde leeftijd als ik, dichter bij de dertig dan de twintig. Ze had een vastberaden kaaklijn en keek alert en onderzoekend uit haar lichtblauwe ogen, wat me, in combinatie met het verse 'mevrouw' boven de deur, deed vermoeden dat haar man nog niet zo lang van het toneel verdwenen was. Haar haar had dezelfde kleur als de pitten op haar zonnebloembroodjes, een vaal, glansloos blond dat bijna grijs leek, en haar voorhoofd was te breed en te plat. Maar haar mond was ook breed, een gulle haal die op merkwaardige wijze haar magerheid tenietdeed. Als je alleen naar haar lippen keek, was het niet moeilijk je voor te stellen hoe mevrouw Boehm een stevige plak van een van haar verse boerenbroden dik met boter besmeerde. Dat beviel me meteen en het gaf me een merkwaardig gevoel van dankbaarheid. Ze leek me niet krenterig.

'Wat is uw meest verkochte brood?' Ik was vriendelijk, maar lachte niet. Als ik lachte, schoot er een pijnscheut als een brandmerk door mijn hoofd. Maar vriendelijkheid gaat een barman makkelijk af.

'*Dreikornbrot.*' Ze wees het met een knikje aan. Haar stem was laag, aangenaam rauw en Boheems. 'Driegranen. Een halfuur geleden gebakken. Eentje?'

'Graag. Dat wordt dan mijn avondeten.'

'Anders nog iets?'

'Ik heb ook een plek nodig waar ik het op kan eten.' Ik zweeg even. 'Ik heet Timothy Wilde, aangenaam. Is de kamer boven al verhuurd? Ik ben dringend op zoek naar onderdak en dit lijkt precies wat ik nodig heb.'

Die middag kocht ik van Vals geld een hagelnieuwe en goedgevulde stromatras met tijk en droeg die over mijn schouder naar Elizabeth Street. Bij elke stap protesteerden mijn ribben. Mijn nieuwe woning had twee kamers: de woonkamer mat drieënhalf bij drieënhalf en had twee raampjes die uitzicht boden op de kippen op de grauwbruine binnenplaats. Voorlopig besloot ik het raamloze slaaphok niet te gebruiken en me te rusten te leggen in de woonkamer.

Ik legde de ritselende stromatras voor het open raam en strekte me erop uit, net toen de zon verdween en nog een laatste vlek rood achterliet. In deze kamer kon ik tenminste nog een glimpje van het koele licht van de sterren opvangen. Wat maar goed was ook, want ik voelde me het enige stiltepunt in een zee van onbekende geluiden. Ergens in de verte jankte een stel vechtende honden woest en triomfantelijk. Vanuit het volgepakte buurhuis klonk een laag gebrom door de straat van de Duitsers die er in groepjes over pullen bier gebogen zaten. Ik miste mijn boeken, mijn leunstoel, het kenmerkende blauw van mijn schemerlamp en mijn leven.

Hier zou ik wonen, bedacht ik, en ik zou politiewerk doen, al wist niemand nog hoe, ik nog wel het minst van iedereen. En beetje bij beetje zou alles beter worden. Dat kon niet anders. Ik had een flinke klap te verwerken gekregen, dus nu was het zaak weer overeind te krabbelen.

Ik droomde die nacht dat ik Mercy's boek aan het lezen was, de schitterende saga die ze al van plan was te schrijven sinds ze *De klokkenluider van de Notre Dame* had uitgelezen. Driehonderd pagina's katoenzacht perkamentpapier, samengebonden met een groen lint. Haar woorden stroomden als water in golven over de pagina's in een handschrift dat aan het ingewikkeldste Belgische kant deed denken. Vervaardigd op een speldenknop, maar meterslang als je het uithaalde. Het soort dat de makers ervan tot blindheid doemt.

Op de eerste augustus om zes uur 's ochtends toog ik, na een bezoek aan een kledingwinkeltje waar ik met Vals contanten degelijke tweedehands kleding had aangeschaft – een zwarte broek en kousen, een eenvoudige zwarte overjas en een blauw vest, witte halsdoek en een pochet in revolutionair rood als knipoog naar de politiek – naar de rechtbank in Centre Street. Ik had ook nog een hoed met een brede rand op, breder dan ik gewend was. Zodra ik die opzette, voelde ik me op de een of andere manier, hoe opvallend hij ook was, aangenaam onzichtbaar.

De lucht die om het kersverse politiebureau hing, dankte zijn samenstelling van hardnekkig gruis en priemende hitte aan een zandstorm die op de vroege ochtend had gewoed, waardoor een mens gewoonweg niet rechtlijnig kon denken, wat in elk geval goed paste bij het bouwwerk. Binnen veertien dagen na oplevering had de gecombineerde gevangenis en rechtbank al de bijnaam 'de Tombs', de graftombe, gekregen, zo was me tenminste verteld. Wie de platen donkergrijs graniet ziet, voelt een loodzwaar gewicht op zijn borst drukken en de adem wordt hem benomen. De blinde vensters zijn twee verdiepingen hoog en worden op hun beurt gevangen gehouden door ijzeren raamwerken die elk groot genoeg zijn om als haardrooster te dienen voor een reus. Boven elk raam is in de sombere loodgrijze steen een wereldbol gebeiteld met uitzinnige vleugels en een stel slangen die worstelen om de planeet weer in haar baan te krijgen.

Als het hun erom ging de plek eruit te laten zien als een plek waar je levend begraven zult worden, hebben ze zich voor een kwart miljoen dollar uitstekend van die taak gekweten.

Toen ik op de ingang af liep, zag ik een groepje van tien of twaalf protesterende mannen staan, ieder met een zorgvuldig geknoopte halsdoek in schreeuwende kleuren en met een neus die in het verleden minstens één keer gebroken was. Een aantal van hen droeg een rouwband, maar verder geen rouwkleding, dus het leek me een symbolische protestactie, en een hield een bord vast met de tekst: WEG MET DE POLITIETIRRANIE, POLITIE, UW DAGEN ZIJN GETELD. De kerel keek onverzettelijk uit zijn ogen en spuugde me voor de voeten toen ik langsliep.

'Waar rouwen jullie om?' vroeg ik nieuwsgierig.

'Vrijheid, onafhankelijkheid, rechtvaardigheid en de geest van de Amerikaanse patriot,' zei een ruigeling met een half oor en een lijzige tongval.

'Dan zou ik ook maar een zwarte halsdoek om doen,' opperde ik, en ik betrad de gevangenis.

Het enige wat je vanaf de buitenkant van de Tombs kunt zien, is een dikke muur met daarin de hoge, in ijzer gevatte ramen. Maar toen ik de acht treden op was gelopen die tussen de onverbiddelijke pilaren verdwijnen, zag ik dat die uitkwamen op een vierkante binnenplaats, wat onwillekeurig mijn belangstelling wekte. Daaromheen zag ik open ruimtes en vier verdiepingen hoge cellenblokken die gescheiden waren in een mannen- en een vrouwenafdeling, en een groot aantal rechtszalen waar de strafmaat voor de gevangenen in deze bajes wordt bepaald. Een woesteling met een pokdalig gelaat en een smoezelige witte halsdoek ging me voor naar de grootste rechtszaal, waar ik vermoedde dat de nieuwe politiemacht zou worden ingelicht over haar plichten.

Terwijl ik over de binnenplaats liep, waar op hangdagen de galg stond, kwam er een merkwaardig schepsel naast me lopen. Ik kon mijn ogen niet van hem af houden. Hij was bijzonder slonzig gekleed, er zaten eigeelvlekken op zijn tot de draad versleten zwarte jasje, en hij liep met o-benen, waardoor hij erg aan een krab deed denken. Door dat rare loopje leek hij bijna even klein als ik. Bij het zien van zijn gezicht, dat samengeknepen en kinloos was met lichtgroene ogen, wist ik zeker dat hij die ochtend uit de zee was komen kruipen. Ik schatte hem op een jaar of zestig, maar hij droeg forse schoenen van Hollandse makelij, een model dat nog veel ouder leek dan hij, en zijn piekerige grijze haar leek wild alle kanten op te waaien door een wind die verder niets beroerde.

We kwamen tegelijk de rechtszaal binnen. Hij dribbelde gehaast verder om een zitplaats te zoeken en ik deed hetzelfde. Ik nam plaats op de bank die bij een rechtszitting doorgaans gereserveerd is voor de advocaten en keek eens goed om me heen. De muren in deze zaal waren keurig gewit, het hoogaltaar van de rechter stond leeg voor ons. Ik liet mijn ogen over mijn nieuwe maten gaan.

De bonte jas van een nar zou eentonig hebben afgestoken bij de groep mannen die hier zat. Het leken er een stuk of vijftig, en opnieuw voelde ik me een stille blanco plek in het tumult om me heen. Volop Ieren met geaderde werkmanshanden en kinnen die tussen rode bakkebaarden uitstaken. Ze zagen er alert en strijdlustig uit in hun sjofele blauwe jassen met lange panden en oude koperen knopen. Donkereharige Ieren waren er ook, bleek en breedgeschouderd en gewiekst om zich heen glurend. Hier en daar zaten een stuk of wat Duitsers met een lijdzame, arrogante uitdrukking op hun gezicht en hun armen over elkaar geslagen te praten. En verder Amerikanen met omgeslagen boord die wijsjes neurieden uit de variététheaters en met hun vrienden zaten te lachen.

En dan had je nog mijzelf en de krabachtige man met de Hollandse stappers. Samen zaten we op nadere orders te wachten. Hij met aanzienlijk meer zichtbaar enthousiasme dan ik.

'Welkom, heren! Het is mij een eer en een genoegen om de kopersterren van Wijk 6 van het Eerste District van de prachtige stad New York te mogen toespreken.'

Hier en daar klonk applaus op, maar ik was te zeer getroffen door de aanblik van de man die door het rechtersdeurtje links van het podium de zaal was binnengekomen om me daarbij aan te sluiten. Ik had hem voor het laatst te midden van een vlammenzee gezien en nam daarom even de tijd om hem eens goed op te nemen. Als er één politieman in de zaal zat die niet in de ban was van George Washington Matsell, geef ik grif toe dat die me is ontgaan.

Later hoorde ik dat Matsell pas vierendertig was toen hij door een Democratische meerderheid in de gemeenteraad was gekozen tot eerste hoofdcommissaris van politie in New York. Maar de man die log als een walrus en twee keer zo getaand voor ons stond, leek veel ouder. Zijn tweeledige reputatie van zowel eerbiedwaardigheid als losbandigheid moet hem vooruitgesneld zijn, maar ik geloof niet dat iemand er die dag al aan toekwam zich een oordeel over hem te vormen, behalve dan dat iedereen zich realiseerde dat zijn voorkomen onvergetelijk was. Ik weet intussen dat hij even intelligent is als onbehouwen. En dat hij bijna honderdveertig kilo weegt. Zijn vlezige gezicht heeft als grondvorm de hoofdletter A: dunne wenkbrauwen die vaak opgetrokken worden boven zijn neus, diepe voren van de neusvleugels tot aan zijn dunne, naar beneden wijzende lippen en lichtere plooien van de mond via zijn kaken naar beneden.

'Dat zootje dooie haringen dat bekendstaat als Harper's Police ofwel de blauwjassen, is godzijdank permanent ontbonden. Mijn gelukwensen met uw nieuwe aanstelling, die na een jaar zal aflopen,' bulderde Matsell met een vlakke bariton, en hij trok een blaadje papier van een blocnote uit zijn omvangrijke grijze overjas en tuurde er door zijn ronde bril naar. 'Na de verkiezingen bent u, gesteld dat de gemeenteraad en de wethouders het veld niet hoeven te ruimen, uiteraard welkom opnieuw te solliciteren.'

Daarmee gaf hij ondubbelzinnig aan waarmee mannen als Valentine het zo druk hebben: als de politieke arena weer wordt opgeschud, staan al je vrienden op straat en moeten ze hun intrek nemen in de kapotte en achtergelaten tramwagons ten noorden van de poreuze grenzen van de beschaving rond Twenty-eighth Street. Verkiezingen bepalen welke troep ratten er aan de botten mogen knagen. Ik voelde me ook een beetje zo'n rat vanwege de manier waarop ik hier was terechtgekomen. Als er hier kiezers aanwezig waren die niet op de Democraten stemden, hielden ze dat goed verborgen.

'Sommigen van u,' vervolgde de hoofdcommissaris, 'kijken alsof ze niet kunnen wachten om te horen wat u precies te doen zult krijgen.' Er klonken een enkele lage lach en geschuifel van schoenen. 'Uw diensten duren zestien uur. Tijdens die zestien uur per dag – of nacht natuurlijk – bent u belast met misdaadpreventie. Als u een man ziet inbreken, arresteert u hem. Als u een zwerfkind ziet, pakt u dat op. Als u een vrouw de zakken van een toerist ziet rollen, rekent u haar in.'

'En als ze alleen maar een lichtekooi is die door de straten zwerft op zoek naar een herenvriend?' riep een rouwdouwer met afhangende schouders. 'Moeten we haar dan arresteren? Is hoereren geen misdrijf?'

Een stuk of tien mannen lachten hem in zijn gezicht uit. Twee of drie floten er. In stilte was ik het wel met hen eens.

'Jazeker,' antwoordde Matsell onbewogen. 'Hoewel… ze zou dan bij nader inzien wel uit zichzelf en rustig met u mee moeten gaan en u zou er dan ook voor moeten zorgen dat de mannen die haar hadden betaald voor de rechter kwamen getuigen, dus in dat geval zou ik maar snel beginnen met het bouwen van het grootste arrestantenverblijf van de wereld. Laat maar weten als het af is.'

Opnieuw golfde er een lach door de zaal en voor de tweede keer voelde ik nieuwsgierigheid prikken. Dit zou een baan zijn waar ik mijn hoofd bij moest houden, dat was duidelijk, geen werk dat een man in een veredelde ezel verandert.

'Kort gezegd: als u elke stoepjuffer die u ziet naar het bureau sleept op beschuldiging van hoererij, trap ik u hoogstpersoonlijk naar de hel. Daar heeft niemand tijd voor. Bonussen van gemeentewege zijn afgeschaft, maar of u beloningen van dankbare burgers accepteert, is uw eigen zaak,' las onze hoofdcommissaris over zijn lange neus heen uit zijn neergekrabbelde aantekeningen voor. 'Er zijn vanaf heden geen controleurs meer voor straten, parken, volksgezondheid, havens, brandkranen, pandjesbazen, uitdragerijen, huurrijtuigen, postkoetsen, handkarren, wegen, erven en pleinen. Dat is vanaf nu uw taak. De zondagscontroleurs op geheelonthouding en de klokkenluiders zijn afgeschaft. Ook hun taken zijn nu uw verantwoordelijkheid. De vierenvijftig brandwachten zijn weg. Wie zijn dat nu, meneer Piest?'

De oude boef met zijn krabbengezicht en Hollandse schoenen stak zijn gerimpelde, geballe vuist in de lucht, sprong op en riep: 'Wij! Wij zijn de brandwachten, de beschermers van de bevolking en God zegene onze goede oude straten van Gotham!'

Er klonk applaus en bot boegeroep. De zaal leek gelijkelijk verdeeld tussen aanmoediging en spot.

'De heer Piest is er eentje van de oude stempel,' zei commissaris Matsell. Hij kuchte en duwde zijn bril op zijn plaats. 'Als u wilt weten hoe u gestolen goed terug moet vinden, moet u maar eens met hem gaan praten.'

Persoonlijk betwijfelde ik of de heer Piest, die het eigeel op zijn vest nu had ontdekt en probeerde het er met zijn duimnagel af te pulken, zijn eigen achterste zou kunnen vinden, maar dat hield ik voor me.

'Het merendeel van u zal vandaag worden aangesteld als straatagent, maar er staan ook enkele bijzondere functies open. Ik zie dat er veel brandweermannen aanwezig zijn. Donnell, Brick, Walsh en Doyle, jullie worden brandmeesters en ik zal er nog meer benoemen. Zijn er hier mensen die *Flash* spreken?'

Ik schrok bijna van de reactie: tientallen handen schoten de lucht in, vooral van de meest vervaarlijk ogende Amerikaanse rouwdouwers, de getatoeëerde Britten en de Ieren met de meeste littekens. De Duitsers hielden zich collectief stil. Er hing een geladen sfeer. Wat deze functies ook mochten inhouden, het was duidelijk dat ze linea recta naar de onderbuik van New York zouden leiden.

'Niet zo bescheiden, meneer Wilde,' zei Matsell welwillend.

Ik keek geschrokken van onder de rand van mijn hoed naar onze hoofdcommissaris. Ik had me onzichtbaar gevoeld, maar dat was blijkbaar een misvatting.

Flash of *flash-patter* is het aparte taaltje dat gesproken wordt door bedriegers, ladelichters, gauwdieven, rouwdouwers, valsspelers, flessentrekkers, straatratten, krantenjongens, verslaafden en Valentine. Ik heb wel horen zeggen dat het gebaseerd is op Britse dieventaal, maar heb nooit enige gelijkenis kunnen vaststellen. Het is eigenlijk geen echte taal, het is meer een code. Flash woorden komen in de plaats van alledaagse woorden en worden gebruikt als degene die het taaltje kent vindt dat de bebrilde boekhouder die naast hem zit niks te schaffen heeft met wat er besproken wordt. De meeste mannen en vrouwen die het spreken zijn uiteraard arm. Sommige kinderen van de straat hebben hun hele leven niets anders uitgekraamd. En elke dag zijn er meer goudeerlijke, hardwerkende arbeiders die zo nu en dan Flash uitdrukkingen in de mond nemen, maar dat zijn vrij normale, amateuristische vormen van taalverloedering. Matsell doelde op een hoger niveau van beheersing.

Nu werd ik niet alleen door elke verrekte spitsboef en rabauw in de zaal aangestaard, ik begreep ook niet hoe Matsell had weten uit te vogelen wie ik was terwijl alleen de onderkant van mijn gezicht zichtbaar was.

'Het is geen kwestie van bescheidenheid, meneer,' antwoordde ik naar waarheid.

'Wilt u zeggen dat u uw eigen broer niet verstaat als hij tegen u praat? Of heeft commandant Valentine Wilde van Wijk 8 gelogen toen hij zei dat u onze beste rekruut zou zijn?'

Commandant Wilde. Natuurlijk. Dezelfde jeugdige trekken, dezelfde wijkende haarlijn, dezelfde vaalblonde haarkleur, alleen was ik de helft kleiner en zag je maar driekwart van mijn gezicht. Ik klemde mijn kaken zo stijf op elkaar dat ik mijn rauwe huid onder de dunne laag verband voelde kloppen. Echt iets voor Val. Alsof het nog niet genoeg was om me werk te bezorgen waarvoor ik niet deugde en dat ik niet wilde. Ik voelde iedereen kijken.

'Geen van beide,' zei ik met enige moeite. 'Ik bak er niet veel van, maar daar valt aan te werken.'

Dat was Flash voor: *Ik spreek het nauwelijks*. Maar ik was zeker van plan mijn best te gaan doen.

De arm van de heer Piest schoot als een vuurpijl op de vierde juli de lucht in. 'Krijgen wij en de nieuwe rekruten nog een opleiding voordat we op pad worden gestuurd?'

Ik heb George Washington Matsell nooit horen snuiven, maar wat hij toen deed kwam daar erg dicht bij in de buurt.

'Ik mag al blij zijn, meneer Piest, als ik ons van de grond krijg zonder dat onze edele bevolking meteen op de achterste benen gaat staan en "staand leger" begint te roepen en ons puur uit patriottisme de pas afsnijdt. Het moge duidelijk zijn dat de patriotten met de grootste mond de grootste schurken zijn. Er is geen tijd te verliezen – de commandanten zullen u informeren over uw bevoegdheden en op aanwijzing van mij uw diensten inroosteren – de Flash-sprekers op de plaatsen waar ze het hardst nodig zijn. U begint morgen. Goedendag en veel succes.'

Commissaris Matsell beweegt zich voor iemand van zijn omvang met een opmerkelijke snelheid, als een aanstormende stier, en was in een oogwenk verdwenen. Een golf van geroezemoes ruiste door de zaal en trilde na in mijn borst. De twee commandanten, zo te zien de lange donkerharige Ier met de hoge hoed en de vent die uit de Bowery-bende afkomstig leek, met zijn met olie ingewreven zijlokken en starre blik, keken elkaar vragend aan. 'Wat bedoelde hij met "bevoegdheden"?' kon ik de lippen van de Amerikaan zien vormen. Dat handige kunstje had ik me binnen twee maanden eigen gemaakt toen ik nog in de oesterbar werkte waar het altijd een herrie van jewelste was. Hoe moet je een klant anders geven wat hij wil als je hem niet verstaat?

'Ze moeten leren marcheren bij rellen, want die kunnen een gevaar vormen voor de hele stad,' antwoordde de Ier, en hij knikte er gewichtig bij. 'Een gedisciplineerd marcherende politiemacht, daar heb je wat aan als je een meute wilt verspreiden.'

'Voorzeker, dat is een waar woord.'

En dus brachten we de daaropvolgende drie uren op de binnenplaats van de Tombs door en leerden we, badend in het zweet, in formatie te marcheren. We staken weinig op over het politievak, maar de gevangenen die van de rechtbank naar de cel werden gebracht leken het wel vermakelijk te vinden.

Ik stond het dichtst bij de deur naar de rechtbank toen de belachelijke paradetraining afgelopen was en was daardoor de eerste die zijn taak toebedeeld kreeg. Toen me, gezeten op een grenen krukje voor een rimpelige klerk, naar mijn capaciteiten gevraagd werd, speelde ik uiterlijk onbewogen de troef uit die ik in handen had gekregen. 'Ik spreek een beetje Flash,' zei ik.

God sta me bij.

'In dat geval krijgt u de route rond het kruispunt Centre en Anthony. Uw dienst loopt van vier uur 's ochtends tot acht uur 's avonds,' verkondigde de klerk. Hij trok een getekende kaart uit een van de stapels om zich heen. 'Hier staat uw ronde op. Er wordt niet gedronken, gefeest of ander vermaak genoten tijdens het werk. Uw nummer is 107. Morgenochtend om vier uur hier bij de Tombs melden voor uw dienst.'

Ik stond op.

'Momentje.' De klerk stak zijn hand in een grote leren schoudertas en haalde er een koperkleurige, stervormige speld uit. Hij overhandigde die aan mij met een gemompeld: 'Nooit afdoen tijdens de dienst, denk daaraan.'

Ik liet mijn vingers over het metaal glijden. Het was een eenvoudig ding en enigszins misvormd. Gewoon een gesmede ster met een doffe lak in de kleur van het dode blad dat in de herfst als een deken over het stadhuispark ligt. Niet veel bijzonders, maar goed, ze waren ook in allerijl gemaakt, bedacht ik. Ik tikte ten afscheid tegen de bol van mijn hoed en was de eerste die door de brede granieten poort naar buiten liep als agent van de politie van New York.

We zijn met vijfenvijftig man in Wijk 6 en een grotere variëteit aan rasechte en halfbloed schurken zul je nergens vinden. Maar er is toch iets wat we allemaal gemeen hebben en dat schoot me te binnen toen ik terugliep naar mijn woning in Elizabeth Street voor een kruik Beiers bier.

We zijn stuk voor stuk beschadigd, heb ik ontdekt, de lichting van 1845. We zitten vol gaten. Er is iets wat de stad ons nog niet heeft kunnen geven, of ons heeft afgepakt, een gemis dat bij iedereen anders van vorm is. Aan ieder van ons ontbreken stukken en brokken. In ieder van ons zit een barst die niet te negeren valt.

Op de kop af drie weken later was ik nog steeds aan het uitknobbelen hoe ik mijn eigen onooglijke barsten aan het oog kon onttrekken en negeren, toen het met bloed doordrenkte wichtje opdook in haar stijf staande nachthemd dat door het maanlicht dofgrijs kleurde en zich als een Ierse weduwe van een jaar of vijftig de haren uit het hoofd trok.

Ze heet Aibhilin ó Dálaigh, wat 'vogeltje' betekent. Bird Daly. En zij zou de stad op zijn kop zetten. De eenentwintigste augustus was trouwens ook de dag dat we die arme zuigeling vonden. Maar nu loop ik op de zaken vooruit.

4

*Pike Street 50 heeft een kelder van circa drie vierkante meter, twee meter
hoog, met slechts één zeer klein raam en een ouderwetse schuine kelderdeur.
In deze kleine ruimte verbleven onlangs nog gelijktijdig twee gezinnen van
in totaal tien personen van alle leeftijden.*

• *De hygiënische omstandigheden onder de werkende bevolking
van New York*, januari 1845 •

Zoals iedere bakker was mevrouw Boehm altijd vroeg op, wat
voor mij een zegen was. Zonder morren klopte mijn hospita
elke ochtend om halfvier, nog eer de zon op was, op mijn deur. Ik
zag dan vaag het geflakker van haar kaars, riep 'goedemorgen' en
rolde vervolgens met een zucht op mijn zij. Zo zou mijn werkende
leven er in het vervolg uitzien. Het straaltje honinggeel licht verdween stilletjes weer de trap af terwijl ik in de ochtendschemer het
verband op mijn gezicht vernieuwde en genoot van het halve uur
dat de lucht nog fris was voor de zon daar korte metten mee maakte.

Elke ochtend nam ik me voor om naar mijn gezicht te kijken,
maar ik had eerlijk gezegd niet eens een spiegel. In de loop van de
middag dacht ik dan wel: waarom heb je nog steeds geen blik op
je gezicht geworpen in de een of andere winkelruit? En elke avond,
zonder uitzondering, hoorde ik mijn broers stem zeggen: *Schijtebroek!*, blies vervolgens de kaars naast mijn bed uit en viel onmid-

dellijk uitgeput in een diepe slaap. Steeds weer hield ik mezelf voor dat mijn gezicht in het grote geheel der dingen een luttel detail was. Mijn ribben waren immers snel genoeg genezen en het was toch ook beter om je op het goede nieuws te richten? Ik voelde me sterker dan ooit, hoewel ik nog altijd niet gewend was aan de moeheid die aan mijn botten trok als ik werd gewekt nog voordat de eerste zonnestraal aan de horizon was verschenen. Een fraai uiterlijk is bijzaak, dacht ik dan. Of: ik ben toch niet ijdel.

En wist ik trouwens niet al meer dan genoeg? 'U hebt geluk gehad dat u uw oog nog hebt,' had de kromme dokter me met zijn nasale stem gezegd, de dag voordat ik Valentines deur definitief achter me had dichtgetrokken. 'Zoals het nu is, zal het letsel vermoedelijk geen gevolgen hebben voor de gelaatsbewegingen in de *regio orbitalis*; het litteken zal een groot deel van het gezicht bestrijken, maar de spieren van de *frontalis* en *orbicularis oculi* zullen normaal functioneren.' Ik kende dus de medische vaktermen, wist ook dat de huid ter hoogte van mijn rechteroog en verder naar boven, tot over mijn slaap en een derde van mijn voorhoofd en zelfs een beetje tot voorbij mijn haargrens, onafgebroken brandde en trok. Bovendien had ik de blik in de ogen van mijn broer gezien op momenten dat hij dacht dat ik niet in de gaten had dat hij naar me keek. Voldoende informatie, toch?

Maar als ik heel eerlijk ben, was mijn berusting een en al façade: ik werd onpasselijk bij het idee mezelf te aanschouwen. Ik ontweek mijn spiegelbeeld uit lafheid, niet omdat ik een berustende, onverstoorbare overlevende van de brand was. Maar niemand die me zag, kende me goed genoeg om mijn kleingeestigheid te herkennen of erover te durven beginnen en Val ging ik als vanouds angstvallig uit de weg, dus dat zat ook wel goed. In feite was er niets aan de hand.

Op de ochtend van de eenentwintigste augustus ontwaakte mijn lichaam voor het eerst uit zichzelf om een uur of drie. Het was misschien een voorteken, maar ik had niets in de gaten. In plaats daarvan keek ik, terwijl ik zoetjesaan de slaap achter mij liet, door het raam naar de wolkensluier die de stad zou blijven verstikken tot de storm losbarstte. De buitenlucht omsloot je, zodat je het gevoel kreeg alsof je langzaam verdronk.

Beneden liet ik op de schone toog een penny achter en pakte een broodje uit de mand met restanten van de vorige dag. Een buitenkansje. Ik zette mijn breedgerande hoed op mijn hoofd, stopte het broodje in mijn zak en wandelde naar de Tombs, waar mijn dagelijkse lange dienst begon. Ik was de laatste twee weken behoorlijk in de ban geraakt van mijn nieuwe werkzaamheden, al gaf ik dat niet zo makkelijk toe. Laat ik er maar geen doekjes om winden: ik was een politieman wiens ronde in een uiterst boeiend gebied lag. Wat mijn werk precies inhoudt, is trouwens snel uitgelegd: ik liep rond door mijn wijk tot er iemand ingerekend moest worden. Meer was het niet en toch verveelde het me niet om gestaag en zwijgend langs zoveel mensen te lopen, ze terloops op te nemen en daarbij na te gaan of iemand hulp nodig had of kwaad in de zin had.

Nadat ik me bij de Tombs had gemeld, startte ik mijn ronde en liep Centre Street af. Trams dreunden langs me heen, voortgetrokken door enorme paarden, en onder de wielen werden sintelbrokken vermalen tot stof wat weer werk opleverde voor de schoenpoetsers. Bij het imposante gebouw van de gasfabriek op de hoek van Canal en Centre Street sloeg ik links af. Canal Street is een heerlijk bedrijvige straat, waar groentewinkeltjes en kleermakerijen zich verdringen en waar je etalages propvol glimmende schoenen of gevuld met balen turkooizen en scharlaken en violette zijde passeert. Boven het gedrang van gezichten en strooien hoeden wonen de winkelbedienden en arbeiders met hun gezinnen. Vroeg in de ochtend leunen de mannen met hun ellebogen op de hoge kozijnen en drinken hun eerste koffie. Aan het eind van die straat kom je uit bij de standplaats voor huurrijtuigen op Broadway. De koetsiers hadden het dak van hun vierwielige karossen opengeslagen en stonden in afwachting van hun eerste klanten onder de roze kleurende hemel bokjes te roken en nieuwtjes uit te wisselen.

Op Broadway aangekomen, boog ik af richting het zuiden. Ik kan noch wil me voorstellen dat er ergens op aarde een straat is die aan Broadway kan tippen: een straat die breder is, roeriger en met nog meer duizelingwekkende uitersten, van uitgeteerde opiumgebruikers in vuile lompen tot dames in stadsjapon opgetuigd als kleine stoomschepen. Faëtons met op de bok zwarte lakeien met zomerse strohoeden op en gestoken in lichtgroene linnen jassen, zoefden langs me heen; eentje botste bijna tegen een jodin op met om haar nek een brede doos met openstaande klep vol linten die ze trachtte aan de man te brengen. IJsbezorgers van de Knickerbocker Company met schouders die strak stonden van de zo op het oog pijnlijk belaste spieren sjorden met ijzeren tangen blokken ijs op karren die ze vervolgens naar de chique hotels reden waar ze hun vracht afleverden nog eer de gasten ontwaakten. En kriskras door al die drukte scharrelden knorrend en verbazingwekkend behendig de bonte, bemodderde varkens die met hun buigzame snuit in het vertrapte bietengroen wroetten. Alles was met vuil bedekt behalve de winkelruiten, alles te koop behalve de straatkeien, iedereen was koortsachtig in de weer, maar niemand keek je aan.

Op Broadway boog ik in oostelijke richting af, Chambers Street in. Aan mijn linkerhand verrezen de herenhuizen met bakstenen voorgevel waar de juristen kantoor hielden en waar dokters in de koelte achter de gesloten luiken hun patiënten ontvingen. Aan mijn rechterhand lag City Hall Park, waarin niet alleen het stadhuis gelegen was, maar ook het gemeentearchief, en waar alles of sjofel of vuil bruin was. Zodra ik voorbij dat dorre gezwel was, kwam ik weer bij Centre Street uit en stevende recht op de Tombs af.

Als je dan in Centre Street ter hoogte van Anthony Street kwam, slechts één straat bij de Tombs vandaan, moest je extra op je hoede zijn.

Ik was inmiddels twee weken politieman en had zeven arrestaties verricht, elke keer in de directe omgeving van de kruising van Centre en Anthony Street. Twee bendeleden die zich hadden toegelegd op het 'afstoffen', zoals mijn broer en alle andere zwendelaars hun dubieuze praktijken aanduidden, en valse aandelen verkochten aan immigranten. Drie kerels had ik ingerekend wegens dronkenschap en verstoring van de openbare orde, wat niet was meegevallen aangezien ik genoodzaakt was geweest het een en ander uit te leggen: 'De wet schrijft inderdaad voor dat u met mij meegaat. Het interesseert me niet dat dit het hart van uw moeder zaliger zal breken. Ik ben absoluut niet bang voor u. En ja, ik ben inderdaad bereid u indien nodig aan uw oren naar de Tombs te sleuren.' En dan waren er nog die twee gevalletjes van bedreiging geweest, iets met sterkedrank, afgepeigerde arbeiders en een stelletje hoeren die de pech hadden gehad dat ze in de weg liepen. In Anthony Street zelf staan welke kant je ook opkijkt, links of rechts voorbij het spoor, alleen morsige huizen, die als slordige zwarte houtskoolvegen tegen de hemel afsteken. Het zijn hongerige gebouwen, gewetenloze menseneters, waar elk moment via een kapotte trap of een vermolmde vloer de volgende immigrant in kan verdwijnen. Tot barstens toe volgepropt met Ieren, uiteraard. Die ochtend, toen ik net rustig mijn achtste ronde had voltooid en de zon niet langer roze maar al geel brandde, hoorde ik vanuit die hoek mijn naam roepen.

'Timothy Wilde! Timothy, ben jij dat echt?'

Mijn gezicht verstrakte even binnen de veilige schaduw van mijn breedgerande hoed, wat een rimpeling van pijn langs mijn voorhoofd ontketende.

'Eerwaarde Underhill,' antwoordde ik, en ik liep zijn kant op.

'Je bent het inderdaad. Vergeef me, maar... Ik weet niet goed wat ik moet zeggen. Sinds de brand is iedereen iedereen kwijt.'

De eerwaarde Thomas Underhill pakte mijn hand. Hij droeg zijn eenvoudige predikantenkleding en zag merkwaardig bleek. De eerwaarde heeft een opvallend intelligent gezicht met daarin dezelfde zachtblauwe ogen als Mercy. Zijn haar is echter eerder bruin dan zwart en grijzend bij de slapen en hij heeft over het geheel een smaller gezicht. Olivia Underhill, die bezweken is tijdens een van onze cholera-epidemieën terwijl ze zelf stervende vreemdelingen bijstond, was een knappe Engelse vrouw geweest met ver uiteenstaande ogen net als Mercy en net zo'n gleufje in haar kin. De eerwaarde had haar aanbeden. Na Olivia's dood had hij al zijn liefde en warmte gericht op zijn parochieleden van de presbyteriaanse kerk in Pine Street en op Mercy, en daar had hij in mijn ogen niets verkeerds mee gedaan. Hij is een schrandere, bekwame man met een scherpe blik en expressieve gebaren. Maar iets had hem de stuipen op het lijf gejaagd. Hij keek als een hulpeloos kind dat verzeild geraakt is in een woedende menigte en trok steeds weer zijn zachtgele vest naar beneden terwijl daar geen plooi in te bekennen viel.

'Met mij is alles goed,' zei ik ferm, alsof daarmee alles was gezegd. Ik voelde me net een acteur die het verkeerde podium op is gewandeld. 'En hoe gaat het met...'

Uw dochter, had ik eigenlijk willen zeggen, aangezien ik die kwestie van haar achternaam het liefst voor eens en altijd afgehandeld wilde hebben.

'… miss Underhill?' vroeg ik.

Hoe ik het voor elkaar kreeg, zal ik nooit weten. Een spanning in mijn ribbenkast raakte los en gleed traag als koud lood door mijn aderen.

'Met haar is alles goed. Ik was op zoek naar hulp, toen zag ik jou lopen, Tim. Wil je alsjeblieft met me meekomen en…' Hij zweeg toen zijn oog de doffe reflectie van mijn koperen ster opving. 'Mijn God. Dat teken op je borst… ben je politieman?'

'Als ik dat niet ben, zou ik niet weten wie wel.'

'De hemel zij dank, wat een gelukkig toeval. Ik ben net langs geweest bij een arme man die een beroep had gedaan op onze liefdadigheid en toen ik zijn kamer verliet hoorde ik achter een andere deur een baby huilen. Ik heb daar aangeklopt, herhaaldelijk, en ontdekte toen dat de deur op slot zat. Ik heb met mijn schouder stevig tegen de deur geduwd, maar…'

'Baby's huilen nogal vaak,' merkte ik op.

Maar het koude zweet parelde op zijn slapen. Ik had hem sinds de dood van zijn vrouw niet meer zo uit zijn doen gezien en ik begon dus te rennen, Anthony Street in. De eerwaarde haalde me in en liep voor me uit. Zo'n tien seconden later bereikten we een oud bakstenen gebouw. De eerwaarde bleef niet voor de ingang staan, maar dook het steegje in tussen het gebouw en het bouwwerk ernaast.

Het voorste gebouw waar we langs waren gelopen bestond uit vier woonlagen. Boven ons hoofd waren talloze waslijnen gespannen, waaraan grauwbruine lappen wapperden. Een jochie met een mager en uitdrukkingsloos, gebruind gezichtje hield de wacht bij de was. Maar ons doel was het achterliggende gebouw. In hun grenzeloze zucht om kersverse Amerikanen onderdak te kunnen bieden waren huiseigenaren er onlangs toe overgegaan op het erf achter de bestaande bakstenen huizen nieuwe woongebouwen neer te zetten. Doorgaans laat men nog wel een stukje grond vrij achter een woning, voor lucht en licht en dergelijke luxes. Maar tegenwoordig bouwen uitgekookte huisbazen een tweede huis direct achter het voorste, waarvan alle ramen uitkomen op een muur en dat alleen te bereiken is via de smalle opening tussen de twee bouwwerken. Ik laveerde behendig langs de brokstukken van een in stukken gebroken koetswiel en vervolgens langs een bemost putdeksel. Naarmate we vorderden werd de grond steeds zompiger en aan het einde van de smalle doorgang stond de drab van de overlopende goot tussen de beerput van de buiten-wc en het ondiepe riool wel vijf centimeter hoog.

De nauwe gang bleek uit te komen op een vochtige achterplaats die bedekt was met een plankier. Een grijs gespikkelde hond lag op zijn zij naast het secreet in de zon te snurken. Direct daarachter verrees het tweede gebouw, dat opgetrokken was uit hout en nu al vervallen was. Voorbestemd een hel te worden nog eer het af was. We staken snel het plankier over en bij elke stap die we zetten klotste de smurrie die tussen de kieren van de latten omhoog werd geperst over onze schoenen.

De eerwaarde bleef in de duistere deuropening staan. Op een trap links van ons lummelde een stelletje dronkaards, die nog het meeste leken op vagelijk ademende bundels naar whisky riekend wasgoed.

''t Is aan het eind van deze gang.' Hij wees met zijn hoofd het gebouw in.

De deur in kwestie was inderdaad een stuk steviger dan je op het oog zou zeggen, maar tegen onze vereende krachten was hij niet bestand. Hij vloog met een doffe dreun open en toen zagen we dit.

Achter de deur bevond zich geen kamer, maar een kast met aan één kant een stromatras. Mijn broer zou vermoedelijk met gestrekte armen beide muren hebben kunnen aanraken. Het was er uitzonderlijk schoon. Een vrouw met op haar hoofd een rafelig kanten mutsje dat veel weg had van een spinnenweb, zat op een stoel een mouw aan het lijfje van een katoenen jurk te naaien. Aan haar voeten lagen nog eens twintig à dertig opgevouwen lapjes goedkoop katoen. Haar haar had een rossige gloed, de kleur die je ook wel ziet in het hart van een rijpe pompelmoes, en op haar gezicht vol sproeten lag een kalme uitdrukking, al had ze een verbeten trek om haar mond. Ze keek niet op toen er twee mannen bijkans op haar schoot vielen. Daardoor wist ik dat er iets heel ernstig mis was.

'Waar is de baby?' vroeg de eerwaarde streng. Hij wist zijn ongerustheid slechts met moeite te beteugelen. 'Ik hoorde gehuil uit deze kamer komen. Het klonk… Waar is hij?'

De naald bewoog langzamer, maar stopte niet helemaal toen de vrouw haar rode wimpers opsloeg. Ze was een jaar of vijfentwintig, schatte ik, en nog niet lang in dit land. Haar vingertoppen zaten onder de slecht helende prikwondjes van het onwennige naaiwerk. Haar bloed was waarschijnlijk nog dun van het karige dieet van scheepsbeschuit en bedorven vlees tijdens de overtocht. Ze zag eruit alsof ze al minstens een halfjaar geen vers fruit meer had gezien, haar hele lichaam kwetsbaar als een open blaar. En al die tijd zat ze daar zwijgend en leek ze ons niet te begrijpen.

'Hoe heet u, mevrouw?' vroeg ik.

'Eliza Rafferty,' antwoordde ze in het Engels, maar met een zwaar accent.

'En u hebt een baby, begrijp ik? Waar is die?'

Haar groenbruine ogen dwaalden af en bleven weer hangen bij de naald.

'Maar u vergist zich. Ik heb geen baby.'

'Echt niet?' vroeg ik, en ik gebaarde naar de eerwaarde dat hij niet ongeduldig moest worden. Er was iets raars aan de hand met de blik in haar ogen. Ze keek schichtig van hier naar daar, maar haar ogen leken geen houvast te kunnen vinden, als een vogeltje dat nergens kan neerstrijken. Ik had nog nooit zoiets gezien en ik heb toch in mijn leven wel honderd verschillende uitdrukkingen op duizend verschillende gezichten geobserveerd. 'Van wie zijn dan de babykleertjes in die mand?' vroeg ik, en ik wees naar de hoek.

Haar kin zakte iets en ze rilde, maar haar gezicht stond nog steeds zo strak als een masker. Geen opzettelijk masker. Ze leek niets te begrijpen van onze aanwezigheid en vragen.

'Dat moeten werklapjes zijn,' fluisterde ze. 'Ik heb geen baby, dat zeg ik toch. Ik naai jurken. Drie cent per stuk. Meneer Prendergast heeft die misschien per ongeluk meegegeven.'

'Mevrouw, het is een zware zonde om te liegen over…'

'Ze liegt volgens mij niet,' mompelde ik. Dit is gewoon iets wat ik me heb eigengemaakt door beroepsmatig veel met mensen te praten. Leugens hebben een bepaalde bijsmaak, klinken gladjes, te zoet, en dat was hier niet het geval. 'Mevrouw Rafferty, hebt u de eerwaarde horen kloppen? Hij maakte zich zorgen om u.'

'Ik heb hem gehoord. Ik herkende zijn stem. En ik ga de paus geen leugenaar noemen of zelfs afvallen, dat nooit. Zelfs niet voor goede room zoals hij vorige keer had beloofd toen ik hem er op mijn knieën om smeekte.'

Ik keek om naar de eerwaarde Underhill en hij kromp met een gekwelde blik ineen. 'Mijn middelen voor liefdadigheid zijn uiterst beperkt. Elke dag weer sta ik voor beschamende keuzes. Maar dit is niet het moment. We moeten...'

'Waar had u die room voor willen gebruiken, mevrouw Rafferty?' vroeg ik.

'Voor Aidan.'

Haar gevlekte ogen werden iets groter toen ze zichzelf dat hoorde zeggen. De eerwaarde en ik wisselden een bezorgde blik. Er was dus wel een baby en in die kleine ruimte geen plek om ook maar een verbogen koperen cent te verstoppen. Ik liet me op één knie zakken zodat mevrouw Rafferty me beter kon zien. Haar zicht was al behoorlijk slecht door al dat naaiwerk bij slecht licht. Als ze zo doorging, zou ze binnen tien jaar stekeblind zijn.

'Nadat de eerwaarde op de deur had geklopt, maar voordat wij hier waren, hebt u iets buitengezet, toch?' vroeg ik zachtjes. 'Wat was dat eigenlijk?'

'O, dat was maar een rat,' fluisterde ze. 'Soms bijten die me 's nachts zo venijnig. Ze komen binnen via de vloerdelen. Ik heb die rat in de gootsteen aan het eind van de gang gelegd.'

'Vond u het niet eng om hem op te pakken en daarheen te dragen,' vroeg ik met een hol gevoel in mijn maag.

'Nee,' zei ze, en haar lippen trilden als de vleugels van een motje. 'Hij was toch al dood.'

Ik keek wanhopig om naar de eerwaarde, maar hoorde alleen zijn schoenen de gang af rennen.

Ze was bang, bleef ik hardnekkig geloven terwijl ik opstond en ook de deur uit holde. Ze was bang en was de baby vergeten toen ze die rat had weggegooid. Ja, zo moest het zijn gegaan. De rat ligt in de gootsteen en de baby ligt ongetwijfeld in een mandje ernaast. En zij is als verdoofd teruggegaan naar dat hok zonder... Aidan heette hij. Aidan Rafferty ligt in een mandje aan het eind van de gang. De eerwaarde dempte een schreeuw tegen zijn donkere mouw. Ik zag zijn silhouet aan het eind van de afbladderende gang tegen het licht van het enige raampje dat zich boven de gore openbare gootsteen bevond. Ik keek naar mijn voeten, die verder renden langs de keutels van de vrij rondlopende kippen die door de openstaande deur naar binnen waren gekomen. En ik besefte dat ik alles weer gefragmenteerd zag. De gootsteen was oorspronkelijk een goedkope houten wasbak geweest en inmiddels het door en door beschimmelde verblijf van een zwerm zoemende vliegen opgeschrikt door de eerwaarde Underhill.

'We halen er een dokter bij,' zei ik verdwaasd, nog voordat ik had gekeken. Ik kon zorgen dat het goedkwam. Het móest goedkomen. 'We halen er onmiddellijk een dokter bij.'

'Een dokter kan hier niets meer doen,' antwoordde de eerwaarde, die zich enigszins had vermand. Maar hij zag wit als een doek. Wit, maar gloeiend, wit als de glorie Gods. 'Een geestelijke wel, die zal ze ook nodig hebben.'

Sinds die dag heb ik mezelf duizenden keren de vraag gesteld waarom juist dat sterfgeval mij zo is bijgebleven. De dood is doodgewoon, zeggen ze wel. En dat geldt al helemaal voor de dood van een kind. Kinchen moeten zoveel wreedheid het hoofd bieden dat ik, ware ik niet zelf eens een kind geweest, niet zou geloven dat er ook maar eentje lang zou kunnen overleven. Misschien dat ze liefhebbende ouders hebben, maar dan kunnen ze nog altijd gemakkelijk ten prooi vallen aan een ziekte of een gewelddadig ongeval en flakkert het lichtpuntje in het leven van hun ouders even onbestendig als de aandelenmarkt. En misschien hebben ze geen liefhebbende ouders. Dan worden ze op veel te jonge leeftijd losgelaten in de wijde wereld en staan ze noodgedwongen op Broadway dampende maïskolven voor een cent aan de man te brengen, of ze laten zich verleiden veel kwalijker werk te doen om de honger maar op afstand te kunnen houden. Of ze verdwijnen volledig. Lossen op als een vleugje geur in de wind.

En wat als hun ouders doodgaan als ze zelf nog jong zijn?

Hoe dat kon uitpakken, wist ik. En het had me veel slechter kunnen vergaan, dat wist ik ook, al gaf ik het nooit zo grif toe. Als Val er niet was geweest in onze jonge jaren als wees, was ik aanzienlijk minder gepest, maar hoogstwaarschijnlijk ook in de een of andere winter bijgezet in een ondiep graf. Ergens heel diep in mijn hart wist ik dat. En op dagen als ik op het punt sta naar Mexico te vertrekken waar je geen Valentine Wilde hebt, herinner ik mezelf daaraan. En dan blijf ik. Ondanks alles.

Nee, dat een kinchin sterft brengt me niet van mijn stuk. En helaas is zelfs het feit dat er kinderen worden vermoord niet nieuw voor me. Stel je iets afgrijselijks voor dat nooit zou kunnen gebeuren en het wordt uitgevoerd op het toneel van New York, met meer applaus en meer toegiften dan je ooit voor mogelijk had gehouden.

Waarin dit sterfgeval anders was, bedacht ik uiteindelijk, was dat mevrouw Rafferty kennelijk een week eerder de eerwaarde had gesmeekt haar room voor Aidan te geven. Ze had haar zoons honger willen stillen, móest zijn honger stillen. Ze deelde in zijn lijden met elke vlakke ademhaling, met elke zwakke klop van zijn hart. Ze was op haar knieën gezonken om hem te kunnen voeden, was pas teruggedeinsd toen ze vreesde dat haar eigen leven na de dood op het spel stond en had gemeend dat een eeuwigheid met haar kind meer waard was dan genoeg verse zuivel voor drie dagen.

En vandaag had ze, bij gebrek aan die room en misschien wat citroensap om haar bij zinnen te brengen en mogelijk ook gewoon verdomme een ráám – God mocht weten wat ze het hardst nodig had – datzelfde jongetje aangezien voor een rat. Mevrouw Rafferty stak achter ons haar hoofd om de kastdeur met haar naald nog steeds tussen haar krachteloze vingers.

'Hij is dood,' zei ze. 'Ik ben er ook bang voor, maar deze is toch dood? En dan twee van die volwassen kerels. Waarom zijn jullie zo bang? Jullie moesten je wat schamen. 't Was maar een rat.'

'Moge God zich over u ontfermen,' prevelde de eerwaarde met nauwverholen fanatisme.

En zo kwam het dat ik mijn achtste arrestatie als nieuwbakken politieman verrichtte.

Twaalf uur later zat ik in een van de kantoorvertrekken van de Tombs aan een houten bureau vol krassen met in mijn hand een pen die uitliep in een naar dodelijk zwart zwemende veer. Ik zat voornamelijk naar het papier voor me te staren. Niet te schrijven. Ik wilde inmiddels alleen nog maar in een hoekje overgeven. Dat was ten minste duidelijk iets anders geweest; het zou hebben aangetoond dat ik nog kon bewegen en misschien zelfs de onpasselijkheid na alle gebeurtenissen hebben verminderd. Maar ik bleef maar voor me uit staren zonder iets te schrijven.

Ik dacht aan de eerwaarde en vroeg me af of het hem beter verging. De eerwaarde die op zijn elfde was vertrokken uit een troosteloos hutje in de bossen van Massachusetts met in de hoek een weinig goeds voorspellende houten knuppel, en had aangemonsterd voor een leven op zee. Hij is streng in de leer en bereisd en staat in de hele stad bekend als een onverschrokken protestant met een onverzadigbaar veeleisende geest. De leden van zijn gemeente beschouwen hem als de herder die ervoor zorgt dat hun leven op het goddelijke rechte pad blijft, en dat is hij ook. In zijn eerste jaren als priester preekte hij voor afschaffing van de slavernij omdat hij het concept van slavernij niet kon rijmen met zijn gevoel voor logica. Als hij het er zelf over heeft, gebruikt hij de term 'gerechtigheid', maar hij bedoelt eigenlijk 'logica'. Soms denk ik dat hij alleen maar tegen armoede strijdt omdat de onevenwichtigheid ervan indruist tegen zijn gevoel van schoonheid. Dat mag als een zwakke motivering klinken, maar alleen als je hem nog nooit een sinaasappel hebt zien pellen: alsof hij facetten aan een diamant slijpt.

Ik moest denken aan de laatste keer dat ik hem zo bleek had gezien, kort nadat Olivia Underhill was overleden. De eerwaarde had zijn vrouw aanbeden en ik weet hoe aanbidding eruitziet. Nadat hij haar verschrompelde en amper herkenbare lichaam op de dag van haar dood had begraven, had hij zich drie hele dagen lang in zijn werkkamer opgesloten. Niemand kon hem ertoe bewegen tevoorschijn te komen, zelfs de smeekbedes van de veertienjarige Mercy waren aan dovemansoren gericht. Maar net toen Val zijn nieuwe setje slotenkrakers wilde gaan inwijden, deed Thomas Underhill de deur open. Hij kuste zijn huilende dochter, hield haar dicht tegen zich aan, streelde haar haar en verkondigde vervolgens dat het de hoogste tijd was dat het dak van het bijgebouwtje van de kerk in Pine Street werd vernieuwd en dat hij daar nu werk van ging maken. Zonder nog een blik achterom te werpen verliet hij de kamer en liet mijn broer, Mercy en mij verbijsterd achter. Niets in zijn werkkamer verried wat hij daar al die tijd had uitgespookt. Pas maanden later ontdekte Mercy dat elke bladzijde van haar moeders uitgebreide boekenverzameling nauwgezet van een kader was voorzien, duizenden en nog eens duizenden stille rouwranden van zwarte inkt.

Nee, de eerwaarde moest minstens zo aangeslagen zijn als ik, helemaal als je die kwestie van de room in overweging nam.

Ik hoorde naderende voetstappen en keek op van onder de rand van mijn hoed. Het was Piest, die zijn enige pauze onder diensttijd benutte voor een kop koffie. Ik kon het ruiken. Maar hij hield twee tinnen mokken in zijn handen, niet slechts eentje. Toen hij een van de mokken neerzette, zwaaiden zijn zwierige grijze krullen me een uitbundige groet toe.

'Landgenoot, ik groet u,' zei hij gewichtig.

Hij maakte meteen weer rechtsomkeert en zei boven het gedreun van zijn zware hoge veterschoenen uit: 'Mettertijd wordt het makkelijker, Wilde.'

Lulpraat, dacht ik fel, maar ik zei het niet.

Toen ik echter een slokje van de vette koffie had gedronken, die veel rijker van smaak was dan verwacht, kwam mijn ganzenveer eindelijk in beweging.

Verslag van agent T. Wilde, Wijk 6, District 1, Ster 107. Betrad Anthony Street 12 om acht uur in de ochtend naar aanleiding van argwaan bij de eerwaarde Thomas Underhill, woonachtig op Pine Street 3. Begaven ons naar het achterliggende gebouw, begane grond, en troffen daar de ernstig verwarde Eliza Rafferty aan. De zuigeling Aidan Rafferty was niet in de kamer. De moeder beweerde dat een rat haar had lastiggevallen en verwees ons naar de gootsteen aan het eind van de gang van datzelfde gebouw. Daar ontdekten wij de zuigeling.

Mevrouw Rafferty was inmiddels aanzienlijk overstuur, maar leek toen ik haar arresteerde nog steeds niets van de gebeurtenissen te begrijpen. Onmiddellijk bijstand ingeroepen via de eerwaarde Underhill. Als eersten waren collega's York en Patterson ter plekke, zij haalden de lijkschouwer erbij. Ik heb mevrouw Rafferty naar de vrouwenvleugel van de Tombs gebracht, waar ze in afwachting van verdere ondervraging als gedetineerde nummer 23398 wordt bewaard.

Ik hield even op met schrijven en keek met verbazing naar mijn handschrift. Zo duidelijk als wat. Het vervulde me met afschuw, alsof de schrijver zonder enig gevoel in regelmatige letters verslag uitbracht. Ik vermoedde redelijkerwijze dat het verslag wel leesbaar moest zijn, maar bedacht meteen daarna dat iedere persoon die dit zo netjes kon opschrijven een schandalig mens was.

Nog in afwachting van het officiële verslag van de lijkschouwer ten aanzien van het lichaam van de circa zes maanden oude Aidan Rafferty. Sporen op de hals wijzen duidelijk op wurging als de meest waarschijnlijke doodsoorzaak.

Mijn verslag lag als een zwijgende aanklacht voor me, het toonbeeld van een vaste hand. Weerzinwekkend. Ik zag de kordate, genadeloze zinnen op papier staan, trok mijn vervloekte sterinsigne los en smeet het zo hard als ik kon tegen de gewitte muur.

Die avond liep ik onder een heldere sterrenhemel met de waardeloze politiester in mijn zak naar huis en vroeg me af hoe ik het mijn broer het beste betaald kon zetten dat hij me zo'n dag als vandaag had bezorgd. Ik was diep in gedachten verzonken, dacht keer op keer 'godverdomme, Valentine Wilde' en bereikte zo Elizabeth Street en de bakkerij van mevrouw Boehm.

Op dat moment kwam er iets zachts en onstuimigs tegen mijn knieën tot stilstand.

Ik strekte mijn handen uit naar de armen van het jonge meisje nog eer ik me ervan bewust was dat het een jong meisje was dat tegen me was opgebotst. Dat was maar goed ook, want ze zat net aan haar haar te wriemelen, aan een pluk die zich had bevrijd uit haar opgestoken haardos, en zou met een harde klap op de straatkeien zijn gevallen. Toen ik haar rechtop zette, keek ze naar me alsof ze vanaf een boot midden op de rivier de boel gadesloeg. Niet echt daar, niet echt hier. Eigenlijk nergens echt, nog niet althans. Halverwege.

Toen zag ik dat ze een nachthemd aan had en dat het onder de teer zat of doordrenkt was met bloed. Heel veel teer of bloed.

'Allemachtig,' mompelde ik. 'Ben je gewond?'

Ze gaf geen antwoord, maar haar kinderlijke gezicht was druk met iets anders dan woorden. Ik geloof dat ze probeerde niet te huilen.

Misschien zou een professioneel politieman, zoals je die in Londen hebt, ook al had hij geen dienst onmiddellijk rechtsomkeert hebben gemaakt en haar bij de Tombs hebben afgeleverd voor een verhoor. Zou kunnen. Misschien zou een professioneel politieman haar onmiddellijk naar een dokter hebben gebracht. Ik weet het niet. Het moet inmiddels wel duidelijk zijn dat je in de stad New York niet echt iemand had die kon doorgaan voor een professioneel politieman. Maar zelfs al had je die wel gehad, dan nog had ik voorgoed mijn buik vol van politiezaken. Aidan Rafferty zou nu wel begraven zijn, wat trouwens in zekere zin ook voor zijn moeder in de Tombs gold. Ik wist hoe je sterkedrank uitschonk en voor elk glas dubbel kon vangen. Die mannen met hun koperen sterren mochten zich wat mij betreft opknopen.

'Kom mee,' zei ik. 'Alles komt goed.'

Voorzichtig tilde ik haar op. Met het kind in mijn armen kon ik niet bij mijn sleutel, maar toevallig had mevrouw Boehm me vanuit het raam gezien. Ze stond in de deuropening. Haar kamerjas zat strak om haar knokige lichaam gewikkeld en ze keek stomverbaasd naar het tafereel voor haar.

'Lieve God,' fluisterde ze.

Mevrouw Boehm liep snel naar de schouw naast de ovens, stookte met de ene hand driftig het vuur op en strekte haar andere hand uit naar een emmer voor water dat ze bij de pomp wilde halen. Ik volgde haar met het krachteloze kinchin in mijn armen naar binnen.

'Er liggen wat oude lappen in de hoek,' zei ze, terwijl ze haastig wegliep. 'Schone. Voor de broden.'

Ik liet het meisje zakken op een met bloem bestoven voetenbankje. Mevrouw Boehm had de lamp achtergelaten op de brede kneedtafel, de maan stond immers hoog aan de hemel en de pomp was dicht bij het huis. Bij het betere licht was er geen twijfel meer dat de enorme vlek op de jurk van het meisje alleen maar bloed kon zijn.

Haar grijze ogen schoten zo schichtig heen en weer dat ik een stapje achteruit deed nadat ik haar had neergezet. Ik liep naar de schone lappen in de hoek en kwam terug met een paar zachte katoenen.

'Kun je me zeggen waar je gewond bent?' vroeg ik zachtjes.

Geen antwoord. Ik kreeg een idee.

'Spreek je Engels?'

Daar reageerde ze wel op. Ze keek me vragend aan en antwoordde: 'Wat zou ik anders moeten spreken?'

Accentloos Engels. Nee, zo klonk het alleen in mijn oren, corrigeerde ik mezelf. New Yorks Engels.

Haar armen begonnen te beven. Mevrouw Boehm kwam teruggebeend en begon het water op te warmen. Ze praatte aan één stuk door in zichzelf en stak onderwijl nog twee lampen aan zodat de bakkerij in karamelkleurig licht baadde. Bij het licht bekeek ik het meisje nog eens goed. En toen viel me iets eigenaardigs op.

'Mevrouw Boehm,' zei ik.

Voorzichtig en zo langzaam als we konden trokken we het nachthemd uit. Het meisje protesteerde niet. Ze verroerde zich ook niet, behalve om het ons iets makkelijker te maken. Toen mevrouw Boehm met een warme, natte lap over de sproeterige huid van het meisje streek, bleek dat ik me niet had vergist.

'Ze is zelf nergens gewond,' zei ik verbaasd. 'Kijk maar. Het zit alleen op haar nachthemd. Onder het bloed, maar zelf zonder enig uiterlijk letsel.'

'Ze zullen hem afmaken,' fluisterde het wichtje. Haar ogen schoten vol tranen. En toen ging ze van haar stokje en moest ik haar voor de tweede keer die dag opvangen, waarbij mijn armen in de knoop raakten met die van mevrouw Boehm.

5

Wanneer aardappelen door deze ziekte worden aangetast, valt als eerste op dat de knol uitdroogt of rimpelig wordt […] We hebben de laatste tijd meermaals berichten ontvangen van onze verslaggevers waarin zij klagen over hun aardappelen en in een aantal gevallen bestaat er onzerzijds weinig twijfel dat deze lijden aan de ziekte die we zojuist hebben beschreven.

• *Gardener's Chronicle and Agricultural Gazette,*
16 maart 1844, Londen •

Mevrouw Boehm nam het voortouw bij het schoonwassen, terwijl ik het arme wichtje vasthield zodat ze niet kon omvallen. Daarna haalde mevrouw Boehm een oude, zachte blouse van zichzelf tevoorschijn, trok die het kind aan, knoopte de eenvoudige parelmoeren knoopjes dicht, haalde alle spelden uit de donkerrode haardos van onze onverwachte gast en legde haar in een onderschuifbed dat ze onder haar eigen bed vandaan had getrokken. Ik was haar dankbaar dat ze de wanorde zo opvallend methodisch te lijf ging. Toen ze uit haar slaapkamer op de eerste verdieping kwam en de deur achter zich dichttrok, kwam ik net de trap op vanuit de bakkerij met een bord met wat sneden brood van de dag ervoor, twee stukken gezouten ham en wat kaas die ik in een potje pekel had gevonden.

'Ik zal alles vergoeden, tot op de laatste cent,' zei ik, in een niet bijster geslaagde poging galant te zijn. 'Eet u een hapje mee?'

Mevrouw Boehm klakte met haar tong. 'Wacht even,' gebood ze me, en ze dook haar slaapkamer in. Toen ze weer naar buiten kwam, had ze een stuk waspapier in haar hand van het soort waarin chocola wordt verpakt.

We dekten de tafel, staken twee vetkaarsen aan en zetten de lampen op een laag pitje om olie te sparen. Mevrouw Boehm liep weg en kwam terug met een stenen kruik met tafelbier, dat ze in twee kroezen schonk. Ik zag dat ze me een tikje onderzoekend bekeek, zelfs voor haar doen, en toen was ik toch maar zo beleefd om mijn hoed af te zetten. Het voelde alsof ik mijn onderkleding uittrok. Onzedelijk bijna.

'De brand in de stad?' vroeg ze zachtjes. 'Of een ongeluk?'

'De brand in de stad. Het geeft niet.'

Ze knikte en ik zag dat de hoekjes van haar brede mond trilden. 'Vertel eens. Dat meisje liep buiten op straat en toen besloot u haar maar mee naar huis te nemen?'

'Had ik dat niet mogen doen?' vroeg ik verbaasd.

'Jawel, maar u bent politieman.'

Het was duidelijk wat ze bedoelde. Waar had je anders politie voor, als die kinderen die onder het bloed zaten niet mee naar het bureau nam om uit te zoeken wat er met hen was gebeurd? Ik knikte. Vanaf het moment dat ik mijn hoed had afgezet, had ik het gevoel dat ik niet meer helemaal mezelf was. Ik had niet in de gaten gehad hoe afhankelijk ik van het ding was geworden. Intussen kon ik moeilijk aan mijn eigen huisbazin opbiechten dat ik mijn enige vaste bron van inkomsten vaarwel ging zeggen.

'Als het arme kinchin wakker wordt, zoeken we wel uit wat er aan de hand is – waar ze woont en waar het bloed vandaan komt. Zolang ze slaapt heeft het weinig zin om voor koperster te gaan spelen.'

Uitgehongerd pakte ik een van de dikke sneden roggebrood en brak een stuk van de ingelegde kaas af. Mevrouw Boehm haalde een sigaret uit de zak van haar jurk en stak die aan een van de kaarsvlammetjes aan. De stoffige tarwekleur van haar haar lichtte even op toen ze de kaars oppakte. Ik zag een tijdschrift opengeslagen op tafel liggen op de plek waar ze in een verhaal was gebleven, een aflevering van de immens populaire feuilletonroman *Licht en schaduw in de straten van New York*, wat me een binnenpretje bezorgde. Het is een levendig geschreven vervolgverhaal, even sensationeel als sentimenteel, en de auteur maakt waar dat maar kan schuine toespelingen, wat waarschijnlijk ook de reden is waarom het door 'Anoniem' geschreven is. Naarmate ik meer over haar te weten kwam, begon ik mijn huisbazin steeds sympathieker te vinden. Intussen kreeg ze wel een kleur toen ze ontdekte dat ik ondersteboven zat te lezen en sloeg ze het blad snel dicht.

'Met dat soort kinderen heb je altijd problemen,' merkte ze met spijt in haar stem op.

'Ierse kinderen?' Het verbaasde me niets dat ze dat dacht. Ook al had het meisje Amerikaans gesproken, haar rode haar en als een kievitsei gespikkelde huid verrieden meteen dat haar ouders hier niet vandaan kwamen. Als ingezetene van Wijk 6 kwam mevrouw Boehm dagelijks met hen in aanraking en soms zorgden ze ook inderdaad voor problemen. Ze kregen thuis vaak genoeg te horen dat privébezit niet bestaat.

'Niet Ierse kinderen.'

'Weglopertjes?' Haar opmerking stelde me voor een raadsel. Zou mevrouw Boehm zelf dan niet zijn weggelopen als iemand liters bloed over háár had uitgegoten?

Mevrouw Boehm schudde met haar knokige armen over elkaar geslagen en haar sigaret tussen haar lippen van nee. 'Ook niet. Is het u dan niet opgevallen?'

'Wat?'

'Ze is een... hoe noemen ze dat? Kinchin, zei u. Een kinchin-mab. Het meisje is een kindhoertje.'

Het brood bleef in mijn strot steken. Ik nam een slok van mevrouw Boehms huisbrouwsel, zette de beslagen kroes weer neer en steunde met mijn ellebogen op tafel, terwijl ik peinzend met mijn vingers over mijn voorhoofd streek. Hoe had ik zo blind kunnen zijn? Dat ik uitgeput en uitgehongerd was en in verregaande staat van afgrijzen verkeerde, was nog geen excuus om het opmerkingsvermogen van een jonge hond tentoon te spreiden.

'Haar opgestoken haar,' mompelde ik. 'Natuurlijk. Het haar.'

Mevrouw Boehms opvallend gulle mond krulde zich tot een trieste lach. 'Mijn complimenten voor uw opmerkzaamheid. Inderdaad, het haar.'

'Dat zou toeval kunnen zijn.' Ik ging achterover zitten en liet mijn vingers over het ruwe hout gaan. 'Misschien heeft ze eerder vandaag met een oudere zus gespeeld.'

Mevrouw Boehm haalde haar schouders op. Het gebaar deed niet onder voor een fraai verwoord betoog.

Want wie zou bij zijn volle verstand het haar van een klein meisje opsteken als dat van een achttienjarige vrouw en haar vervolgens blootsvoets door de straten laten rennen? Volwassen hoeren laten in de regel hun haar los hangen om er zo jong mogelijk uit te zien. Ze paraderen door de straten in niemendalletjes die tot hun navel openstaan en laten hun dorre, broze lokken als twijgen kreupelhout los slieren in de hoop dat ze voor het oog misschien nog een paar jaar kunnen afschaven van hun met knuppels en elk ander werktuig dat de mens maar kent bewerkte lichamen. Nee, dan de kinderen. Kinchin-mabs worden meestal binnen gehouden. Maar áls je ze op straat tegenkomt, zijn ze tot kleine dametjes geschminkt en is hun haar opgestoken als dat van de belles van een spookachtig miniatuurbal.

'U denkt dat ze uit een huis van lichte zeden is ontsnapt,' zei ik. 'Als dat zo is, gaat ze naar een opvanghuis van de kerk als ze dat zou willen, en zo niet terug de straat op. Maar niet naar het Opvoedingsgesticht. Niet als ik daar iets over te zeggen heb.'

Het Opvoedingsgesticht is een tehuis voor wezen, halve wezen, zwerfkinderen en jeugdige crimineeltjes, even ten noorden van de drukke binnenstad en van Twenty-fifth Street en Fifth Avenue. De bedoeling ervan is om dakloze kinderen van de straat te halen – waar ze zichtbaar zijn – en ze achter gesloten hekken – waar ze niet zichtbaar zijn – op het rechte pad te krijgen, waarbij het uiteindelijk niet zozeer om dat rechte pad gaat als wel om te voorkomen dat het woongenot van de bovenklasse van New York in enigerlei mate wordt aangetast door de aanblik van uitgehongerde zesjarigen die op een kluitje in de goot zitten. Ik ben niet zo onder de indruk van de voorschriften van de gevestigde orde.

Mevrouw Boehm knikte instemmend. Ze leunde tegen de tafel, maakte de waspapieren wikkel open en brak een stuk van de brok pure chocolade af. Ze at het peinzend op en schoof het kostbare lekkers mijn kant op.

'Wie denkt u dat ze bedoelde met "ze zullen hem afmaken"?' vroeg ik.

'Een dier, misschien. Dat ze altijd op de binnenplaats opzocht. Een lievelingsvarken. Het varken wordt geslacht. Zij gaat ervandoor. Bloed van de slacht is mijn idee. Misschien zelfs een koe of een pony met een gebroken poot die voor de lijm is verkocht. Ja, haar geliefde pony. Die zullen ze wel hebben willen afmaken. We horen het morgen wel.'

Mevrouw Boehm stond op en pakte een van de kaarsen op.

'Morgen hoef ik maar een halve dienst te werken,' loog ik tegen de vriendelijk ogende rij botknobbeltjes die onder haar ochtendjas over haar rug van boven naar beneden liep. 'U hoeft me dus niet te wekken.'

'Mooi zo. Het doet me deugd dat u bij de politie zit. We hebben veel behoefte aan een politiemacht,' zei ze bedachtzaam, en ze pakte haar tijdschrift. En na een korte stilte: 'Het ging vast alleen maar over haar pony.'

Mevrouw Boehm was een nuchtere dame, zei ik tegen mezelf. En ze had gelijk: het bloed kon overal van afkomstig zijn. Van een pony of misschien zelfs van een hond die was aangereden door een koets en meteen daarna was aangevreten door de ratten. Ik ontspande een beetje.

Maar het beeld van de ratten maakte me weer misselijk en onrustig. Ik staarde vruchteloos naar een haarscheurtje in de muur tegenover me. Terwijl ik met de kaars in mijn hand naar mijn kamer boven liep, vroeg ik me af hoe je in godsnaam moest bijkomen van zo'n dag.

Toen ik de volgende dag uit een diepe slaap ontwaakte, keek ik recht in een paar onderzoekende grijze kijkers.

Even was ik in de war. Ik lag op mijn rug in bed en was niettemin uit mijn evenwicht gebracht. Zonlicht stroomde door het raam naar binnen, wat nooit het geval was als ik mijn ogen opendeed. Mijn stromatras lag nog steeds tegen de muur, want de gedachte om in het slaaphok te gaan liggen vond ik onnoemlijk deprimerend en nog geen dag geleden zou ik het idee dat ik hier ooit bezoek zou ontvangen ongelovig hebben weggewuifd. En nu was het al zover. Terwijl ik slechts een wijde broek aan had die ver boven mijn knieën ophield, werd ik aangestaard door twee enorme asgrijze irissen.

Het meisje was gekleed in de blouse die mevrouw Boehm haar de avond tevoren had gegeven. Hij hing tot halverwege haar dijen en eronder droeg ze een nanking jongensbroek. Apart, dacht ik. Haar rozenhoutkleurige haar hing nu bijeengebonden door een keukentouwtje in een losse paardenstaart op haar rug.

'Wat doe jij hier?' vroeg ik.

'Ik stond naar de schilderijen te kijken. Ik vind ze mooi.'

Ik had geen schilderijen, maar ik begreep wel wat ze bedoelde. Al sinds ik een jochie was krabbelde ik als ik mijn gedachten op orde wilde brengen, tekeningetjes op elk snippertje papier dat ik te pakken kreeg. Zo had ik ook elke dag voor ik als politieman aan het werk ging iets getekend. In de hitte buiten brandde de huid van mijn gezicht en ik had geen behoefte aan gezelschap. Ik had de Madison Line-omnibus naar de noordoostgrens van de stad genomen, naar Bull's Head Village aan Third en Twenty-fourth Street, waar de hokken, veeterreinen en slagers naartoe verhuisd waren toen ze uit de Bowery waren verdreven. Het stonk er naar de slacht en de beesten maakten een hels kabaal, maar je kon er voor bijna niks dun bruin papier krijgen dat ze gebruikten om het vlees in te verpakken en ik had er een flinke rol van gekocht. Vervolgens had ik een zak gepakt en die gevuld met gebruikte kooltjes uit een afgedankt komfoor bij de schapenhokken.

Buitenkansjes. Daar had ik oog voor.

'Je moet even weggaan, dan kan ik me aankleden.'

'Deze,' zei ze, en ze liep naar een stuk bruin papier dat aan de muur hing, waarop de Williamsburg-veerboot stond afgebeeld die van Peck Slip vertrok onder een dreigende onweershemel in juli. Het was het beeld van een rivierreis, zoals dat nog steeds in mijn hoofd gegrift staat: een boot die enkele seconden voor een uitzinnige botsing tussen regen en zonlicht door de brede, kalme stroom klieft. 'Die vind ik het mooist. Die is mirakels. Hoe hebt u dat geleerd?'

'Geef me eens een hemd aan,' gebood ik haar. 'Er ligt er een bij de waskom.'

Ze kwam het me met een glimlach brengen. Een oprechte glimlach, leek me, maar met een dubbele bedoeling: het was een laagje echte charme dat een onderliggend aftasten moest verhullen. Hoe zou ik reageren op een vriendelijk gebaar? Beviel me dat? Ik nam zelf mensen ook zo de maat, maar ik was er beter in. Inwendig schudde ik mijn hoofd. Dit kind had nog geen acht uur eerder gedropen van het bloed, had god-weet-wat moeten doorstaan en ik maakte me druk om mijn kleding.

'Ik ben Timothy Wilde. Hoe heet jij?'

'Iedereen noemt me Bird.' Ze trok één schouder op. 'Bird Daly. Maar ik wil mijn echte naam ook wel geven, als u dat graag wilt.'

Ik zei dat ik die graag wilde horen en trok mijn hemd aan, terwijl ik me met een toenemend gevoel van gêne afvroeg waar ik toch in vredesnaam mijn broek had gelaten.

'Aibhilin ó Dálaigh. Dat kon ik vroeger niet goed zeggen en dus noemde ik mezelf maar Bird. Dat is veel makkelijker. Maar het betekent precies hetzelfde, alleen in een andere taal, dus Bird kan net zo goed, vind ik. Vindt u ook niet?'

M'n broek, dacht ik. Ik had er inmiddels twee en nooit eerder hadden ze me zo belangrijk geleken. Eindelijk voelde ik met mijn rondtastende blote voet zwart kamgaren en zo snel als ik kon, trok ik het kledingstuk aan.

Bird stond nu naar een schets te kijken van een hutje in het bos dat overduidelijk in lichterlaaie stond. Het bos eromheen was een zwart, kaalgebrand niemandsland, een nachtmerrielandschap. De geur van as steeg er letterlijk uit op. Ik had het tenslotte ook met verbrand hout gemaakt. Uit wat voor ontuchtig hol ze ook afkomstig mocht zijn, ze had eerder naar schilderijen gekeken. Haar ogen vergeleken de nieuwe tekeningen met kunst die ze eerder had gezien. Ze zou dus wel niet afkomstig zijn uit de Five Points, de ellendigste krochten van de wijk, en waarschijnlijk evenmin uit de clandestiene kroegen langs de zilte East River. Daarvoor was ze te doorvoed, was ze te duur gekleed geweest en had ze een te geoefende blik op houtskooltekeningen.

'We moeten het nog over gisteren hebben,' stelde ik voorzichtig voor. 'Over wat er met jou is gebeurd en over je nachtjapon en waar je vandaan komt.'

'Hebt u deze gemaakt toen u jong was? Die ziet er heel anders uit.'

'Nee, ze zijn allemaal van vrij kort geleden. Laten we maar eens op zoek gaan naar mevrouw Boehm. Kijken of ze wat te eten voor ons heeft. En dan kun jij me vertellen waardoor je gisteravond zo van streek was.'

Bird bleef met een diepe frons voor een volgend stukje met papier bedekte muur staan. Het was een eenvoudig portret van een bleke vrouw met zwarte lokken en een studieuze uitdrukking. Haar kin, waarin een duidelijk kuiltje te zien was, rustte op haar hand en ze staarde met ver uiteenstaande ogen in de verte. Het portret van Mercy, vastgelegd op bruin papier.

'U houdt van haar,' zei Bird met een donkere stem. 'U kust haar zeker wel vaak?'

'Ik... Nee, eigenlijk niet, nee. Wel allemachtig...'

Ik bekeek de tekening nog eens aandachtig en besefte dat de gevoelens van de tekenaar tegenover zijn onderwerp kennelijk zonneklaar waren voor een tienjarige. Daardoor ging ik me niet bepaald meer op mijn gemak voelen. Intussen had Bird haar frons verwisseld voor een andere uitdrukking – gewillig en gedwee, geen spoor meer van haar vergissing. 'Niet iedereen houdt van kussen. U misschien ook niet? Maar als u haar lief vindt, vind ik dat ook. Omdat u me hier mee naartoe hebt genomen en alles.'

'Je zult haar niet te zien krijgen. Maar ze is een zeer... bewonderenswaardige dame.'

'Is ze uw geliefde?'

'Nee. Nee. Luister, een van de dingen die ik van je wil weten is waar je woont. Want daar zullen ze je graag terug willen zien en als ze dat niet verdienen, tja, dan zullen we moeten zorgen dat je ergens anders een nieuwe start kunt maken.'

Bird knipperde met haar ogen. Toen lachte ze weer, want dat was de eerste keer ook goed afgelopen.

'Daar praat ik liever niet over,' gaf ze toe. 'Maar ik wil het wel proberen als u dat wilt, meneer Wilde. Ik denk namelijk dat ik voortaan graag bij u wil horen, ziet u. Dus ik zal het proberen.'

'Vertel me nu eens wat er gisteravond met je nachtjapon is gebeurd,' zei mevrouw Boehm op uiterst vriendelijke toon.

Bird hield een kop opgewarmde aangelengde bessenwijn met
een klontje suiker erin aanvallig in haar handen en sloeg haar ogen
neer naar het wolkje damp dat eraf sloeg. Ze kreeg een kleur en
verbleekte meteen weer. Het deed me denken aan de keer, lang
geleden, dat mijn vader me had gevraagd of ik het paardentuig in
de stallen al met walvistraan had gepoetst en de paniek me om het
hart sloeg omdat ik dat nog niet had gedaan en dat ik toen in een
flits zag dat Val geruststellend vanuit een hoekje van de kamer naar
me knipoogde, een van de zeldzame momenten dat hij voor me was
ingesprongen. Diezelfde paniekflits had ik zo-even in Birds ogen
gezien, het soort waarbij de adem je in de keel stokt.

'Het is trouwens een heel mooie nachtjapon,' zei ik vanaf mijn
stoel in de hoek van de kamer.

Bird bleef onaangedaan bij het compliment. Ze trok alleen haar
wenkbrauwen een fractie op. Ik werd er pijnlijk aan herinnerd dat
hoewel sommige kinderen complimenteuze woorden als zoete koek
slikken, Bird Daly waarschijnlijk dagelijks te maken had gehad met
vleierij. En veel ergere schunnigheden.

'Hij stond me heel aardig, maar nu zal hij wel bedorven zijn. Ik
vind uw hoed mooi,' zei Bird bijdehand. 'Die staat u ook heel goed.'

Toen ik besefte dat ze als een volwassene praatte omdat negen-
tig procent van haar sociale contacten uit mannen bestond die voor
haar gezelschap betaalden, kon ik niet voorkomen dat mijn gezicht
betrok. Dat was het moment waarop ik tot de conclusie kwam dat
ik niet met Bird kon praten alsof ze een kind was en ik een voormalige politieagent van zevenentwintig. Overvleugeld worden
omdat je niet slim genoeg bent om het gesprek naar je hand te zetten kan soms stimulerend werken. Maar overvleugeld worden
omdat je je gespreksgenoot verkeerd hebt ingeschat is regelrecht
vernederend.

'Ik weet dat je bang bent,' zei ik. 'Iedereen kon gisteravond immers zien dat er iets vreselijks was gebeurd. Maar als je ons niet vertelt wat dat was, kunnen we je niet helpen.'

'Waar woon je, Bird?' vroeg mevrouw Boehm rustig.

Birds volle lippen trilden onwillig. Vagelijk schoot het door me heen dat ze mooi was, zoals je dat over een rozenstruik zou opmerken. Toen moest ik opnieuw de grootste moeite doen mijn maag uit mijn slokdarm weg te houden, wat bijzonder vermoeiend begon te worden.

'Met mijn vader en moeder en broers en zussen in een huis ten westen van Broadway,' zei ze eenvoudigweg. 'Maar daar wil ik nooit meer heen.'

'Ga door,' zei ik. 'Van ons heb je niets te vrezen, zolang je de waarheid vertelt.'

Het sombere rozenknopje van haar lippen trilde opnieuw en opeens stroomden de woorden naar buiten. Vochtig, alsof ze huilde. Maar dat was niet het geval, niet zichtbaar in elk geval.

'Dat kan ik niet. Echt niet. Toen mijn vader thuiskwam, heeft hij haar met een mes gestoken. Hij zou mij ook hebben gepakt als ik niet was weggelopen, ook al had ik mijn nachtjapon al aan.'

Ik wisselde een blik met mevrouw Boehm, probeerde dat althans, maar ze hield haar bleekblauwe ogen strak op Bird gericht.

'Wie heeft hij gestoken?' vroeg ik ernstig.

'M'n moeder,' fluisterde Bird. 'Ze had een jaap dwars over haar gezicht. Toen ze me naar bed droeg, zat het bloed overal. Hij zoekt altijd ruzie als hij heeft zitten pegelen, maar tot nu toe gebruikte hij alleen zijn handen. Of zijn wandelstok. Maar nooit een mes. Mijn moeder zette me neer en zei dat ik ervandoor moest gaan, zei dat ik nooit meer terug moest komen omdat hij altijd jammert dat ik hem zoveel kost aan eten en kleding.'

Daarna zweeg ze en wreef met haar trillende vinger langs de rand van haar kopje. Haar ogen hield ze strak op een ontbrekend scherfje in het porselein gericht.

En ik dacht over haar woorden na. Hield ze tegen het licht.

Het was geen prettig plaatje, maar wel heel voorstelbaar. De goedkope whisky slaat dagelijks talloze gezinnen uit elkaar. 'Allemachtig,' had een oppassende man met vaste handen uit Sligo op een late namiddag bij Nick eens tegen me verzucht toen hij een borrel bij me besteld had. 'Ik ga mijn neef vanavond nog schrijven dat hij niet moet komen – bij ons thuis mag het voedsel schaars zijn, maar de whisky is er tenminste nog duur.' Het was allemaal heel voorstelbaar.

En toen dacht ik aan haar opgestoken haar. En ik vroeg me af welk Iers kind het ooit over haar 'moeder' had. 'Mijn moeder' als onderwerp van de zin. 'Mijn moeder zette me neer'. En niet: 'Mama zette me neer en zei dat ik ervandoor moest gaan'.

'Vertel ons nu eens wat er echt is gebeurd,' zei ik.

Bird keek geschrokken, haar mond tot een O gevormd, waardoor ik me realiseerde dat ze echt heel goed kon liegen. Alleen goede leugenaars zijn verbaasd als ze betrapt worden. Trouwens, je moest waarschijnlijk wel goed kunnen liegen als je in haar branche wilde overleven.

'Dat kan ik niet,' zei ze bibberig. 'Dan wordt u kwaad. En mevrouw Boehm zei dat u van de politie bent.'

'Onzin,' sputterde mevrouw Boehm tegen. 'Vertel nou maar wat er echt gebeurd is. Meneer Wilde is een goed mens.'

'Ik heb het niet expres gedaan,' mompelde Bird. Ze hakkelde en duwde haar nagel pijnlijk diep in de tafel.

'Wat, liefje?'

'Alles,' fluisterde ze. 'Maar hij… ik denk dat hij dronken was, want hij haalde steeds een flesje tevoorschijn en dan vroeg hij of ik ook wilde. En ik zei nee en toen schonk hij het over mijn kussen en zei dat ik er dan vanzelf wel aan zou wennen en ik dacht dat hij gek was geworden. Hij had een doosje lucifers en die zat hij steeds maar aan te steken. Een voor een. Hij zei dat ze net zo vurig waren als mijn haar en hield er een vlak bij mijn gezicht en ik zei dat hij weg moest gaan. Hij had me al… hij had al betaald. Dus. Maar hij ging niet. Hij duwde me tegen het natte kussen en hield de aangestoken lucifer erbij. Hij wilde me in brand steken. Ik begon te gillen en duwde hem zo hard als ik kon van me af. Hij… hij viel op de grond. Hij had een mes in zijn riem… maar dat wist ik niet, dat zweer ik. Dat kwam in zijn zij terecht en toen hij me optilde, kwam er bloed op mijn kleren. Ze hadden me horen gillen en kwamen de kamer binnen rennen. Toen kon ik ontsnappen. Hij is niet dood, dat zweer ik, en het was niet mijn bedoeling. Hij probeerde me in bránd te steken.'

Toen ze deze keer uitgepraat was, streelde mevrouw Boehm over Birds pols. Dat verhaal kon niet anders dan waar zijn, leek me. Die details waren zo ongewoon dat het nooit bij een kinchin zou opkomen ze te verzinnen.

Whisky over een kussen gieten en het haar van een klein meisje in brand steken.

Dat was allemaal echt gebeurd. Maar het was niet de reden waarom ze hier was.

'Wat een afschuwelijk verhaal, Bird, en wat erg voor je,' zei ik, 'maar als er een man was neergestoken, zelfs al was dat per ongeluk, dan zou hij heel erg veel misbaar hebben gemaakt. Dan zou je gisteren nooit uit dat huis zijn weggekomen. We moeten erachter zien te komen of er inderdaad iemand gewond is geraakt. Ik zal je moeten meenemen naar het bureau.'

Het kopje wijn spatte tegen de muur uiteen, door een onbeheerste vuist gesmeten. Meteen daarna keek Bird vol afgrijzen naar haar rechterhand, alsof die van iemand anders was. Ze betastte hem met haar linkerhand en knipperde hevig met haar ogen.

'Alstublieft niet. Laat me alstublieft hier blijven, alstublieft,' smeekte ze op een vreemd zangerige toon. 'Er is niets aan de hand. U hoeft niet bang te zijn. Niemand is gewond geraakt.'

'Maar je zei net...'

'Dat was gelogen! Alstublieft. Dat was gelogen, maar... maar u denkt toch niet dat ik het wil hebben over dat huis waar ik echt vandaan kom? Laat me hier blijven. Ik wil niet terug. Ze zullen vreselijke dingen met me doen. Ik zal het kopje terugbetalen. Ik betaal altijd voor de schade die ik veroorzaak. Alstublieft...'

'Vertel ons alles nog een keer,' onderbrak ik haar. 'Maar nu het ware verhaal.'

Birds onderlip trilde hevig, maar tegelijkertijd stak ze haar kin in de lucht.

'Ik kan echt niet meer terug,' zei ze mat. 'Ik was zo moe, weet u. Ik was zo vreselijk moe en ik mocht nooit slapen. Ze zegt dat dat komt omdat iedereen zo graag bij me is, maar... ik kon het niet, dus. Het is zo erg om nooit te kunnen slapen. Gisteravond nam ik wat geld mee dat ik beneden had verstopt. Ik nam het mee naar buiten, waar de kippen lopen. We zouden curry eten. Ik betaalde de jongen die de kip geslacht had voor het bloed, ik zei dat het voor een vervloeking was die ik over iemand wilde uitspreken. We deden het in een emmer op de binnenplaats en ik had mijn nachtjapon bij me. Die heb ik erin gedompeld. Toen ik die nacht wegglipte, was ik bang dat ze achter me aan zouden komen of dat ik misschien naar het Opvoedingsgesticht zou moeten maar... maar als ik onder het bloed zat, kon ik zeggen dat ik op de vlucht was voor moordenaars op de kade. En dat zou iedereen geloven. Ze zouden het bloed zien en ik zou niet worden weggestuurd.'

Bird stopte met praten en keek met ogen als die van een in het nauw gedreven reekalf heen en weer van mij naar mevrouw Boehm. Hoop klauwde met voorzichtige nagels aan haar ingewanden, trok aan haar ribben.

'Maar u laat me toch wel blijven? Toch?'

Terwijl ik vastberaden met mijn ster in de hand en de woorden van mijn opzegging al op mijn lippen naar de Tombs liep, brak ik me het hoofd over de beste manier van aanpak om een tienjarig vluchtelingetje uit een bordeel te vertellen dat ze niet bij ons kon blijven wonen. Daarnet had ik niets gezegd. En mevrouw Boehm had zich beperkt tot wat hoofdschudden en een droevig klakken met haar tong. Maar waar onze sympathie ook lag, er was simpelweg geen kamer meer vrij.

Toen ik echter bij het doodse, sombere gebouw aankwam, trof ik mijn broer Valentine op de enorme trap voor het gebouw in gesprek met de imposante gedaante van George Washington Matsell. Zelfs Valentine leek zich in aanwezigheid van Matsell zijn manieren te herinneren. Hij had zijn handen niet in zijn zakken, maar stond enkel met een van zijn forse duimen in de opening van zijn vest, waaruit her en der lelietjes van dalen leken te ontspruiten. Dat was veelzeggend.

'Commandant Wilde,' zei ik. 'Goedemiddag, hoofdcommissaris.'

'Waar hebt u in vredesnaam de hele ochtend uitgehangen?' wilde Matsell weten zodra hij me zag.

'Bij een meisje dat onder het bloed zat. Maar er bleek niets aan de hand. Hoe maakt u het?'

'Niet best,' antwoordde hij.

Valentine wreef afwezig over zijn lippen.

'Hoe komt dat?' vroeg ik, en ik klemde mijn bronzen ster alvast vergenoegd vast om hem naar het oog van mijn broer te kunnen slingeren.

'Omdat we in mijn wijk, in Mercer Street, een genifterd kinchin hebben gevonden,' antwoordde Val. 'Zonder kleren, aan alle kanten opengesneden, genoeg om een mens z'n ontbijt niet te laten binnenhouden. En het was geen lelijkerd ook nog. Echt een mooi koppie. We proberen het onder de pet te houden, maar dat is makkelijker gezegd dan... waar heb je godverdomme je koperen ster gelaten, verrekte ijdeltuit die je bent?'

Tot mijn eigen stomme verbazing haalde ik hem tevoorschijn zonder hem in zijn gezicht te slingeren. Ik speldde hem weer op.

6

*Alle aanvallen van heidenen, Joden en de rest van de wereld die de ware
kerk heeft moeten doorstaan, vallen in het niet bij de meedogenloze wreedheid van deze meest onverzadigbare mensenmoordenaar.*

• Over de paus, bij monde van het protestantse
hervormingsgenootschap van Orange County, 1843 •

Die ochtend hervatte ik mijn ronde niet. Matsell stond toe dat
ik Val vergezelde naar het nieuwe politiebureau van Wijk 8
achter de statige bomen op de hoek van Price en Wooster Street.
Toegegeven, ik had er behoorlijk fel op aangedrongen. Het verhaal
over mijn vondst van Aidan Rafferty was inmiddels van mond tot
mond gegaan, wat Matsells toegeeflijkheid mogelijk aanzienlijk
had vergroot. Ik vermoedde dat hij met zijn toestemming een uit
het lood geslagen groentje ter wille wilde zijn; een dode zuigeling
aantreffen scoort immers hoog op de lijst van meest onaangename
manieren om de ochtend door te brengen, zelfs in New York. In zijn
oneindige fijngevoeligheid herinnerde Valentine me daar nog eens
fijntjes aan toen we in het huurrijtuig zaten dat ons rap naar het
noorden vervoerde.

'Ik heb het gehoord van dat gestikte Ierse jong. Je wist niet hoe
snel je je uit de voeten moest maken, hè?' vroeg hij. Zijn handen

rustten op de knop van zijn wandelstok en hij zat met zijn benen zo nonchalant breed als enigszins mogelijk was in een klein rijtuig. Vals jeugdige gezicht stond strak van de ergernis, zelfs de eeuwige wallen onder zijn ogen waren gespannen. 'Dan zou ik mooi in mijn hemd hebben gestaan. Ik had Matsell verzekerd dat jij een goeie zou zijn.'

'Ik kan me niet herinneren dat ik je daarom had gevraagd.'

'Toch graag gedaan, hoor. En zeur niet zo, je lijkt wel een wijf.'

Mijn blik dwaalde even langs de hand van mijn broer die over zijn verzwaarde wandelstok bungelde en ik zag dat zijn vingertoppen heel licht trilden. Ik keek naar zijn pupillen.

'Je bent nuchter,' zei ik peinzend. En dat terwijl ik ervan uit was gegaan dat hij de eerstvolgende keer dat ik hem zag strak van de morfine zou staan, snakkend naar een van zijn dierbare branden. 'Ik vraag me af waarom.'

'Omdat ik een commandant ben, een bonafide man. En omdat er vanmiddag een bijeenkomst van de Democraten is. Waarom moet jij trouwens zo nodig nog een genifterd kinchin bekijken? Heb je de smaak van ondermaatse grijnzers te pakken?'

Met 'grijnzers' bedoelde hij natuurlijk schedels. 'Doe niet zo walgelijk. Vertel liever wat er is gebeurd.'

Valentine vertelde dat die ochtend vroeg een hoer, ene Jenny, op zoek naar een klant gedachteloos haar gebruikelijke rondjes had gelopen en zodoende langs een afvalton bij een eethuis was gekomen. De ervaring had geleerd dat je in dat vat vrijwel altijd iets eetbaars aantrof, bovendien had Jenny haar laatste centen aan een ochtendkroes whisky besteed, dus trok ze de deksel van de ton in de hoop en misschien wel overtuiging dat ze daarin niet voor de eerste keer wat korsten van een oesterpastei of een eendenkarkas zou vinden. En als ze bijzonder veel geluk had, misschien zelfs een restje gebakken kalfsvlees. Maar in plaats daarvan had ze er iets geheel anders in aangetroffen, het op een schreeuwen gezet en uiteindelijk een straatagent gevonden die ervoor had gezorgd dat het lijkje werd overgebracht naar het politiebureau. En wat ermee gebeurd zou zijn vóórdat ons politiekorps bestond, bedacht ik lichtelijk verrast, mocht Joost weten. Je mocht hopen dat een nachtwaker de zaak dan grondig zou hebben onderzocht, misschien zelfs zijn chef erbij zou hebben gehaald, voordat het lijk op het armenkerkhof was beland. Maar wie zou het zeggen?

'Godlof heeft hij het naar het politiebureau laten karren,' besloot Val zijn verslag toen het rijtuig stopte. Hij tikte twee muntjes richting de koetsier. 'Je kunt het niet verkopen: heb je net een politiekorps, worden er dode kinderen met de oesterschelpen bij het afval gezet. Deze kant op, hij ligt in de kelder. Ik heb over een paar minuten afgesproken met de dokter.'

Het politiebureau, een gewoon bakstenen gebouw, bevond zich in een rustige, groene straat. Bij de ingang stond een officieel ogende balie met daarachter een zwartharige Ierse politieman die zo star voor zich uitkeek dat er een rilling over mijn rug liep. Een gesloten, gegriefde blik. We staken de kleine hal over en ik was zowaar eventjes opgelucht dat ik hier met mijn broer was. Maar toen zei ik tegen mezelf, in zijn woorden, dat ik niet zo'n verdomde schijtebroek moest zijn.

We liepen de trap achterin af. Een lantaarn hadden we niet nodig, uit de kelder scheen licht. We kwamen uit in een ruimte die meer weg had van een droge grot dan van een kelder. In de hoek lag een zak appels voor als de mannen van de nachtploeg honger hadden. Drie grote olielampen zetten de zwarte schaduwen extra dreigend aan. Het was hier beneden zo'n tien graden koeler dan boven. Het rook er naar bomen en losse aarde, een prettige grondgeur die herinneringen opriep aan mijn vroegste jeugd, van toen ik voor mijn moeder aardappelen moest gaan halen. Maar hier was die geur vermengd met iets anders, een smerig zoete, rauwe lucht. Op een tafel in het midden van de ruimte was iets afgedekt met grauw doek.

'Toe dan,' zei Val pesterig. 'Je wilde dit aparte geval toch zo nodig met eigen ogen zien? Ga je gang, Timmy.'

Als er iets is wat me steevast provoceert, dan is het wel als iemand me aanspreekt met 'Timmy'. Ik liep dus naar de tafel en sloeg het doek terug.

En het punt is dat ik er in eerste instantie niet tegen kon. Val had gelijk, ik was hier niet mans genoeg voor. Hetzelfde draaierige, vallende gevoel overviel me als toen ik naar Aidan Rafferty's dichtgeknepen knuistje had staan kijken. Maar terwijl ik zo naar het lichaam voor me staarde, klapte er in mijn hersenen iets met een metalig klikje dicht, alsof er een luik dichtviel. Ik moest dit straks kunnen bespreken met Bird en haar vragen wat ze precies had bedoeld met: 'Ze zullen hem afmaken.' Om de een of andere reden wist ik in mijn hart dat me dat te doen stond.

Er was trouwens nog iets wat me dwarszat.

'Er is wel erg weinig bloed, hè? Als je bedenkt wat er met hem is gebeurd.'

'Klopt,' zei Val alleen maar. Verrast. Hij sloeg zijn stevige armen over elkaar en ging naast me staan.

De knaap was een jaar of twaalf. Onmiskenbaar Iers. Dunne, blanke huid en krullerig, rossig haar. Hij zag er afgetobd uit, maar zijn ogen waren vredig gesloten, alsof hij volledig uitgeput was. Maar hij was niet gewoonweg dood. En hij was ook niet echt aan alle kanten opengesneden, zoals Val had gezegd. In zijn bovenlichaam was met een zaag of iets dergelijks de vorm van een kruis gekerfd. In de openingen van de twee diepe, elkaar kruisende sneden zag je stukjes spier, blootliggende organen, uitstekende ribben. Ik wist niet hoe al die losgetrokken repen spier en orgaan en afgebroken stukken bot heetten, maar wel dat iemand dwars in de romp van het arme kinchin een kruis had geslagen en dat de gapende ribbenkast er merkwaardig klinisch uitzag. Het met bloed doordrenkte nachthemd van Bird wapperde als een oorlogsbanier voor mijn geestesoog.

'Wie is hij?'

'Hoe moet ik dat weten?' vroeg Val, en zijn groene ogen schitterden geërgerd.

'Heeft iemand hem als vermist opgegeven? Of wordt er een kind vermist dat op hem lijkt?'

'Als je denkt dat we dat niet als eerste zijn nagegaan, ben je een uilskop. Hij is bovendien zo Iers als maar zijn kan. Heb je enig idee hoe hard daarnaar gezocht wordt als ze vermist zijn? Je kunt hun ouders net zo goed zeggen dat ze zorgvuldiger op hun vlooien moeten letten.'

'Wanneer heeft die Jenny dan in dat vat gekeken?'

'Om kwart voor zeven.'

'En zat die ton wel vol bloed?'

'Nu je het zegt, nee, dat zat-ie niet. Ik heb wel nog eventjes ge-poekeld met wat mensen van het restaurant: de eigenaar, de kok, de oesterjongen. Er werken ook twee obers, maar die waren er nog niet. Die gesprekken hebben we hier gevoerd, voor de ambiance.' Hij wreef met zijn ene hand over de knokkels van de andere, een soort onwillekeurig machtsvertoon dat mij volkomen onberoerd liet. ''t Is nota bene hun afvalton, zij horen te weten wat erin zit. Wíé erin zit. Maar dat wisten ze dus niet, dat joch kenden ze ook niet. Daar heb ik me boven alle twijfel van verzekerd. Vraag me niet hoe.'

Ik wilde net zeggen dat ik hem daar nooit naar had gevraagd, dat ik zelfs niet wílde weten hoe hij te werk was gegaan, toen we be-hoedzame voetstappen hoorden. We draaiden allebei op identieke wijze ons hoofd naar de trap. Irritant genoeg.

'Dokter Palsgrave,' zei Valentine, toen een opvallend kleine man de ruimte betrad. 'Goed dat u er bent.'

'O, lieve God,' riep de dokter uit, toen hij het gruwelijke tafereel zag.

En zoals dat in New York idioot vaak gebeurt, vooral als je bar-keeper bent, bleek ik hem van gezicht te kennen. Dokter Peter Palsgrave is de laatste telg uit een vooraanstaand oud geslacht, een van de fortuinlijke families die hun geld en woonhuis aan Broad-way niet zijn kwijtgeraakt. Iedereen in New York kent hem als des-kundige op het gebied van de kindergeneeskunde. Dat maakt hem ook zo eigenaardig: niemand anders legt zich toe op kíndergenees-kunde. Een dokter is een dokter en daarmee klaar, tenzij hij een scheepsdokter is of in een krankzinnigengesticht werkt. Dokter Palsgrave heeft levendige, goudbruine ogen, zorgvuldig gecoiffeer-de zilvergrijze bakkebaarden en een curieus recht postuur door zijn ouderwetse gewoonte om onder zijn glimmend witte vest met sjaal-kraag een korset te dragen. Hij had die dag een opvallend hoge kas-toren hoed op en zijn saffierblauwe jas zat als gegoten. Alles bij el-kaar vormde hij een boeiende mengeling van extreme consternatie en stijlvolle verschijning.

'Voor mij ook geen feest, waarde dokter, maar mijn broer Tim hier raakt er niet op uitgekeken.'

Verbazingwekkend genoeg was dit niet eens de rottigste manier waarop mijn broer me ooit aan iemand had voorgesteld.

Dokter Palsgrave depte zijn brede voorhoofd met een kostbaar stuk omzoomde groene zijde.

'Mijn excuses, heren, maar mijn hart is onherstelbaar verzwakt,' zei hij verontschuldigend. Dat was hem ook aan te zien. 'Acuut reuma op zeer jonge leeftijd, waardoor ik genoodzaakt ben geweest een hele rits compensatoire maatregelen te nemen. Als er in ons land een *Hôpital des Enfants Malades* of een vergelijkbare kinderafdeling had bestaan, had ik misschien minder gevoelig gereageerd in schriksituaties. Maar nu gaat mijn pols als een razende tekeer. Goed. U bent commandant Wilde, neem ik aan?'

'In levenden lijve,' zei mijn broer.

'En u weet dat ik geen lijkschouwer ben? Nietwaar? En niettemin ben ik uit naam van die... die zogenaamde politiemacht hier met spoed ontboden. Verklaart u dat eens nader. En wel nu.'

'Het is eenvoudig genoeg,' zei Valentine met een vals lachje, en hij streek achteloos met zijn hand over zijn hoge voorhoofd en taankleurige haar. 'U kijkt nu goed naar het ponem van deze knaap en laat de commandant van Wijk 8 vervolgens weten of u hem ooit bij ziekte hebt bezocht. Als u niet meewerkt, berg ik u een paar dagen op in de Tombs. En die astrante praatjes zou ik maar voor me houden. Dank u voor uw medewerking.'

Dokter Palsgrave zag eruit alsof zijn hart elk moment weer op hol kon slaan. Toen schuifelde hij wat met zijn voeten, rechtte zijn rug en probeerde vervolgens... welbeschouwd probeerde hij langer te lijken dan ik, want wij waren exact even groot en bij lange na niet zo imposant als Val. Het werkte alleen niet echt. Gelijktijdig laaide er een zeldzaam vlammetje van broederlijke trots in me op, maar dat plette ik onmiddellijk als een kakkerlak in de kelderkast. De lompe botheid van Vals woorden viel niet te ontkennen, hun krachtige uitwerking evenmin.

'Schan-da-lig. U wilt dat ik tracht een kind te herkennen dat ik misschien nog nooit heb gezien en het afzet tegen de duizenden gezichten die ik wel heb gezien?'

'De spijker op de kop,' zei Val onbewogen, en hij liet een duim langs de knopen van zijn vest glijden. 'En vertel ons dan maar meteen wat u verder zoal opvalt, puur ter wille van de mannen met de koperen ster.'

Ik rook de geur van denkbeeldig geld, lekker metalig. Valentine kennende was dit het moment waarop hij met smeergeld over de brug had kunnen komen. Tenzij hij had besloten dat de persoon in kwestie dat niet waard was en het maar liet zitten. Val deed niets.

Hij had zich niet vergist.

Dokter Palsgrave haalde zijn schouders op en liep met zijn armen op de rug naar het lichaam op de tafel. Toen hij voor het levenloze omhulsel stond, verscheen er alras een ontroerde trek op zijn gezicht, alsof de aanblik van de dood hem ondanks zijn anatomische opleiding nog steeds bedroefde.

'Hij is tussen de elf en dertien jaar,' zei hij met afgemeten stem. 'Ik zie geen duidelijke aanwijzing voor de oorzaak van zijn overlijden, het was in elk geval niet ten gevolge van deze… dubbele verwonding. Die is postmortaal toegebracht. Misschien dat een vreemdeling die opgegroeid is met heidense rituelen zijn organen wilde stelen en daarbij gestoord werd. Misschien had het kind iets van waarde ingeslikt en trachtte iemand dat terug te krijgen. Misschien was het de wanhopige daad van iemand die snakte naar vlees. Wat het ook was, het kind was al dood.'

Het was allemaal wel erg kras, vooral die suggestie van kannibalisme. Ik wierp een blik naar mijn broer uit behoefte aan een nuchter anker en ontdekte onthutst dat hij ook naar mij keek. Ik keek snel weer naar de dokter.

Dokter Palsgraves ogen stonden nu bijna teder, vol droefenis. Hij haalde een hand van zijn rug en streek zachtjes over de stijve arm van het kinchin. 'De arme ziel. Maar wie hij is? Ik heb echt geen flauw idee. Ongetwijfeld een straatschooiertje dat zijn dagelijkse kost uit het vuilnis bij elkaar scharrelde en zo zijn noodlot tegemoet ging.'

'Nee, dat klopt niet,' zei ik. Mijn eigen stem klonk me vreemd in de oren. 'Hij heeft schone nagels. U moet beter kijken.'

Val proestte het uit zodat zijn opzichtig geklede borstkas schokte, maar hij kromp snel ineen in een onwillekeurige poging te verbergen dat hij altijd lacht om dingen die geen humor verdragen. In mijn hoofd zongen zijn eerdere woorden na: *We gaan allebei beginnen in een nieuwe betrekking, beste Tim. Een die met name jou op het lijf geschreven is*, en ik moest een neiging tot kregeligheid onderdrukken, al kon ik er ook wel om lachen.

'Wilt u beweren,' snauwde dokter Palsgrave mijn broer toe, 'dat ik me de... de brutaliteit van deze kerel moet laten welgevallen?'

'Jazeker, maar alleen zolang hij betere observaties doet dan u. Vertel, Tim. Waar was dit jong dan vermoedelijk wel thuis?'

'In een keurig huishouden of in een bordeel,' zei ik langzaam. 'En zelfs al had hij zijn handen gewassen, dan nog heeft hij niet de huid van iemand die in de zomer veel buiten is. Hij is erg bleek. Vertelt u eens waaraan hij volgens u is overleden, dokter Palsgrave.'

De boze blos trok weg uit het gezicht van de dokter en hij boog zich met tegenzin weer over het dode lichaam. We hadden geen instrumenten voor hem, hij deed daarom zijn manchetten af en gebruikte zijn vingers voor het onderzoek. Mijn broer stond dicht naast hem en spoorde hem met een norse blik aan. De dokter trok de oogleden van het joch open, peurde in de geopende borstkas, boog nog verder voorover en rook aan de lippen van het kind. Uit zijn bewegingen sprak een voelbare eerbied, een zeker respect voor wat eens een jongen was geweest. Tot slot draaide hij zich om en waste zijn handen in een stenen kom naast de tafel.

'De vervaagde littekens op zijn lichaam wijzen erop dat hij ongeveer een jaar geleden varicella heeft gehad. Waterpokken noemt de leek dat. Die zijn zeer besmettelijk. Zijn gezondheid was ook verder niet erg robuust. Hij is, zoals u al opmerkte, een zeer schoon kind, maar hij is ook zeer mager en zijn longen wijzen er sterk op dat hij op het tijdstip van overlijden een fikse longontsteking had. Naar mijn mening is dat de feitelijke doodsoorzaak geweest, afgezien van de postmortale verwondingen zijn er namelijk geen aanwijzingen dat dit kind geweld is aangedaan. Maar volledig zeker weet ik het niet.'

Hij schraapte zijn keel. Aarzelde.

'Zijn milt... ontbreekt. Dat is zonder meer merkwaardig. Maar het is heel goed mogelijk dat een rat ermee vandoor is gegaan. Er zijn in het open abdomen duidelijke aanwijzingen dat ongedierte zich aan het lijk te goed heeft gedaan.'

Als een beloning voor goed gedrag aan ons allen, trok Valentine het grauwe doek weer over het naamloze kinchin. Het arme jong liet de geur achter van nog net niet rottend levenloos weefsel. Plus bij mij een rap toenemende weerzin tegen onbeantwoorde vragen.

'En u kunt erop zweren dat u dit kind nooit hebt behandeld? Niet in een ziekenhuis en ook niet ergens bij mensen thuis?' vroeg mijn broer.

'Ik behandel duizenden kinderen. Maar weinig collega's zijn bereid me te helpen. U kunt van mij, een dokter in de medicijnen, onmogelijk verwachten dat ik me al die afzonderlijke gezichten herinner,' zei dokter Palsgrave geërgerd, terwijl hij zijn handen afdroogde. 'U kunt uw vraag beter voorleggen aan iemand van de armenzorg. Ik wens u beiden een goede dag.'

'Wie van de armenzorg raadt u aan?' vroeg Val met zijn lijzige stem en een glimlach die aangaf dat half werk niet goed zou vallen.

'Eentje die oog heeft voor gezichten, die betrouwbaar is en die bereid is bij katholieken langs te gaan natuurlijk,' zei dokter Palsgrave kortaf, en hij bevestigde zijn manchetten weer aan zijn mouwen. 'Een type dat je onder de barmhartige medemens weinig aantreft. Miss Mercy Underhill zult u moeten hebben, vermoed ik zo. Ik werk nauw samen met de eerwaarde Thomas Underhill in de arme protestantse wijken. Maar er zijn er niet veel die durven gaan waar miss Mercy gaat, zelfs haar vader niet. En nu voor de laatste keer: goedendag.'

Met zijn snelle en zenuwachtige tred bonkte hij de trap op. Er was iets mis met mijn mond. Die was kurkdroog. Als ik hem bewoog, zou hij naar mijn gevoel misschien wel versplinteren.

'Nou zeg, is dat even een meevallertje voor ons.' Valentine sloeg me op mijn rug. 'Jij zou Mercy Underhill zelfs in het donker en met geknevelde handen nog kunnen vinden...'

'Nee,' zei ik luid. 'Nee. Ik wilde je alleen helpen met het lijk. Meer niet.'

'Waarom voor de duvel zou je mij willen helpen? En als je dat al wilde, om welke bezopen reden ook, waarom zou je er dan nu mee ophouden?'

'Ik wil niet dat Mercy hiernaar moet kijken. Dat is niemand me waard.'

'Ook niet het dode kinchin zelf?' Toen ik mijn mond kwaad opende, stak Val een grote, en ik moet toegeven gezagsafdwingende, hand in de lucht. 'Je hebt een genifterd Iers hummeltje gezien en dat heeft je de stuipen op het lijf gejaagd. Vervolgens besluit je met mij mee te gaan om erachter te komen of je het een tweede keer aan zou kunnen. Dat snap ik, Tim. En je was top. Luister, ik laat het dode joch wassen en aankleden. Ze hoeft alleen over zijn naam te prakkiseren. Ik kan hem zelfs naar St. Patrick's laten brengen, dat is een klein stukje van Prince Street af, zes straten maar. Kunnen we eerst zien of zij hem herkennen. Misschien weet de pastoor zelfs wel waar hij thuishoort.'

'Ik werk niet eens in deze...'

'Matsell stond vanochtend op het punt je de laan uit te sturen, dood kereltje of niet. Ik zal tegen hem zeggen dat je dit voor mij in Wijk 8 moet uitzoeken. 't Is perfect zo. Ik zal ook je opmerking over die nagels doorgeven. Dat was heel scherp van je. Komt zeker door dat werk achter de bar, hè?'

'Maar ik weet niet hoe ik...'

'Wie wel, Tim? Mijn mannen ondervragen tijdens hun rondes alle omwonenden en ik praat je bij als je je vanavond weer bij me meldt. Ik ben vanaf tien uur in Liberty's Blood. Dan kunnen we samen een knak paffelen.'

'Als je daarmee een sigaar roken bedoelt...'

'Wat voor de duvel z'n moer zou het anders moeten betekenen?'

'Ik kan niet zomaar komen aanzetten bij Mercy en...'

'Het gaat om een moord. Ze kan wel tegen een stootje, is bovendien pienter zat. Die werkt wel mee. Adieu, Tim, veel succes ook.'

'Het gaat niet alleen om die moord!' riep ik, terwijl ik wanhopig over mijn voorhoofd wreef.

Valentine was al halverwege de trap. 'O,' zei hij, en hij bleef staan.

Ik zette me schrap voor zijn spot. Maar hij wierp me alleen met een veelzeggende grijns een muntstuk toe. 'Hier, dat is volgens mij een shilling. Koop een masker, eentje dat goed kleurt bij je fraaie hoed. Vaderlands rood en intimiderend en geheimzinnig.'

Ik ving de munt op in mijn gekromde hand en protesteerde: 'Een masker helpt niet tegen...'

'Laat die overwerkte waffel van je eens rusten, Timothy. Dat heb ik ook nooit beweerd. Het zal je misschien verbazen, maar er zijn zat dingen die zelfs ik niet kan oplossen.'

Zijn stem droop van sarcasme. En toen schonk Val me ineens een oogverblindende oprechte wolvengrijns. 'Maar het helpt wel, toch? Het helpt wel. Ga er achterheen. En ga dan op zoek naar Mercy Underhill en vind uit wie in staat zou zijn een Iers jong open te breken als een kreeft. Je mag best weten dat ik daar persoonlijk ook verdomd nieuwsgierig naar ben.'

7

De jaarverslagen van de Stadsinspectie wijzen uit dat bijna de helft van degenen die aan de tering zijn gestorven buitenlanders zijn en dat van alle overledenen meer dan een derde uit buitenlanders bestaat. Zo'n uitgesproken wanverhouding kan alleen maar verklaard worden door de aanname dat onder de vreemdelingen die zich hier vestigen buitengewone doodsoorzaken voorkomen.

• *De hygiënische omstandigheden onder de werkende bevolking van New York*, januari 1845 •

R ode maskers zijn voor bandieten in Bowery-variétés en misschien voor Italiaanse pantomimespelers. Mijn schurk van een broer weet het verschil vast niet eens. Maar het idee op zich was onuitstaanbaar goed. Ik kocht daarom een lap antracietgrijze zachte katoen en bond die schuin over mijn gezicht over het dunne vettige verband heen, zodanig dat mijn oog vrij bleef. Toen begaf ik me naar de kerk in Pine Street.

Terwijl ik gehaast door Pine Street liep, langs de mij maar al te vertrouwde advocatenkantoren van drie verdiepingen hoog en de etalages vol moderne olielampen en kasbloemen, vroeg ik me af waarom ik niet naar Bird toe snelde om haar uit te horen over de jongen met het in zijn borst gekerfde kruis. Twee redenen kwamen bovendrijven toen ik erover nadacht. Ten eerste had Bird gezegd: *Ze zullen hem afmaken*, en daarbij zat het me niet lekker dat ik haar moest vertellen dat ze gelijk had gekregen. Ervan uitgaand dat de emmer met kippenbloed een van haar vele verzinsels was geweest. Maar belangrijker leek het me dat niemand buiten de muren van mijn woning vooralsnog van Bird hoefde te weten. Toch? De jokkebrok met het lieve toetje, die onder het bloed had gezeten en misschien wel meer had gezien dan goed voor haar was. Ik zou Bird bijstaan en daarna zou ík haar weer op weg helpen.

Ik was niet meer ten zuiden van City Hall Park geweest sinds een flink stuk van de stad in de as was gelegd. Hoe verder ik kwam, des te meer mijn tred zich vertraagde. Ik verbeeldde me dat ik de rook in mijn neusgaten voelde binnendringen, ook al hing die er niet meer. In de afvalhopen gloeiden sintels. Nijvere hamers weerklonken luid, alsof je het hart van de stad hoorde kloppen. De gebouwen die nog overeind stonden, hingen vol met advertenties voor kleding, medicijnen en politieke boodschappen, en zagen er gaandeweg steeds zwarter geblakerd uit. Hier en daar zag ik lege plekken op de plaatsen waar gebouwen van hout hadden gestaan. En dat verklaarde ook meteen het gehamer: Ieren, honderden en nog eens honderden Ieren stonden met spijkers tussen hun lippen hun hemden nat te zweten onder toezicht van een stel Amerikanen, die zo nu en dan een slok namen uit een veldfles, om hen vervolgens weer de huid vol te schelden.

'Ik heb mijn hele leven hout gezaagd, dat heb ik van mijn bloedeigen vader geleerd, en jij noemt dát vakmanschap?' hoorde ik een rood aangelopen man met een baard roepen toen ik William Street naderde. 'Een nikker zou nooit voor zo weinig werken, maar een nikker zou er ook nooit zo'n potje van maken!'

De Ier knarsetandde, maar klemde zijn kaken op elkaar en was zo verstandig zijn mond te houden in plaats van toe te geven aan de drang om er eens flink op te slaan en zo zijn werk te verliezen. Wel kreeg hij een kleur van kwaadheid hij toen de opzichter doorging met het roepen van scheldwoorden, waarbij hij intussen was overgegaan op het onderwerp van de moeder van de Ier. De doffe, machteloze blik die ik bij het passeren in de ogen van de immigrant zag, herkende ik maar al te goed. Ik had hem bij haveloze jidden met versleten keppeltjes gezien, bij kleurlingen die winkels letterlijk uit geslagen werden, bij quakerboeren die bespot werden, bij indiaanse handwerkslieden die stoïcijns achter hun tafel met kralenweefsels en bewerkte benen voorwerpen bleven zitten, terwijl de regen langs hun zwarte vlechten naar beneden stroomde. Er moet hier altijd iemand gekleineerd worden en die blik in zijn ogen krijgen. Ik heb het zelf ook ondergaan. En het valt niet mee.

Toen ik Mercy's straat in liep, zag ik de verwoesting. Iets anders was er ook niet te zien. Niet voor iemand die hier was opgegroeid, die New York had gekend voor de brand alles had weggeslagen. Ik was getuige van een prachtige, gonzende bijenkorf van menselijke bedrijvigheid. Tientallen halfgevormde gedachten waren op de een of andere manier uitgegroeid tot gebouwen. Pas gelegde stenen tussen het puin, kleurlingen die water brachten naar mannen die zowat aan een zonnesteek bezweken, zwarte boomstompen waarvan de takken waren weggebrand met daaronder bloembakken vol bloeiende planten die vanuit Brooklyn of Harlem waren gestuurd.

En omdat New York de enige plek op aarde is waar het er zo aan toegaat, voelde ik hoe dit alles puur doordat ik er ooggetuige van was voor een deel van mij werd. Ik had verwacht dat de aanblik van het puin mijn gezicht opnieuw in vuur en vlam zou zetten. Maar in plaats daarvan keek ik toe en dacht: zo is het. Wij gaan gewoon door. Misschien in een andere richting, misschien zelfs in de verkeerde, maar bij God – welke God ook de jouwe is – wij gaan door.

De kerk in Pine Street is van bescheiden blozende baksteen en staat op de hoek van Pine Street en Hanover Street, met de pastorie er direct naast. Toen ik de zware kerkdeur openduwde, meende ik achterin vaag wat beweging te zien en hoorde ik gedempte stemmen. Mijn schouderbladen tintelden bij de gedachte dat het Mercy misschien was, maar zelfs in het schemerduister zag ik al snel dat dat niet het geval was. Twee vrouwen stonden bij de preekstoel aan de kerk geschonken kleding uit te zoeken, die uit een grote canvas zak in een bonte hoop op de eenvoudige eiken tafel was gestort.

'Dit kan wel op de bruikbare stapel toch, Martha?' hoorde ik de jongste van de twee vragen, terwijl ik dichterbij kwam. Een weduwe, nam ik aan, toen ik zo dichtbij was dat ik haar ring kon zien, want getrouwde vrouwen met een werkschort voor hebben om vier uur 's middags belangrijker huiselijke taken te verrichten dan het uitzoeken van gedragen kleding. Ze had grof blond haar en een neus

die plat was als een geperste bloem, maar haar stem klonk vriendelijk. 'Hij is nog best mooi, vind ik.'

'Veel te mooi,' snoof de oudere vrouw, nadat ze een blik op de
effen roze nankingkatoen had geworpen. 'Een behoeftige vrouw
zou zich boven haar stand kleden in zo'n japon. Het idee alleen al,
Amy. Leg hem maar op de stapel voor de lommerd. Kan ik u ergens
mee helpen, meneer?'

'Ik ben Timothy Wilde, drager van de koperen ster,' zei ik, en ik
wees op het verrekte ding.

Een half nieuwsgierige, half afkerige blik gleed over haar gezicht.

'Ik moet dringend miss Underhill spreken,' zei ik met een zucht,
en ik negeerde haar gezichtsuitdrukking verder.

'O! Miss Underhill, de engel. Is er iets gebeurd?' piepte de vrouw
die Amy heette.

'Niet met miss Underhill zelf. Weet u waar ze is?'

Martha keek zuur, waardoor haar vaalbleke gezicht opeens veel
weg had van een beschimmelde citroen. 'Ze is bij haar vader in de
pastorie. Ik zou hen maar niet storen als ik u was.'

'Waarom niet?' vroeg ik, al half omgedraaid.

Ze deed de grootste moeite een zelfvoldane blik te verbergen
onder haar masker van bescheidenheid. 'Er werd met stemverheffing gesproken toen ze naar binnen gingen, maar het gaat om iets
waar ze maar beter naar kan luisteren. Miss Underhill heeft zich
tegen alle regels van het gezonde verstand in ingelaten met ordi-
naire Ierse gezinnen. Ze eindigt nog eens naast haar moeder in de
grond als ze blijft omgaan met dat soort dronken buitenlanders –
waar denkt ze dat de cholera vandaan komt? En wat zou de eerwaarde dan moeten beginnen, de arme man?'

'De goede God zal zich ongetwijfeld over hem ontfermen,' antwoordde ik droog, en ik tikte tegen mijn hoed. 'Uw God vanzelfsprekend, dus daar hoeft u zich niet druk om te maken.'

Ik liet twee opengevallen monden achter.

Via de zijdeur liep ik de kerk uit. Ik volgde het paadje tussen de
appelbomen door naar de heg met het donkergroene blad die langs
de pastorie loopt, en hield met een ruk stil toen ik Mercy en haar
vader in de erker van de zitkamer zag staan. Dat ze woorden hadden was duidelijk. Mercy's tanden lieten haar duimnagel niet met

rust en haar vaders houding was streng. Ik zweer dat het niet mijn bedoeling was hen te bespieden, maar iets in Mercy's ogen maakte dat mijn voeten precies vóór de heg niet meer verder konden – haar aanblik had trouwens ook een uiterst onaangenaam effect op mijn hartslag.

'Maar het zijn niet eens christenen,' zag ik hem zeggen, waarbij hij een beslist gebaar met zijn hand maakte.

'Er zijn missionarissen in Afrika die zich om arme stammen bekommeren die meer goden vereren dan ze kunnen tellen. Ik zie het verschil niet,' zei ze met grote ogen tegen hem.

'Die inboorlingen zijn alleen maar onschuldige analfabeten.'

'De Ieren zijn alleen maar arm. Ik begrijp niet...'

De predikant liep met snelle, boze stappen een paar meter bij het raam vandaan en ik kon niet zien hoe hij reageerde. Maar wat hij ook zei, Mercy werd opeens rood als de opgaande zon en kneep haar ogen dicht terwijl ze met haar gezicht naar het raam ging staan. Hij sprak misschien tien tellen lang. Toen hij uitgepraat was, kwam Thomas Underhill met een zorgelijk gezicht weer terug in mijn blikveld en trok Mercy's donkere haren tegen zich aan. Ze stribbelde niet tegen en greep hem bij de arm. Het laatste wat ik zag voor ik me afwendde van het tafereel dat veel te intiem was om te aanschouwen, was dat de predikant opnieuw het woord nam, terwijl hij zijn kin licht op het hoofd van zijn dochter liet rusten.

'Het jaagt me angst aan,' zei hij. 'Ik zou je gezondheid nog voor geen duizend verloren zielen in gevaar brengen.'

Ik zou bij het zien van dat tafereel verscheurd zijn geweest door schuldgevoel, als ik niet had geweten waarover ze ruzieden. Liefdadigheidsdames uit de hogere kringen beperken hun behulpzaamheid doorgaans tot het inzamelen van geld tijdens diners met fikse punten ossentongpastei en tot limonadesoirees, waar ze met veel gevoel discussiëren over manieren om het kwaad de wereld uit te helpen. Maar Mercy is geen liefdadigheidstype. Eerlijk gezegd is ze helemaal geen type, voorzover ik kan beoordelen, hoe grondig ik haar ook heb bestudeerd, en ze komt per slot van rekening uit een nest van voorstanders van afschaffing van de slavernij. Als er barmhartige Samaritanen bestaan die niet bang zijn om hun handen vuil te maken, al worden ze ervoor uit hun bed gehaald, zijn zij het wel. Ik sta er dus in tegenstelling tot haar vader nooit bij stil dat Mercy's al even meelevende moeder is gestorven nadat ze zich in een ziekenzaal vol patiënten had gewaagd. Ik sleep Mercy niet terug het daglicht en de frisse lucht in als ik haar zoiets zie doen. Ik wacht gewoon tot ze klaar is, omdat ze anders nooit meer met me zou willen praten.

Over dat soort ernstige zaken liep ik na te denken, terwijl ik om het huis heen liep. Toen ik bij de voordeur aankwam, zwaaide die open en draaide Mercy zich om om hem weer achter zich te sluiten.

Ik bleef onwillekeurig als aan de grond genageld staan. Mercy overkwam hetzelfde, toen ze bij het pad aankwam; het mandje aan haar arm zwaaide de seconden weg. Zodra ze me herkende zag ik haar gezicht dat toch al weinig kleur had, wit wegtrekken. Een streng haar plakte aan haar onderlip en de meeste mensen zouden die voor haar hebben willen wegstrijken, maar dat zou haar gezichtsuitdrukking hebben bedorven, wat die ook mocht betekenen.

'Ik ben op weg naar de familie Brown, al heb ik nauwelijks genoeg meel voor ze,' zei Mercy gehaast. Zonder enige aanleiding, zoals gewoonlijk. 'Ik moet dringend een visite afleggen, Wilde. Kwam je voor vader?'

Ik schudde mijn hoofd, nog steeds sprakeloos.

'Zou je me dan naar Mulberry Street willen vergezellen en daarna… met me willen praten? Ik ben bang dat ik nu nog te erg van streek ben voor een gesprek. Is dat goed?'

Ze had net zo goed kunnen vragen of ik belangstelling had om een poosje vrijaf te krijgen van een gedwongen verblijf in de hel. Ik knikte dus instemmend. Eindelijk mocht ik mijn hand weer op haar arm leggen en me naast haar door de straat spoeden, en nadat ik de gebruikelijke golf van geluk door me heen had voelen slaan, leek alles dichterbij en scherper. Alsof ik door een licht bollende lens keek. Ik was bijna vergeten waarvoor ik was gekomen. Ik zal haar nooit krijgen, dus vandaag is beter dan alle dagen die zullen volgen, dacht ik, want vandaag zien onze ogen dezelfde dingen.

In de nabijgelegen Mulberry Street was het drukkend warm. Rottend zwart fruit drupte door de kieren van kratten op de stoeptegels voor de kroegen, gebouwen zegen tegen elkaar ineen van de hitte. Het krioelde er van de mensen van wie slechts weinigen er uit vrije wil waren. Nummer 67 was een houten gebouw – opgetrokken uit luciferhoutjes en twee keer zo brandbaar als je het mij vraagt. We gingen naar binnen en liepen zonder dralen de trap op naar de eerste verdieping. Mercy liep naar het einde van de gang en klopte op de deur aan de rechterzijde. Toen er nauwelijks hoorbaar werd geantwoord, duwde ze de deur open en gebaarde naar mij dat ik op de gang moest wachten.

Ik zag driekwart van een kale kamer waar een weeë geur van ziekte hing, een mensenlucht die vettig aanvoelde. Voor de zoveelste keer in mijn leven moest ik mezelf ervan weerhouden Mercy niet uit de ziekenkamer van een vreemde weg te sleuren. Ik kende de kwelling die vanochtend door het hoofd van de predikant had gemaald maar al te goed. Elke keer weer voelt het alsof je in tweeën wordt gescheurd.

Er zaten drie kinderen op de kale planken. De jongste was een jaar of twee, al kon hij ook klein zijn geweest door ondervoeding. Hij was naakt en zat met vier vingers in zijn mond. De twee andere waren meisjes in gevlekte katoenen hemdjurkjes. Ze waren zo te zien een jaar of acht en tien, en zaten zakdoeken te zomen. Vanuit het bed klonk een schrille stem. Amerikaans, leek me, maar het zou me niet hebben verbaasd als ze Hollandse grootouders had. Bij gebrek aan een tafel of kastje legde Mercy het zakje meel in een pan.

'De dames van het geheelonthoudersgenootschap waren er weer. Ik moet de vloer boenen en al het linnen wassen voor ze aardappelen komen brengen, maar ik heb geen azijn. En ook geen as of terpentijn.'

De vrouw die aan het woord was, wier blonde haar tegen haar voorhoofd geplakt zat en die een blos had van de koorts, zag er niet uit alsof ze kracht genoeg had om uit bed te komen, laat staan om de vloer te schrobben. Mercy haalde een blauwe fles en een glazen buisje uit haar mand.

'Hier is terpentijn en ik heb ook wat kwikzilver voor je meegebracht tegen de bedwantsen. Als je dat met Lacey Huey deelt, zou ze je dan willen komen helpen met schoonmaken?'

'Dat doet ze wel,' verzuchtte de zieke vrouw opgelucht. 'Ik heb vorige maand haar was gedaan toen ze zo'n last had van de jicht. Dank u wel, miss Underhill.'

'Als ik vandaag zelf aardappelen had gehad, had je ze gekregen. Maar helaas,' zei Mercy met een wrang gezicht.

Ze praatten nog even verder, over de koorts van de vrouw en haar kinderen, en wat de geheelonthoudingsdames precies wilden dat er gedaan werd aan de armoedige kamer voordat de bewoners ervan iets te eten verdienden. Ziekte wordt naar de overtuiging van de geestelijkheid en de geleerde heren veroorzaakt door een ongezond leven. Vet eten, bedorven lucht, rottende grond, slechte hygiëne, drank, verdovende middelen, zedeloosheid en seks. Van zieken wordt daarom aangenomen dat ze niet bepaald engelachtig zijn en dat deugdzame liefdadigheidsbeoefenaars beter niet direct met hen in contact kunnen treden. Mercy en andere radicalen slaan die raad vrolijk in de wind en ondanks het ontzaglijke gevaar dat dat met zich meebrengt, begrijp ik dat ook wel. Ik weet niet waardoor ziekte wordt veroorzaakt. Dat weet niemand. Maar ik ben als kind meer dan eens ziek geweest, en Valentine, die niet op veel deugden kan worden betrapt, heeft het gestel van een trekpaard. Daar klopt dus iets niet.

'Bedankt dat je mee wilde,' zei Mercy tegen me, nadat ze hartelijk afscheid had genomen van de kinderen en de deur achter zich had dichtgetrokken. 'Laten we maar de trap aan de achterkant nemen. De andere is op drie plaatsen rot.'

Het zonlicht verblindde me toen we weer op straat stonden. Met een schok bedacht ik met wat voor weerzinwekkende boodschap ik eigenlijk was gekomen en ik zette me schrap om haar te waarschuwen dat ik een verschrikkelijk verzoek aan haar had. Maar Mercy nam als eerste het woord, terwijl ik onze voeten in de richting van St. Patrick's stuurde.

'Mijn vader had vannacht een akelige nachtmerrie,' zei ze. 'Toen ik vanochtend beneden kwam, zat hij met pen en papier en een boek in de zitkamer. Hij las niet, hij schreef niet, hij maakte geen aantekeningen, hij zat daar alleen maar totdat het tijd was om aan het werk te gaan. Hij kon amper een woord tegen me uitbrengen. Ik vroeg me toen ook af hoe het met jou was. Gaat het weer een beetje?'

Het kostte me een paar tellen, maar toen besefte ik dat ze het niet over de brand had. Ze doelde op Aidan Rafferty.

'Het was een zware dag,' gaf ik toe.

'Ik moet bekennen dat ik nog het meest begaan ben met mijn vader,' zei ze bedrukt. 'Ik neem aan dat die baby nu in de hemel is en misschien geloof jij dat ook wel. Of in de koele aarde misschien. Alleen mijn vader gelooft dat hij in de hel is. Met wie ben jij het meest begaan, Wilde?'

De moeder, dacht ik. Die nu met een verwarde geest in de Tombs zit en daar enkel ratten heeft om mee te praten.

'Ik weet het niet, miss Underhill.'

Mercy staat niet snel ergens van te kijken, en als de verzamelaar die ik ben, observeerde ik haar daarom goed nu ik dit voor de tweede keer mocht meemaken. Bij het horen van haar naam vielen haar lippen open en vervolgens beet ze zachtjes op de onderste.

'Heb je er dan helemaal niet over nagedacht?'

'Dat probeer ik te vermijden.'

'Waarom heb je me opgezocht, Wilde? Ik verkeerde in de overtuiging dat we oude vrienden waren en dan gebeurt er een verschrikkelijke ramp en ineens ben je zonder een woord te zeggen verdwenen. Denk je soms dat wij harteloos zijn? Dat wij niet het soort mensen zijn die zich afvragen waar je kan zijn gebleven?' Haar ogen schoten heen en weer.

'Als ik jou of je vader ongerust heb gemaakt, spijt me dat zeer.'

'Je bent het toch zeker met me eens dat dat niets voor jou is?'

'Ik draag nu een koperen ster en woon in Wijk 6. Zie ik eruit alsof ik nog dezelfde ben?'

Mercy's zwarte wenkbrauwen schoten omhoog. Ik keek haar onderzoekend aan, waardoor ik een moment van slag raakte. Toen we weer verder liepen, speelde een raadselachtig lachje om haar mondhoeken. Het was eerder hoorbaar aan haar adem dan zichtbaar op haar gezicht.

'Ik vind het heel erg wat je is overkomen,' zei ze zachtjes. 'Alles. Ik hoorde het uiteraard pas gisteren van mijn vader. Ik wou dat ik het eerder had geweten.'

'Dank je wel,' zei ik, en ik voelde me vreselijk ondankbaar. 'Hoe vlot het met het boek?'

'Dat gaat wel.' Ze klonk bijna geamuseerd. 'Maar aan je stem te horen ben je hier niet zomaar. Ga je me nog vertellen wat de reden is?'

'Jazeker,' antwoordde ik schoorvoetend. 'Dokter Peter Palsgrave dacht dat jij de politie misschien kunt helpen met het identificeren van een overleden jongetje. Maar als je dat niet wilt...'

'Peter Palsgrave? De vriend van mijn vader? De dokter die aan een levenselixer werkt?'

'Is dat zo? Ik dacht dat hij alleen kinderen behandelde.'

'Dat doet hij ook. Zo hebben vader en ik hem leren kennen. Maar dokter Palsgrave werkt ook aan een elixer. Hij is al heel lang op zoek naar de formule voor een drankje waarmee elke ziekte te genezen is. Hij bezweert ons dat het wetenschap is, maar ik vind het nogal onpraktisch allemaal. Is het nu werkelijk verstandig om je ten volle te concentreren op een magisch wondermiddel, terwijl intussen zovelen sterven bij gebrek aan doodeenvoudige remedies als vers vlees? Maar waarom dacht hij aan mij? O, ik snap het al.' Mercy zuchtte en schoof de mand weer naar boven over haar slanke arm. 'Is het een Amerikaanse jongen?'

'Als je bedoelt of zijn ouders hier geboren zijn en of ze de uitspraak en het geld hebben om voor Amerikanen door te gaan... Dat weet ik niet. Maar hij ziet er Iers uit.'

Mercy wierp me een snelle lach toe die voelde als een vluchtige kus op mijn wang. 'In dat geval ben ik zeker bereid te helpen.'

'Waarom ben je vooral bereid te helpen als hij Iers is?'

'Omdat,' antwoordde ze, en alles viel weer op zijn plek, 'als hij Iers is niemand anders in de stad zich om hem zal bekommeren.'

Het bekijken van het lijkje – dat intussen wel gewassen zou zijn en in een lijkwade gehuld vlakbij lag, in St. Patrick's, op de hoek van Prince en Mulberry Street – had meer voeten in de aarde dan we ons hadden voorgesteld. Ten eerste was er het probleem van mijn onwil om de ruwstenen muur van de zij-ingang met de vijf ramen te benaderen met Mercy aan mijn zijde, in de wetenschap dat ik haar een lijk zou moeten laten zien. Maar belangrijker nog waren de onverlaten.

'We steken dit satanshuis in de fik!'

Een reus van meer dan een meter tachtig met volle, zwarte bakkebaarden, die in weerwil van die twee feiten onmogelijk al vijfentwintig kon zijn, had het tegen een kluitje arbeiders met kwade koppen. Hun rimpels waren dieper gegrift dan ze zouden moeten zijn. Mannen die met hun handen werkten en net klaar waren met het slachten van varkens of het inslaan van spijkers en die hun beste jas hadden aangetrokken om een rieten mand vol rivierstenen naar de Ieren te gaan gooien. Ze hadden wel wat weg van Val met hun strakke, zwarte rokjassen en zorgvuldig uitgezochte dasspelden. Alleen was Val uit op Ierse stemmen en de Nativisten op Ierse doden. Het waren mannen met harde levens, wat te zien was aan hun kille oogopslag en hun gretig gebalde vuisten.

'Ik regel dit wel,' zei ik tegen Mercy, en ik gebaarde met mijn kin dat ze maar even op de hoek moest wachten.

'Jullie durven je krachten nog niet te meten met één enkele vrijgeboren Amerikaan, binnenstebuiten gekeerde nikkers! Kom eens buiten spelen, lafbekken. We verdrinken jullie als een zak jonge honden!' riep de uit de kluiten gewassen jongeling met vervaarlijk blikkerende tanden en een zorgvuldig gekamde berenvacht.

'Maar niet vandaag,' opperde ik.

Alle ogen schoten mijn kant op als ongedierte dat zich op een kadaver stort.

'Wat mot je van ons, smeerlap?' zei de reus van een vent smalend, met een accent dat alleen maar uit New York afkomstig kon zijn.

'Ik ben van de politie,' kondigde ik aan. Dat vereiste een passend gebaar, dus ik tikte met mijn duimnagel tegen mijn insigne zoals ik dat Val maar al te vaak bij zijn doodgewone knopen had zien doen. Voor het eerst voelde ik iets anders bij die ster dan woede of ergernis. 'Zoek een nest jonge honden die verdronken moeten worden en laat de kerk verder met rust.'

'Van de politie,' smaalde de reus. 'Ik heb al weken zin om eens een bout flink op zijn bek te slaan. Hij heb anders wel praatjes, hè? En hij verstaat wat we katsen.'

'Hij belazert de kluit,' zei een dronkenlap met dubbele tong en met een gezicht dat iemand leek te hebben aangezien voor brooddeeg dat hij door elkaar had gekneed. 'Hij is maar in z'n eentje. En hij ken ons niet verstaan.'

'Ik kats gewoon met jullie mee. En ik heb genoeg aan mezelf,' diende ik hem van repliek. 'En nu wegwezen of ik lever jullie bij de Tombs af.'

Zoals ik al had verwacht, deed de monumentale slungel die ze als hun leider leken te beschouwen een stap naar voren en balde zijn handen tot hun natuurlijke stand.

'Ik sta bekend als Bill Poole.' Hij had een flinke kegel. 'En ik ben een geboren Amerikaanse republikein, een vrij man, en de aanblik van een staand leger doet me zeer aan de ogen. Als ik klaar met je ben, ben je zo plat als een balo bij de spekkerd met je koperen ster.'

Of hij in staat was me zo plat te slaan als een varken op de slacht-bank wist ik niet, maar ik wist wel dat hij dronken was en niet meer zo stevig op zijn benen stond. Dus toen hij naar me uithaalde, zoals grote mannen in hun overmoed doen, stapte ik langs zijn vuist heen naar voren en velde ik hem door mijn elleboog in zijn oogkas te sto-ten. Bill Poole viel op de grond als een zak die ik van mijn schou-der liet glijden.

'Oefening baart kunst,' adviseerde ik hem ongevraagd, terwijl zijn volgelingen toeschoten om hem van de grond te rapen. Ik tikte nogmaals tegen de koperen ster die me nu zelfs een warm gevoel bezorgde. 'En scheer je nu weg voor er nog meer van deze jongens aankomen.'

Misschien is het inderdaad zo slecht nog niet om honderden keren met je oudere broer te hebben geknokt, dacht ik, als je daar-door een aardig robbertje leert straatvechten voor het goede doel. De vechtersbazen dropen intussen met hun leider en hun stenen af. Ik trok het verband over mijn gezicht recht terwijl de hoop zich hard en vasthoudend aan mijn ruggengraat vastklauwde. Mercy stond tenslotte achter me. Mercy stond...

Niet achter me. De deur, die aan de bovenkant een fraaie boog-vorm had, stond open.

Hoop is iets waar je alleen maar last van hebt, daar ben ik intus-sen wel achter. Hoop is een paard met een gebroken been.

Het hoge plafond van de kathedraal werd door twaalf enorme zuilen ondersteund, elk bovenaan omkranst door vier bollen die een zacht licht verspreidden. Het was er schemerig ondanks de lampen en de lucht was zwaar van de wierook en de rituelen. Toen ik Mercy ontdekte, stond ze met een ernstig gezicht te luisteren naar de pastoor die ik herkende van mijn bezoek aan Mulberry Street een paar weken eerder, toen ik op zoek was geweest naar woonruimte.

Hij moet me toen zijn opgevallen, want hoewel we woorden noch geld hadden uitgewisseld herkende ik hem meteen. In de eerste plaats was hij niet gewoon kaal, maar was zijn hoofd bol en haarloos, alsof er nooit haar op gegroeid had. Het gezicht onder de bolling was echter zeer uitgesproken, intelligent en vastberaden. Hij keek me onderzoekend aan.

'Meneer Wilde, neem ik aan.' De geestelijke gaf me de stevige hand van een man die zich op eigen terrein bevindt. 'Ik had al gehoord dat u langs zou komen. Bisschop Hughes is momenteel in Baltimore voor een gesprek met de aartsbisschop, ik neem voor hem waar. Ik woon toch al naast de kathedraal en ben de beheerder van het terrein. Pastoor Connor Sheehy, tot uw dienst.'

'Dank u. Die Bowery-kerels zijn er trouwens vandoor, mocht u zich dat afvragen.'

'Zeker, zoals elke middag rond dit tijdstip, voordat de katholieke dagarbeiders klaar zijn met het karren van mest en nog wel te porren zijn voor een knokpartij.' Hij glimlachte. 'We slaan nooit acht op ze, miss Underhill en ik. Maar ik meen te begrijpen dat u hen op hun plaats hebt gezet. Dat is dan een mooie slag voor de politie. Nee, het gaat om het volgende. Ik doe liefdadigheidswerk in de Five Points met miss Underhill en... uw broer, commandant Wilde, heeft me iets zorgwekkends laten bezorgen. U komt waarschijnlijk voor die jongen. Hij ligt in een van de zijkamertjes. Komt u maar mee.'

De kamer was zo anders van sfeer dan de kelder van het politiebureau, dat ik bijna niet kon geloven dat de dode die er lag dezelfde was. In het vrij naar binnen vallende licht hoog boven ons kon ik hem nu beter zien en hij werd hier omringd door al even roerloze beelden van heiligen, die een toepasselijk gezelschap vormden. Hij had een wit gewaad aan en lag met zijn gezicht naar het kalkstenen plafond onder een tot zijn borst opgetrokken laken. Toch kon je onmogelijk denken dat hij sliep, niet als je de dood al eerder had aanschouwd. Doden zien er zwaar uit. Verbonden met de aarde op een manier die voor geen levende geldt.

Mercy liep meteen naar hem toe en zette haar mandje neer. 'Ja, ik heb wel het idee dat ik hem eerder heb gezien, maar ik kan hem niet plaatsen,' zei ze. 'Ik neem aan dat u hem niet kent, mijnheer pastoor?'

'Nee. Ik wou dat ik kon zeggen van wel, in het licht van wat hem is aangedaan.'

'Wat is hem dan aangedaan?' wilde Mercy meteen weten.

Ik wierp pastoor Sheehy een vlammende blik toe, die de ijsblokken die dagelijks over de Hudson werden aangevoerd zou hebben doen smelten. 'Wilt u dat werkelijk weten, miss Underhill?' vroeg ik in de hoop dat ze nee zou zeggen.

'Is er iets op tegen om het me te vertellen, Wilde?'

'Er is een diep kruis in de borst van het jong gekerfd,' legde pastoor Sheehy uit met een veel te openlijke, veelbetekenende blik ter verontschuldiging in mijn richting. Die negeerde ik.

'Waarom zou iemand zoiets verschrikkelijks doen?'

Onwillekeurig kwam het onuitsprekelijke lijstje van de drie mogelijkheden van dokter Palsgrave weer bij me boven: satanisch ritueel, schatzoekerij, voedselbron.

'We zijn ermee bezig,' zei ik naar waarheid. 'Elke mogelijkheid die tot nu toe is geopperd was onzin, van godsdienstwaanzin tot erger.'

Mercy toonde ons de rug van haar slanke hand toen ze met haar vingers langs haar hals streek en aangedaan prevelde: 'Maar dat was niet de doodsoorzaak, toch?'

'Nee, nee,' verzekerde ik haar. Een vage gedachte spookte nog ongrijpbaar door mijn hoofd. 'Hij is ofwel gestorven aan een longontsteking ofwel aan iets wat minder duidelijk te traceren is. Heb je misschien vorig jaar arme gezinnen bezocht waar waterpokken heersten?' vroeg ik in een opwelling, en ik knipte met mijn vingers.

Ik liep naar het lichaam toe en trok de lijkwade een centimeter of wat omlaag langs de schouder van het jochie. De bijna vervaagde plekjes her en der op de huid waren minder zichtbaar dan zijn sproeten, maar niet te missen.

Mercy trok een van haar mondhoeken op. 'Er zijn vorige winter opvallend weinig gevallen van varicella geweest. Hij kan het natuurlijk hebben gehad zonder dat ik ervan op de hoogte was, maar ik ben wel een week of twee op pad geweest met in melasse gedrenkt bruin papier. Dat leg ik op de huid van de kinderen om de ontsteking tegen te gaan. Het heeft in een rij huizen in Eighth Street geheerst, tussen het spoor en de begraafplaats, maar dat waren arme Amerikanen. En verder heeft het hard toegeslagen in een stuk van Orange Street, maar die kinderen waren allemaal Welsh. O,' herinnerde ze zich ineens, 'en in een paar huizen in Greene Street, waar...'

Mercy wierp een blik op het lijkje en het bloed trok uit haar mooie gezichtje weg.

'Hij woonde in een bordeel,' zei ik zacht, en ik legde mijn hand op haar elleboog. Ik was er vrij zeker van dat ik het op dat moment voor haar deed en niet voor mezelf. Dat hoop ik althans. 'Hij is een kinchin-mab, hè?'

'Hoe weet je dat?' Mercy's lippen openden zich geschrokken. Ze deed een stap terug en zweeg – alsof ik dingen wist die ik niet hoorde te weten, zelf een vaste klant van dat soort etablissementen was en alles wist van hun aanbod van vleselijk vermaak.

'O god, nee, ik ben zelf nooit in zo'n hol van ontucht geweest,' bezwoer ik haar. 'Maar er zijn wel duidelijke aanwijzingen. Waar komt hij vandaan?'

Na een korte stilte hervond ze haar stem. 'Ik heb hem vorig jaar gezien in een verachtelijk bordeel in Greene Street, dat in handen is van een zekere madam Marsh. Silkie Marsh. Hoe raadde je dat?'

'Het was geen kwestie van raden. Ik heb een bron. Ik vertel je daar later alles over. Wat is het adres? Ik moet die madam Marsh nodig spreken.'

Pastoor Sheehy, die kalme kracht uitstraalde met zijn bedachtzaam over elkaar geslagen armen, schraapte zijn keel.

'Het zal nog niet meevallen om Silkie Marsh aan de tand te voelen. Ik kan u wel vertellen dat onze kerk al eens heeft getracht bij de vrouw ontzag voor de allerheiligste Drievuldigheid in te boezemen, maar zonder resultaat. Van tijd tot tijd raken er Ierse wezen in haar netten verstrikt, en daar valt moeilijk uit te ontsnappen. Ze heeft zo haar contacten.'

'Wat voor contacten?'

'Politieke.' Hij trok zijn wenkbrauwen op en keek me beleefd, maar sceptisch aan. 'Bestaan er andere dan?'

Mercy raakte het haar van het kind met haar vingertoppen aan. 'Geen wonder dat ik hem niet meteen herkende. Ik heb hem vorig jaar gezien,' zei ze met verstikte stem bij zichzelf. 'Hij is... hij ziet er nu zoveel ouder uit.'

'Ik zou de uiterste voorzichtigheid betrachten als u dat bordeel bezoekt,' adviseerde pastoor Sheehy, en hij hield zijn volledig kale hoofd veelbetekenend scheef.

'Moet ik bang zijn voor een madam die zich met politiek inlaat?' schamperde ik.

'Geenszins. Ik zeg het alleen omdat ik me afvraag of u beseft hoe onaangenaam verrast uw broer, commandant Valentine Wilde, zal zijn als hij hoort dat u een van zijn belangrijkste Democratische geldschieters hebt lastiggevallen.'

'Een geldschieter,' herhaalde ik. Het bleef achter iets vishaakvormigs hangen dat zich in mijn keel had gevormd.

'En geen kleintje ook.' Pastoor Sheehy knikte met een trieste glimlach. 'Een weldoenster. Een zéér intieme vriendin, zou je zelfs kunnen zeggen.'

En met die woorden toog de priester weer aan zijn eigen bezigheden en liet mij achter met het meest volmaakte meisje ooit geboren, een wreed aan zijn eind gekomen kinchin-mab, een woedende blos die overbodig en naïef voelde aangezien ik mijn broer langer kende dan vandaag, en nog maar één voornemen in mijn hoofd. En dat was niet meer om met madam Marsh te gaan praten, voorlopig niet.

Arme Bird Daly zou me de waarheid vertellen, nam ik me voor, anders zou er een flink aantal onvoorziene gevolgen op haar onschuldige schoudertjes neerdalen.

8

... deze sympathie met misdadigers is altijd al kenmerkend geweest voor de eenvoudige Ier; het mag misschien ijdel zijn dergelijke morbide sentimenten te benoemen, het kan evenwel niet worden ontkend dat het bestaan ervan een rijke bron is voor misdrijf en moord.

• *New York Herald*, zomer 1845 •

Toen ik thuiskwam stond mevrouw Boehm midden in haar keuken achter haar keurig afgenomen werkblad met haar hand stevig tegen haar vriendelijke halvemaanvormige mond gedrukt. Ze bewoog welbeschouwd niet, maar stond ook niet echt stil. Het was iets tussen die twee in; ze wiegde haar geringe gewicht heen en weer en knipperde onafgebroken met haar ogen.

'Wat is er in hemelsnaam aan de hand?' vroeg ik, terwijl ik om de stapel met granen bestrooide broden heen laveerde.

'Ik heb haar thee van iepenbast gegeven,' antwoordde ze zenuwachtig en zonder me aan te kijken. 'Thee van iepenbast geef je als de humeuren van het bloed uit evenwicht zijn. En daarna een kompres. Dat werkt echt goed.'

'Is Bird ziek?' riep ik uit.

'Ik had haar om een boodschap gestuurd.' Mevrouw Boehm verplaatste haar gewicht naar haar linkerbeen, draaide een halve slag en wiegde toen weer terug. 'Een klein eindje lopen maar, om verse vis voor het middagmaal te halen. 't Is niet ver, maar met deze vreselijke hitte... Ik wilde haar niet... ik had niet gedacht dat het te zwaar voor haar zou zijn. Ze kan zich amper bewegen,' besloot ze haar verhaal. Ze tikte met een slappe vuist tegen haar lippen en op haar gezicht lag een ontregelde uitdrukking als een vers omgeploegde akker.

Ik vermoedde dat Bird in het bed van mevrouw Boehm lag en holde de trap op. De deur naar de donkere kamer piepte zachtjes toen ik hem openduwde. Het klonk gekweld, smekend. De kamer was opmerkelijk onpersoonlijk voor een vrouw wier naam op de gevel staat, dacht ik, terwijl mijn ogen geleidelijk iets in de doffe, bruine schaduwen begonnen te onderscheiden. Een eenvoudige stoel en aan de muur één schilderij en niet eens een portret, maar een weelderig weidelandschap, meedogenloos groen, wat me heel erg deed denken aan mijn jeugd. De patiënt droeg een dun linnen hemd en lag op haar rug. Haar haar waaierde in een oerwoud van donkere liaanachtige slierten over het kussen. Op haar borst lag een warm kompres dat sterk naar gebakken appel en tabak rook en bij mij een onwelkome herinnering opriep aan toen ik elf was en overgeleverd aan Valentines opvattingen over de beste behandeling van een stevige verkoudheid. Haar ogen gingen knipperend open toen ze me hoorde. Twee grijze motjes in het schemerige licht.

'Wat is er met jou aan de hand?' vroeg ik zachtjes, en ik liep naar het bed.

'Ik werd ineens heel koortsig,' zei ze schor met een droge keel.

'Toen je terugkwam van de viskraam? Wat mankeert je precies, Bird?'

'Ik heb rode vlekken. En ademen doet zeer.'

'Mevrouw Boehm leek erg ongerust over je.'

'Ik weet het. Het spijt me dat ik iedereen tot last ben.'

Ik ging op de rand van het bed zitten om keihard tegen haar te liegen dat ze hier niemand tot last was. Stilzwijgend en mismoedig worstelde ik met de vraag of het erger was om een ernstig ziek meisje te vertellen dat haar vriend inderdaad was 'afgemaakt' of om diezelfde vriend ongewroken te laten. Ik bedacht dat het afschuwelijk pijnlijk voor het kinchin zou zijn om me de antwoorden te moeten geven die ik zocht. Maar voor ik iets kon zeggen, viel me iets eigenaardigs op.

'Waarover hebben jullie gepraat voordat je vis ging halen?' vroeg ik terloops.

Birds ogen dwaalden af naar het raam, haar pupillen werden ineens bodemloos en ondoorgrondelijk. 'Ik weet het niet meer,' fluisterde ze. 'Is er ook water?'

Ik bracht het glas naar haar lippen en zag hoe ze haar hoofd bewoog: voorzichtig, heel erg voorzichtig, eerder als een pop dan als een meisje. Ik zette het glas weer neer.

'En als ik je nu zeg dat mevrouw Boehm erg van streek is en me al heeft verteld waar jullie het over hebben gehad?' zei ik niet helemaal naar waarheid.

Ze kromp een heel klein beetje ineen. Haast niet waarneembaar, alsof heel even een verbogen speld over haar huid had gekrast.

'Ze wil me naar een weeshuis van de kerk sturen,' verzuchtte Bird. 'En ik wil ook wel gaan, als ze echt zo'n hekel aan me heeft. Ik heb haar gezegd dat ik dat kopje zou vergoeden, dat het me speet dat het was gebeurd. Maar ze bleef maar zeggen dat het "beter" zou zijn. Ik denk dat ik van ú wel zou mogen blijven als zij niet steeds zo zou vitten. Als ze niet steeds eiste dat u met haar rekening hield. Maar ik ga wel, zodra ik weer beter ben.'

'In dat geval kunnen we er maar beter voor zorgen dat je bietensap niet opraakt. Of is het moerbei? Ik kan het niet goed zien.'

De uitdrukking op Birds gezicht toen ik haar vermeende ziekte doorprikte is niet iets waar ik graag aan terugdenk. Normaal gesproken reageren kinchen kwaad als ze door de mand vallen. Ik had met eigen ogen gezien hoe Val op een ochtend lang geleden woest was geworden nadat hij zichzelf vergeefs had volgesmeerd met wilde aardbeien om niet te hoeven meehelpen bij het looien van de huid van ons paard, dat aan hondsdolheid was bezweken. Looien is tenslotte smerig werk. Maar Bird kreeg eerst een kleur en keek vervolgens verslagen, net als een volwassene zou doen. Een kort oplichtend schuldgevoel en dan de klapwiekende val van een duif die uit de lucht is neergeschoten. Ik wilde tegen haar zeggen dat ze dat op de een of andere manier moest afleren en weer boos en driftig moest worden als een kind dat betrapt wordt.

'Het kompres is te heet, hè?' vroeg ze met haar normale stem, en ze glimlachte een beetje. Eerst betrapt, dan schalks. Ze keek omlaag langs haar lichaam. Kunstig uitgevoerde rode vlekken op haar hals en borstkas kleurden het scherp riekende linnen omhulsel langzaam roze. Ze ging rechtop zitten en liet het kompres met een zompig, ontgoocheld geluid op het bijzettafeltje vallen. 'Bietensap loopt normaal gesproken niet uit. Ik had voordat ik vertrok een biet uit de voorraadkast gepikt. Een krantenjongen heeft hem met zijn zakmes voor me in stukken gesneden.'

'Slim.'

'Bent u dan niet boos op me?'

'Dat word ik wel als het je niet lukt om eens tien seconden achter elkaar níet te liegen.'

Ze vernauwde haar ogen en overdacht mijn antwoord. 'Goed, dan sluiten we vrede. Ik ben klaar met sterke verhalen verzinnen.' Ze kroop onder de lakens vandaan en ging in kleermakerszit voor me zitten. 'Vraag maar.'

Ik wachtte even. Maar ze was al op zoveel taaie onderhuidse plekken geschonden. En was het wel zo barmhartig om te wachten? Ik aarzelde niettemin kort, zette mijn hoed af en legde die op de rood-blauwe lappendeken die dienstdeed als sprei. Bird opende haar ogen wijd bij dit duidelijke teken dat er iets ernstigs aan zat te komen.

'Ken jij een vrouw genaamd Silkie Marsh?' vroeg ik.

Ze schrok en een bange hand omklemde de lakens toen ze omhoogveerde en op haar knieën ging zitten. 'Nee, nee. Ik heb nooit…' Bird zweeg, kermde zacht omdat ze besefte dat ze zichzelf al had verraden en hapte naar adem.

'Ik wéét al dat je daar vandaan komt. Je hoeft het me niet te vertellen als je dat te zwaar valt,' zei ik rustig.

'Ze is hier, hè? Ze heeft me gevonden. Ik ga niet terug, ik…'

'Ze is niet hier. Ik had je niet zo mogen laten schrikken. Dat zou ik ook liever niet hebben gedaan, maar antwoorden op mijn vragen zijn op dit moment belangrijker dan jouw gemoedsrust. Dat spijt me. Luister, Bird, jij zei dat ze iemand zouden afmaken. Wij hebben een dode gevonden. Ongeveer van jouw leeftijd, iets ouder, maar iemand uit datzelfde huis.'

Bird zei in eerste instantie niets. Ze verschoof iets zodat ze met haar benen opzij zat en vroeg toen heel kalm: 'Hoe weet u dat we in datzelfde huis hebben gezeten?'

'Een paar mensen hebben me daarbij geholpen. Ik weet alleen nog niet hoe hij heet. En wat jou betreft... je droeg dat nachthemd. En je vertelde iets over... dat iemand gewond was. En jullie hadden vorig jaar allemaal de waterpokken. Kijk zelf maar.'

Bird trok haar kin in om naar de twee nagenoeg vervaagde pokkenlittekens onder aan haar slanke hals te kijken. Ze grijnsde onverwacht, maar oprecht. Een van haar ondertanden stond scheef, leunde knus tegen zijn buurman aan.

'U bent behoorlijk kien. Niets ontgaat u. Komt dat omdat u bij de politie bent?'

'Nee,' zei ik, verbaasd dat ze niet meer van streek was. 'Dat komt omdat ik vroeger achter de bar heb gestaan.'

Ze knikte begrijpend. 'Nou ja, u bent een van de goeien, beter dan de meesten. Dat zag ik meteen. Het spijt me dat ik u eerst wat wijs probeerde te maken...' Bird schraapte haar keel, weer zo'n ongepast volwassen reactie die ik haar wilde afleren. 'Wat wilt u weten?'

'De waarheid.'

'Die zal u niet bevallen,' zei ze somber, terwijl ze aan de zoom van haar jurkje plukte. 'Mij bevalt die zeker niet.'

'Hoe heette je vriend?'

'Liam. Verder niets. Hij kwam uit de haven, daar had hij geleefd van de restjes die hij bij matrozen en stuwadoors bij elkaar bedelde. Dat was zo'n twee jaar geleden. Hij zei dat hij er geen zin meer in had iets gratis weg te geven waar ze hem in feite voor hoorden te betalen. En je kunt zeggen wat je wilt, maar het eten bij Silkie Marsh is heel behoorlijk.'

Ik bewoog niet en probeerde uit alle macht te zorgen dat mijn lichaam niet liet blijken wat mijn mond voor geen goud wilde prijsgeven. Dit waren dingen die gewoonweg niet zouden moeten mogen.

'En wat is er gisteravond met hem gebeurd?'

Bird schokschouderde. Het was het meest hulpeloze en minst onverschillige gebaar dat ik ooit had gezien. 'Gisteravond kwam de man met de zwarte kap.'

'En de man met de zwarte kap is degene die Liam heeft afge-maakt?'

'Ja.'

'Je weet niet hoe hij heet?'

'Dat weet niemand. Ook niet hoe hij eruitziet. Ik denk dat hij een wilde is of zo. Een roodhuid misschien. Of een Turk. Waarom zou hij anders zijn gezicht verbergen?'

Ik kon verschillende redenen bedenken, maar hield die voor me.

'En waarom zat jij onder het bloed?'

Bird klemde onmiddellijk haar lippen op elkaar alsof ze ruw de deur dichttrok. 'Daar wil ik het niet over hebben. Het was Liams bloed. Ik ging naar binnen en ik zag... Ik wil het er niet over hebben!'

Ik overwoog even om aan te dringen, maar bedacht me meteen en verafschuwde mezelf. Er waren nog genoeg onbeantwoorde vra-gen, ik hoefde niet door te zeuren over de pijnlijkste dingen. Nog niet.

'Waarom heeft die man met de zwarte kap Liam afgemaakt?'

'Ik weet het echt niet. Ik zei al: misschien is hij een wildeman. Maar weet u, misschien vindt hij het gewoon leuk. Er zijn er die vreemde dingen leuk vinden. Ik zag hem een keer 's avonds laat in de gang glimlachen, alsof er iets heel geweldigs was en niet... Maar hij is het die ze afmaakt, dat weet ik zeker.'

Mijn hart haperde heel erg, als een lucifer bij een natte pit. 'Ze?'

'Ja, ze.'

'Over hoeveel hebben we het dan?'

'Heel veel van ons.' Ze werd ineens onrustig en slikte verwoed als een gevangengenomen diertje. 'Van hún. Ik woon nu hier bij u.'

'Maar hoe moet ik je in hemelsnaam helpen als je me de ene na de andere enorme leugen opdist?' vroeg ik streng. Ik streek met mijn vingers door mijn haar. 'Eerst verwacht je dat ik je geloof als je vertelt dat je op de vlucht bent voor je vader, of dat je per onge-luk een kerel hebt neergestoken, of dat je je hemd hebt volge-smeerd met...'

'Of dat de humeuren van mijn bloed van slag zijn. Maar nu niet! Echt niet,' riep ze uit.

'Bird, het is niet eerlijk,' ondernam ik een nieuwe poging. Mijn botten voelden broos en iel van vermoeidheid. 'Je hebt me tot nu toe alleen maar leugens verteld en nu wil je dat ik geloof dat tientallen kinderen aan stukken zijn gehakt door een krankzinnige kinderhater?'

Bird knikte. Ze probeerde haar gezicht in bedwang te houden, maar kon niet voorkomen dat ze beefde. Het deed me denken aan een loszittend wagenwiel dat zich een weg zoekt door glibberige modder en langs verraderlijke stenen.

'Zonder dat iemand dat heeft gemerkt? Zonder...'

Mijn stem stierf weg.

Wie had het eigenlijk moeten opmerken? Het politiekorps bestond koud twee weken en werkelijk niemand verlaagde zich ertoe te luisteren naar wat een Ier te melden had. Ik vond het verdomme zelf al geen goed idee meer om Bird op haar woord te geloven. Ze moest wel overdrijven. Dat was het natuurlijk. Twee of drie van haar kameraadjes waren verdwenen en zij had daar tientallen van gemaakt en er een Turk met een kap bij verzonnen.

'Hoe moet ik je nou geloven?' vroeg ik wanhopig.

Bird onderdrukte met haar hele tienjarige lichaam een rilling, een schok van afschuw van onder uit haar rug.

'Ik zou u kunnen laten zien waar ze begraven liggen,' fluisterde ze. 'Maar alleen als ik hier mag blijven.'

'Twee weken,' had mevrouw Boehm gezegd, en haar mondhoeken hadden naar beneden gewezen alsof ze verankerd waren in de ruwe vloerdelen. Birds gelieg had ertoe geleid dat haar huid zich permanent iets te strak over haar gezicht leek te spannen. Als ze haar dochter was geweest, was het niet ongestraft gebleven, had ze dreigend gezegd, maar Bird wist het kennelijk allemaal beter. Twee weken dus, daarna moest ze vertrekken. Het was alsof ze een omgekeerde gevangenisstraf oplegde.

'Het spijt me,' had Bird gezegd, maar ze had gepakt wat ze krijgen kon. 'Misschien kan ik het nog goedmaken. Ik zou...'

'Twee weken,' had mevrouw Boehm gezegd, en ze had vervolgens het deeg in haar handen zo hard bewerkt dat het leek of ze daarmee de zonden van vele werelden wilde uitbannen.

Nu waren Bird en ik onderweg naar de Tombs. Door de hitte werd ons reukorgaan belaagd door scherpe vlagen verschroeide paardenpislucht en de stank van gloeiende straatkeien. Bird had weer de jongensbroek en de lange doorgeknoopte blouse aangetrokken, en had daar een reep jute als riem aan toegevoegd. Ze zag eruit als een straatveger die op een straathoek probeert wat bij te verdienen.

'Hoe weet je waar die tientallen kinchen begraven liggen?' vroeg ik. Ik deed mijn best om 'tientallen' niet te laten klinken als een sarcastisch 'miljoenen'.

'Dat heb ik ze een keer horen zeggen. Toen die man met de zwarte kap er een andere keer was,' antwoordde ze. Haar ogen schoten continu heen en weer tussen de openstaande deuren van de schoenlapperswinkeltjes en drankverkopers. 'Mijn vriendin Ella was verdwenen en ik zag hem toevallig die avond aankomen. Hij stapte uit een koets en ging naar de kamer die hij altijd gebruikt, beneden in de kelder. Dat heb ik trouwens pas na een hele lange tijd ontdekt, die kamer is beter vergrendeld dan alle andere kamers. Ik heb de sleutel op een gegeven moment gepikt. Toen hij wegging, stond ik bij het raam. Ze laadden een groot pak achter in zijn koets en hij zei: "Ninth Avenue, kruising Thirtieth."'

'Waar Ninth Avenue kruist met Thirtieth Street heb je alleen maar bossen en akkers en verlaten weggetjes.'

'Waarom zouden ze daar anders heen gaan?'

Ik voelde aan dat ze me op mijn nummer wilde zetten, een gevoel waarmee ik ellendig genoeg maar al te vertrouwd was. Maar op dat moment bereikten we de Tombs en liep ik met Bird naar de imposante ingang. Ze was eerder die dag zo huiverig geweest voor deze expeditie, dat ik me afvroeg of ze nu we bij ons doel waren zou terugdeinzen. Maar ze staarde alleen maar zwijgend en vol ontzag naar boven.

'Hoe hebben ze die ramen twee verdiepingen hoog kunnen maken, zo dwars door de muur?' vroeg ze, toen we de koelere lucht van het gebouw betraden.

Het was maar goed dat ik niet aan een antwoord toekwam, ik had namelijk geen flauw idee. Van de kant van de bureaus riep iemand dwars door de duistere kathedraalachtige hal mijn naam met een gebiedende bariton die je onmiddellijk je rug deed rechten.

'Wilde, kom eens hier!'

Het was George Washington Matsell met een bundel documenten onder zijn stevige arm en zo'n dreigende blik van onder zijn onverbiddelijke wenkbrauwen dat mijn schoenen plots loodzwaar leken. We staken de hal over richting de zwaarmoedige reus van een hoofdcommissaris. Hij keek niet naar Bird, althans niet rechtstreeks. Hij registreerde alleen haar aanwezigheid met zijn ijzige, alziende blik, al was die uitsluitend op mij gericht. Hij leek wel een vorstelijk monument dat ter ere van zijn eigen welverdiende eer was opgericht.

'Uw broer, commandant Valentine Wilde,' begon Matsell, 'is een man die dingen voor elkaar krijgt. Als er iets moet worden geregeld voor de Democratische Partij, kun je dat met een gerust hart aan hem overlaten. Als er een brand woedt, redt hij de levenden uit de vlammen en blust vervolgens het vuur. Diezelfde daadkracht zal hij volgens mij inbrengen in het politiekorps. En daarom zag ik mij vanochtend genoodzaakt een invaller te vinden voor een ontbrekende straatagent. Kwam mij dat ongelegen? Jazeker. Heb ik vertrouwen in uw broer? Jazeker. Mijn vraag daarom aan u, meneer Wilde: wat heeft de straatagent voor wie ik een invaller heb moeten regelen hedenmiddag gedaan ten bewijze dat zijn broer het bij het rechte eind had?'

'De overleden jongen heette Liam, alleen Liam,' antwoordde ik. 'Hij woonde in een bordeel dat eigendom is van ene Silkie Marsh, naar verluidt een kennis van mijn broer. Dit hier is een andere voormalige bewoonster van dat adres, genaamd Bird Daly. Zij beweert dat andere kinchen hetzelfde is aangedaan en verklaart te weten waar ze zijn achtergelaten. Ik stel voor dat we haar bewering nader onderzoeken. Daarvoor heb ik assistentie nodig. En spaden, vermoed ik. Met uw permissie, meneer.'

De grijns die ik achter Matsells tandenrij had vermoed, brak volledig door. Maar onmiddellijk daarna keek hij weer ernstig; achter zijn ogen sidderden sombere gedachten.

'Silkie Marsh,' herhaalde hij zachtjes.

'Inderdaad.'

'Spreek die naam binnen de muren van de Tombs niet nog eens hardop uit, alstublieft. Andere kinchen hetzelfde aangedaan, hmm...'

'Ja, maar...'

'Als iemand ze moet vinden, dan zijn wij het,' zei hij, terwijl hij al wegbeende.

We besloten dat per tram naar het noorden reizen niet handig was: die zou ons te ver ten oosten van Ninth Avenue brengen. Zo kwam het dat ik een uur later in een grote huurkoets zat samen met een timide Bird Daly, een ernstig kijkende hoofdcommissaris Matsell en de heer Piest, wiens ongetemde bos zilvergrijs haar zijn hoofd omkranste als een verzameling onstuimige uitroeptekens. Kennelijk had Matsell vertrouwen in hem, God mocht weten waarom. Aan onze voeten lagen drie spaden te rammelen en iedere keer dat Birds ogen er per ongeluk langs scheerden, keerde ze haar hoofd snel weer af en keek naar boven, door het open dak van het rijtuig, naar de gebouwen waarvan het aantal snel afnam naarmate we de machtige stenen tempels verder achter ons lieten. Mijn eigen zenuwen trilden als een vioolsnaar bij het idee dat Bird enkele tientallen lijken had verzonnen alleen om mij te vriend te houden. Toch vreemd als je bedenkt dat ik eerder had besloten niets om politiewerk te geven.

'Neemt u me niet kwalijk, meneer, maar hebt u werkelijk tijd voor dit soort werk?' vroeg ik zodra ik besefte dat hoofdcommissaris Matsell voornemens was zelf ook een spade ter hand te nemen.

'Als Silkie Marsh hier ook maar iets mee te maken heeft, dan ja. Niet dat het u iets aangaat,' antwoordde hij kalm. Op de met leer beklede zitting nam hij ruimte voor twee in. 'Vertelt u me eens: hoe bent u in zo'n korte tijd zoveel aan de weet gekomen?'

Doordat ik Birds fratsen verzweeg, bleek het verhaal snel verteld. Toen ik klaar was, verzonk hoofdcommissaris Matsell in gedachten en negeerde ons verder compleet, maar Piest keek me stralend en onmiskenbaar enthousiast aan.

'Eersteklas onderzoek, Wilde.' Zijn rafelige mouwen lagen keurig op zijn bovenbenen, zijn stevige schoeisel stootte onhandig tegen de kletterende spaden. 'Ik ben mijn leven lang nachtwaker geweest en overdag spoorde ik voor particulieren verloren eigendommen op, tegen beloning natuurlijk. Maar een náám vinden,' zei hij, en hij tikte met een verweerde vinger tegen zijn kin – dat wil zeggen: tegen de plek waar zijn hals overging in zijn gezicht en waar je een kin zou hebben verwacht, 'dat, m'n beste, is pas echt lastig. Alle respect, kerel! Inderdaad. Waterpokken. Met deze zelf-de hand zal ik vanavond op je gezondheid drinken.'

Bird en ik wisselden een blik van verstandhouding waaruit een duidelijk 'geschift, maar ongevaarlijk' sprak. Even flakkerde er een fraai gouden vlammetje van affiniteit tussen ons op. Maar toen keek ze al weer naar buiten, naar de bakstenen huizen die we passeerden, compleet in zichzelf gekeerd. Zo overbrugde ze de tijd tot we de rand van de immer uitdijende stad bereikten.

We waren niet ver verwijderd van de schuimende Hudson ter hoogte van Twenty-third Street. Het raster van straten loopt er door alsof het in de grond is gebrand, maar sommige wegen gaan hier griezelig plotseling over van geplaveid naar onverhard terwijl ande-re dag na dag onbekommerd verder worden bestraat. Langs Broad-way en Fifth Avenue bijvoorbeeld staan zelfs zo ver noordelijk nog behoorlijk wat huizen. Maar Ninth Avenue is zonder meer lande-lijk. Waren we met een ander doel deze kant op gegaan en had ik niet zo'n benauwde knoop in mijn maag gehad toen we uitstapten met ieder een spade in onze hand, dan had ik me hier absoluut thuis gevoeld. De scharrelende straatvarkens en drukke marktkra-men hadden we achter ons gelaten en de lucht buiten de stad was zo zuiver als wat. Geen houtrook, leeg gekieperde pispotten en rot-tend visgrom, maar alleen hier en daar een omheinde boerderij, ma-ïsliezen die even fel schitterden als de talloze rotsformaties die op-rezen uit het vingergras, en de geur van de suikeresdoorns die ons gadesloegen toen we naar de vagelijk te herkennen kruising liepen.

Onder andere omstandigheden was het idyllisch geweest.

Bij de viersprong van stoffige en deels overwoekerde wegen ble-ven we staan en keken allemaal steels van links naar rechts en voor en achter ons. Bird liet een mager handje in mijn knuist glijden en keek naar me op alsof ze wilde zeggen: *Meer weet ik ook niet.* Ik weet echt niet alles. Als ik alles wist, was ik er allang geweest.

'Zeg eens,' sprak George Washington Matsell uit zijn mondhoek, 'op welk tijdstip zullen ze hier doorgaans geweest zijn? In de och-tendschemering? Of onder dekking van de nacht?'

''s Nachts,' zei Bird met een heel klein stemmetje. Dat stemme-tje had ik vaker gehoord en dat was niet geweest toen ze de waar-heid sprak.

'In dat geval,' verzuchtte hij, 'áls er hier ergens graven zijn – en ik hoop voor jou, jongedame, dat die er zijn, anders stuur ik je naar het westen, naar een boer die zijn vrouw heeft verloren en zit te springen om een goede kok – dan moeten ze een eindje van Ninth Avenue af liggen. Deze weg wordt ook 's nachts veel gebruikt. Inwoners van Harlem nemen die altijd als ze teruggaan naar New York.'

'Wanneer heb je de man met de zwarte kap voor het laatst gezien, vóórdat Liam verdween?' vroeg ik Bird.

Ze slikte zo hard dat het even leek of ze haar keel introk tot haar ruggengraat. 'Ongeveer een maand daarvoor. Ik heb hem die keer niet gezien, maar… toen is Lady verdwenen.'

Ik vroeg haar niet hoe oud Lady was geweest, God sta me bij, ik wist ook wel dat ze qua leeftijd nog lang geen *lady* was geweest.

'Goed, als ze hier begraven liggen, moet de begroeiing nog zeer jong zijn,' concludeerde ik.

Áls ze hier begraven liggen, beklemtoonde ik in gedachten.

De locatie die mijn jonge getuige had opgevangen was zo precies omschreven dat we niet de moeite namen ieder een eigen kant uit te kammen. We staken door tot aan de Hudson, waar Tenth Avenue dwars door de braamstruiken en lisdodden met de grijsbruine stroom mee slingert, en liepen vervolgens terug tot het punt waar Eighth Avenue zich stoffig en breed over de rotsige ondergrond uitstrekt. Daar hoorden we in de verte het geluid van gehamer en amper waarneembaar ook dat van gezaag, en konden we aan de verre horizon boven de grijze walnootbomen vaag de omtrekken van daken onderscheiden.

'Niets te zien hier,' verklaarde hoofdcommissaris Matsell. En hij had gelijk.

Ik wierp Bird een blik toe die niet goed te praten valt. In feite verzocht ik daarmee een tienjarig meisje me niet voor aap te laten staan. Ze keek boos terug en vroeg woordeloos hoe ik kon verwachten dat ze ooit zelf ter plekke was geweest.

'Meneer Wilde,' zei Matsell, toen geen van ons met een reactie op de proppen kwam. 'Mijn geduld raakt op.'

'Maar dit hoort er allemaal bij!' riep Piest uit, en hij streek met een hand over zijn kinloze gezicht, veel te monter voor een kerel die naar mijn overtuiging stokoud en afgeschreven was. 'Dit was het voorbereidende onderzoek. De volgende vraag is: wáár in dit gebied bevindt zich een geschikte plek voor een geheim massagraf?'

Hoewel hij het niet verdiende, vlamde er in mij een kortstondige haat op jegens Piest toen Bird omslachtig kuchte om een huivering van angst te verdoezelen.

'Je hebt gelijk,' zei ik alleen maar. 'We moeten op die manier naar de omgeving kijken.'

'Die bomengroep daar,' zei Piest na een tijdje. 'Dat populierenbos met daarachter die appelboomgaard.'

'Momentje,' zei ik. 'Als iemand zich verborgen houdt tussen de populieren, kan hij niet zien of er iemand aankomt. Maar als hij achter een van die rotsformaties bezig is, kan hij erlangs of eroverheen kijken om te zien wie er over de weg nadert.'

'Inderdaad, Wilde. Inderdaad. Ik begrijp wat je bedoelt.'

Ik liep een stukje de zoet ruikende grasweide in. De anderen volgden me. We staarden allemaal naar de grond en het duurde niet lang of ik zag het: vage sporen van wielen. Niet dat daar geen bloemen groeiden, maar ze waren onlangs omgeknakt en hadden zich nog niet allemaal weer volledig opgericht.

'Bijna twee meter breed,' zei ik.

'Een koets of een brede wagen,' vulde Piest links van mij aan.

Matsell schreed naar de dichtstbijzijnde uitstekende leisteenrots, wij volgden hem op de voet. Het was een groot en glinsterend rotsblok van wel duizend jaar oud. We hadden ons erg verlaten moeten voelen, maar hoe verder je in Manhattan doordringt in de bossen en verwijderd raakt van wat moet doorgaan voor beschaving, des te meer lijkt het of het eiland je in de gaten houdt. Je moet er in New York mee leren leven dat je continu bent omgeven door duizenden ogen of je kunt maar beter helemaal vertrekken. Zelfs als je de verste uitlopers van de stad hebt bereikt, waar de hemel zich lui en helder boven je uitstrekt, de vogels onzin tegen elkaar kwetteren en het gras onder je voeten geheimen fluistert, voel je je nog niet alleen. Dat gevoel is dan al onder je huid gekropen: hier slaat altijd iets je gade, zoals die middag de glimmende grijze rotsen en zwarte essen ons gadesloegen. En het valt niet altijd mee om jezelf wijs te maken dat die aanwezigheid goedaardig is.

Dat is die namelijk niet. Ze kan zelfs behoorlijk meedogenloos zijn.

Toen we de andere, noordelijke kant van de uitstekende rots bereikten, ontdekten we een afschuwwekkend landschap: een onlangs omgespit veld waarop een tapijt van wilde bloemen oplichtte, voornamelijk boterbloemen, maar ook klaver en tere grassen. Onschuldig en prachtig, zo groen en geel dat het pijn deed aan je ogen.

'Godallemachtig,' mompelde ik.

'Graven, mannen,' zei Matsell.

Het veld was zo uitgestrekt. Het was uitgestrekt en oppervlakkig omgespit, en niets ter wereld kon verklaren waarom het daar zo lag. Het enige wat door mijn hoofd ging toen ik naar dat uitgestrekte, vers begroeide veld keek, was: veel en veel te lang en veel te breed.

Dat deel van het verhaal sla ik over; het deel dat alleen feiten betrof, duistere feiten. Geen oorzaken of verklaringen. Het duurde bovendien veel te kort, ondanks de hitte en het zwoegen en het zweet. Welke god ons ook bezig zag, protestants of katholiek, ik kan me geen voorstelling maken van Zijn gedachten op het moment dat we gelijktijdig een dun wit bot en een rottende arm ontdekten toen twee spaden met een harde krak ergens op stootten. Van wie die spaden dat waren, weet ik niet meer precies. Misschien die van Matsell en die van mij, misschien ook die van Piest en die van mij. Wat ik me wel herinner is hoe mijn eigen spade iets raakte wat geen aarde was. Dat zal ik nooit meer vergeten.

En op slechts een halve meter diep. De aarde erbovenop nog rul, de huid eronder nog zacht en de wormen die zich te goed deden aan elke lemige centimeter daartussen. Maar het was niet de arm waardoor ik zo uit het lood raakte. De nagels hingen er wel los bij en de huid was groen en drassig. Maar daarnaast omklemden de dode vingers welhaast teder nog iets anders, een ander bot. Een deel van een voet die al aanzienlijk verder vergaan was.

Door dat bot wist ik in één klap dat hier veel meer lag. Het rottende vlees gaf een heimelijke geur af alsof het wilde zeggen: *Vind ons.*

Vind ons alstublieft.

137

We werkten de hele dag hard door en schepten zware aarde van wat ooit kinderen waren geweest. Eén moment staat me met name helder voor de geest. Er zijn momenten waarop je besluit dat je respect hebt voor een ander en andere momenten waarop je constateert dat jij en hij aan dezelfde kant staan. Het moment waarop George Washington Matsell bars beval dat iemand Bird uit het zicht van haar rottende collegaatjes moest weghalen, was het moment waarop er een nieuwe emotie door me heen ging ten aanzien van het symbool dat ik op mijn borst droeg en ten aanzien van de man die mij dat symbool had toevertrouwd.

'Haal haar hier weg,' zei hoofdcommissaris Matsell, maar hij keek nog steeds niet Birds kant op.

Ik liet mijn spade vallen en vervloekte mezelf dat ik daar niet eerder aan had gedacht, al was het nog maar drie minuten geleden dat we het eerste lichaam hadden ontdekt. Ik holde naar Bird, die als verlamd in een klaverveldje stond, met haar lippen stijf op elkaar geklemd om het niet uit te schreeuwen. Ik tilde haar zonder iets te zeggen op en beende naar de dichtstbijzijnde glinsterende rots die haar het zicht op dit goddeloze toneel zou ontnemen.

'Ik ga niet terug,' bezwoer ze me nog eens. Ze klampte zich vast aan mijn hemd.

'Nee, je gaat niet terug,' bevestigde ik, hoewel ik geen flauw idee had hoe ik onderdak zou moeten bieden aan een kinchin-mab.

Voor dit alles was ik nog geen politieman in hart en nieren geweest. Dat werd ik volgens mij pas toen ik Bird in mijn armen hield en haar zo hard voelde rillen dat ze amper kon ademen. En dat ben ik nu nog steeds.

Want als wij er niet waren geweest, wie had hen dan ooit gevonden?

9

… er zijn verschillende manieren waarop PAPERIJ, *de afgoderij door christenen, ingang zou kunnen vinden in Amerika, waarop ik nog even niet zal ingaan… Maar vergun het me, beste landgenoten, u nu al te waarschuwen om, als u prijs stelt op uw kostbare burgerlijke vrijheid en alles wat u dierbaar is, op uw hoede te zijn voor* PAPERIJ.

• Samuel Adams, *Boston Gazette*, 4 april 1768 •

De stad New York is gelegen op het zuidelijkste puntje van Manhattan Island, waar de scheepvaartbranche bloeit. Als we meer ruimte nodig hebben om te wonen en werken, moeten we wel uitwijken naar het noorden. Neem bijvoorbeeld Greenwich Village, waar ik geboren ben. Dat is intussen volledig opgeslokt door New York. En dat het land ten noorden van Fourteenth Street tegenwoordig bewoond wordt door de welgestelden blijft me verbazen. Aangezien de stad ten noorden van de nieuwe wijk Chelsea praktisch ophoudt, delen vierhonderdduizend mensen dit kleine stukje land. Die weinige vierkante kilometers zijn verdeeld in twaalf wijken. Het probleem waarmee ik nu geconfronteerd werd was tot wie je je moest wenden voor hulp als je zojuist een gruwelijke begraafplaats midden in een bos had blootgelegd.

Alles boven Fourteenth Street, van Union Street Park tot en met de reeks weelderige bouwwerken aan Fifth Avenue ten noorden van het Opvoedingsgesticht, van rivier tot rivier en van boerderij tot boerderij, viel onder Wijk 12. Het politiebureau van die wijk was echter het oude cachot achter het bos dat onmogelijk ver bij ons vandaan lag, in het slaperige, vriendelijke, groene boerengehucht Harlem, waar de hekken in een pittoreske staat van verval verkeren en Hollandse boerenvrouwen op hun gewitte veranda's koffie zitten te drinken en naar elkaar zwaaien. Het zou onzinnig zijn geweest om voor versterking helemaal naar de Boston Post Road te galopperen als hulp veel dichterbij voorhanden was.

En dus maakte Piest een van de paarden van de huurkoets los terwijl ik me het andere dier toe-eigende, wat de koetsier in het geheel niet zinde. Ik herinner me niet dat ons dat ook maar in het geringste deerde, maar we beloofden wel de paarden zo snel mogelijk terug te brengen. Piest stoof weg naar de Union Market aan Fourteenth Street in Wijk 11 en ik reed met Bird, die stijf rechtop voor me zat maar nauwelijks nog bij bewustzijn was, in de richting van Elizabeth Street om haar aan de goede zorgen van mevrouw Boehm toe te vertrouwen.

Matsell keek ons na met een hand op zijn spade. Jas uit, brede schouders, strakke mond. Waarschijnlijk wensend dat zijn dag heel anders was gelopen.

Mevrouw Boehms woede verdampte zodra ze zag hoe Bird bij elke stap haar voet in opperste concentratie neerzette op een manier die zowel balletachtig als ongeoefend overkwam, alsof ze nooit had leren lopen. Ik wilde bij haar blijven. Maar ik móést ook weten wat we precies aan het licht hadden gebracht. Ik tikte daarom tegen mijn hoed naar mijn hospita, die haar rokken om het meisje heen had geslagen, en galoppeerde in de avondschemering terug naar de als kwikzilver uitwaaierende rand van New York.

Het wemelde er van de kopersterren. Twee Duitsers stonden aan de ene kant in een intussen al flink diepe, brede aarden greppel te spitten, aan het andere uiteinde waren een Amerikaanse rouwdouwer en een voormalige Brit bezig, en daartussen zag ik een kluitje Ieren bij elkaar horende botten in afzonderlijke zakken stoppen. Piest rende heen en weer om het aansteken van de fakkels te coördineren, die de schemering echter alleen maar donkerder leken te maken. Een boosaardige bries tilde de zware lucht van menselijke ontbinding naar onze neusgaten. Er is niets anders wat zo ruikt en de stank achtervolgt je nog uren. Dagen. Ik liep naar Matsell toe.

'Ik kan me niet voorstellen,' zei hij zonder me aan te kijken, 'dat ze allemaal bij Silkie Marsh vandaan komen.'

'Waarom niet, meneer? Er moeten in de loop van de jaren toch heel wat kinderen in haar bordeel hebben rondgelopen. Dat er daar verschillende van hier liggen is toch niet onmogelijk?'

'Nee, Wilde,' antwoordde hij op droge toon, 'maar misschien komt u ook sneller bij "onmogelijk" uit als ik u vertel dat we er inmiddels negentien hebben opgegraven.'

Ik maakte een soort geluid dat geen geluid was. Daarna slikte ik. Mijn blik stuiterde over het terrein. De zakken, de witte beenderen en de nog niet helemaal witte beenderen waar nog flarden vlees aan hingen. Stukken zeil met resten erop. Ik kon het niet bevatten en dat gold al helemaal voor het gesprek dat ik voerde.

'Kan het zijn dat we verkeerd hebben geteld? Sommige... sommige lichamen zijn nogal... De delen liggen erg verspreid, meneer.'

'Hoofden, Wilde,' zei de hoofdcommissaris met een vies gezicht. 'Als u net zo goed kunt tellen als dieventaal spreken, zou ik als ik u was een poging doen de hoofden te tellen. Piest!' riep hij.

Piest kwam aangescharreld. In het fakkellicht en het uitdijende donker leek hij meer op een spin dan op een krab. Erg fideel van hem, vond ik, dat hij vermoedelijk deed alsof hij niet in de gaten had dat ik eruitzag als iemand die zojuist een klap in zijn gezicht heeft gekregen. Geschikte kerel.

'Ik wil dat u iets voor me gaat zoeken,' zei Matsell vriendelijk tegen Piest.

'O ja, meneer? Wat dan?'

'Wat dan ook. Dit zijn lijken. Enkel uit de weg geruimde stukken mens. Hebben we niks aan, tijdverspilling. Onherkenbare vulling voor het dichtstbijzijnde armenkerkhof. Vind een medaillon, een handvat van een spade, een stukje krant, een roestige spijker, een hemdsknoop. Een hemdsknoop zou heel mooi zijn. Iets, wat dan ook. Zorg dat u iets voor me vindt.'

Piest draaide zich om en verdween.

'Wilde,' zei de hoofdcommissaris langzaam, 'vertel me eens hoe u van plan bent dit probleem te gaan oplossen. Dat is namelijk met onmiddellijke ingang uw taak: deze zaak oplossen.' Hij stopte met praten, streek met zijn vingers langs zijn wangen en keek me aan met de verbeten blik van een admiraal die een dodelijk offensief aan het plannen is. Nog nooit van mijn leven had iemand me zo aangekeken, als naar een man die een taak krijgt, en ik hield mijn adem in toen hij weer doorpraatte. 'Ik heb u nog niet helemaal doorgrond, maar ik denk dat u me kunt verrassen. Daar mag u nu mee beginnen.'

Het voelde als een uitdaging en natuurlijk greep ik die kans met beide handen aan.

'Is de Democratische bijeenkomst al afgelopen?' vroeg ik.

'Ongeveer een uur geleden al, denk ik.'

'Dan ga ik met uw permissie commandant Wilde op de hoogte brengen. En madam Marsh in zijn aanwezigheid ondervragen. Ik moet het terrein eerst beter verkennen en wil niet blind dat bordeel binnenlopen.'

'Klinkt verstandig.' Matsell wreef met zijn hand over zijn doorgroefde gelaat, waardoor de plooien ruw met elkaar in botsing kwamen. 'Ga in elk geval op zoek naar uw broer. Zeg hem maar dat ik hem morgenochtend om zes uur in mijn kantoor verwacht. Dit moet het zorgvuldigst bewaakte geheim in de geschiedenis worden en als officieel spoedgeval worden behandeld. Waarom iemand het nodig vindt om kinderen op deze manier af te slachten gaat mijn verstand te boven, maar we zullen er godbetert achter komen en ervoor zorgen dat de dader straks op de binnenplaats van de Tombs aan de hoogste galg bungelt. Maak haast. En ga niet zonder commandant Wilde bij Silkie Marsh langs.'

'Hoezo niet, meneer?' In mijn borst vormde zich een verraderlijk vonkje twijfel.

'Omdat,' antwoordde de hoofdcommissaris met een grijns, terwijl hij een fakkel aannam die hem werd voorgehouden, 'hij de enige nog levende man is die met behoud van zijn verstandelijke vermogens uit haar bed had weten te ontsnappen.'

Een man met een doel staat met beide benen op de grond, het houdt hem in evenwicht. Ik voelde me onmiddellijk beter toen ik wegstoof in het rijtuig van de lankmoedige koetsier, dat nu weer compleet was en door de rechtmatige eigenaar werd gemend. Mijn broer was precies waar hij had gezegd dat ik hem zou kunnen vinden, deze zomernacht waarop de sterren van de hemel waren gevaagd door het naderende onweer. In Liberty's Blood hield Valentine zoals gebruikelijk hof in de achterkamer, achter de drukbezette tafels en banken en de tientallen duizelingwekkend smerige Amerikaanse vlaggen, gelegen op een divan met zijn hemd halfopen en zijn knokige borst zichtbaar, nippend aan iets giftigs terwijl een onbekende over zijn schoot hing.

Een vertrouwd beeld, al moet ik bekennen dat ik geschokt was door het geslacht van de onbekende.

'Tim!' riep Val me toe. 'Jimmy, dat is nou Tim, mijn broer. Je zou het zo op het oog misschien niet zeggen, maar hij lijkt feitelijk als twee druppels water op mij.'

De artistiek slanke figuur met zijn donkere haren en opvallend blauwe ogen keek vanuit Vals schoot op en zei met een beschaafd Londens accent: 'Natuurlijk is hij je broer. Kijk dan wat een heerlijke knul. Hallo, Tim.'

Het enige wat ik wist te verzinnen – weinig ad rem, moet ik toegeven – was: 'Er is iets vreselijks gebeurd.'

Val had zich tijdens het morfinefestijn volgend op de partijbijeenkomst zichtbaar niet onbetuigd gelaten. De verstrijkende seconden dropen van zijn ogen als bloed uit een wond. Maar opeens schrok hij op. 'Opstaan, brave soldaat,' verkondigde hij, en de onbekende die hij had aangesproken met Jimmy werd zonder pardon weggebonjourd met achterlating van een door drank en morfine versufte politiecommandant en zijn extreem uitgeputte jongere broer. Ons allebei ontbrak het aan belangrijke stukjes informatie.

'Mijn god,' zei ik wezenloos, en ik liet me op de rotanstoel zakken die dicht tegen die van Val aan stond. We zaten onder een fraai opgezette Amerikaanse adelaar gehuld in een rood-blauw dundoek, met pijlen tussen zijn schilferende klauwen gelijmd. 'Niet te geloven. Dus je hebt nu ook al sodomie aan de lijst toegevoegd.'

'Welke lijst?'

Verdovende middelen, drank, omkoperij, geweld, hoererij, gokken, diefstal, bedrog, afpersing, somde ik bij mezelf op, voor ik het er maar bij liet zitten.

Val zette zijn hand aan zijn mond en riep iets joligs naar een vriend aan de andere kant van de zaal toen het ineens tot hem leek door te dringen wat ik had gezegd. Hij draaide zich met oprechte verbazing naar me om. 'Wacht eens even. Wat heb ik met sodomie te maken, Timmy?'

'Dat vroeg ik me net af. Naar aanleiding van die kerel die hier zojuist nog was.'

Valentine lachte me uit, zijn jeugdige gezicht een en al honende ontkenning, terwijl hij twee grote glazen tot de rand toe vol schonk met een doorzichtige vloeistof uit een stenen kruikje. Ik rook zoethout en het bittere vuur van ambachtelijk gedistilleerd, en snakte naar een slok ervan. 'Wil je je waffel houden, broeder Wilde. Fluwelen Jim is een vriend van me.'

'Ja, dat zag ik.'

'Jezus, Timothy, luister even, dan maak ik je wegwijs in het land van sodomie. Daar was je toch zo nieuwsgierig naar?'

'Ik heb liever dat je het laat, maar ik ben bang dat ik er niet onderuit kom.'

Waarschijnlijk was hij intussen allang mijn alarmerende mededeling bij binnenkomst vergeten – en ikzelf van de schrik ook, moet ik eerlijk bekennen – dus Val maakte een uitnodigend gebaar met zijn hand, terwijl hij met de andere het glas stevig in mijn hand drukte. Ik nam een slok en het bleek goddelijk. Het gleed brandend als de zondige versie van de Heilige Geest door mijn keel naar beneden.

'Stel,' zei mijn broer, 'dat je van de dames afblijft, altijd en overal, en in plaats daarvan je eigen soort opzoekt en altijd via de achteringang aan je gerief komt. Dan ben je een nicht, toch?'

Ik knikte zwijgend. Daar viel niets op af te dingen.

'Maar aan de andere kant, stel dat je bevriend bent met een nicht – een prima Democraat trouwens, hij woont hier – en de nicht mag je graag en vindt het lollig om je af en toe een Franse gunst te verlenen. Begrijp je wat ik bedoel?'

Ik begreep het. Ik nam nog een flinke teug en ging in gedachten terug naar de nacht, lang geleden, toen ik de bedoelde daad voor het eerst had gezien, bij een hoer die gezeten op een kratje met haar mond haar avondmaaltijd verdiende.

'En stel dat je hem zo nu en dan toestaat door de knieën te gaan en beide partijen voelen zich daar kievig bij, niks aan het handje. Dan heeft dat toch niks met sodomie te maken?'

Ik schudde nadrukkelijk mijn hoofd in de hoop een aantal interessante maar irrelevante gedachten over mijn verwant via mijn oren te lozen om plaats te maken voor relevante zaken. Die waarover ik nu kennelijk tegen betaling geacht werd te piekeren.

'Er zijn negentien dode kinchen, Val. Plus die dode knaap die we al gezien hebben.'

Het gezicht van mijn broer betrok. 'Wat?'

'Alsjeblieft, ik wil het niet nog eens zeggen.'

Tegen al mijn verwachtingen in drong Val niet aan, maar leunde belangstellend voorover om mijn verhaal te aanhoren. En ik barstte los. Ik vertelde hem bijna alles, ook het verhaal van de spookachtige, van het bloed druipende verschijning die tegen mijn knieën was aangebotst en die ons had gewaarschuwd voor Liams dood. Ik vertelde hoe Bird Daly Matsell, Piest en mij naar de gruwelijke vindplaats onder de grond had geleid. Ik liet maar één detail weg, namelijk dat Bird nu bij mij woonde. Ik wist gewoonweg niet hoe ik dat tegenover mijn broer zou moeten verklaren. Intussen wilden we allebei bepaalde dingen liever niet horen van elkaar. Valentine leek bijvoorbeeld niet te vatten waarom Silkies bordeel zo belangrijk was, zelfs niet nadat hij had vernomen om hoeveel dode kinderen het ging.

'In elke wijk heb je tien of meer bordelen die er allemaal hetzelfde uitzien. Iedereen kan die koters wel koud gemaakt hebben,' zei hij narrig. Onder invloed van de morfine werd hij knorrig en bovendien zo onnozel als een hoer met een gegarandeerde slaapplaats. 'Die dode kinderen kunnen niet allemaal van dezelfde plek komen. Trouwens, die van Silkie zijn ouder. En waarom zou ze haar eigen bron van inkomsten nifteren? Het slaat nergens op om haar van betrokkenheid te verdenken.'

'Bird kwam bij haar vandaan,' zei ik nog eens. 'En Liam ook, het kinchin met het in zijn borst gekerfde kruis. Weet je nog? Het vermoorde joch dat ik vandaag voor je moest identificeren? Dat heb ik gedaan en toen heb ik er nog een hele hoop meer gevonden. Probeer je dat beestachtige wijf buiten schot te houden omdat je het bed met haar hebt gedeeld of omdat je mijn vuist zo graag tegen je kaken wilt voelen?'

'Omdat ze de Partij steunt. Je kent haar niet eens. Hoe kom je er dan bij dat ze beestachtig zou zijn?'

Ik trok aan mijn haar. 'Misschien omdat ze kinchin-mabs voor zich laat werken?'

'Waar heb je het over? Die van haar zijn geen van allen jonger dan vijftien. Hoe oud was jij toen je voor het eerst in het gras groene vlekken op de jurk van een grietje maakte, Timmy? Of moet dat nog gebeuren?'

'Zestien. Bird Daly is tíen. Zie je dat verschil niet? Ik mag toch hopen van wel.'

Daar moest Val even over nadenken. Hij wreef peinzend met zijn nagels langs de boog in de haarlijn op zijn rechterslaap. Toen dat niet hielp, vlocht hij zijn vingers dooreen en hield daar zijn knie mee tegen.

'Dat is veel te jong,' moest hij toegeven. 'Weet je zeker dat ze bij Silkie vandaan komt?'

'Ben je echt zo onnozel of komt het door de morfine?'

'Ze heeft me een loer gedraaid,' gromde hij. 'Ze weet altijd drommels goed wanneer ze me kan verwachten.'

'Dat zal wel. Wil je weten waarom ik kwaad ben?'

'Niet echt. Je bent al sinds 1828 kwaad op me...'

'Ik ben kwaad,' beet ik hem toe, 'omdat we die vrouw allang aan de tand hadden kunnen voelen als ik hier niet met jou zou zitten muggenziften over de exacte definitie van sodomie en of tien te jong is om een kalletje te zijn.'

Mijn broer stond op en sloeg zijn glas achterover. Ik deed hetzelfde en voelde het goddeloze brouwsel aangenaam traag door mijn slokdarm naar beneden glijden. Er brak een ondeugende grijns door op Valentines gezicht. Op de een of andere manier veranderde die hem van een man met dikke wallen onder zijn ogen in een jongetje in korte broek.

'Kijk nou toch, je bent een echte politieman, Timothy.' Hij wreef maar weer eens zout in de wonde, zoals hij zo graag deed. 'Wat een enthousiasme. Ik heb het je toch gezegd? Ja, toch? Stukken beter dan die straatagenten van mij. Die hebben de hele dag nog niks klaargespeeld. Op naar Silkie dan maar. Je mag zelfs wel aan de rol, als je wilt. Rondje van het huis.'

Het is bijna onmogelijk om Silkie Marsh te beschrijven als je haar rechtstreeks aankijkt. Dat geeft het verkeerde effect. In plaats daarvan zal ik vertellen hoe ze eruitzag in een van de enorme Venetiaanse spiegels in haar salon, omringd door vergulde walnotenhouten meubels die met koninklijk karmozijnrood fluweel waren bekleed en werden verlicht door een kristallen kroonluchter die glinsterde als de glimmertjes in het binnenste van een diamant.

Ze had een eenvoudige, maar volmaakte zwartsatijnen japon aan zoals de courtisanes in het theater wel dragen, waardoor ik vermoedde dat ze haar vak vroeger op de derde rang van het Bowery Theater had beoefend. Een overvloedige hoeveelheid rouge, vakkundig aangebracht. De geur van viooltjes hing als een flard lente om haar heen. De blanke vingers van haar ene hand lagen op de hoge toetsen van een rozenhouten piano, in haar andere hand hield ze een champagneglas. Als je haar rechtstreeks aankeek, zou je kunnen denken dat ze mooi was. Maar als je naar haar spiegelbeeld keek, besefte je dat ze dat niet was. Niet op de manier waarop Mercy dat was, met twee of drie onberispelijke onvolkomenheidjes. Silkie Marsh had midzomerblond haar dat losjes boven op haar hoofd was gehoopt en zeer fijne gelaatstrekken. Allemaal even gelijkmatig en vrouwelijk en teer, veel zachter dan die van Mercy, met een mond als een door de lucht toegeworpen kus. Maar in de spiegel zag je dat het enkel theoretische schoonheid was en geen waarachtige. Onverschillige groenbruine ogen met een blauwe kern, een mond die om niets glimlachte en alleen maar aan één stuk door probeerde te behagen. Zonder blijvend genoegen te bieden.

En in de spiegel zag je dat het haar ontbrak aan enig menselijk inlevingsvermogen. Dat onzichtbare lijntje dat mensen met onbekenden en bekenden verbindt was bij haar doorgeknipt. Ik zag het wit weggetrokken gezicht van Bird voor me.

Ze is hier, hè? Ze heeft me gevonden.

'Ik weet niet of ik me gevleid moet voelen dat je zo onverwacht op komt duiken of geërgerd dat je me niet op tijd hebt gewaarschuwd zodat ik mijn avond voor je vrij had kunnen houden,' zei ze tegen mijn broer.

Even daarvoor had ik bijna een hele liter lauwe koffie met cognac bij Val naar binnen gegoten, hem zijn hoofd onder de straal van een pomp laten houden en de koperen ster op zijn met borduursel versierde vest vastgemaakt nadat hij zijn overhemd had dichtgeknoopt. Hij zag er nog steeds uit als de rand van een kartelmes en zijn vingers trilden als een platgeslagen spin. Maar afgezien daarvan, en zelfs afgezien van het feit dat hij het lichaam van een brandweerman en het ondeugend-vrolijke, blozende gezicht van een kwajongen had, was er iets waardoor je je ogen niet van hem af kon houden, daar in die ontvangstkamer van Silkie Marsh. Ik vroeg me af wat dat was.

'Of is het niet nodig dat ik tijd maak om die met jou door te brengen?' vroeg ze koket.

Valentine zag er niet anders uit dan anders, concludeerde ik. Ik was alleen nog nooit samen met iemand in dezelfde ruimte geweest die verliefd op hem was. Dat was alles.

'We komen voor zaken, meissie, niet voor ons plezier,' antwoordde Val opgewekt, terwijl zij ons allebei een glas champagne in de hand drukte. 'Ik zit tegenwoordig behalve bij de spuitgasten ook bij de politie. Net als onze Tim hier.'

'Het doet me veel genoegen nu eindelijk eens kennis te kunnen maken met Vals broer,' zei ze met een berekende glimlach. 'Hij heeft het zo vaak over u.'

Dat was te beangstigend voor een reactie.

'Ik ben hier dus om te helpen,' vervolgde Val. 'Steek maar van wal. Kats maar raak. Wat kunnen we voor je doen?'

Silkie Marsh hield haar engelachtige hoofd iets schuin. 'Heel fijn, maar ik begrijp het niet.'

'Je hoertjes. D'r is er een koud gemaakt. En ik ben hier om te helpen.'

Het mooie mondje viel open en vertrok toen vol ontzetting. 'Wil je zeggen dat... Nee, dat is te erg. Ik ben geen van mijn zusters kwijt, maar onze livreiknecht Liam is weggelopen. Is hij door iemand gevonden?'

'Zekers te weten. En als we degene pakken die hem als eerste heeft gevonden, hangen we hem bij de nek op, als je begrijpt wat ik bedoel.'

'O, god,' bracht ze hortend uit, en ze greep Val bij de arm. Het was een sneue, doorzichtige smoes om mijn broer aan te raken, leek me. 'We hebben zo in angst gezeten om hem en we hebben gebeden om zijn terugkeer.'

'Die... livreiknecht van u,' zei ik. 'Sinds wanneer wordt hij vermist?'

'Dat moet al minstens een week zijn.'

Nu wist ik zeker dat ze een spelletje met ons speelde, want het was nog maar vierentwintig uur geleden sinds Bird tegen me was opgebotst in Elizabeth Street en pas deze ochtend had ik over Liams lijk gehoord, vervolgens zijn identiteit achterhaald en in de namiddag de tocht gemaakt naar de dodenakker. Liam moest dus gisteren nog levend en wel bij Silkie Marsh in huis zijn geweest, want 'Ze zullen hem afmaken' is een uitspraak die ontegenzeggelijk in de toekomstige tijd is gesteld. Bird Daly was niets minder dan een godsgeschenk, bedacht ik. Bird Daly was een leugenares die als een kompasnaald naar de waarheid wees. Terwijl ik dat stond te bedenken, hoorde ik de onmiskenbare knal van een zweep op vlees.

'Wordt er iemand in uw etablissement geslagen, madam Marsh?' vroeg ik op ijzige toon.

'Ja,' zei ze, ten behoeve van mij licht blozend. 'Maar ik verzeker u dat de heer Spriggs vooruitbetaald heeft voor de dienst. Met uw permissie zou ik graag de kosten voor Liams begrafenis op me willen nemen, meneer Wilde. Iedereen zal kapot zijn van het bericht van zijn overlijden.'

'Dat zou een mooi gebaar zijn,' zei Val glimlachend. Ik kon mezelf er met de grootste moeite van weerhouden om mijn ogen naar het plafond op te slaan.

'Weet u zeker dat geen van uw andere... zusters wordt vermist?' vroeg ik haar vervolgens.

'Waarom vraagt u dat, meneer Wilde?'

'We maken ons om nog meer onschuldigen uit de buurt zorgen,' was daarop mijn enige antwoord.

'Er lopen hier de hele dag mensen in en uit, het lijkt hier soms wel een kazerne,' zei ze, en ze haalde berustend een van haar schouders op, een gebaar dat voor Val was bedoeld. 'Maar bij de avondmaaltijd ontbrak er niemand, als dat u geruststelt.'

'Mogen we in dat geval even een kijkje in uw kelder nemen, madam Marsh?'

'Mijn kelder? Zou drie dollar genoeg zijn voor een eenvoudige plechtigheid, Valentine?' Ze trok haar hand uit een roodfluwelen tasje en legde een paar gouden dollars in mijn broers hand. Haar vingertoppen bleven daar even talmen. 'Natuurlijk mag u mijn kelder zien. Maar waarom in godsnaam?'

'Een bevlieging,' zei ik, terwijl Val het smeergeld in zijn zak stak.

We liepen met een olielamp naar de kelder en zoals ik al vermoed had, was daar niets te zien. Maar het was wel een erg doordacht niets. Het was een vierkante ruimte met aarden muren waar het koel en goed geventileerd was vanwege de ondergrondse ligging, met een paar dozen die lukraak op elkaar gestapeld stonden en een spookachtige paspop in de hoek, waarin spelden gestoken zaten die glinsterden in het licht. Heel schoon. Te schoon voor een kelder – geen spinnenwebben, geen kakkerlakken, en in elke kelder zitten 's zomers kakkerlakken. Als Liam hier had liggen doodbloeden en niet in het vat, zoals ik al wist van Birds nachtjapon, was daar geen spoor meer van te zien.

Toen flitste er een idee door mijn hoofd dat ik nog net bij de staart wist te grijpen. Een behoorlijk gewiekst idee. Een huivering van opwinding schoot door me heen.

'Aardig van u dat u voor Liams begrafenis wilt betalen,' zei ik losjes, en ik draaide me naar haar om. 'Ik vraag me af of al uw zusters zo… vrijgevig zijn als u. Als dat het geval is, zou ik er best eentje willen ontmoeten.'

'Zo mag ik het horen, Tim,' zei Val goedkeurend, en hij trok een half opgerookte sigaar uit zijn zak. 'Trakteer jezelf maar op een sappige perzik.'

'Het doet me deugd te kunnen zeggen dat we hier in huis allemaal een vrijgevige inborst hebben,' antwoordde Silkie Marsh met een veelbetekenende glimlach. 'Komt u maar mee naar boven. Er zijn vanavond een paar meisjes in huis erg eenzaam.'

Eenmaal terug in de salon dronk ik mijn champagne op en zij schonk ons alle drie nog eens bij. Met mijn benen wijd in een lome, mannelijke houding, zoals ik mijn broer honderden keren had zien zitten, wierp ik hem van onder mijn hoed een blik toe. Hij had de sigaar aangestoken en de geur ervan sloop als een geest door de kamer.

'Rose is vanavond vrij en zou u graag beter leren kennen, meneer Wilde,' zei Silkie Marsh, die had plaatsgenomen op de leuning van de stoel waarop mijn broer zat.

'Ik vroeg me af…' Ik schraapte mijn keel. 'Ziet u, ik ben nogal… kieskeurig. Ik hou niet zo van… meisjes met ervaring. Dames die al tientallen anderen hebben gehad. Ik mag graag de tijd nemen om een wichtje het een en ander te laten zien, haar een pleziertje te gunnen. Hoe oud is Rose?'

Silkie Marsh knipperde met haar ogen en liet haar vingers door de haardos van mijn broer glijden. 'Zij is achttien, meneer Wilde. Maar Lily is vijftien, als u nog een halfuurtje geduld hebt.'

'Dat is niet helemaal wat ik bedoel,' zei ik insinuerend.

Mijn broer wierp me van achter de rug van madam Marsh een knipoog toe. 'Onze Tim is een duivelse rakker,' zei hij. 'Maar hij doet ze geen kwaad. Hij behandelt ze goed. Teder, zelfs. Maar ik ben bang dat hij alleen de roosjes in de knop wil – zo gauw ze bloeien, ben je hem kwijt.'

Het viel niet mee om een rilling te onderdrukken, maar ik slaagde erin. Ik wist niet of ik mijn broer een dreun wilde verkopen vanwege de vreselijke dingen die hij zei of in zijn hand wilde knijpen vanwege zijn snelle begrip.

'O,' zei madam Marsh zacht. 'Ik ben bang dat we daar niet in kunnen voorzien.'

'Wat jammer,' verzuchtte Valentine, 'want zolang we onze Tim bezig kunnen houden… tja, ik moet ook wat te doen hebben, natuurlijk.'

Jij slechterik, jij inslechte schoft, dacht ik, en ik gaf hem inwendig een staande ovatie.

Silkie Marsh' trekken ontspanden zich. 'Wacht, er schiet me opeens wat te binnen… Er is hier wel een meisje dat me helpt met het naai- en verstelwerk.'

'Perfect! Maar weet je wat hij nog mooier vindt? Als hij met zo'n dametje samen is, heeft Tim er ook nog graag een knaapje bij. Om het joch wegwijs te maken, zal ik maar zeggen, en hem mee te laten doen. Die Liam van je is er niet meer, God hebbe zijn ziel, maar als je misschien nog een… ik weet niet, een staljongen of zo hebt, daar zou je Timothy Wilde een groot plezier mee doen.' Hij gaf haar de drie gouden munten weer terug.

Ik lachte enigszins onpasselijk naar mijn vreselijke, ontaarde, griezelig slimme broer en zei niets.

'En ik maar denken dat er niemand in New York verdorvener was dan die broer van jou,' zei Silkie Marsh met een vertederd lachje tegen mij, terwijl ze zich iets verder tegen zijn arm aan liet zakken.

'Dat is ook zo,' verzekerde ik haar droog. 'Ik wil die kinchen alleen maar een beetje verwennen.'

Silkie Marsh verzekerde ons dat mijn verzoek in geen enkel opzicht een probleem was en liep naar een koord waarmee ze schelde. Hun staljongen had trouwens wel wat vreemde gewoonten, vertelde ze me. Heel zonderling. Maar hij was een goed jong en ze hielden toch erg van hem. Ze wist zeker dat ik geen probleem zou hebben met zijn merkwaardigheden.

Een paar minuten later kwamen er twee kinderen de trap af. Het ene was een meisje van een jaar of elf, twaalf, dat haar haar net zo opgestoken had als Bird, mollig en met een slaperig gezichtje en net zo'n dure nachtjapon aan, al was er op deze goddank geen bloed te bekennen. De ander was exact hetzelfde spichtige Ierse joch dat ik het advies had gegeven geen stroop meer te stelen voordat de brand Nicks oesterkelder had verwoest, eveneens in nachtkleding en bovendien nog met lippenrood op. Mijn mond viel open toen ik hem zag en ik voelde de lucht in mijn longen schroeien. Allebei waren ze zichtbaar onder de kalmerende invloed van een onlangs toegediende dosis laudanum.

'Wakker worden, schatjes. Neill, Sophia, deze meneer wil graag goed voor jullie zijn.'

'Dat wil hij zeker,' zei Valentine instemmend, en hij sprong overeind. Ik stond ook op. 'Hebben jullie boven nog spulletjes liggen die jullie willen meenemen?'

Sophia keek hem zonder iets te zeggen doodsbang aan. Neill had me herkend, op de onfeilbare manier die slimme kinchen eigen is, ondanks de grijze lap verband en de rand van mijn hoed. Hij schudde dus van nee en zijn vingertjes vertrokken als de klauwtjes van een mus.

'Hebben jullie geen schoenen?' vroeg ik.

Opnieuw één bange blik en één ontkennende.

'Waar heb je het in vredesnaam over?' riep madam Marsh uit. 'Ze wonen hier!'

'Nu niet meer,' zei ik.

'Wist je, kippetje van me,' zei Val, 'dat kinderprostitutie illegaal is? Ik wist het ook niet. Ik was maar een ongeschoolde spuitgast die een nummertje wilde maken. Maar ze hebben ons verteld dat het tegen de wet is. Niet te geloven, toch? En daarom gaan die twee hier nu weg.'

De rozenbloesemtrekken van Silkie Marsh vlogen alle kanten op, als een bloem die zwaar te lijden heeft van een storm. Woede flitste voorbij, gevolgd door doffe smart toen ze naar mijn broer keek, maar uiteindelijk slikte ze noodgedwongen alles in. Ik ben door de bank genomen geen wreed man, en ik ben er niet trots op dat ik me verkneukelde, maar het was intens bevredigend.

'Is er nog meer wat u van me wilde, meneer Wilde? Valentine?' Ze streek met haar hand over het zwartsatijnen lijfje van haar jurk. Het was een briljant stukje toneel, want de woede was nergens meer te bekennen.

Val knipte met zijn vingers. 'Ach ja, bijna vergeten! De Partij gaat weer fondsen werven, Silkie, en jij bent een van de dikste dokkers. Geef me die drie dollar toch maar en bedankt voor je inzet. En nog een heel goede nacht, m'n snoetje.'

Silkie Marsh overhandigde hem het geld, waarop Valentine het pand verliet, nagekeken door een paar bliksemende ogen. Ik was het liefst nog even blijven hangen om haar nog eens te vragen of ze ook andere kinchin-mabs miste. En om haar te vragen of ze soms dacht dat ze me kon belazeren terwijl ik wist dat ze loog. Maar als ik dat deed, zou ze weten dat ik Bird had gesproken. En de gedachte aan Birds trillende lip en haar hardnekkige weigering om Silkie Marsh' naam te noemen, weerhielden me daarvan.

In plaats daarvan tikte ik koeltjes tegen mijn hoed en haastte me weg uit dat weerzinwekkende huis. Daar stond ik dan op de stoep, grijnzend als een dwaas tussen twee bijna identiek geklede kinchen op blote voeten. Mijn broer schudde bedachtzaam het hoofd, zijn sigaar bungelend in zijn mondhoek en zijn handen op zijn taps toelopende heupen.

'Wat een smerige slobber,' zei Val peinzend. 'Ik zou bijna mijn vertrouwen verliezen in de eerlijkheid van de New Yorkers. Ik heb haar een paar jaar terug praktisch als bijzit onderhouden, wist je dat? En intussen had ze onder mijn ogen... Maar ja, ik was altijd dronken. Nou, Timothy. Dan heb ik nog één vraag voor jou.'

'Ja?'

'Wat was je precies met die twee van plan?' wilde Valentine weten, en hij wees met twee priemende vingers naar de kinchen die met grote ogen op straat stonden in de dampende augustuslucht.

10

*Laat iedere ouder die wil dat zijn kinderen worden grootgebracht als men-
sen, goed van hart en groot van geest, ervoor waken dat een jezuïet nooit
de gelegenheid krijgt ook maar één woord in hun oortjes te fluisteren.*

• *De Amerikaanse protestant ter verdediging van de burgerlijke en
godsdienstige vrijheid in de strijd tegen de paapse horden,* 1843 •

De kinchen kropen in de huurkoets dicht tegen elkaar aan.
Sophia's blik bleef steeds ergens bij hangen, niet-begrijpend,
alsof ze lange tijd niet buiten dat huis was geweest. Misschien was
ze wel nooit buiten geweest. Neill hield zijn ogen halfgesloten. Een
eerste korte, schichtige blik van vrijheid had plaatsgemaakt voor
doffe, stille schaamte. Met zijn mouw had hij het rood van zijn lippen gewreven, zodat op zijn hemd een veeg zat alsof hij een jaap in
zijn arm had.

'Hoe lang zat jij daar al?' vroeg ik. 'En hoe ben je er beland?'

Hij bloosde aan weerszijden van zijn scherpe neusje, door zijn
sproeten heen. 'Pas twee weken. Pa werkte eerst als metselaar,
maar was ermee gestopt vanwege de drank. Die vrouw zei dat haar
huis een soort theater was, waar mensen als ze uitgewerkt waren
plezier maakten en lekkere dingen aten. Ik had al een week lang
bijna niks gegeten, alleen een paar appels die ik uit een varkenstrog

had gejat. Toen liet ze me niet meer gaan. Het was ook niet allemaal gelogen,' besloot hij opstandig, en zijn schrille stem sloeg bij die laatste woorden over. 'Sommige dingen klopten wel. Er was vissoep en we kregen ook goede, verse biefstuk. Maar ik dacht dat u achter de bar stond,' zei hij tot slot achterdochtig, wat hij vermoedelijk heel zijn leven zou blijven.

Ik legde uit hoe het zat en vroeg me af of het een politieman betaamde dat hij niets liever wilde dan Silkie Marsh bij de welgevormde strot grijpen.

'Neill, Sophia, ik moet jullie iets belangrijks vragen.'

Ze zeiden niets, maar Neill spitste zijn oren en Sophia keek zo oplettend als ze gezien de milde dosis laudanum voor elkaar kreeg.

'Ik ben bang dat een vriend van jullie, Liam, niet meer onder de levenden is. Kunnen jullie me vertellen wat er precies is gebeurd?'

'Hij was ziek,' fluisterde Sophia.

'Ja?'

'In zijn longen, zeg maar,' legde Neill uit. 'Hij was er slecht aan toe. Maar man, hij vocht echt voor z'n leven.'

'Ik had de meid mijn fooigeld gegeven om aardbeien voor hem te halen. Daar hield hij van. Maar hij werd niet beter,' vertelde Sophia met slome stem.

'En is er toen iets vreemds gebeurd?' vroeg ik.

'Iets vreemds? Nee, niks. Hij is gewoon doodgegaan,' antwoordde Neill. Sophia knikte. 'Maar hoe weet je dat van Liam?'

'Ik ben bevriend met Bird Daly.'

'Bird Daly.' Neill glimlachte en floot door zijn scheve witte tanden. 'Mooie meid. En liegen dat ze kan!'

'Bird is heller dan jij en ze heeft het jurkje van mijn pop weer gemaakt, beter dan ik zelf had gekund, Neill Corrigan,' snauwde Sophia. 'Ze is echt mooi en haar verhalen ook. Jij hebt daar maar twee weken gewoond, wat weet jij er nou van? Ik ben blij voor haar dat haar moeder teruggekomen is.'

'Haar moeder?' herhaalde ik.

'Haar moeder is gekomen en heeft haar meegenomen. Dat zei madam.'

'Nou, dat is zeker niet waar. Maar ze zit niet meer in dat huis en daar ben ik blij om. En dat jullie er weg zijn, daar ben ik ook blij om. Zo blij als wat.'

Sophia knikte en wierp voorzichtig een blik naar buiten. Neill sprak de rest van de rit geen woord meer. Maar hij ontspande wel een beetje en verschoof na een minuut of twee, drie iets zodat hij even dicht bij mij als bij Sophia zat. Dat was van zijn kant een behoorlijk gul gebaar, vond ik. Veel meer dan ik had durven hopen.

En wat Bird betrof: ik mocht haar. Heel graag zelfs. Zonder haar vele leugens zou de geloofwaardigheid van het verhaal dat er ooit een man met een zwarte kap had bestaan intussen nul zijn geweest. Nu hadden we een bewijs in de vorm van twintig zeer concrete lijken.

Bij St. Patrick's stapten we uit. Ik had verwacht dat het nog lastig zou worden om na middernacht te worden binnengelaten, maar we hoefden helemaal niet voor de grote, onaangedane stenen gevel en grimmige entree te wachten, er scheen namelijk licht uit het raam van het huisje achter de kerk. Ik klopte op de bescheiden houten deur van pastoor Sheehy, met aan weerszijden een kind op groezelige blote voeten. Aan de andere kant van de deur hoorden we voetstappen naderen en Sophia maakte een bang geluidje; het klonk als het hoge geluid van een alarmbel.

Neill greep haar hand. 'Niet bang zijn,' zei hij gedecideerd en overtuigend, ondanks zijn nachtkledij.

Pastoor Sheehy deed de deur open. Hij droeg nog steeds zijn dagelijkse soutane. Zijn kale hoofd glom in het schijnsel van de olielamp. Toen hij zag wie ik had meegebracht en wat ze aanhadden, hield hij met een diepe zucht de deur verder open.

'Kom snel binnen.'

Hij liet de kinchen plaatsnemen aan zijn opgeruimde vierkante tafel en pakte brood en een kaasje uit de voorraadkast. Hier sneed hij stukken van af terwijl hij met ons sprak. Ik bleef met mijn armen over elkaar en mijn rug naar de deur staan; ik was veel te opgedraaid om te gaan zitten. Pastoor Sheehy vroeg de kinderen heel vriendelijk hoe ze heetten, of ze iets wisten over hun ouders en wat er die avond was gebeurd. Het was voornamelijk Neill die antwoord gaf. Het deed mij goed te zien dat de priester in eerste instantie zijn vertrouwen wilde winnen voordat hij mijn verhaal aanhoorde. Hij zou bitter weinig voor ze kunnen doen als ze er via het raam vandoor gingen zodra hij zich had omgedraaid.

'Eet hier maar van terwijl ik wat spullen uit de kerkopslag haal,' zei hij. 'Ik loop daar even heen met meneer Wilde voor wat geschiktere kleren voor jullie. Neill, zorg jij ervoor dat zij ook wat eet?'

'Doe ik, meneer pastoor,' kwam het antwoord. Neill, dacht ik, was een kleine volwassene die graag opdrachten uitvoerde. Geen kind meer.

Buiten in de bedauwde hitte, omgeven door een lucht waarin de aankomende regen en het dreigende onweer voelbaar waren, keek pastoor Sheehy me met onverholen nieuwsgierigheid aan.

'Ik zou al te graag willen weten hoe het u is gelukt eigendom van Silkie Marsh te ontvreemden, gezien het feit dat zij een duivel is en uw broer des duivels beste advocaat.'

Met in zijn ene hand een bos ijzeren sleutels en in zijn andere een lantaarn bracht hij me naar de dichtstbijzijnde deur van St. Patrick's. Ik was meer dan bereid hem het verhaal te vertellen en deed dat ook, al bracht ik het vermoedelijk niet op de meest samenhangende manier. Ik struikelde over mijn woorden, wilde tegelijkertijd honderden kanten op en duizenden dingen uitzoeken. Ik wilde weten hoe Matsell erover dacht, of Piest al een knoop had gevonden en zo ja, wat dat zou kunnen betekenen, of het als je naar Bird keek nog steeds zou lijken of er werelden schuilgingen achter haar ogen. Toen ik het woord 'negentien' liet vallen, stopten pastoor Sheehy's handen even met zoeken in de kist met geschonken kleren, maar verder hoorde hij het verhaal uiterlijk onbewogen aan.

'Ik wil vooraf één ding duidelijk maken,' zei hij, terwijl hij een jurkje en een blauwe broek netjes opvouwde. 'Als u mijn hulp nodig hebt, sta ik voor u klaar. En ik ben bang dat u mijn hulp nodig zúlt hebben. Dit is een kruitvat in een vuurzee.'

De afgedekte gezichtshuid onder mijn masker leek even op te laaien als om in te stemmen met die woorden. 'Klopt, maar waarom zegt u dat?'

'Omdat ik vrees dat u ieder moment van deze zaak gehaald kunt worden, meneer Wilde.'

Het was iets wat ik niet alleen niet vreesde, het was zelfs nooit bij me opgekomen. Een warme blos steeg op van mijn rug naar mijn nek. Het voelde alsof hij me had beledigd, al was dat niet het geval.

'Dat de mannen van de koperen ster de dood van twintig kinchen een onopgelost raadsel zullen laten? Ik mag toch hopen dat we meer ruggengraat hebben dan dat! Al hebben we dat nog niet kunnen bewijzen.'

Pastoor Sheehy deed het kistdeksel met een resolute klap dicht en leunde met beide handen op de tafel om me aan te kijken. 'Geen twintig kinchen. Twintig katholíéke kinchen die niemand heeft gemist. Zolang deze zaak op te lossen lijkt en zolang hij strookt met het beleid van de Democraten, bent u een man met een ernstige, ontzagwekkende taak. Maar George Washington Matsell noch Valentine Wilde zullen toestaan dat het piepjonge politiekorps publiekelijk door het stof zal moeten gaan en evenmin dat de Democraten er om een ondankbare taak van langs zullen krijgen.'

'Ik zal nog eerder zien dat de paus en president Polk elkaar voor een juichende menigte de hand schudden dan dat mijn broer en hoofdcommissaris Matsell mij van deze zaak halen.' Mijn stem klonk donker van verontwaardiging en schuurde als de rook van goedkope tabak in mijn keel.

'Ik wilde u absoluut niet beledigen. En wat Zijne Heiligheid paus Gregorius XVI betreft: de meeste inwoners van Gotham zullen ongetwijfeld met verbazing vernemen dat hij het een tikkeltje te druk heeft met het bestrijden van de slavenhandel, met het moderne spoorsysteem en met de bandieten in de Pauselijke Staat om erg veel gedachten te wijden aan Amerika,' antwoordde hij gortdroog.

'Ik ben niet beledigd,' zei ik kortaf. 'Wat doen we met Neill en Sophia?'

'Ik zal erop toezien dat ze onderdak krijgen, beter dan wat ze hadden, zo God ons genadig is. Vanavond nog zal ik ze naar de rooms-katholieke wezenopvang brengen. Maar ik waarschuw u: er zijn mensen die in deze stad maar één god dulden, een protestantse god. Daar zult u snel genoeg achter komen.'

'Dat weet ik al. Maar u zult er snel achter komen dat er in deze stad ook mannen zijn die meer belang hechten aan gerechtigheid dan aan God.'

'Zijn dat dan twee verschillende zaken, gerechtigheid en God?' vroeg hij snedig.

Volgens mij dus wel. Maar het zou een vruchteloze onderneming zijn een geestelijke daarvan te willen overtuigen.

Aan de andere kant van de glas-in-loodramen barstte de storm los. Dikke druppels spoelden de drukkende benauwdheid die in de lucht hing weg. Het was van die regen die kort maar hevig op de grond klettert, alleen welkom omdat je er niet langer gespannen op hoeft te wachten. Zo'n gevoel dat je ook hebt nadat je in elkaar bent geramd of hebt gevochten. Dat je dan tenminste weet wat je te wachten stond.

Pastoor Sheehy greep de kleren en zijn rammelende sleutels. 'U hoeft niet te antwoorden, al zou u mij hoe dan ook niet kunnen beledigen. Ik hou van praktische kerels. U zou snel genoeg zien dat ik zelf ook zo ben, als u het witte boordje even wegdenkt. En neem uzelf: ook zo'n praktisch type, maar niet katholiek, niet protestants en volgens mij ook niet slecht. Laten we bidden dat u niet uniek bent, want zover ik heb ervaren heeft God het met uw soort doorgaans uitermate goed getroffen.'

Ik had verwacht dat de dagen volgend op onze duistere ontdekking hectisch en zwaar zouden zijn. En dat waren ze ook. Maar uiteindelijk bleken ze er niet veel toe te doen, aangezien ik de brief pas op zesentwintig augustus ontving en na die brief was de beer echt los.

De ochtend nadat ik Neill en Sophia had achtergelaten bij St. Patrick's, op drieëntwintig augustus, was er een bijeenkomst van de agenten van Wijk 6. We vergaderden onder voorzitterschap van Matsell in de open rechterkamer in de Tombs. Hij meldde dat er buiten het bewoonde areaal van de stad negentien kinderen waren gevonden, zoals de meesten al wisten via het gerucht dat rap als de cholera door het politiekorps ging. Een aantal van de gevonden lichamen had al vijf jaar onder de grond gelegen, andere waren onlangs pas begraven. Alle kinderen leken jonger dan dertien, maar dat was giswerk. Het waren zowel jongens als meisjes. Bij alle lichamen die nog niet in al te verre staat van ontbinding waren, leek er een kruis in de borstkas te zijn gesneden. Het waren vermoedelijk allemaal Ierse kinderen en ze waren zonder twijfel allemaal vermoord. Dit was een geheim, het duisterste geheim in een stad waar geheime bekentenissen en nachtelijke samenzweringen even talrijk zijn als ratten. En het moest ook een geheim blijven, verklaarde Matsell, want de moord in Wijk 8 op het Ierse joch Liam was opgepikt door de kranten en werd nu door iedere krantenjongen in de stad rondgebazuind. Dat wist ik al, want ik had die ochtend de *Herald* van voor tot achter uitgeplozen. Het idee dat het verhaal van de dodenakker net zo breed zou worden uitgemeten en zou leiden tot allerlei wilde speculaties bezorgde me koude rillingen.

'De hoer die het lijk heeft gevonden is van krant naar krant gegaan en heeft bij allemaal haar verhaal voor goed geld verkocht,' aldus hoofdcommissaris Matsell. 'Als ik ontdek dat ook maar iemand van jullie hetzelfde heeft gedaan met deze vondst, zal ik er persoonlijk voor zorgen dat diegene zou wíllen dat hij een hoer was. Tegen de tijd dat ik klaar met hem ben, zal hij zich in elk geval een hoer voelen.'

Toen George Washington Matsell uitgepraat was en wegbeende, bood de ruimte een veelheid aan gelaatkundig onderzoeksmateriaal. Geschokte Duitsers die een uitgestreken gezicht trachtten te bewaren, Amerikaanse rouwdouwers die zachtjes met elkaar praatten, Ieren, zowel donkerharige als rossige, die plotseling veel Iérser oogden en wier onderhuidse gevoelens weerspiegeld werden in grimmige blikken en monden strak als vuisten voor een knokpartij.

'Nog knopen gevonden?' vroeg ik aan Piest, toen de mannen de ruimte begonnen te verlaten. Hij zat in de hoek als een schaaldier in de spleet van een rots.

'Wilde, Wilde,' zei hij. Hij schudde mijn hand en zoog lijdzaam zijn bleke wangen in. 'Dat niet, nee. Op dat terrein zijn sporen net zo lastig te vinden als bloed op een wortel. Maar ik zal íets vinden voor onze hoofdcommissaris, Wilde, of het nou een draadje is of een hele zak spaden. Let maar op mijn woorden. Dat zál me lukken, al blijf ik erin.'

Piest was lachwekkend. Maar hij kon zijn onderwerp nog zo lachwekkend verwoorden, hij zei wel precies wat ik dacht. Misschien waren we allebei gek, bedacht ik toen ik de Tombs verliet om naar huis te gaan om te kijken hoe het met Bird was. Het was niet echt een praktische bestemming, maar het was nodig. Anders kon ik niet helder denken. Sinds we de graven hadden ontdekt, was Bird aanzienlijk overtuigender ziek geweest.

Mevrouw Boehm stond broden in te kerven. Door de warmte van de bakovens plakte haar donkerblauwe katoenen jurk tegen haar kleine, maar levendige kolibrieborstjes. Haar mondhoeken wezen nog steeds naar beneden.

'Enige verbetering?' vroeg ik haar, en ik legde een suikerbroodje gewikkeld in het vertrouwde paarse papier op tafel. Een zoenoffer, nog voordat een nieuwe strijd was opgelaaid.

'*Danke*,' zei ze verrast. 'Nee.'

Net voordat ik die ochtend naar de Tombs was vertrokken, was er een voorval met een deeghaak geweest. Bird had mevrouw Boehm de haak zien gebruiken. Nooit eerder had ik iemand zo horen gillen. Alsof het geluid verder alles had kunnen uitschakelen, alles blank had kunnen zetten onder een stortvloed van geluid. Er was weer aardewerk gesneuveld en weer had Bird haar hand daarvan de schuld gegeven. Toen was ze stilgevallen en dat was nog erger.

'Misschien als u eens met haar praat.'

'Ik zal het proberen.' Ik draaide me om om naar boven te gaan.

'Goed. En als ze dan nog steeds niets wil zeggen, probeer ik het nog eens.'

'Hoe is het met *Licht en schaduw in de straten van New York*?' vroeg ik nog plagerig over mijn schouder.

De deegroller die ze net had opgetild bleef halverwege in de lucht steken.

'Rustig maar, ik lees het zelf ook,' zei ik. 'Die waar de moordenaar het lijk verstopt in een vitrine in Barnum's American Museum vind ik de allerbeste. Die is geweldig.'

Ze opende haar mond iets en wierp me toen van onder haar bijna onzichtbare wimpers een slinkse blik toe.

'Misschien heeft een graaf een keukenmeid verleid, misschien ook niet. Als ik zulke dingen zou lezen, zou ik het weten.'

'Bravo!' zei ik grijnzend, en ik liep naar boven en verdween uit haar gezichtsveld.

Ik betrad mevrouw Boehms slaapvertrek, maar Bird, bij wie je onder het bevroren oppervlak de woeste stroming kan zien kolken, was daar niet. Ik liep snel naar mijn eigen kamer, bang dat ze even snel en geluidloos als ze tegen mijn benen was opgebotst nu uit het raam was weggevlogen.

Maar dat was ze niet. Bird lag in haar lange, tuniekachtige blouse op haar buik op de grond met een stuk houtskool in haar hand. Ze had een van mijn vele weemoedige veerbootschetsen van de muur gehaald en daar van alles bij getekend. Slangachtige vormen die de boot van onder het wateroppervlak bedreigden, een havik in een boom. De havik had net een maaltje gevangen of de slang in zijn bek wurmde zich zelf door de strot van het roofdier. Toen ik binnenkwam, keek ze met een schuldige blik op omdat ze een eigen invulling had gegeven aan mijn creatie.

Ik pakte ook een stukje houtskool.

'Ik moet zo weer weg,' zei ik, terwijl ik de licht gebogen klauwen van de havik arceerde.

Bird knikte. Haar gekromde rug leek zich te ontspannen en zag er nu iets minder uit als het schild van een schildpad. We zwegen allebei eventjes. Ik had besloten niets te zeggen over de bevrijding van haar twee jonge vrienden, althans vooralsnog niet. Ik wilde de naam 'Silkie Marsh' niet laten vallen. Ze zou horen hoe het hun was vergaan zodra de lijken van haar netvlies waren verdwenen.

'Hoe ziet uw gezicht er eigenlijk uit? In z'n geheel?' vroeg ze ineens.

Ik verstarde even, voelde me breekbaar als glas.

Maar toen zette ik mijn hoed af en dacht: dit is beter dan dat Val het masker van mijn kop rukt als de drank hem hatelijk heeft gemaakt en de morfine uitgewerkt raakt. Beter dan dat ik het alleen zou moeten doen. Misschien.

'Waarom kijk jij niet even voor me,' zei ik. 'Ik weet het eerlijk gezegd niet. Maar het zit me al een tijd dwars.'

Bird ging op haar knieën zitten. Aangezien ik ook op de kale vloer zat, kon ze makkelijk bij het masker en het samen met het vette gaasverbandje van mijn gezicht trekken. Ze liet alles op de vloerplanken vallen.

En toen stoof ze de kamer uit.

Een eigenaardige, angstige misselijkheid steeg in me op, zo'n gevoel dat je overspoelt en waartegen je je niet kunt verzetten, zelfs niet als je meent een kerel van stavast te zijn. Maar toen kwam Bird al weer teruggehold, deze keer met een handspiegel uit mevrouw Boehms slaapvertrek, die ze voor mijn neus hield.

'U ziet eruit als een haaie goozer, meneer Wilde. Een echte rouwdouwer. Eentje die je liever te vriend houdt.'

Ik wierp er dus zelf ook een blik op.

De huid rond mijn rechteroog tot aan mijn haargrens was zowel nieuw als beschadigd. Vreemd felrood van kleur en doortrokken met dikke rimpels, als het vel van een hagedis, niet de huid van een mens. En ze had gelijk. Het was zo lelijk dat het er ronduit fascinerend uitzag. Ik was altijd een gespierde kerel geweest met een min of meer redelijke kop. In elk geval jeugdig gezond. Nu was ik een woesteling, een schurk die nergens voor zou terugdeinzen, die bereid zou zijn voor een bekende of een doos sigaren een gewelddadige dood te riskeren. Met zo'n gezicht kon je niet achter de bar staan. Maar een politieman kon er prima mee voor de dag komen.

'Zal ik het maar weer afdekken om te voorkomen dat mijn vijanden op de vlucht slaan?' vroeg ik grappend.

'Ja,' antwoordde ze met een lachje. 'Maar alleen víjanden zouden ervoor op de vlucht slaan, denk ik. Niet de mensen met wie u geen appeltje te schillen hebt.'

Ik was haar eventjes zo dankbaar dat ik niet wist hoe ik dat moest uiten. Ik weet het nog steeds niet.

'Ik moet weer aan het werk.'

Bird pakte het afdeklapje, maar slaakte een geschrokken kreetje toen ze het zag. Ze hield het voor me omhoog. Het zat onder de houtskoolvegen van haar vingers, asgrauwe vlekken op de grauwe stof.

'Het spijt me. Ik wilde het alleen maar zien.'

'Geeft niet.' Afzichtelijk en onwetend of afzichtelijk en op de hoogte: ik zag er hoe dan ook afstotelijk gehavend uit. Ik bond het lapje daarom weer vast en schopte bij het opstaan het vette verband in een hoek. 'Ik weet niet of en zo ja wanneer ik het ooit zou hebben afgedaan als jij er niet naar had gevraagd.'

Ik zou graag vertellen dat de rest van de dag naar tevredenheid was verlopen. Helaas was er niets positiefs aan. Ik zat de hele middag in de Tombs knarsetandend te schrijven:

> *Verslag van agent T. Wilde, Wijk 6, District 1, Ster 107. In verband met mogelijk onwettige teraardebestelling gemeld door ene Bird Daly, voorheen gevestigd op het adres van madam Silkie Marsh' bordeel, Greene Street 34, tezamen met hoofdcommissaris Matsell en de heer Piest afgereisd naar 30th Street en Ninth Avenue.*

Het geschrijf stond me zo mogelijk nog meer tegen dan bij de zaak Aidan Rafferty. Nu, twee ellendige dagen later, waarin ik naar het leek iedereen in de stad had gesproken, schreef ik dit:

> *Verslag van agent T. Wilde, Wijk 6, District 1, Ster 107. Heb verschillende neringdoenden gesproken (kruidenier, poelier, naaister, kolenboer, dienstmeid, factotum) die verbonden zijn aan de huishouding van madam Marsh. Zonder enig resultaat. Afgezien van de bekende praktijken is over dit adres niets onoorbaars te melden. Het handjevol bewoners nabij de weg waar de graven zijn ontdekt ondervraagd; hebben alleen onverdacht verkeer langs zien komen.*
>
> *Positieve identificatie van afzonderlijke lichamen ondoenlijk geacht. Gesprekken met Ierse collega-agenten en hun bekenden hebben niets over duistere praktijken opgeleverd. Gezien de ernst van de zaak en bij gebrek aan andere ingangen, na daarvoor eerst toestemming te hebben verkregen van hoofdcommissaris Matsell, uitvoerig gesproken met miss Mercy Underhill die in het kader van armenzorg contacten onderhoudt met de katholieken. Miss Underhill op de hoogte gebracht van het massagraf; zij kende niemand die een of meer kinderen mist, maar stelde voor dat zij, strikt vertrouwelijk, zou overleggen met haar vader, de eerwaarde Thomas Underhill evenals met pastoor Connor Sheehy, in de hoop dat zij door hun eigen onafhankelijke en verreikende zielzorgwerk mogelijk enige aanwijzing konden geven. Na aanvullende toestemming van de hoofdcommissaris heeft miss Underhill aldus gehandeld. De gesprekken hebben echter niets nieuws aan het licht gebracht.*

Moeten we ervan uitgaan dat deze kinderen gesneefd zijn <u>zonder</u>
<u>dat ze door iemand worden gemist</u>? Is dat aannemelijk? Is het <u>moge-</u>
<u>lijk</u>?

Het kostte me grote zelfbeheersing om vervolgens niet te schrijven:
En wat moet ik nu <u>doen</u>?

De volgende ochtend, op zesentwintig augustus, ging ik naar beneden en nam plaats aan mevrouw Boehms lege tafel. Ze moest regelmatig de deur uit om bestellingen te bezorgen, dus ik keek er
niet van op dat ze er niet was. Sinds ik opdracht had gekregen de
zaak van het massagraf te onderzoeken, stond ik om zeven uur op,
aangezien ik 's avonds nog behoorlijk laat bezig was mensen te ondervragen die liever niet ondervraagd wilden worden. Nu Bird eindelijk mocht slapen, deed ze dat met verve, alsof ze meedong naar
een kampioenstitel.

Het enige wat me daarom die ochtend opwachtte was de post die
mevrouw Boehm voor me had klaargelegd naast de *Herald* en het
soort broodje waarvan ze had opgemerkt dat ik het 's ochtends vaak
kocht. Ik las snel de krantenkoppen; er stond niets over het massagraf. Toen pakte ik een envelop gericht aan *De heer Timothy Wilde,*
Politieagent, de bakkerij in Elizabeth Street en maakte die open.

Meneer Wilde,
Er benne burgers die gelofe dat Ieren onderweizen gelijkstaat aan
scholing voor zwijnen asse iets leren kunnen ze gaan denken dat ze
beter benne dan de blanke roetmoppen die ze zijn. Deze Ier is het daar
toevallig niet mee eens, kijk zelf maar: ik doe Gods werk en ben ge-
schoold genoeg om u deze brief te schrijven.
De kattelieken hebben lang genoeg gezucht onder het prottestantse
juk. Maar de zwakke plek zit bij ons zelf en ik weet waar. Kindhoer-
tjes zijn een gruwel tegen de Drievuldigheid en moeten gezuiverd wor-
den. Een Ierse fout en een Ierse zonde en alleen een Ier ken ons eige vuil
voor Gods ogen zuiveren. Onze hijlige paus roept op voor de snelle
hand des wrakes tegen hun. alleen gezuiverd kenne we eervol zijn,
kenne we aanspraak maken op wat ons toekomt en kenne we New York
in handen van de heilige Kerk van Rome geven. En daarom heb ik de

dode kinderen die ik ten noorden van de stad heb begrafen gekenmerkt
met het Kruis. iets anders kwam derlui niet toe. onthoud wie ik ben:
De hand van de God van Gotham

Ik kan zonder meer stellen dat ik niet zo verbijsterd was geweest sinds... nou goed, drie dagen geleden.

Dit was namelijk de idiootste brief die me ooit onder ogen was gekomen.

Verwachtte de schrijver van dit absurde epistel echt dat ik zou geloven dat dezelfde persoon die 'Ieren onderweizen' schreef ook doodleuk zou neerpennen: 'De kattelieken hebben lang genoeg gezucht onder het prottestante juk'? Barkeepers weten hoe mensen praten: zelfs een dolleman zou nooit zulke rare taal uitslaan. Meende die vunzige gek dat ik ook maar een moment zou geloven dat een Ier kinchin-mabs vermoordde om een politieke ommekeer te bewerkstelligen? Meende hij dat ik zo iemand was die geloof hechtte aan het sprookje dat de paus vuur spuwde en jaarlijks opnieuw zijn goedkeuring gaf aan de Spaanse inquisitie? Wie anders dan een geheibelde heraut van het achterlijkste soort zou een brief ondertekenen met 'De hand van de God van Gotham' en verwachten dat ik, geboren en getogen in Amerika, onderdrukking door de Ier zou vrezen?

Zo restten mij nog twee vragen, constateerde ik terwijl ik met de weer dubbelgevouwen brief op tafel tikte, vlak naast mijn snel afkoelende mok.

Ten eerste: hóe voor de duvel wist dit drenzende stuk vreten iets over de verborgen graven? En ten tweede: waaróm voor de duvel had hij die vervloekte brief naar míj gestuurd? Nog geen drie tellen later bedacht ik dat iedere politieman hem gestuurd zou kunnen hebben. En als het het werk was van een van de weinige Nativistische politiemannen die trachtten antikatholieke sentimenten aan te wakkeren, twijfelde ik er geen moment aan dat Matsell hem linksom of rechtsom zou pakken. Maar misschien zat er geen politieman achter. Dus boog ik me over de tweede vraag. Die had ik uiteraard een stuk sneller beantwoord. Ik las de brief nog eens vluchtig door en had op de kop af vier tellen nodig om te bedenken wie ik er de schuld van kon geven dat mijn adres op die envelop stond.

Het was de bedoeling dat ik de boodschap doorgaf aan de Democratische Partij.

'Godverdomme, Valentine Wilde,' zei ik hardop. Ik stopte het perverse, gestoorde schrijfsel in mijn jaszak en snelde naar buiten.

11

*Welk moment in deze periode van honderdvijftig jaar we ook als het be-
ginpunt beschouwen van de macht van de paperij, ze kan niet anders dan
van de Antichrist afkomstig zijn, waarover door Daniël en Johannes
wordt gesproken, aangezien de opkomst ervan strookt met de woorden
van de profeten, meer dan wat ook dat aan de Antichrist wordt toege-
schreven.*

• *De Amerikaanse protestant ter verdediging van de burgerlijke en
godsdienstige vrijheid in de strijd tegen de paapse horden,* 1843 •

Ik had half en half verwacht dat hij... Rooskleurig waren mijn
verwachtingen niet. Maar ik zal eerst beschrijven hoe ik Val aantrof toen ik zijn woning in Spring Street binnenstormde. Hij was
enkel gekleed in zijn ondergoed en was deze keer in het gezelschap
van een oogverblindende Ierse schone, wier haar het wit van zijn
hoofdkussen geheel aan het oog onttrok (ze was uiteraard volledig
naakt en had een huid zo bleek als de tanden van een hond). Ze
lagen omringd door de volgende artikelen: drie pijpen, elke anders
van vorm, een zakje met iets wat op gedroogde paddenstoelen leek,
een bruin flesje met het etiket MORFINE, een ongeopende fles
whisky en een halve ham.

'Laat dat kippetje ophoepelen, Val,' zei ik, in het geheel niet bang
voor zijn toorn.

'Hoe kom je erbij? Wat denk je wel?' sputterde Val halfhartig tegen.

Niet alles wat in de daaropvolgende tien minuten werd gezegd, deed ter zake, maar toen had ik het hoertje toch de deur uit gewerkt en zat mijn broer aan de koffie. Hij dronk er langzaam van en had de grootste moeite om de mok niet uit zijn handen te laten vallen. Ik zou bijna medelijden met hem hebben gekregen, zoals hij daar in zijn linnen onderbroek zat en probeerde zijn maaginhoud binnen te houden, als het niet zo'n overbekend en aan hemzelf te wijten gebeuren was geweest.

'Ik heb een brief gekregen,' zei ik. Mijn toon was weinig welwillend.

'Ja? En?'

'Hij is niet voor mij, maar voor jou.'

'Waarom denk je dat?' Hij rochelde onsmakelijk. 'Heeft de dader Timothy soms gespeld als V-A-L-...'

'Het doet me deugd dat je je naam nog kunt spellen. Kun je ook lezen of zal ik hem aan je voorlezen?'

'Gooi het er maar uit. En snel een beetje, dan ben je hier ook gauw weer weg.'

Ik las hem de brief voor. Zijn interesse werd ongeveer ter hoogte van de zinsnede 'gezucht onder het prottestantse juk' gewekt. Toen ik klaar was, drukte hij zijn vingers in de postzakken onder zijn ogen en stak zijn rechterhand uit.

'Geef eens hier, ijverig agentje dat je bent.'

Dat deed ik. Valentine pakte de brief aan en hield hem voor het raam tegen het licht. Daarna legde hij hem neer en haalde een doosje lucifers uit de zak van zijn overjas, die over zijn stoel hing. Hij streek een van de lucifers met zijn duimnagel aan en hield hem welbewust bij de brief.

'Niet doen,' riep ik uit, en ik probeerde hem weg te grissen.

Val trok zijn hand met een ruk weg en ging, tot mijn niet geringe verbazing, staan. Nog maar een paar tellen geleden had ik hem daar niet toe in staat geacht, maar nu stond ik zinloos te graaien naar de brief die hij hoog boven zijn hoofd hield en moest toekijken hoe hij hem verbrandde. Soms kan ik hem aan, als hij ver genoeg heen is van de avond tevoren. Soms. Maar hij is niet alleen groter, hij is ook sneller. Het was alsof ik weer zes was en hij twaalf met een ongevaarlijke grasslang in zijn hand die hij van plan was te pletter te slaan tegen een boomstam. De slang had het avontuur niet overleefd.

'Waarom niet?' vroeg Valentine, die naar de uitwaaierende veren van vuur keek. Ik word onpasselijk van zijn fascinatie voor vlammen. 'Die brief kan ons schaden, Tim.'

Ik probeerde een andere aanpak dan de fysieke, terwijl ik de vezels in reepjes as zag veranderen. 'Is het dan geen bewijsmateriaal?'

'Zou kunnen,' gaf hij opgewekt toe. 'Maar ik denk dat je bedoelt: wás het geen bewijsmateriaal. Nu is het alleen nog as.'

'Geloof je niet dat hij door de moordenaar geschreven kan zijn?'

'Dat onzinnige geraaskal? Nee. Jij wel?'

'Waarschijnlijk niet,' gromde ik, 'maar hoe komen we er ooit nog achter wie die brief geschreven heeft, als hij er niet meer is?'

Hij was er intussen echt niet meer. Val had zijn duim vermoedelijk gebrand, maar daar liet hij niets van merken. Hij streek alleen wat zijdedunne stukjes roet uit zijn haar.

'Wat doet het ertoe wie hem heeft geschreven?' vroeg Valentine.

'De afzender weet van de dode kinchen!'

'Aha.' Hij grijnsde. De schurk had zich volledig hersteld. Het was zo'n knap staaltje wilskracht dat ik hem er niet eens om kon verachten. 'Grappig dat jij denkt dat het iemand anders zou kunnen zijn dan een van die Whigs in ons korps – er lopen zeker een stuk of zes, zeven van die ratten rond. Of anders misschien een dol geworden agent die het volk wil ophitsen tegen de Ieren omdat iedere zoon van een Ierse moeder een Democratisch gezind partijlid is. 't Is bijna even grappig als het idee dat je zou kunnen zien wie die brief geschreven heeft door er maar lang genoeg naar te turen. Grandioos. Maar als die brief uitlekt, is het hommeles voor de Partij. Iedere Paddy die op sterven na dood van de boot wankelt, wordt Democraat voor het leven als hij eenmaal in de smiezen heeft wie zijn vrienden zijn en waar hij zijn kruiwagens kan vinden. Ik zou een fraaie vriend van de Ieren zijn als de Whigs deze vuilspuiterij onder ogen kregen – we zouden meteen het stempel on-Amerikaans krijgen en in de zwartmakerijen verdrinken. Zo snel weggestemd worden dat het ons duizelde.'

'En God verhoede dat de Partíj schade zou lijden,' smaalde ik.

'Goed gezegd, zo is het maar net.' Hij grijnsde weer. 'Bedankt voor dat lasterlijke vodje, Tim, je had groot gelijk dat het voor mij bestemd was, en bedankt voor de koffie. Je bent een beste kerel.

Als je dan nu zo goed zou willen zijn om op te hoepelen, zou ik je zeer erkentelijk zijn.'

Net niet briesend verliet ik Vals huis en bleef buiten in Spring Street staan bij een paal om paarden aan vast te binden. Ik had geen idee waar ik heen zou gaan of wat ik kon doen, en ging in mijn hoofd de verschillende mogelijkheden af.

Ik zou het bordeel van madam Marsh kunnen binnenvallen om luidkeels opheldering te eisen over wat daar gaande was op straffe van gevangenneming of erger. Ze zou ofwel meewerken ofwel me met de nodige smoezen afschepen. In het tweede geval zou de man met de zwarte kap, als hij inderdaad bestond, gewaarschuwd zijn en ongestraft kunnen verdwijnen. Ik kon ook als een bezetene naar de botten gaan zitten staren die we in een afgesloten ruimte in de Tombs hadden opgeslagen en me afvragen van wie ze waren. Ik kon net zo lang inpraten op een meisje met grijze ogen tot ze me dingen zou vertellen die ze had beweerd niet te weten. Ik kon me gaan bezatten. Of op zoek gaan naar iets sterkers, als ik nog meer op mijn broer wilde lijken dan ik al deed.

Uiteindelijk was ik zwak. Met een wilskracht van niks en een nog lamlendiger gevoel van weerzin, liep ik naar het huis van de Underhills. Misschien was ik wel een dwaas die alleen nog maar even iets moois wilde zien voor ik aan mezelf zou toegeven dat ik de moord op een twintigtal kinderen niet zou kunnen wreken. Maar ik dacht heus, op mijn erewoord, dat ik er uit behoefte aan goede raad heen ging.

We hadden de Underhills leren kennen toen Val voor de allereerste keer zo'n straffe combinatie van verdovende middelen had ingenomen dat ik dacht dat hij niet langer ademde. We woonden indertijd in Cedar Street, in een raamloos kamertje dat meer op een broodtrommel leek, met één kookpit en twee stromatrassen. Toen ik op een avond als veertienjarige thuis was gekomen leek mijn twintigjarige broer wel een marmeren beeld van zichzelf. Nadat ik tevergeefs had geprobeerd hem bij te brengen, was ik buiten mezelf van angst het huis uit gestoven. Het eerste adres waar ik mogelijk kon aankloppen voor hulp was het verlichte raam van de pastorie naast de kerk op de hoek van Pine Street. Toen ik op de deur bonsde en er werd opengedaan, zag ik een vragend kijkende, rustige man in hemdsmouwen, een bleke vrouw die vingervlug zat te naaien bij het haardvuur en een onvergetelijk zwartharig meisje dat op haar buik met haar enkels over elkaar geslagen op het gevlochten kleed lag te lezen.

Er zijn geestelijken die voor weinig anders goed zijn dan het afsteken van opwekkende preken, maar Thomas Underhill weet van wanten met warm water, reukzout, brandewijn, ammoniak en gezond verstand, en die avond liet hij niets daarvan onbenut. De blik die hij me toewierp toen hij onze kamer weer uit liep was de vriendelijkste die er was, zonder enig spoor van meewarigheid. Toen Val de volgende ochtend hoorde wat er was voorgevallen, was hij naar de woning van de Underhills gelopen om met de eerwaarde te spreken. Het moet de welsprekendste uiteenzetting zijn geweest die iemand ooit heeft gegeven, want diezelfde middag werden we op de thee genodigd en zat ik gebiologeerd tegenover Mercy Underhill die in haar darjeeling blies om hem af te koelen. Val had een boeketje margrieten voor mevrouw Underhill geplukt en verontschuldigde zich voor alle commotie.

Om mij te paaien stal hij ergens een biefstuk, want God weet dat we daar echt geen geld voor hadden, en wist die verbazingwekkend lekker klaar te maken op ons jammerlijke fornuisje zonder ook maar één woord van spijt, dankbaarheid of anderszins over de voorgaande nacht. Het liet me bepaald koud.

Het kwam dus door een bijna-noodlottig ongeluk dat ik Mercy heb zien opgroeien. Ze was elke seconde van de dag bezig met het schrijven van gedichten, fantasieverhalen en eenakters. Elk voorjaar verfden Val en ik samen met de predikant de bloembakken van de pastorie geel en zolang ze leefde bakte Olivia Underhill de lekkerste taarten die ik ooit heb geproefd. Ik zie ons nog aan tafel zitten zoals we daar ontelbare malen na een brandweerfeest hebben gezeten, Val met een rood aangelopen hoofd van de drank en ik blozend om heel andere redenen.

In een bar slecht humeur liep ik naar hun huis, in het vertrouwen dat ik in elk geval op naar bittere chocolade smakende troost zou worden getrakteerd, vol en puur en onweerstaanbaar.

Het enige dienstmeisje van de Underhills, een bleek wicht van armoedige Britse komaf dat Anna heette, deed glimlachend open. Meteen vertrok ze haar gezicht in een frons toen ze zag dat een kwart van mijn gezicht het daglicht blijkbaar niet kon velen. Ze vertelde zonder omhaal dat Mercy vanwege een zeer ernstig geval van scheurbuik op bezoek was bij een gezin aan de East River dat van vis van de vorige dag en brood van de vorige week leefde, en dat ik de eerwaarde in de zitkamer kon vinden.

Het voelde een beetje als thuiskomen bij de vele boekenkasten – ik had de meeste boeken ook gelezen als ik weer eens had zitten wachten tot Mercy zou komen opdagen – en de klok met de luguber grijnzende maan, het raam met het pluchen zitje vanwaar je uitkeek op de groente en tomaten die tegen houten staken waren opgebonden. Maar ik had niet verwacht dat de eerwaarde me zo zou aankijken als hij deed toen ik vanuit de hal met mijn hoed in de hand binnenkwam. Normaal gesproken is de eerwaarde altijd heel opmerkzaam. Dan kijkt hij je aan met dat smalle gezicht van hem en doet hij alsof hij blij verrast is, gewoon om je op te beuren. Maar dit was een blik als die van een slecht gemaakt standbeeld. De onderdelen pasten niet bij elkaar, droevige blauwe ogen die slecht rijmden met de gebruikelijke optimistische stand van de lippen. Het bureau voor hem lag vol papier, maar hij leek er niets echt van te zien.

'Timothy,' zei de eerwaarde vriendelijk. Maar zijn gezicht verstrakte even. Ik wist maar al te best hoe dat kwam.

Al had hij mij nooit meer gezien, het beeld van Aidan Rafferty zou zich toch steeds weer aan hem hebben opgedrongen. In zijn slaap, op verloren momenten als hij verse room in witte theekopjes schonk, tussen de regels van een saai boek. Wat voor ergs hij nog meer had gezien in zijn leven, die felrode striem op dat witte nekje, de paars gekleurde vingertopjes – ze zouden een kras hebben achtergelaten. Maar twee hoofden die hetzelfde beeld delen zonder dat erover wordt gepraat, puur door elkaar aan te kijken, is een heel ander soort schande. Ik voelde het net zo priemen als hij. Ik vroeg me af of ik misschien beter niet had kunnen komen.

'Ik zal weer gaan. U hebt het druk en...'

'Welnee.' Hij lachte warm en schoof de vellen papier opzij. 'En ik hoop dat je ervan uitgaat dat ik, zelfs al had ik het erg druk, graag zou willen weten hoe het met je gaat.'

Hij gebaarde naar de stoel tegenover hem en ik ging zitten. Rap als hij was, was hij al onderweg naar het dressoir om ons twee zeer bescheiden glaasjes sherry in te schenken. In tegenstelling tot veel andere protestanten is de eerwaarde geen geheelonthouder. Hij is van mening dat mensen zich moeten kunnen beheersen, alle mensen, daar gelooft hij heilig in, alsof het ergens geschreven staat. Misschien is dat ook wel zo. Volgens mij heeft hij alleen al drank in huis om te kunnen bewijzen dat hij het bij één glaasje kan houden. Een verdwaalde druppel viel van de rand van de fles op het dressoir. Hij trok zijn zakdoek tevoorschijn, veegde daarmee drie keer over de plek, vouwde het stukje stof weer op en stak het terug in zijn zak. Genadeloos efficiënt.

'Ik heb jullie beiden van nabij zien opgroeien en gezien hoe goed jullie het samen wisten te redden... Je mag er gerust van uitgaan dat mijn belangstelling voor jullie voorgoed gegarandeerd is,' vervolgde de predikant, en hij bood me een glas aan.

'En Val is nu nog wel commandant,' zei ik droogjes.

Zodra het over mijn lippen was, had ik al spijt van die opmerking. Ik mag Val voor mezelf zoveel uitkafferen als ik wil, maar tegenover buitenstaanders moet ik hem niet afvallen.

'Tja, je broer heeft altijd op het dunne koord tussen welslagen en wanhoop gebalanceerd, maar we weten ook hoe dat komt.'

Daar ging ik niet op in. Natuurlijk, ons huis was afgebrand met onze ouders erin, en ja, ik had hun botten gezien, en ja, dat beeld was tot in mijn eigen merg binnengedrongen. Maar toch. Ikzelf voelde me daarom nog niet genoopt om elke denkbare sociale wandaad te plegen en vervolgens weer van voren af aan te beginnen, dus waarom zou dat wel voor mijn broer moeten gelden?

Natuurlijk ging Valentine toen al met regelrecht uitschot om. Hij was al aardig losgeslagen, 'leende' paarden uit stalhouderijen, waarop hij naar Harlem en terug galoppeerde, en wist mij ervan te overtuigen dat ik niet zo'n hoofdpijn zou krijgen van mijn ijsje als ik het eerst bij de kachel opwarmde, waarna hij me hartelijk uitlachte toen het tot een plasje smolt. Hij noemde boter koeienvet en geldstukken kluiten. De ene dag kreeg hij een afranseling omdat hij rotte eieren naar de ruggen van kerkgangers had gegooid en de andere leerde hij mij sigaren roken. Maar toen onze ouders omkwamen, was dat ook voor hem de genadeslag. O, hij zocht nog wel een kamer voor ons en leerde koken. Dat wel. Maar daarna kwam hij elke nacht ofwel onder het bloed van een vechtpartij en lam van de drank thuis, of opgewonden en onder de as van een brand. Stinkend naar rook, een lucht die mij hartkloppingen bezorgde. Ik haatte hem daarom. Ik zou hem kwijtraken, ik wist het gewoon. Hij deed het met opzet. En daarna zou ik niets meer hebben.

Hoe vergeef je het iemand dat hij de enige familie die hij nog heeft als oud vuil behandelt, vroeg ik me af.

'Mijn excuses als ik te vrijpostig ben,' zei de eerwaarde Underhill voorzichtig, 'maar die afschuwelijke moorden waar Mercy het gisteravond over had… weet je daar al meer van?'

Hij mag haar Mercy noemen, dacht ik, waarmee ik alleen maar zinloos die wond weer openreet. Toch was ik hem dankbaar. Ik had een klankbord nodig, iemand die ik vertrouwde.

'Zou u geloven dat het een doorgedraaide Ier is die het werk van de paus doet?' verzuchtte ik.

De eerwaarde plaatste zijn vingertoppen tegen elkaar. 'Waarom zeg je dat?'

'Dat opperde iemand tegen me. Ik vond het moeilijk te geloven. Ik heb behoefte aan… de mening van een deskundige.'

De eerwaarde Underhill leunde achterover met zijn hoofd in een bedachtzame hoek. Waar Mercy vragen beantwoordt met een tegenvraag, komt de eerwaarde met verhalen. Parabels, neem ik aan. Dat krijg je met zijn beroep. En nu deed hij dat dus ook, de elleboog van de arm waarmee hij zijn sherry vasthield op de leuning van zijn stoel.

'Toen Olivia nog leefde,' zei hij langzaam, 'probeerde ze me er uit alle macht van te overtuigen dat paperij geen aanwijzing was voor een gering verstand of een lage moraal. Je herinnert je nog wel dat de mensen, toen de Paniek eenmaal goed om zich heen greep, er op straat letterlijk bij neervielen en we hen in stallen aantroffen of doodgevroren naast hun eigen appelkar. En hoevelen van hen Iers waren.'

Ik knikte. Ik stond toen achter de bar en Val zat goed met zijn baan bij de brandweer en zijn politieke bezigheden, maar het waren niettemin zware tijden geweest. En onvergetelijke. En het waren niet alleen de Ieren. Voormalige bankiers waren bij bosjes uit de ramen gesprongen, liever dood dan berooid. Ik vond hen moedig noch laf. Niet na alle gevallen van cholera die ik had gezien. Ik beschouwde hen als louter efficiënt.

'Volgens Olivia moest je die arme Ieren zien als wat de bijbel "deze geringe mensen" noemt. En daarom zorgde ze voor hen en voedde hen alsof ze familie waren, of ze nu bij bendes als de Kerryonians, de Forty Thieves, de Plug Uglies of de Shirt Tails zaten. Toen de cholera die ze in een van die achterbuurten had opgelopen haar had geveld, vroeg ik mezelf ten overstaan van God waarom ik me nooit door haar argumenten had laten overtuigen, terwijl die toch zo barmhartig en welgezind waren. Waarom ik was blijven aandringen dat liefdadigheid altijd gepaard moest gaan met berouw en inkeer. Na vele maanden gaf God me het antwoord, zorgde Hij dat ik begreep waarom Olivia ongelijk had gehad.'

Hij boog zich voorover om zijn glas op tafel te zetten. 'We gedogen de zonde van moord niet in dit land. Noch de zonde van liegen of van diefstal. Maar ketterij – de grootste zonde van alle – laten we welig tieren. De roomse paus wordt in hun religie als een ware god vereerd, voor de zonden van de mensheid kan vergeving worden verdiend met rituelen in plaats van boetedoening en welke stuitende misstanden tieren er niet? Wat voor onbespiede wreedheden worden er niet achter gesloten deuren gepleegd als een organisatie zich aan een mens verbindt en niet aan God? Je hebt de Ieren hier gezien, Timothy. Hun wil wordt volledig in beslag genomen door hun geloof, dat zegt dat ze eerst als sterfelijken door dit tranendal moeten om verlossing te kunnen vinden. Ze zijn dronken, ze zijn ziek, ze zijn losgeslagen, en waarom? Alleen omdat hun eigen godsdienst hen van God heeft beroofd. Ik help geen mensen meer die niet bereid zijn de kerk van Rome af te zweren, omdat ik voor mijn eigen ziel vrees als ik dat soort goddeloosheid aanmoedig. Olivia, God hebbe haar ziel, was te barmhartig van geest om haar eigen dwaling in te zien voordat hun vervloekte besmetting ook haar had geïnfecteerd.' Hij beëindigde zijn betoog op bittere, maar berustende toon. 'Maar ik bid om Gods vergiffenis voor de Ieren, Timothy, en om hun verlichting. Ik bid elke dag voor hun ziel.'

Ik moest intussen aan Eliza Rafferty denken en de ratten waarmee ze nu ongetwijfeld het bed moest delen, en haar misdrijf waar alles mee was begonnen, dat ze room had gewild voor haar baby zonder de paus te willen afzweren, en voelde me opeens doodmoe. Als de gebeden van de predikant haar hadden bereikt, zag ik niet hoe.

'Maar u hecht geen geloof aan het verhaal dat er een katholieke gek achter dit alles zit die gekerfde kruisen in zijn kielzog achterlaat?' vroeg ik zacht.

'Iemand die is opgevoed door de paters, wellicht, door het soort mannen dat seksuele verdorvenheid onder soutanes verbergt? De verklaring die iemand tegen je heeft geopperd schijnt mij niet onmogelijk toe, Timothy. Ik kan zelfs niet zeggen dat die me verbaast.'

De klok met het manengezicht tikte zwartgallig in mijn hoofd, een krijgshaftige slag die naar een punt leidde waarna er geen weg terug meer was. Het lijkt misschien dwaas om in zo'n gigantische metropool het gevoel te krijgen dat er iets ergs staat te gebeuren, want hoe kan dat ook anders? Maar het licht dat op het eiken bureau en het gezellige gevlochten kleed viel, leek via een rare hoek naar binnen te schijnen. Misschien kwam het door de wegtrekkende storm die ons op onszelf teruggeworpen had achtergelaten, om ieder naar eigen inzicht met de ander om te gaan. Wat doorgaans nogal onbehouwen was.

'Miss Underhill bezoekt ook katholieken,' bracht ik onzeker naar voren.

'Tegen mijn wil, inderdaad, maar ik kan haar moeilijk categorisch verbieden na te volgen wat haar moeder deed. Maar ze doet het alleen als liefdadigheidswerk, nooit in een medische hoedanigheid.'

Heel even stokte mijn adem toen tot me doordrong wat hij daar zei. Daarna knikte ik, dankbaar voor elke mogelijkheid die ik had om mijn gedachten te verbergen.

Hij wist van niets.

De predikant begeleidde Mercy nooit bij haar bezoeken en ze moest hem de indruk hebben gegeven dat ze enkel kleding en spijsolie uitdeelde. Aangezien hij alleen bij protestanten op bezoek ging, had hij nooit iets gehoord wat hem daaraan had doen twijfelen. In gedachten zag ik Mercy weer de vergeelde lakens van een tyfuslijder verschonen tijdens een van de keren dat ik met haar meegegaan was naar het oostelijk havengebied, en ik moest een golf van bezorgdheid onderdrukken. De keer dat ik had gezien dat ze woorden hadden ging dat over het bezoeken van katholieke huishoudens, niet over het verzorgen van hun zieken.

'Ik zou nog liever hebben dat ze in een slavenkamp in South Carolina werkte dan in die slavenkampen van de menselijke geest waar zij met alle geweld heen wil.' Hij maakte een onhandig gebaartje met zijn anders zo trefzekere handen. 'Ze is erdoor veranderd. Ik weet niet zeker of ik haar nog wel begrijp.'

Mijn hersenen volgden hem vlot naar het eind van zijn zin, maar de rest van zijn pagina bleef onbeschreven. Mercy's geest was inderdaad een onwaarschijnlijke combinatie van die van haar ouders – een olie- en watermengsel van beslistheid en grilligheid dat haar even fascinerend als ondoorgrondelijk maakte. Ze was daardoor altijd al de meest bijzondere persoon geweest die ik kende, en wat dat betreft viel er weinig te veranderen, toch? Mercy was al duizenden dingen die mijn verstand te boven gingen. Ze kon alleen nog maar meer zichzelf worden.

'Ik word steeds meer een oude zeur,' zei de eerwaarde luchtig, toen ik stil bleef. 'Moge God haar behoeden op dat soort plaatsen.'

Dat was een wens waar ik me alleen maar achter kon scharen. Toen ik opstond om afscheid te nemen, schoot me nog iets te binnen.

'Ik hoop dat u het mij niet kwalijk neemt dat ik het vraag, eerwaarde, maar als u zo over godslastering denkt, hoe kunt u dan zo begripvol zijn jegens mijn broer?'

Meteen verscheen er een lach op zijn gezicht. 'Zie je die planken?' zei hij, wijzend op alle boeken. 'Mijn dochters speelterrein. Jij hebt er zelf ook een aantal van gelezen, toch?'

'Klopt,' zei ik, enigszins in verwarring gebracht. 'Heel veel.'

'Welnu, je broer ook, wanneer jij het niet in de gaten had. Als onafhankelijkheid van geest een prijzenswaardige eigenschap is van de mens, dan is je broer een zeer prijzenswaardig man.' Hij stond op en maakte een keurig stapeltje van zijn papieren. 'Het beste maar weer, Timothy. En ik zou het zeer op prijs stellen als je me op de hoogte hield van de ontwikkelingen, voorzover die niet geheim zijn.'

Met een onzekere en bezorgde blik die mijn wenkbrauwen spleet, besefte ik dat ik weer terug was bij mijn schrikbarend beperkte lijst van keuzemogelijkheden. Me bezatten steeg met de seconde hoger op die lijst. Maar toen ik de deur achter me dichttrok, zag ik Mercy aan komen lopen.

Ze rende op me af. Ik had haar in geen maanden zien hollen. Ze vloog door de straat, zodat haar zwarte haar probeerde zich aan haar kanten mutsje te ontworstelen, haar zwiepende schouders ontbloot boven de ruimvallende kraag van haar botergele daagse jurk uit kwamen en de tientallen plooien strak tegen haar middel gedrukt werden. Toen ze me zag, bleef Mercy hijgend staan en verscheen er een brede lach op haar gezicht. Ik had geen flauw idee wat dat te betekenen had.

'Alles goed?' vroeg ik in de hoop op een kort antwoord. Wat ik natuurlijk niet kreeg.

'Wilde,' zei ze ademloos door haar lach heen. 'Ik was naar de Tombs gegaan om je te zoeken. Maar daar was je niet en ik begrijp nu hoe dat komt.'

Ik probeerde het nog eens, nu met meer moeite. 'Dan ben ik blij dat je me gevonden hebt, maar waarom dan?'

'Als ik je vertelde dat ik je hulp hard nodig heb en dat de kwestie waar het om gaat nauw verbonden is met je eigen belang in deze kwalijke zaak, zou je wel meteen met me meegaan, hè?'

'Wat is er dan gebeurd?' vroeg ik ongeduldig.

'Heb ik gelijk als ik ervan uitga, Wilde,' zei Mercy, nog steeds buiten adem, 'dat je Flash spreekt?'

12

De toestand in Ierland is betreurenswaardig, het land lijkt zich aan de vooravond van een burgeroorlog te bevinden. De politie heeft een orde-verstoorder opgepakt in Ballinghassig en burgers die hem vervolgens trachtten te bevrijden beschoten. Zeven mannen en één vrouw waren op slag dood. Naar verluidt heeft de politie illegaal opgetreden en heeft ze alvorens het vuur te openen de oproerkraaiers niet op de hoogte gesteld van hun rechten.

• *New York Herald*, zomer 1845 •

'**B**okkie zóu u het hele verhaal uit de doeken kunnen doen, als-ie wilde. Niemand die toegewijder is aan miss Underhill, met meer hart en ziel,' zei de knaap voor me, terwijl hij met zijn zakmes aan iets ongewensts peuterde dat aan de zool van zijn schoen kleefde. 'Geef me een natje, koperen bout, en ik poekel als een olmse niese. Meneer Wilde, bedoel ik,' verbeterde hij zichzelf, en hij wierp een verontschuldigende blik naar mijn metgezellin.

Ik zat in een sjofel tentje in een souterrain aan Pearl Street, schouder aan schouder met Mercy aan een groezelige zijtafel tegenover een opmerkelijk fraai exemplaar van de New Yorkse krantenventers. De jongeman voor ons moest twaalf jaar oud zijn, schatte ik, want hij leek behoorlijk goed overweg te kunnen met de sigaar in zijn grijnzende mond, en zijn blauwe vest en paarse knickerbockers zaten hem als gegoten. Hij had voldoende ervaring met kranten venten om zich kleren in de goede maat te kunnen permitteren. Kinchen onder de twaalf hielden trouwens niet van koffie. Rum, ja. Koffie, nee. De knaap die zich had voorgesteld als Bokkie was dol op koffie. We zaten er nog maar net en hij had zijn tweede kop al op. Nu vroeg hij me, weinig verrassend, om iets sterkers.

'Ik stel voor dat je eerst poekelt,' zei ik.

Bokkie trok een kwaad gezicht. Zijn haar was schreeuwerig geel van kleur, als een kanarie. Zijn spieren waren door noodzaak en vechtpartijen beter ontwikkeld dan bij zijn leeftijd paste. Hij had een goudgerande damesleesbril gerausjt die hij steeds weer afzette om de glazen met een vuurrode zakdoek te poetsen als hij een uitzonderlijk pittig brokje informatie leek te willen onderstrepen.

'Niet dat ik er niet zelf voor zou kunnen zorgen, hè? Vrij land enzovoorts. Hé, kerel!' riep hij naar de man achter de bar. 'Twee brandewijn, wil je?'

De barkeeper bracht terstond twee glaasjes. Bokkie betaalde hem met een zwier die, toegegeven, van stijl getuigde. Hij schoof één glaasje naar Mercy.

'Waarom ging u er ineens vandoor, m'n schoonheid?' vroeg hij. 'En nu weer hier, met een dekkel die me denkelijk wil schaken.'

'Ik ben niet van plan je in te rekenen,' antwoordde en vertaalde ik in één adem.

Hij negeerde me. 'Alleen met u vind ik toffer, miss Underhill.'

'O, ja?' vroeg ze met een scheve glimlach. Ze schoof haar glas naar mij door en negeerde dat van het jong, waar hij al aan nipte.

'Geheid.'

'En als ik je nu eens vertel dat ik, hoewel ik je aanwezigheid altijd zeer waardeer, niet altijd alles versta wat je zegt?'

Bokkie kreeg een kleur. Met flirten had hij onmiskenbaar minder ervaring en de boodschap zelf kwam ook hard aan. Het was zo'n authentieke reactie dat je je bijna schaamde er getuige van te zijn. Als bij een pasgeboren veulen dat omvalt. Hij haalde de sigaar uit zijn mond, doopte het uiteinde in zijn koffie en stak hem weer tussen zijn lippen.

'Een andere taal kats ik nou eenmaal niet. Niet dat ik ooit een pa en ma heb gehad die me naar school stuurden. Geleerd heb ik niet. Verliefd ben ik wel,' zei hij slinks.

Het was maar goed dat ik mijn ogen gericht had op de borrel die een twaalfjarige net voor me gekocht leek te hebben, want in de schaduw van mijn hoed gleden twee uitdrukkingen over mijn gezicht. De eerste was er een van oprecht vermaak, wat hij me zeker niet in dank zou afnemen. En de andere was te beschamend om zelf te erkennen. Ik negeerde ze daarom allebei.

'Dus daarom was u niet bij onze laatste repetitie,' zei Bokkie treurig. 'We zijn geen fokke brogers.'

'Rijke heren,' mompelde ik.

'Zou het kunnen, Bokkie, dat ik de laatste repetitie niet heb bijgewoond omdat ik je al had voorzien van de rollen stof waarom je had gevraagd en mijn aanwezigheid elders vereist was?' vroeg Mercy vriendelijk. 'Misschien is het mogelijk dat ik er de volgende keer wel bij ben? Misschien wil je om te beginnen nog eens zeggen wat je me vanochtend in City Hall Park vertelde?'

Ik had het eerst niet helemaal begrepen, maar de situatie werd me nu duidelijker. De afgelopen jaren was Mercy vrijwel iedere ochtend naar het park gegaan, met een ruime voorraad oud brood in haar mand evenals een grote hoeveelheid verband voor degenen die daar bij het ontwaken ontdekten dat ze onder het bloed zaten. City Hall Park bestrijkt tien morgens open terrein, waarover zo'n twee morgens armetierig gras dunnetjes uitgesmeerd zijn. In het midden verrijzen het gemeentearchief en het stadhuis. Drie soorten stadsbewoners vertoeven hier in de nacht; ze blijven in de regel bij hun eigen soort. De valse zusters, zoals Valentines vriend Fluwelen Jim, verzamelen zich aan het zuideinde nabij een niet-werkende fontein met een groot bekken. Daar staan ze gehuld in sjaals in zachte tinten gevoelig te kijken, klaar om elkaar Franse gunsten te verlenen. De dakloze jonge meisjes die op straat geroosterde maïs verkopen, zoeken doorgaans de beschutting van de bomen op. En wat de krantenjongens betreft: die tref je aan op de trappen naar het stadhuis en het gemeentearchief, waar de rivaliserende bendes tijdens onze ontstellend lange zomers de nacht doorbrengen.

'U vraagt een verhaal, u krijgt een verhaal.' Het boefje grijnsde en bleek een voortand te missen. 'Vanochtend, meneer Wilde, waren we op met de leeuweriken en wilden we net onze flikken gaan kopen toen miss Underhill hier opdook met een kan verse koeiewijn. We namen ieder ons prames.'

Ik knikte. 'Jullie wilden dus net je voorraad kranten gaan kopen toen miss Underhill langskwam met melk, die jullie onderling verdeelden. En toen?'

Mercy's aandachtige blauwe kijkers waren even op mij gericht, toen duwde ze een zwarte lok haar achter haar oor en dwaalde haar blik weer af.

'Toen vroeg miss Underhill ons te bedibberen of we iets hadden gehoord over genifterde kinchen, die mogelijk zelfs opengesneden waren voordat ze onder de aarde verdwenen.'

Ik keek verrast naar haar opzij. 'Jij hebt ze gevraagd of ze iets wisten over vermoorde en opengesneden kinderen?'

's Werelds volmaaktste onderlip verdween voor de helft onder Mercy's bovenlip en de aanblik raakte me in mijn ziel. Liever had ze iets dergelijks niet aan een stelletje jongens gevraagd, bedacht ik, maar wat was het een slim idee geweest. De krantenjongens vormden tenslotte zoiets als een eigen leger. Ze moesten wel: ze waren New Yorks jongste entrepreneurs en dat in een stad waar sommige lieden de uitdrukking 'moordende concurrentie' weleens iets te letterlijk opvatten. Zodra de kranten een nieuwe editie hadden gedrukt, verdrongen de krantenjongens zich voor de drukkerijen en kocht ieder van hen zoveel exemplaren als hij meende te kunnen slijten, uitgaande van de koppen van die dag en zijn eigen handigheid. Niemand had iets over ze te zeggen, niemand hield bij met hoevelen ze waren en ik durfde er wat om te verwedden dat zelfs de kerels die de verse kranten aan ze verkochten niet wisten hoe ze heetten. Binnen de verschillende bendes bepaalden ze een eerlijke prijs voor hun waar, onderling vochten ze als ratten voor hun eigen bende. De groenste krantenjongen was beter toegerust om Mercy's vragen te beantwoorden dan een veertigjarige oude vrijster uit de betere kringen.

'Daar heb je goed aan gedaan,' zei ik vol overtuiging.

Bokkie kuchte. 'Toen zei ik dus tegen haar dat ze zich beter schrap kon zetten. Miss Underhill is een pienter wijf met veel lef, maar...'

'Ja, ze is geweldig. Vertel nu eerst je verhaal maar,' zei ik. Mercy wierp me nu dan toch een dankbare blik toe voordat ze haar ogen weer neersloeg naar haar samengevouwen handen.

'Het zat Bokkie doodleuk niet lekker.' Hij zette zijn damesbril weer af en begon als een geboren geleerde de glazen op te wrijven. 'Een mooi teefie als miss Underhill die zo over koud gemaakte grommetjes katst. En dat met die gooser met de zwarte kap die overal opduikt.'

Ik keek hem in stomme verbazing aan. Mercy was te beschaafd of misschien te zeer in haar nopjes om me een triomfantelijke blik toe te werpen, die ze toen maar naar het tafelblad wierp dat hem alsnog naar mij terugkaatste.

'Je hebt iets gehoord over een man met een zwarte kap die 's nachts door de straten zwerft?' herhaalde ik verbluft.

Bokkie knikte ernstig. 'Het spijt me echt dat u er geen krakeling van verlunsde, miss Underhill.' Hij dwong zichzelf weer opgewekt te zijn en nam volleerd een slokje van zijn brandewijn, alsof hij er speciaal voor deze gelegenheid op had geoefend. Wat hij ongetwijfeld ook had. 'Kon u het wel allemaal verlunzen, meneer Wilde?'

'Ik heb je uitstekend begrepen,' antwoordde ik verrast. Val had de taal van de straat al gesproken nog voordat ik wist dat Flash een eigen taaltje was. Maar ik had altijd zo mijn best gedaan om zijn gabbers te mijden, dat ik nooit in de gaten had gehad hoe goed ik hun taal machtig was. 'Bokkie, het is heel belangrijk dat je ons alles vertelt wat je weet over de man met de zwarte kap.'

'Vanwege dat genifterde joch, die kinchin-mab?'

'Hoe weet je dat?'

'Meneer Wilde, ik mag dan wel niet kunnen lezen, maar daarom ben ik nog geen ezel.' Hij wierp Mercy een oogverblindende glimlach toe. 'Dacht u dat ik flikken verkocht zonder eerst aan een maat te vragen om de koppen aan me voor te lezen? Dacht u dat ik op de straathoek stond te schreeuwen: "Met uw permissie, vandaag weinig gebeurd! Bloedhete kasseien en veile politici! Meer Ieren aangekomen! Twee centen maar!"'

Ik grinnikte aleer hij uitgepraat was. Mercy lachte intussen op dusdanige wijze, dat ik vreesde dat Bokkie voor de rest van zijn leven nooit meer warm zou kunnen lopen voor een andere vrouw. Arm joch.

'We willen inderdaad weten wat er met die kinchin-mab is gebeurd,' zei ze. 'Wil je ons in vertrouwen nemen?'

'Ik zal alles vertellen. Maar ik zeg niks sans m'n maten. Die weten minstens zoveel als ik en bedibberen als ik ze zeg dat de koperen bout nobel is.'

'Dank je dat je bij je vrienden wilt instaan voor mijn karakter,' zei ik zo ernstig als me maar lukte.

Bokkie knipoogde naar me en leek toen een nieuw lumineus idee te krijgen. 'Wacht 's even. Geen van ons wil u flauwekul verkopen, miss Underhill… en ik zal alles poekelen, dat zweer ik. Ik poekel het hele verhaal en de andere jongens ook, maar… maar wilt u dan aan mijn arm onze til in tippelen?'

Mercy keek niet-begrijpend naar mij.

'De jongeheer vraagt of hij je naar het theater mag begeleiden in ruil voor het verstrekken van informatie,' legde ik uit, hoewel ik er verder ook geen jota van begreep.

'Er is nog een repetitie,' biechtte hij op. 'Voordat de middagflikken van de persen rollen. Als Vonkie u aan mijn arm ziet, verkleft hij dat onmiddellijk aan Katoog. En dan zal Katoogs neef Zack de Rat van de East River-bende wel moeten inbinden, niewaar, als ik zeg dat ik u persoonlijk ken?'

Mercy stond op. Ze pakte mijn onaangeroerde borrel en nam een slokje, legde vervolgens haar rechterhand op de plooien bij haar middel en hield haar linkerhand uitnodigend voor Bokkies elleboog. Een beurshandelaar aan wie God het tweede gezicht en een oneindige voorraad verdovende middelen had geschonken, had niet gelukzaliger kunnen kijken. Het was ondoenlijk hier niet om te lachen.

'Bokkie, de enige onderneming die op dit moment voor mij minstens zo belangrijk is als meer te weten te komen over de man met de zwarte kap is Zack de Rat op zijn nummer zetten,' zei ze.

'Heer bewaar me,' antwoordde de knaap devoot.

En ik volgde hen de trap op en de deur uit. Dankbaar, zoals wel vaker, dat Mercy mij niet al te dikwijls recht in de ogen had gekeken.

Het was zes minuten lopen naar het theater, dat voor slechts een van ons als een verrassing kwam. Maar ik weet vrijwel zeker dat mijn verbazing groot genoeg was voor drie.

We waren al zo dicht bij het zwarte hart van Wijk 6, waar de wereld op zijn kop staat, bij de terecht beruchte Five Points, dat ik had aangenomen dat we naar die drukke kruising gingen. Maar we stopten voor een kale deur aan Orange Street. In het hout zaten haken voor een uithangbord, maar het bord zelf was met vakantie. Bokkie klopte, een merkwaardige roffel die me scherp deed denken aan de keren dat Julius geen oesters te openen had gehad en met zijn handpalmen complexe ritmes op de toog had getrommeld. Eventjes vroeg ik me af wat voor iemand ik in duivelsnaam in zo korte tijd was geworden.

Maar eenmaal binnen... We bevonden ons in een korte gang. Naast de tegenoverliggende deur bevond zich een houten hok waar net een grote jongen in paste. Het was gemaakt van inferieure gebruikte planken, amateuristisch in elkaar gezet, maar met oneindig veel liefde voor details. Er zat een raam in, voorzien van een stuk glas dat ooit in de Hudson moest hebben gelegen, want op de groen uitgeslagen ruit zaten een stuk of zeven zeepokken. Het hok was leeg.

'Voor de kaartverkoop,' lichtte Bokkie toe, en hij keek me over zijn schouder even aan met het soort opgetogenheid waarmee je een trein over de Atlantische Oceaan zou kunnen laten vliegen. 'Deze kant op. Iets verder nog, ja, komt u maar.'

Tot mijn verwondering keek ik een paar tellen later neer op een complete theaterzaal. De aflopende rijen stoelen (allemaal verschillend en een groot aantal deels zwartgeblakerd), de bovenlichten (twee stuks, aan weerszijden tegen de muur bevestigd en zwart van de rook), de voetlichten (bergen was waarin nieuwe kaarsen oprezen tussen hun gevallen broeders), het smaragdgroene gordijn en het achterdoek met daarop een geschilderd slagveld. En dan waren er de jongens. Zo'n twintig jongens stonden als soldaten in het gelid op het toneel. Althans, zoals een kind zich zo'n tafereel voorstelt.

'En, wat vindt u?' vroeg Bokkie, alleen aan mij. Mercy had zijn geheime schat natuurlijk al eens gezien.

Wat ik dacht was: Valentine had ook een krantenjongen geweest kunnen zijn. Niet een brandweerman, maar een krantenjongen. Moest je ze daar eens zien staan. God weet dat geen van hen op zijn zestiende pas voor het eerst morfine zal proeven.

'Het is grandig,' zei ik, want iets fraaiers kon ik niet verzinnen. 'Het is op en top grandig.'

'Christene zielen, we zijn bezig met een toneelrepetitie, niet met volksdansen,' snauwde een oudere knaap die dicht bij de voetlichten stond. 'Doe niet zo onnozel, Katoog!'

'Je werkt ze hard, hè, Giftand?' riep Bokkie, overmoedig dankzij zijn pas verworven status.

Giftand, een jongen van een jaar of veertien met een pokdalig gezicht, stond met zijn armen over elkaar. Hij was zo'n potige knaap die je bedreigde met een enorme knuppel en er pas achteraf aan dacht zich te verontschuldigen voor het ongemak, als al je maten hem al waren gesmeerd en jullie in het geniep een gezellig onderonsje konden hebben. Hij begon al te sneren nog voor hij opkeek, maar toen zag hij Bokkie met Mercy.

Vanaf dat moment werkte eigenlijk iedereen mee.

Een paar wierpen een kwaaie blik op mijn koperen ster, maar daar was ik inmiddels wel aan gewend. Giftand liep naar voren met in zijn hand een houten stokje dat hij als een soort baton had gebruikt. Hij hield zijn magere armen nog steeds voor zijn borst gekruist en tikte met het stokje op zijn schouder.

'Wat is er aan de hand?' riep hij. 'En wil je die smeris alsjeblieft ons theater uit zetten?'

'Hoe bevallen de toneelgordijnen, Giftand?' riep Mercy terug. 'De kleur vind ik persoonlijk erg geslaagd. Wie heeft ze opgehangen?'

'Ik, ik, miss Underhill!' gilde een kereltje met pikzwart haar. Hij stond in het groepje op het toneel en zwaaide met een houten geweer. Maar hij was veel ouder dan zijn lengte deed vermoeden, dat zag ik aan zijn handen, zijn kromme rug en zijn diepliggende bruine ogen. Veertien, misschien zelfs vijftien, maar dan behept met de bouw van een achtjarige.

'Was jij dat, Vonkie? Hoe heb je dat voor elkaar gekregen?'

'Omhoog geklauterd aan een touw en Katoog heeft geholpen met de ladder.'

Katoog had ik er al snel uitgepikt. Hij was de heftig blozende jongen met één oog en in zijn lege oogkas een stuiter.

'Ze gaan *Het aangrijpende, ijzingwekkende en bloederige spektakel van de slag van Agincourt* doen, miss Underhill. Onverkort,' verkondigde

Giftand, die zich voorlopig bij zijn nederlaag had neergelegd. 'Ervan uitgaande dat onze Henry ook 's een repetitie zal meedoen.' Vervolgens keek hij kwaad Bokkies kant op. 'Maar we hebben het allemaal niet zo op smerissen sinds ze de godganse dag door de straten banjeren. Wat moet hij hier?'

'Vertrouw jij mijn beste jeugdvriend niet, Giftand?' vroeg Mercy, terwijl ze begon af te dalen naar het toneel. 'Ik zou gedacht hebben dat je wat graag een politieman zou ontmoeten die van mening is dat kinderen een beter lot verdienen dan afgevoerd te worden naar het Opvoedingsgesticht.'

Giftand leek niet onder de indruk en liep naar de rand van het toneel, waar de eerste rij stoelen begon. Ik volgde Mercy naar beneden en Bokkie, die glom als een vuurvliegje, nam plaats in de zaal en begon zijn bril weer te poetsen. Toen ik Giftand van dichtbij zag, viel me het litteken op dat van zijn neus tot in zijn bovenlip liep. Het zag eruit als een slangentand en leek ieder moment naar buiten te kunnen schieten om een portie venijn af te leveren.

'Miss Underhill vinden we wat leuk,' zei hij koeltjes. 'Kerels met koperen sterren vinden we níet leuk. Daar hebben we niet veel reden toe.'

'Ik ben Timothy Wilde. En ík vind het Opvoedingsgesticht niet leuk. Ooit een politieman de hand geschud, Giftand?' vroeg ik, en ik stak hem met een zo uitgestreken mogelijk gezicht mijn hand toe. Een opgewonden rimpeling ging door de toekijkende jongens, als een eekhoorn die wegschiet in dood onderhout.

'Wacht je op een teken Gods, Giftand?' vroeg Mercy plagerig.

'Hier ben ik, neergedaald naar Gotham om een hartig woordje met Giftand te spreken,' sprak Bokkie luid en geaffecteerd vanuit de hoger gelegen rijen. 'Neem de hand van de politieman aan, hij is een goede kerel. En koop sigaretten voor Bokkie. Hij heeft gisteren eerlijk van je gewonnen, je bent een dobbelaar van niks.'

Achter me steeg een veelzeggend gelach op. Bokkie was overduidelijk de potsenmaker van dienst. Giftand ontspande ook, trok een halve grimas met de mondhoek met het witte merkteken en schudde mijn hand stevig als een volwassen vent.

'Waar het vrienden betreft bent u geen pietlut, meneer Wilde: u schudt nota bene een krantenventer de hand,' zei hij bedachtzaam.

'Ik ben nog nooit op de link genomen door een krantenventer.'

'Wij willen zoveel mogelijk aan de weet komen over een zeer belangrijke kwestie. Zouden jullie ons alles wat je weet willen vertellen?' vroeg Mercy aan alle aanwezigen.

Achter haar dook als bij toverslag een stoel op. De galante Bokkie had hem daar neergezet. 'Miss Underhill en haar maat zijn hier vanwege die kerel met de zwarte kap,' lichtte hij haar woorden toe.

De stemming leek meteen om te slaan.

Een aantal protesteerde, hier en daar hoorde je een fel 'nee' en één of twee jongere jongens trokken wit weg. Ik was achter Mercy's stoel gaan staan met mijn vingers om de rugleuning, en de stoer kijkende oudere jongens stonden om ons heen en deden hun verhaal. En wat voor een verhaal. Het liefst herhaalde ik het in hun eigen woorden, maar meer dan tien van de jongens deden het relaas, spraken elkaar tegen, vulden elkaar aan en lardeerden hun beschrijvingen met het nodige gevloek. Het kostte me al mijn concentratie om alles te vatten. En een even grote inspanning om er ook maar een woord van te geloven. Hier dus hun verhaal.

Het ging over een straatjongen die kranten verkocht rondom de Five Points en die bekendstond als Jack Vingervlug, voor zijn vrienden kortweg Jackie. Vanaf zijn vijfde jaar kon hij iedere krant tot en met het laatste exemplaar verkopen, ongeacht het nieuws dat de vorige dag had gebracht. Krantenjongens wachten tot een ramp toeslaat zoals kooplieden naar de horizon staren om te zien of hun schepen al terugkeren. Zo niet Jack. Hij kocht doorgaans meer kranten dan wie ook en wist ze allemaal te slijten, zelfs als de voorpagina alleen meldde dat er plannen waren voor een operagebouw of dat een buitenlandse aristocraat in zijn slaap was overleden. Hij was geliefd. En op zijn dertiende verjaardag was hij rijk, dat wil zeggen omstreeks zijn dertiende verjaardag, Jack wist namelijk niet precies op welke dag hij jarig was. Niet lang daarna was hij eens onderweg naar zijn favoriete bar voor een avondmaal van vlaaikoek en een of twee glazen rum, toen hem iets merkwaardigs opviel.

'Jackie was niet van gisteren,' zei Giftand nadrukkelijk. 'Jackie was altijd zo scherp als een mes.'

Jack Vingervlug zag voor een hoerenkast een koets staan met opmerkelijk veel bedienden. Er was natuurlijk een koetsier, maar daarnaast waren er nog twee mannen, twee kasten van kerels die ondanks hun lichaamsbouw snel en soepel bewogen. Ze keken kwaadaardig en sluw uit hun ogen, al had niemand hun gezichten kunnen herkennen. Jackie bedacht dat het vermoedelijk Turken waren, hoewel het natuurlijk donker was. De geslepen woestelingen zouden ongetwijfeld iemand kunnen vermoorden en dan had de dode nog niet in de gaten wat er was gebeurd, al zag je al van ver dat ze linker dan link waren. Jack was een boksfanaat, al kun je in het geval van een krantenjongen net zo goed vermelden dat hij in- en uitademde, maar goed, Jack besloot dus dat deze rouwdouwers op hun baas stonden te wachten: Abel 'de Hamer' Cohen, de jood uit Chatham Street en de enige bokser die rijk genoeg was om voor één koets drie boeven in te huren, maar ook de bokser die een paar uur daarvoor een belangrijke wedstrijd had gewonnen.

'Ooit de Hamer zien boksen?' vroeg Bokkie. Hij lag op zijn rug, maar steunde daarbij op zijn ellebogen en verschoof zijn sigaar van zijn ene mondhoek naar de andere. 'Hij heeft de snelste hoofd-bovenarm-heupzwaai die ik ooit heb gezien en als hij iemand vloert, eindigt die één op de twee keren met een gekraakte kanis. Pardon, miss Underhill.'

Jack en zijn maten – 'Ik was erbij!' klonk het gewichtig uit een onwaarschijnlijk aantal monden – verstopten zich achter een stel vaten aan de kop van een steegje om de komst van de gevierde man af te wachten. Maar toen er eindelijk iemand naar buiten kwam, was het maar een bediende van het huis met in zijn armen iets groots in een zak. Dat legde hij in de koets en vervolgens verdween hij weer in het huis.

Die zak moest wel het prijzengeld bevatten. Want diezelfde avond had de Hamer de bokser Daniel 'het Scheermes' O'Kirkney verslagen en dat na slechts tweeënvijftig ronden! Een ere-onderscheiding en een heldenloon. Dat moest gejat, het stond buiten kijf.

Giftand wierp me een verontschuldigende blik toe.

'We wilden er alleen een beetje van jatten. Zeg maar het aandeel van een goed christen,' legde hij nog uit, want hij besefte terdege dat hem niets te verwijten viel als God aan zijn kant stond.

Jack en zijn kornuiten – onder wie vermoedelijk Giftand en Vonkie, want zij brachten zo prozaïsch en haperend verslag uit dat ze het meest waarachtig klonken – waren zo geluidloos mogelijk een blokje om gehold en konden zo van de andere kant naar de stilstaande koets sluipen. De grotere jongens hielden zich schuil in de schaduw, zodat ze onopgemerkt zouden blijven. Een knaap van net zes, wat zelfs voor een krantenjongen aan de jonge kant is, en die ze Fatje noemden omdat hij steevast nieuwe sokken kocht zodra er een gat in zijn oude zat, werd aangewezen om de situatie te verkennen. Hij trippelde om zo te zeggen behoedzaam naar de straatkant van de koets en wierp een blik in de zak.

'Kwam groen en geel terug.' Vonkie schudde zijn hoofd en keek quasi-onverschrokken uit zijn eigenaardig volwassen ogen.

'Vertelde hij waarvan hij zo onwel was geworden?' vroeg ik.

Dat deed hij niet. De eensklaps misselijke Fatje weigerde te zeggen wat hij had gezien. Dat pleitte niet bepaald voor zijn moed en dat werd hem met veel gesis en geknijp ingepeperd, alvorens Jack Vingervlug aankondigde dat hij dan maar zelf een kijkje zou nemen. Het was vermoedelijk te veel poen om te bevatten of misschien iets anders van waarde wat ze konden verkopen, en Jack wilde gewoonweg weten wat erin zat. Hij gleed stilletjes als een pufje sigarenrook naar de koetsdeur en strekte zijn hand uit naar de zak.

Op dat moment kwam de man met de zwarte kap het bordeel uit. Voordat hij instapte, wierp hij een korte blik op de andere kant van zijn koets.

De man met de zwarte kap stond doodstil onder een straatlantaarn naar Jack te kijken. Kaarsrecht en met onpeilbare blik. Een onpersoonlijk monster, de leegte van een nachtmerrie die je je niet kunt herinneren vermengd met de zweterige echtheid van menselijke dreiging. Iedere jongen in die ruimte die naar eigen zeggen op die noodlottige avond ter plaatse was geweest, bezwoer hem nadien eens of vaker weer te hebben gezien. De meesten in schaduwen, steegjes en bars. In dromen. In hun vader, zeiden twee, die allebei stellig beweerden dat hun vader tot iedere wreedheid in staat was in het zwarte duister van de New Yorkse nachten.

'Hij zou een roodhuid kunnen zijn, maar ik heb zijn gezicht niet gezien,' piepte een kind van mogelijk een jaar of acht.

'De Hamer was het zeker niet. Abel Cohen heeft die avond tot diep in de nacht met hoge heren in een sjiek restaurant gezeten en sigaren gerookt. Dat was de volgende ochtend algemeen bekend.'

'Maar hij was piekfijn uitgedost, dat wel,' deed Vonkie een duit in het zakje. 'Zwierig en met een zwarte cape.'

'Je hebt hem geeneens gezien,' sneerde Giftand. 'Held op sokken. Jij was 'm al gesmeerd, de steeg in. Anders had je 'm zeker tegengehouden...'

'Ik heb hem wel gezien, idioot,' antwoordde Vonkie oprecht gekwetst. Giftand was te ver gegaan in het bijzijn van een buitenstaander. 'Maar hij was link gajes, dat hadden we toen wel in de gaten. Hij had Jack Vingervlug in het vizier. 't Was bovendien stikdonker! Wat had ik dan moeten doen?'

Het was even stil.

'We zijn er allemaal vandoor gegaan,' gaf Giftand toe. Hij keek kwaad om zich heen om te zien of een pochhans hem wilde tegenspreken, maar ontdekte er geen. 'Allemaal. Niemand neemt het in het donker op tegen de duvel.'

'Hoe verging het Jack Vingervlug verder?' vroeg Mercy met schorre stem.

De man met de zwarte kap had Jack gegroet, en Jack had fier en recht als een waarachtige Amerikaanse soldaat tegenover hem gestaan. De man had Jack gewenkt en vervolgens met een vriendelijk gebaar naar de open deur van het bordeel gewezen. Hij had Jack een muntje gegeven. Ze hadden het allemaal zien schitteren in het licht van de lantaarn. Jack had even staan nadenken.

En toen had hij met een zwierig gebaar achter zijn rug naar zijn maten gezwaaid en was hij verdwenen door een deur die door de kieren uitnodigend geel had gelonkt. Zodra hij binnen was, was de koets weggereden. Jack had altijd al willen weten hoe het er daarbinnen uitzag, vertelden ze me. Vanaf de straat leek het wel een paleis. Maar niemand had hem ooit weer gezien. Ze hadden verschillende plannen beraamd en voor mij ondoorgrondelijk dappere daden gewaagd. Ze hadden het huis lange tijd geobserveerd, ieder moment dat ze niet hoefden te werken en hele legers aan mannen in en uit zien gaan. Maar geen Jack.

'We dachten allemaal dat hij bij zonsopgang terug zou zijn,' verzuchtte Bokkie. 'Ik was toen pas zeven, maar we hebben... we dachten dat hij zijn geldstuk aan een meissie had uitgegeven. We hebben hem echt niet in de steek gelaten!' zei hij beslist. Ik knikte. 'En toen moesten we natuurlijk onze ochtendflikken uitventen. Daarom hebben we niet gezien wanneer de man met de zwarte kap teruggekomen is en of hij Jack Vingervlug meegenomen heeft.'

'Wat zat er in die zak?' vroeg ik.

Giftand schokschouderde. Vonkie zuchtte quasi-onverschillig. Een aantal van de jongere jongens keek hunkerend naar me op, als sprietjes die naar het licht groeien.

'Een dooie meid,' zei een van hen. Alsof hij in de klas zat en een lesje opzei. 'Opengesneden aan de voorkant, als een kruis. Dát doet de man met de zwarte kap.'

'Waar is Fatje nu? Kan ik hem wat vragen stellen?' vroeg ik vervolgens.

'De kwaaie schijt heeft hem geveld, 't was zo met hem gebeurd,' zei Katoog. Dysenterie, vertaalde ik ongewild in gedachten. 'Hem, maar ook John en Kluts. Vorig jaar.'

'En waar waren jullie met z'n allen toen je de koets voor de hoerenkast zag staan? Hebben jullie een adres?'

'Adressen? Ik weet er geloof ik geen een,' bedacht Vonkie hardop, en hij lachte.

'Het was het huis van Silkie Marsh,' zei Giftand. 'Maar Jackie is nooit geen kinchin-mab geworden. Nooit niet. Hij niet.'

Mercy's gezicht verbleekte en verhardde tegelijkertijd, en straalde een porseleinen kilte uit.

'Het huis van Silkie Marsh, natuurlijk,' zei ik. 'En wanneer zijn jullie bezig met kranten verkopen?'

Katoog keek belangstellend mijn kant op. 'In de ochtend zijn we kort na negenen de eerste lading kwijt. Dan eten we wat flensjes en ribbetjes, sjouwen voor een muntje koffers bij de veerkade en wachten tot de middagflikken uitkomen.'

'En als jullie die kwijt zijn?'

'Niks. We roken, scharrelen wat rond...'

'Zouden jullie de koets nu nog herkennen?' wilde ik weten.

De siddering die door de aanwezigen voer als een kreet door de stilte zei me genoeg.

'Nee.' Giftands pokdalige huid was rood aangelopen rond zijn hals en slapen. 'Daar moeten we niets van hebben. Werken voor een smeris?'

'We hebben lood zat,' zei Bokkie nog om eens duidelijk te maken hoe welvarend ze waren.

Giftand kookte. 'Kijk eens rond, kijk naar de nieuwe gordijnen. Met jullie poen kunnen we ons bovendien op straat niet meer vertonen.'

'Giftand,' zei Bokkie langzaam. 'Jack zou…'

'Hou je waffel, Bokkie. Jack zou willen dat we ons eigen koest hielden. Zonder ons, meneer Wilde.'

Natuurlijk knijpt hij 'm, dacht ik. Ik zou in hun plaats ook doodsbang zijn. Maar ik had inmiddels ook in de gaten dat zij de enigen in de hele stad waren die die grimmige schim in verband konden brengen met een tastbare koets. Mijn enige getuigen waren halfcrimineel schorriemorrie in opleiding. En afgemeten aan hun sigaren, welgestelder dan ik. Maar ze verachtten me allemaal en aangezien ze ongevoelig waren voor geld, had ik ze maar één ander ding te bieden.

'Weten jullie wat er nog ontbreekt aan jullie uitvoering van *Het aangrijpende, ijzingwekkende en bloederige spektakel van de slag van Agincourt?*' mijmerde ik hardop. 'Hoewel… 't ziet er al piekfijn uit. Jullie hebben natuurlijk al overal aan gedacht.'

'Waar dacht u dan aan?' vroeg Vonkie aandoenlijk nieuwsgierig.

''t Was maar een stom idee van me.' Ik schokschouderde. 'Jullie weten vast zelf hoe je bliksem maakt. Ik ken namelijk een bliksemmaker, vandaar.'

Er viel een knisperend geladen stilte. Een aarzelende, toenemende stilte. Het witte puntje aan het uiteinde van het buskruitlont dat steeds verder vordert, monter en gulzig, ongehaast voortkruipend tot het dan eindelijk bij het vuurwerk zelf is aangekomen, en er groene en oranje en gouden spranken tevoorschijn spatten in een…

'Giftand, wij hebben geen bliksemmaker! Die hebben we niet!' klonk het in koor.

'Ik wil het wel leren, ik heb toch maar één oog te verliezen!' stelde Katoog zowel ernstig als enthousiast voor.

Ik keek naar de baas van deze ongeregelde bende. Een groeiende rancune jegens mij verzuurde de fascinatie in Giftands halfge-sloten ogen, en ik zag hoe hij geleidelijk een vechthouding aannam. Daar moest ik wat aan doen.

'Volgens mij is Giftand de aangewezen persoon om het te leren en dan laat hij jullie allemaal zien hoe het werkt,' zei ik.

Daar moest Giftand even over nadenken. 'Dat zou misschien kunnen werken. Als ik er tijd voor heb, natuurlijk.' En toen brak er tegen alle verwachtingen in alsnog een brede glimlach door. 'Blik-sem! Moet je eens nagaan... wat zal Zack de Rat zeggen als we blíksem hebben!'

We hoorden een dichtslaande deur. De lucht om ons heen explo-deerde toen een kinchin als het bloed van een verslaafde uit een zij-ingang het toneel op spoot. De coulissen noemen ze die, geloof ik. Het was een stormloop van één persoon, een jongen die luid naar lucht happend opdook.

'Jullie missen het nog, als je niet snel bent!' hijgde hij.

'Wat? Een knokpartij?' vroeg Bokkie, en hij richtte zich grijnzend verder op.

'Veel beter nog: de Ieren hebben een neger te pakken en die gaan ze ophangen. Snel, anders missen jullie het!' riep hij schril, en hij verdween al weer de gang in.

Ik keek niet of Mercy me kon bijhouden, maar ging achter hem aan, holde voor alles wat ik waard was. Met een beetje geluk had ik de kwestie uit de wereld geholpen nog voor zij ter plekke was. Met een beetje geluk had het jong de situatie overdreven. Met een beetje geluk was het inmiddels al overgewaaid.

Maar wanneer had ik ooit geluk?

13

Het is een merkwaardige tegenstrijdigheid in de Ierse volksaard dat hoewel de Ieren bijna overdreven vrijgevig zijn en hun laatste korst brood of aardappel met een vreemde of armoezaaier zullen delen, ze dodelijk zijn in hun haat jegens eenieder wiens gedrag ertoe neigt hun een kruimel te ontnemen of een bonenstaak te ontzeggen. Dat valt moeilijk te rijmen!

• *New York Herald*, zomer 1845 •

We zetten het op een lopen in zuidelijke richting, weg uit de Five Points, waar de zwarten en Ieren te arm zijn om er ook maar ene moer om te geven dat ze elkaars buren zijn, en spurtten naar de rand van het omvangrijke gebied waar de brand had huisgehouden. In de lucht hing een stilte die spookachtig in mijn oren galmde. De paar mensen die ik zag stonden met ernstige gezichten over hun schoenlapperskraampjes en gifgroene appelkarren gebogen en bemoeiden zich nadrukkelijk alleen met hun eigen zaken. Verder waren er natuurlijk de immer aanwezige soezende varkens, maar het had hier ook moeten wemelen van de Ieren die driftig stonden te marchanderen met straatventers, jidden die probeerden schorten aan de man te brengen en een enkele Indiaan die huiden verkocht, anderen dan alleen de immer aanwezige soezende varkens. Zelfs mijn eigen schoenen maakten veel te veel kabaal nu ik al een halve straat voorlag op de jongens. Ik passeerde een nog maar half overeind staand gebouw aan Nassau Street dat onder een dikke laag vettig roet zat, en nog een en nog een. De spanning greep me bij de keel zoals een vinger zich om de trekker van een pistool haakt en ik wist dat ik er bijna was.

Ik had al kunnen zeggen waarover de knokpartij ging zonder er iets van te hebben gezien, want het is altijd hetzelfde met de oploopjes die in onze stad her en der als paddenstoelen uit de grond schieten. Het gaat over God. Het gaat over geld. Het gaat over werk. Het gaat over machteloosheid. En waar het zogenaamd ook over gaat, het gaat in feite helemaal nergens over. Maar ik ben de eerste om toe te geven dat ik lijkbleek wegtrok toen ik mijn bestemming had bereikt, want ik bleek verkeerd te zijn geïnformeerd.

Ze stonden helemaal niet op het punt een zwarte op te hangen.

'Zie je nou wat je gierigheid je kost?' schreeuwde een buitensporig dronken Ier tegen een ineengedoken blank Amerikaantje in een rokjas en een gele broek. 'Goed, een nikkerleven stelt niet veel voor, maar als je sodeju nou even overeind komt en uit je doppen kijkt, dan heeft hij toch nog een hoger doel gediend dan je van iemand met zijn vel zou verwachten!'

De spreker was een reus – zwarte haren, een gezicht dat zwaar gegroefd was en donker verbrand door onze genadeloze augustuszon. Zijn wijde hemd hing rafelig en vuil om zijn stierennek en hij droeg geen vest, alleen een vaalbruine nankingbroek waarin hij meer dan eens een hele nacht had doorgehaald. Ik kon verschillende dingen over hem vertellen door enkel naar hem te kijken: hij had net genoeg geld gehad voor de whisky die hij vanochtend had gedronken, geen cent meer. Dat is te zien aan een bepaalde stand van de ogen waarbij het wit hard als bot wordt. De stand van zijn mond vertelde me dat hem iets vreselijks en akelig onrechtvaardigs was overkomen. Zijn kolenschoppen van handen lagen aan flarden en dat, in combinatie met zijn zonverbrande huid, zei me dat hij zijn laatste glas had kunnen kopen dankzij een klus in de bouw of het slepen van stenen naar de afgebrande wijk.

In een van die handen hield hij in het felle midzomerdaglicht een brandende fakkel.

Twee van zijn vrienden stonden, net zo bezopen als hij, op een afstandje hun aandacht te verdelen tussen zweten en overeind blijven. Die vormden op dit moment geen bedreiging. En vlak achter hen, vastgebonden aan een eenzame steunpaal aan de straatkant van het huis in aanbouw, bevond zich mijn zwarte vriend Julius Carpenter, die voor de brand samen met mij in de oesterbar had gewerkt. Een stapel dennentakken lag rond zijn voeten verspreid. Ik bleef hijgend voor de klootzak staan die dit tafereel in scène had gezet. Ik nam het Julius niet kwalijk dat hij me niet begroette, aangezien ze een met mest besmeurde voederknol in zijn mond hadden gepropt waarin een gat geboord zat voor het touw dat hem op zijn plaats hield. Julius zat te strak vastgebonden om iets aan zijn armen of benen te hebben. De machteloze kracht uit zijn handen en zijn tot barstens toe gespannen lippen kon zich daarom enkel een weg naar buiten banen via zijn ogen, waarvan de pupillen in mijn borst priemden.

Ik betwijfel of ik die onverlaten de brandstapel en de fakkel onder enige omstandigheid zou hebben vergeven. Ik ben sowieso niet zo vergevingsgezind aangelegd. Nooit geweest ook. Maar Julius kan het verschil tussen twintig soorten oesters proeven, zelfs als die hem zonder schelp worden voorgeschoteld, en de met mest besmeurde voederknol had een gat voor een touw – met voorbedachten rade gemaakt. Specifiek voor dat doel. Het was een uitzonderlijk kwaadaardige daad die mijn vergevensgezindheid met één klap van een loden knuppel uitschakelde.

'Waar denken jullie in godsnaam dat jullie mee bezig zijn?' bulderde ik.

Een keel opzetten was nu van levensbelang. Als de menigte de draad van het gesprek kwijtraakte, kon me dat duur komen te staan. Toch was dit niet de gebruikelijke bende raddraaiers, maar een stel armoedige Ieren en geboortige Amerikanen die geboeid naar een slachtpartij stonden te kijken. Hetzelfde soort dat ook naar eenzame terriërs komt kijken die het tegen hordes dolle ratten moeten opnemen. Geen zwarte te bekennen, natuurlijk, daarvoor hoefde ik niet eens om me heen te kijken. Die waren hun kinderen in kasten aan het verstoppen en hun centen onder het secreet aan het begraven. De gebruikelijke voorzorgsmaatregelen.

'Een geschilletje aan het oplossen,' zei de schurk spottend, 'met die lafbek daar!'

Hij zwaaide naar de zakenman met de gele broek, bakkebaarden en een zilvergrijze baard in zijn hals onder zijn gladde kin, die zich lamlendig de handen stond te wringen. Ik heb een ouwe hekel aan lamlendige types. Misschien is dat een ander neveneffect, en beter dan de meeste, van opgroeien aan de zijde van mijn broer, maar van dat soort slampampers word ik altijd pisnijdig. Alsof onze al te pragmatische stad wil dat ik ze het bos in jaag.

'Je staat al onder arrest wegens verstoring van de openbare orde en geweldpleging,' zei ik tegen de dronken Ier, 'en je gaat de Tombs al in om te zitten, maar als je die man nu direct losmaakt, maak ik er vermoedelijk geen "geweldpleging met de opzet te doden" van.'

Ik had de lijst van handelingen die daadwerkelijk crimineel waren tegenover de handelingen die in theorie crimineel waren meteen op de eerste dag uit mijn hoofd geleerd, vanuit de gedachte dat me dat wel eens van pas zou kunnen komen. Dat was al vier keer het geval geweest.

'En wie gaat mij dan arresteren?'

'Ik, stom rund.' Ik wapperde met de linkerrevers van mijn jas waarop de koperen ster gespeld zat.

'Ha, een politieman,' smaalde hij. 'Ik had al over dat zootje gehoord. Ongeveer even angstaanjagend als de speen van een zeug. Mij maak je niet bang, smeerlap.'

'Ik wil je ook niet bang maken, ik sluit je op.'

Daar reageerde de bruut nauwelijks op. Hij leek na te denken, of althans iets te doen met die verdorven geest van hem wat doorging voor nadenken.

'Is dat écht een politieman?' vroeg een zenuwachtige man tussen de omstanders achter me. 'Sodeju, dat is voor het eerst dat ik er een zie.'

'Ik had ze me groter voorgesteld,' merkte een ander op.

Het zou weinig zin hebben gehad op die opmerkingen in te gaan en dus negeerde ik ze.

'Ze hadden me niet verteld dat politieagenten nikkervriendjes moesten zijn,' zei de dronken Ierse ellendeling met een vuile grijns. 'Zo wordt het alleen maar nóg aantrekkelijker om ze in elkaar te slaan.'

Een fatsoenlijke gedachtewisseling leek daarmee definitief op een muur te zijn gestuit. Maar toen ik, eerder al in brandende woede ontvlamd en nu praktisch met roodgloeiende sintels voor de ogen, een stap naar voren deed om Julius los te maken, kreeg ik een zwaaiende fakkel voor mijn neus.

Ik dook weg. En dook nog eens.

Ik gooide mezelf naar achteren en ontweek zo een uithaal die me in de fik zou hebben gezet. Overal om me heen werd naar adem gehapt en er klonk een gedempte kreet van een huilend wicht. Rustig nou, verrekte schijtlaars die je bent, dacht ik toen mijn hart probeerde uit de kooi van mijn ribbenkast te ontsnappen. Hij komt er alleen maar achter dat je doodsbenauwd bent voor vuur als je het hem zelf vertelt.

Ik stopte daarom met wegduiken en ontwijken, en deed twee stappen naar voren. Intussen riep ik over mijn schouder naar de jammerende heer in de razend makende gele broek: 'Waarover heeft dit stuk verdriet ruzie met jou?'

'Ik…' De wringende handen werden heel even stijf dichtgeknepen. 'Ik heb mijn bouwploeg ontslagen. Daar heb ik alle recht toe! Ik ben de eigenaar van dit gebouw. Het gebouw in aanbouw, bedoel ik, ik bezit dit alles, ziet u, en ik kon het niet langer voor mijn geweten verantwoorden. Ik…'

'Je kon de penny's niet langer verantwoorden die je ons meer betaalde dan wat je die slavenploeg geeft die je na ons hebt aangenomen!' brulde de Ier. 'Terwijl mijn vrouw met big zit.'

'Jullie kregen hetzelfde betaald, dat zweer ik je, dat was niet waar het om… Er kan niet van mij worden verwacht…'

'Hoor eens even,' kondigde ik luidkeels aan. 'Ik begrijp dat jullie drieën, en je andere maten die zo verstandig zijn zich hier niet te laten zien, allemaal zijn ontslagen en dat een ploeg zwarten jullie plaats heeft ingenomen. Dat spijt me voor jullie, maar voor elke seconde dat jullie die man niet losmaken, voeg ik een nieuwe aanklacht toe waarvoor jullie je voor de rechter zullen moeten verantwoorden.'

'Je durft niet eens bij me in de buurt te komen, wezel die je bent met je loze praatjes, en dan verwacht je…'

'Geweldpleging met de opzet te doden,' onderbrak ik hem. De omstanders vielen stil.

'Ik steek je in de fik, ondermaatse…'

'Vechten in het openbaar,' vervolgde ik.

'Rot toch gauw een eind op,' schimpte hij. 'Hier, neem mijn fakkel over, mannen, steek die…'

'Krankzinnigheid,' snauwde ik. 'Moord. Het beledigen van dames op straat, want ik weet zeker dat geen van hen deze vertoning wenst te zien. Dreigen met moord. Dronkenschap en ordeverstoring. Ga rustig door, waarom niet?'

'Houd daarmee op,' beval een verstikte stem achter me.

Ik wist wie het was, die stem zou ik nog op de bodem van de Hudson hebben herkend. Maar ik hield met één oog de fakkel in de gaten en met de andere de menigte en het trio schurken, dus voor ik iets kon doen, klonk de stem ter hoogte van mijn elleboog. Misschien ben ik wel minder verdienstelijk dan ik mezelf probeer wijs te maken.

'Ga hier weg, miss Underhill,' zei ik.

Dat deed ze niet. Mercy liep me straal voorbij.

Het trio lawaaischoppers was te lam van de drank en de inspanning van het balanceren langs de wanhopige afgrond van hun wereld om te protesteren. Ze keken verbluft toe. Iedereen viel stil als het graf toen een vrouw, en niet eens een erg vervaarlijk ogende vrouw, maar eentje met ver uiteenstaande blauwe ogen en de bevalligheid van een koel oceaanbriesje, naar voren liep en mijn vroegere collega begon los te maken.

Opeens dreigde de situatie ernstig uit de hand te lopen.

'Haal die bemoeizieke hoer daar weg,' snauwde de schurk die het hele circus was begonnen.

Een van zijn twee maten was het soort drankorgel dat van mening is dat een fragiel gebouwde vrouw bij een brandstapel met een zwarte vandaan trekken precies iets voor hem is. Hij rukte Mercy bij Julius vandaan. Op dat moment dook ik naar voren en had als gevolg daarvan bijna een mondvol vuur te pakken.

Het kon me niets schelen, intussen niet meer. Eindelijk lukte het me om langs mijn veel grotere tegenstander te komen, eindelijk was ik ter plekke en eindelijk was ik vlak bij het hondsvot dat Mercy's bovenarmen blauw kneep. Mercy verzette zich hevig en ik stond al klaar om de ellendelingen te laten bloeden voordat zij ons zouden overmeesteren. Zo gaat dat tenslotte hier. Degene die Mercy vasthield, zou een vuist in zijn keel krijgen en als ze me vervolgens zouden vermoorden, kon ik de wereld tenminste met opgeheven hoofd verlaten.

Ik zette me schrap en paste vervolgens de oudste truc uit het straatvechten toe: ik zette het op een schreeuwen.

Dat verraste de schurk die Mercy in de houdgreep hield net genoeg om zijn greep op een van haar armen even wat te laten vieren voor mijn vuist op de plaats landde waar zijn hals en sleutelbeen samenkwamen.

Met een half verbrijzelde luchtpijp stortte hij neer, en ik kon Mercy nog net bij haar middel grijpen voor ze met hem mee viel. De anderen wankelden dronken bij me vandaan; ze dachten waarschijnlijk dat ik gek was geworden. Prima. Dat betekende meer speelruimte voor mij terwijl zij probeerden de situatie te overzien. De bendeleider hield zijn fakkel voor zich uit alsof ik elk moment kon aanvallen, bevend, lam van de whisky, maar geen kansrijke kandidaat voor mijn medelijden. Zodra Mercy haar evenwicht had hervonden, vloog ze naar de geïmproviseerde brandstapel. Eén tel later had ik mijn zakmes getrokken.

'Ik neem het over,' fluisterde ik haar toe. 'Ga eens opzij.'

'Helemaal niet,' zei ze terug, en ze rukte aan het touw waarmee Julius vastgebonden zat.

'Haal dan in vredesnaam dat ding uit zijn mond.'

Omdat ik niet wist hoe lang mijn vriend geboeid was geweest, hield ik hem bij zijn hemd vast terwijl ik hem van het touw bevrijdde. Maar hij stond stevig genoeg op zijn benen, ook al trilden zijn handen enigszins onder zijn bebloede polsen. Julius liep half wankelend weg van de stapel brandhout. Voorovergebogen trok hij eindelijk het weerzinwekkende geval uit zijn mond dat Mercy al wat losser had gemaakt. Hij kokhalsde een keer of twee en rilde. Intussen hield ik met één oog Mercy in de gaten en met het andere de langzaam weer op krachten komende dronkaards, die nu in een vervaarlijk kringetje stonden te smoezen.

'Gaat het?' vroeg ik met een blik over mijn schouder.

Julius stond met zijn handen op de knieën en hoestte. 'Goed om je weer te zien,' zei hij. 'Ik dacht dat je de stad uit was.'

'Ik ben naar Wijk 6 verhuisd.'

'Zoiets krankzinnigs heb ik nog nooit gehoord. Wat was er mis met Wijk 1?'

'Koperster,' zong een pesterig stemmetje achter me. Een stem die ik flink zat begon te worden.

De fakkelzwaaiende Ier had niet alleen zijn moed teruggevonden, maar ook een verse voorraad trawanten. Drie nieuwe mannen, arbeiders die tussen de omstanders hadden gestaan, vermoedde ik, hadden zich bij de eerste groep tuig gevoegd. Twee hadden er een mes en ik zag ook in een flits de koperen boksbeugel van de derde. Het zag ernaar uit dat New York er getuige van zou zijn dat een van haar kersverse politiemannen doodgestoken werd. Spannend vermaak.

'Achteruit!' bulderde een onbekende stem.

Ik had erom kunnen lachen, als het niet Vals gewoonte was om te lachen om dingen die niet grappig zijn. Toen ik omkeek, voelde ik me bovendien een enorme onnozelaar dat ik vergeten was dat er meer van ons in de stad waren.

Piest stond in al zijn merkwaardig schaaldierachtige glorie aan het hoofd van een troep kopersterren – een man of vijfentwintig, ten minste de helft van Wijk 6 – die stuk voor stuk gewapend waren met knuppels waarmee ze dreigend tegen de bovenkant van hun schoenen tikten. De Amerikaanse agenten leken wel schik te hebben in de situatie. Meer in elk geval dan hun Ierse collega's, die elkaar nadrukkelijk niet aankeken. Maar allemaal keken ze onverschrokken uit hun ogen en stonden fier in het gelid, het toonbeeld van professionele vastberadenheid. Rood en zwart en blond en bruin door elkaar, met sterren op hun jas die nu al dof begonnen te worden.

De Ierse schurk schreeuwde iets in zijn eigen taal, wat een felrode kleur van boosheid naar de wangen van de agenten joeg die ik van de Tombs kende. Het grofgebouwde, intelligente gezicht van Connell verstrakte onmiddellijk en de opmerking gooide Kildare's gezicht op slot. Ik vroeg me af waarom. Ik kende hen beiden als betrouwbare, deugdzame politiemannen – mensen met wie ik verhalen had uitgewisseld over pijnlijke benen na een dienst van zestien uur en over de opmerkingen die je toegebeten kreeg op straat.

Opeens stormden de dronken oproerkraaiers met z'n allen woedend op de politie af. Als een zwerm raven die zich op een etalageruit stort.

De agenten sloegen de raddraaiers uiteen en er klonk geschreeuw. Ik hoorde waarschuwingen, opgetogen kreten en één verrukt: 'Pak aan, vuile klootzakken', maar over de afloop bestond geen enkele twijfel. Rondvliegende knuppels, lijven die in de onmogelijkste standen werden gedraaid alsof het een acrobaten-act in de Garden betrof, een schreeuw van een van de dronkaards toen een bijzonder praktisch ingestelde politieman zijn been onder hem vandaan sloeg.

Uiteindelijk stond de bendeleider als enige nog overeind, met zijn fakkel naar zijn vijanden zwaaiend alsof het een zwaard was.

Connell, een roodharige Ier die ik graag mocht en aan wie ik op het werk een paar keer mijn gelezen krant had gegeven, ging met één stap achter hem staan en velde de schurk met een sierlijke knuppelzwaai die hij losjes vanuit de elleboog op zijn achterhoofd liet neerkomen. Toen hij eenmaal gevloerd was, vloog een aantal Amerikaanse schoenen in de richting van zijn ribben. Er ging nog meer geschreeuw op en er klonk net zo'n duistere donderlach als die van Val. Ik vroeg me af of het wel wenselijk was dat we gevelde boosdoeners schopten, maar Connell snauwde ze al met een ernstig gezicht toe en loste het probleem op door een stel al te enthousiaste rouwdouwers bij zijn arrestant weg te duwen.

Terwijl ik op adem stond te komen, keerde de rust langzamaan terug. De krantenjongens drongen om me heen. Alle achterdocht was van hun schrale koppies verdwenen en had plaatsgemaakt voor onverbloemd ontzag.

'Dat was waratjes pure poëzie,' zei Bokkie ademloos van bewondering, zijn bril in de ene hand en het poetslapje bungelend in de andere. 'Alsof je de duivel zag staan liegen. "'Krankzinnigheid, moord, het beledigen van dames op…"'

'Waar is miss Underhill?' onderbrak ik hem gehaast.

'Weg. Ze zei dat ze op een rustig plekje wilde bijkomen,' zei Giftand. 'Die miss Underhill! Die was woest! Ze zouden haar tot koningin moeten kronen, zeg ik je. Koningin van Gotham.'

'Luister, wil je hier nog heel even blijven?' vroeg ik Julius. 'Ik heb een verklaring van je nodig, maar eerst moet ik met de andere agenten praten. Gaat het verder wel?'

Hij knikte, hoewel hij de indruk maakte dat hij liever niet zo in het middelpunt zou staan. Ik liep snel naar de groep agenten, die triomfantelijk hun gevloerde arrestanten in stugge, ijzeren boeien sloegen. De bruut die alles in gang had gezet sliep de slaap der schuldigen. En zag er aanzienlijk misvormder uit dan voorheen.

'Dat was net op tijd,' zei ik.

'En dat geldt dubbel voor jezelf, Wilde, begrijp ik!' riep Piest uit, en hij schudde me de hand. 'Ik ben zelf iets voorzichtiger aangelegd. Dat heb ik in al die jaren van nachtwakerschap wel geleerd. Als je de volgende keer een menigte ziet ontstaan, zorg dan dat je zelf ook deel uitmaakt van een menigte. Zo werkt dat in New York.'

'Daar zit wat in. Kildare?' riep ik naar de straatagent die bij het patrouilleren de ronde naast de mijne toegewezen had gekregen.

'Wilde,' antwoordde hij bars, met zijn Ierse accent dat zo dik was als turf.

'Wat zei die fielt tegen je? Voor hij zich op ons stortte?'

'Dat is nu niet meer belangrijk, wel dan?'

'Voor jou was het dat kennelijk wel.'

Connell liep voorbij met de kleinste van de benevelde trawanten die hij naar een kar sleurde. Hij is een rustige, eerlijke vent die altijd eerst goed nadenkt voor hij antwoord geeft. 'Jullie spelen onder één hoedje met de landheren. Dat zei hij. Wij, Ierse politiemannen, bedoelde hij. Hij maakte ons uit voor huurlingen van de landheren. Het is moeilijk precies te vertalen. Knecht, misschien,' voegde hij er over zijn schouder nog aan toe, 'hoewel slaaf misschien dichterbij komt voor een Amerikaan.'

Toen herinnerde ik me opeens weer de andere schurk aan wie dit alles te wijten was. Ik draaide me spiedend om tot ik de eigenaar van het perceel met zijn zilvergrijze baardje en de onfatsoenlijk vrolijke broek lijdzaam zag staan toekijken hoe zijn voormalige werknemers werden afgevoerd. Hij zag er verslagen uit, nu het stof was neergedaald.

'U hebt nogal wat op uw geweten, al zal het u niet officieel ten laste worden gelegd,' gromde ik. 'Wat voor de duivel dacht u dat er zou gebeuren als u een volledig Ierse ploeg zou wegsturen om er zwarten voor in de plaats aan te nemen?'

'Alsof er Amerikanen zijn die zouden werken voor het loon dat ik kan betalen en me al deze ellende hadden bespaard,' mekkerde hij. 'En een Ierse ploeg kon ik gewoonweg voor mezelf niet langer verantwoorden, in mijn hoedanigheid van christen én inwoner van Manhattan, meneer!'

'Wat is daar nou de logica van, u had ze toch al ingehuurd...'

Ik kon mijn vraag niet afmaken, want Piest stond aan mijn elleboog te trekken. Hij voerde me een paar meter bij de onbekwame grondeigenaar en de zelfvoldane kopersterren vandaan, dook weg achter een lantaarnpaal die ons geen enkele beschutting bood en haalde een opgevouwen krantenknipsel uit zijn rafelige binnenzak.

'Je bent ongetwijfeld al sinds vanochtend op jacht zonder dat je een seconde tijd voor de kranten hebt gehad, maar de zaken zijn... veranderd,' vertelde hij me ernstig, en zijn verontruste voorhoofd vertrok krampachtig als de scharen van een kreeft. 'Matsell wil je spreken op zijn kantoor in de Tombs.'

Hij was gelijk weer verdwenen en ik vouwde het knipsel uit de *Herald* open. Ik hoefde er niet lang naar te kijken om te beseffen wat er was gebeurd, sloeg met mijn vuist tegen mijn voorhoofd en vervloekte mezelf dat ik die ochtend alleen een blik op de koppen had geworpen. Het was een brief aan de redactie: *En daarom heb ik de dode kinderen die ik ten noorden van de stad heb begraven gekenmerkt met het Kruis. iets anders kwam derlui niet toe. onthoud wie ik ben...*

'Godverdomme!' vloekte ik bij mezelf, en ik verfrommelde het ding tot een bal. Iemand had meer dan één brief verstuurd.

De dwaas in zijn gele broek bibberde toen de politiewagen volgeladen met gewonde boeven langs denderde. 'Ik ben niet de enige godvrezende zakenman die hiermee te maken heeft, meneer. Drie van mijn collega's die een eind verderop gebouwen bezitten hebben hun ploegen ook vervangen, en mijn zus die in Greenwich Village woont heeft me laten weten dat ze zonder aarzelen haar dienstmeid ontslagen heeft. En gelijk heeft ze.'

'Ik geloof dat ik u niet kan volgen,' zei ik koeltjes.

'Wie weet welke goddeloosheid er in die meid verstopt zat? We zullen ons op de een of andere manier van die papen moeten ontdoen, ze terugsturen naar waar ze thuishoren. Als het Gods wens was dat ze daar van de honger omkwamen, wie zijn wij dan om het goddelijk gerecht te dwarsbomen? Toegegeven, het kost een mens twee keer zoveel moeite om een neger aan het werk te krijgen, maar die zijn tenminste nog bang voor de duivel – er is niets waar die Ieren zich niet toe zullen verlagen, zoals wel uit die brief blijkt. Ik vind het schokkend, meneer, tot welke wreedheden de medemens, of wat daar voor doorgaat, in staat is.'

'Dan zijn we het op één punt in elk geval met elkaar eens,' gromde ik, toen hij zich omdraaide en wegliep.

Julius kwam van links aan lopen, voorafgegaan door de subtiele geur van de theebladeren die door zijn haar gevlochten waren. Een vreemde bult vervormde zijn rechterbroekzak. Hij keek me een paar tellen lang aan en wreef toen met zijn lenige vingers over zijn neus.

'Ik sta kolossaal bij je in het krijt.'

'Geenszins. Ik krijg er bijna tien dollar per week voor betaald.'

'Dus je draagt nu de koperen ster.'

'Verbazingwekkend genoeg wel,' gaf ik toe, en ik kreeg er nog een warm gevoel bij ook.

Hij schudde zijn hoofd. 'Mij verbaast dat niet zo.'

'En jij bent nu timmerman. Dat was je waarschijnlijk altijd al, maar daar had ik nooit bij stilgestaan. Is je vader zo aan zijn naam gekomen? Of je grootvader?'

'Mijn vader.' Julius glimlachte. 'Cassius Carpenter. Dat bedoel ik dus. Jij kunt nog geen tien minuten met iemand praten of je hebt alweer wat uitgedokterd.' Hij schraapte zijn keel. 'Ik wil je overal bij helpen en wanneer je maar wilt, maar ik kan geen verklaring afleggen. Daar zou ik mezelf geen dienst mee bewijzen. En niemand anders die ik ken. Vraag me iets anders voor de moeite. Alsjeblieft.'

Ik slikte een speldenkussen door en knikte. Julius zou elke aanklacht kunnen indienen die hij wilde, de zaak zelfs winnen, maar ik had de smeerlap toch al klem voor geweld tegen de politie. En voor mijn vriend was het zonneklaar dat het na een verklaring niet lang zou duren voor zijn woning in de hens zou gaan.

'Dus als ik alles even op een rijtje zet,' zei ik langzaam, 'dan is er in de eerste ochtendeditie, die om een uur of vijf vanochtend is verschenen, een brief afgedrukt van een gestoorde Ier die het plan heeft opgevat de stad over te nemen, wat hij beweert te willen bereiken door kinchen af te slachten.'

Julius knikte en tikte tegen zijn kin.

'Die onnozele worm daar heeft dat gelezen, onmiddellijk zijn werkploeg ontslagen en die vanwege al het werk hier in de afgebrande wijk binnen een paar uur al vervangen door zwarten, waardoor hij slechts een paar uur van de werkdag kwijt was. Enkele van de ontslagen werknemers hebben zich vervolgens klem gezopen en daarna het plan opgevat hun ongenoegen publiekelijk te uiten. En jij was degene die ze te pakken kregen toen je ploeg op de vlucht sloeg. Kom ik een beetje in de buurt?'

'Je zit er niet ver naast.'

'Er is wel íets wat je voor me kunt doen, Julius. Weet jij van de meeste mensen uit onze oude wijk waar ze naartoe zijn verhuisd?'

'Ik kom ze regelmatig hier en daar tegen en maak altijd een praatje. Wie zoek je?'

'Hopstill. Ik heb een bliksemmaker nodig.'

'Wie niet?' zei Julius met een filosofisch lachje.

Hij gaf me Hopstills nieuwe adres in een van de armste delen van Wijk 6, niet ver van waar ik woonde. Ik bedankte hem, wat niet meer dan redelijk was, aangezien hij me had geholpen. Hij bedankte mij nog eens, wat aanmerkelijk minder redelijk was, aangezien ik alleen maar mijn werk had gedaan. Julius had me een hand gegeven en was al aan het weglopen toen ik hem nog terloops vroeg wat er in zijn uitpuilende rechterzak zat.

'Die knol,' riep hij terug.

'Waarom?' vroeg ik ontzet.

'Omdat ik er nog steeds ben,' antwoordde hij. 'Ik heb thuis al een baksteen, een leren riem en een steen uit een katapult op een plank liggen. Maar kijk, ik ben er nog steeds.'

Terwijl hij wegliep, beet ik hard op de binnenkant van mijn lip en peinsde over het verschil tussen waardeloze mensen en mensen aan wie je iets had. Maar mijn aanwezigheid was ergens anders gewenst. Voordat ik naar Matsell ging, moest ik eerst Mercy zien te vinden en ik wist precies waar ze altijd heen ging als ze rust zocht. Ik trok de rand van mijn hoed dus omlaag en liep bij de plaats vandaan waar de rust langzaam begon terug te keren en de grondeigenaar zich haastte om de stapel dennenhout van zijn kostbare perceel weg te halen. Waarmee hij, althans in mijn ogen, genoegzaam aantoonde tot op welke hoogte je iets aan hem had.

Nadat ik tegen de koetsier had gezegd dat hij ook de prijs voor de terugrit naar de Tombs kon verdienen, plus nog wat extra, als hij op me wachtte, liep ik Washington Square op waar ik werd overvallen door de stilte die er hing, als een bundel zonlicht die door een raam naar binnen valt. Natuurlijk trippelden er in een kalm tempo paarden met rijtuigen voorbij. En knisperden dorre bladeren onder schoenzolen. Maar veel andere geluiden waren er niet. Mensen praten niet veel op Washington Square. Het zijn ofwel bewoners van de deftige huizen met bomen ervoor die om het plein heen staan ofwel bezoekers van de granietgrijze Nederlands Hervormde Kerk ofwel, in elk geval sinds de stichting ervan veertien jaar geleden, studenten van de Universiteit van New York, die zitten te lezen alsof hun leven ervan afhangt. Iets in de driehoek van kerk, academie en bomen bewerkstelligt de stilte op dat plein, zelfs in het oranjegele middaglicht. Ik zag Mercy bijna meteen zitten, altijd op een bankje met haar handen op schoot.

Als ik Mercy zie wanneer zij mij nog niet in de gaten heeft, geeft me dat altijd een beneveld gevoel, maar niet duizelig. Ik bedoel het op die halfgare manier van een beschonken kerel die van veel te dichtbij naar kleine dingen kijkt, zijn aandacht gevangen door iets volledig triviaals. De manier waarop hij naar een enkel strootje in een enorme hooiberg kan kijken zonder enig verlangen om zijn aandacht af te laten leiden. Als ik een slok te veel op heb, kan ik uren filosoferen over het vervoer per veer en me laten meeslepen door de herinnering van het koele, volle gevoel van het rivierwater op mijn gezicht, en als Mercy niet in de gaten heeft dat ik kijk, kan ik tien minuten vol aandacht haar dichtstbijzijnde oor bestuderen. Maar nu had ik geen tijd te verliezen. Ik gunde mezelf dus maar een seconde of vijf voor het ene zwarte lokje linksonder in haar nek dat zich nooit, onder geen enkele omstandigheid, laat vaststeken met de rest van haar haar. Dat moest in tijden van haast maar volstaan.

'Mag ik bij je komen zitten?'

Ze sloeg haar ogen op en ik zag dat ze overliepen van de zorgen. Toch was ze in het geheel niet verbaasd me te zien. Het was me al eerder opgevallen dat dat vrijwel nooit het geval leek. Ze knikte kort en richtte haar aandacht weer op de gevallen bladeren en vouwde haar vingers.

'Er valt niets zinnigs te zeggen over de dingen die zo-even gebeurd zijn,' zei ik. 'En ik weet dat jij van even erge zaken getuige bent geweest in deze stad als ik. Misschien wel ergere. Maar het was uitermate dapper wat je daar deed, al zou ik het je zelf nooit hebben gevraagd.'

Zoiets had ze van mij niet verwacht te horen. Het kuiltje in haar kin neeg iets naar de grond.

'Ik kwam me ervan verzekeren dat alles in orde is met je,' zei ik ter verklaring. 'Meer niet. Ik kwam hier niet om een preek af te steken, dat zou aanmatigend zijn. Julius zou je bedanken, als hij hier was.'

Daarna zwegen we allebei. Er liep een student voorbij – slappe hoed, gehaaste stap, nauwsluitende broek en zich niet bewust van de gruwelijkheden die zich verderop hadden afgespeeld. Hij had een dringende afspraak en zou te laat komen. Wat een heerlijke kleinschalige ramp, dacht ik. Een mooie tegenslag. Direct en onomkeerbaar en zo weer vergeten. Zulk soort narigheid zouden we meer moeten hebben. Dingen als het eten laten aanbranden of op een ongelukkig moment te kampen krijgen met een verkoudheid. Ik wilde niets liever dan samen met het meisje naast me ontelbare, verdraaglijke probleempjes voor de kiezen krijgen. Veel meer had ik niet nodig. Ik kreeg tenslotte genoeg betaald om al het eten dat ze verlangde en elke jurk die ze maar wilde voor haar te kopen. Ikzelf kon makkelijk leven van de kruimels en de opmerkingen waarmee ze het gesprek altijd weer een andere kant op stuurde.

Maar ik had niets om me op te beroemen behalve een koperen ster met een verbogen punt. En ik moest naar de Tombs. Ik had niet eens tijd om te wachten tot ze met me zou willen praten.

'Zo denk ik erover,' zei ik. 'En hoe denk jij erover? Dat zou ik graag willen weten, voor ik er weer vandoor moet.'

'Bedoel je voor je hier aankwam,' zei ze zachtjes. 'Of nu?'

'Dat is me om het even.'

Haar glimlach was een tikje onzeker, een porseleinen kopje met een nauwelijks zichtbaar barstje. 'Denk jij wel eens aan Londen?'

Bij het woord 'Londen' besefte ik dat ze haar moeder miste, zoals haar moeder Londen zelf had gemist, naar ik aanneem. Thomas Underhill had zijn toekomstige vrouw ontmoet tijdens een reis naar Engeland om afschaffing van de slavernij te propageren. Ik denk dat hun daar akelige dingen zijn overkomen. Genoeg om hen daar voorgoed weg te jagen. Ze moeten zich mislukt hebben gevoeld toen ze naar Amerika remigreerden. Olivia Underhill had gelukkig nog wel lang genoeg geleefd om de Britse Emancipatie in het Empire vanaf deze kant van de oceaan mee te maken. Ik was toen vijftien en alle kranten hadden het van de voorpagina's geschreeuwd. New York is weliswaar een vrije staat, maar God mag weten of we ooit een slavernijvrij Amerika zullen meemaken.

'Bedoel je echt Londen of elke andere plaats dan hier?'

Mercy gniffelde, maar zonder geluid. 'Ik denk erover om naar Londen te gaan, weet je. Ik droom ervan om mijn boek op een zolderkamertje met een gebrandschilderd raam te schrijven, niet in een hoekje van mijn kamer hier als ik een halfuurtje vrij kan maken. En ik droom ervan om pagina na pagina vol te schrijven en hoe daarna alles wat ik ooit heb gevoeld me duidelijk zal zijn. Net zoals de gevoelens van... van bijvoorbeeld Don Quichot me duidelijk zijn. Stel je voor dat je Don Quichot bent en zijn grenzeloze dromen droomt zonder een boek van Cervantes voor je te hebben liggen waarin je voor jezelf verklaard wordt. Dan zou je verdrinken in die gevoelens. Ze zijn alleen maar te verdragen omdat ze opgeschreven zijn. Daarom wil ik zo snel mogelijk naar Londen. Omdat ik op sommige momenten, zoals vanmiddag bijvoorbeeld, graag een betere... een betere kaart zou willen hebben voor de manier waarop ik me voel, om de grenzen te kunnen zien.'

'Dat zou heel mooi zijn,' beaamde ik. 'Ik dacht dat je al twintig hoofdstukken af had.'

'Tweeëntwintig, hoe moeilijk het hier soms ook is om te schrijven, omdat ik me nergens kan terugtrekken. Maar begrijp je wat ik bedoel? Zouden boeken een soort van cartografie zijn?'

'Voor de lezer of voor de schrijver?'

'Maakt dat uit?'

'Dat weet ik niet.'

'Vind je me een beetje raar?'

'Nee, ik heb altijd geweten dat je er zo over dacht. Ik wist alleen niet dat je die kaarten in Londen wilde bestuderen.'

Mercy sloot haar ogen. Ik had haar nog nooit zo gezien – moe en dapper en van streek – en daarmee nam ze nog een stukje van mij in bezit. Welk stukje weet ik niet, want ik dacht dat ze zich allang alles had toegeëigend.

'Ik heb het met je vader over je bezoekjes aan de katholieken gehad,' zei ik voorzichtig.

Haar ogen schoten weer open en heel even hapte ze naar adem.

'Nee, nee, ik heb hem niets verteld. En ik wilde je niet laten schrikken, maar is het wel juist dat hij niet weet dat je zieken verzorgt? Is dat wel billijk?'

Mercy drukte haar knokkels tegen haar lippen en schudde getergd haar hoofd. 'Dat is het allerminst. Tegenover niemand – mezelf, vader, noch de Ieren die hulp nodig hebben. Ik kan mensen niet zo... in categorieën zien als hij. Maar als hij wist waar ik heen ging, zou hem dat erg ongelukkig maken, en niet zonder reden. Hij maakt zich erg ongerust over me. Ik ben blij dat je het hem niet hebt verteld. Zul je dat ook niet doen?'

'Nee. En voor de goede orde, ik denk dat je het bij het juiste eind hebt,' antwoordde ik. 'Ik zie je niet graag op dat soort plaatsen, maar je kunt het de Ieren niet verwijten dat ze in dergelijke bedompte holen wonen. Ik geloof niet dat het Gods bedoeling is dat ze daar verblijven.'

Mercy keek me even heel indringend aan, haar blauwe ogen ongewoon intens, alsof ze tot achter in mijn hoofd wilde doordringen. Toen stond ze op.

'Ik moet terug naar de pastorie. Wat jij daar deed was ook heel dapper, dat was heel mooi. Maar je blijft me verbazen, Wilde.'

Dat bracht me van de wijs. 'Ik dacht dat je me intussen wel kende.'

'O, dat wel, natuurlijk. Maar de dingen die je nálaat zijn erg onverwacht, moet je weten.' Ze beet op haar onderlip terwijl ze nadacht. 'Je hebt me niet berispt. En je hebt me niet naar huis gestuurd. En me ook niet gemaand me niet met krantenjongens in te laten of zieken te bezoeken,' voegde ze er met een voorzichtig lachje aan toe, dat niet meer dan een spiertrekking leek. 'Je doet zoveel dingen niet.'

'Is dat alles?' vroeg ik, nog steeds enigszins van de wijs.

'Ja, je hebt me ook nog geen miss Underhill genoemd, zoals je na de brand opeens bent gaan doen. Maar dat wilde je misschien net gaan doen?'

Washington Square leek opeens heel groot. Het was een zee van gras en bomen zonder begrenzingen om houvast te bieden. Aan één kant was Mercy's wijde kraag een beetje omlaag getrokken, waardoor aan die kant meer van haar schouder te zien was dan aan de andere. Maar dat hoefde niet rechtgetrokken te worden, het moest precies zo blijven als het was. Het paste precies bij dat bedwelmende gebrek aan evenwicht van haar, net als haar haar dat ook nooit zo blijft zitten als ze wil en waarvan strengen los wapperen als vliegertouw.

'Wees voorzichtig op weg naar huis,' zei ik. 'Ik moet nu naar de Tombs, maar zie je gauw weer. En ik moet een bliksemmaker afleveren bij Giftand.'

Mercy wachtte nog even, maar meer zei ik niet. Slechts het zachte gezang van vogels markeerde de seconden die passeerden. Ze knikte daarom maar beleefd en liep weg, waarbij haar levendig lichtgele rok door het dode geel van de bladeren sleepte.

Mensen vertellen me vaak dingen. Ze vertellen me van alles. Over hun financiële situatie, hun hoop als fakkels in de nacht, hun bevlieginkjes, hun zondes als die te veel als een schelp voelen waar ze uit willen breken. Maar nog nooit hadden die verhalen me het gevoel gegeven dat ik minder woog in plaats van meer, me opgetild op een zucht wind. Misschien zou ik Mercy nooit begrijpen, aanvoelen waarom ze zo terloops sprak of raden wat ze dacht. Maar toch. Ik hoopte wel dat ik nog tientallen jaren had om het te blijven proberen.

Ik denk erover om naar Londen te gaan, weet je.

Dat kon ik ook, merkte ik. En dat zou ik ook.

14

Door aldus alle gezindten te dulden, verlenen we gelijke bescherming niet alleen aan de gezindten waarvan het geloof en de praktijk het beginsel ondersteunen waarop verdraagzaamheid van allen is gebaseerd, maar ook aan die ene, op zichzelf staande gezindte, de katholieke, die zijn stelsel bouwt en steunt op de vernieling van alle verdraagzaamheid. Inderdaad: katholieken hebben de vrijheid actief te zijn in het licht van de protestantse verdraagzaamheid, hun ideeën te laten rijpen en hun plannen uit te voeren om datzelfde licht te doven en de handen die het dragen te vernietigen.

• Samuel F. B. Morse, 1834 •

Ik trof hoofdcommissaris Matsell schrijvend aan in zijn werkkamer in de Tombs. Toen hij gebaarde dat ik plaats moest nemen, ging ik zitten en keek met belangstelling rond in de ruimte die de ongewoon indrukwekkende man naar zijn hand had gezet.

Aan de ene muur hing een enorme en met veel aandacht uitgevoerde kaart, uiteraard van New York, met daarop duidelijk gemarkeerd onze wijken. Achter het bureau rees een van die eindeloos hoge vensters van de Tombs op, waardoor een verrassende hoeveelheid beige licht loom naar binnen viel. Het bureau zelf lag opmerkelijk genoeg niet vol met allerlei stapels papier. Eén project tegelijk was kennelijk het devies, onwaarschijnlijk als dat klinkt. Misschien lag daarin het geheim van zijn ontspannen maar niettemin indringende aandacht. Een aantal titels op de hoge boekenplank herkende ik. Ze bevestigden geruchten die ik had opgevangen: hij las inderdaad teksten over radicale burgerbewegingen en over de rol van de vrouw bij de voortplanting. Een andere muur was gewijd aan de politiek: een vlag, een portret van een van de stichters van Amerika (hij had zijn naamgenoot Washington gekozen), een opgezette adelaar met wijd uitgeslagen vleugels en het zegel van de Democraten. Ik ging zo op in mijn observaties dat ik van schrik bijna uit mijn stoel viel toen hij uiteindelijk iets zei.

'Het politieonderzoek naar de negentien lijken is voorbij, meneer Wilde.'

Ik slikte een giftige opmerking in en kwam overeind. 'Pardon?'

'Het artikel van vanochtend heeft onze positie onmogelijk gemaakt. Er waren geen dode kinchen. Er zíjn geen dode kinchen. U bent een straatagent in Wijk 6, meneer Wilde. Ik verzoek u ook om vanaf nu op tijd te zijn.'

Ongeloof galmde door mijn hoofd als een kerkklok naast mijn oor. Nee, dacht ik. En toen: ik heb het voor hem opgenomen. Ik heb gezegd dat dit níet zou gebeuren. Nee dus. En toen was er alleen nog leegte. Ik was eenvoudigweg te verbluft. Ik zat daar maar stom voor me uit te staren met mijn driekwart gezicht, na al mijn inspanningen en al die dingen waar hij geen weet van had. De krantenjongens, de talloze mensen die ik had gesproken, Bird die bij mevrouw Boehm inwoonde. Hij zat nog steeds te schrijven. Ik voelde me een straathond die een stuk vers vlees heeft gekregen en vervolgens de slagerij uit wordt geschopt.

'Alstublieft,' zei ik, en ik trok de koperen ster los, legde die op zijn bureau en liep naar de deur.

'Wacht.'

'Ik heb tegen verschillende New Yorkers gezegd dat wij zo niet zijn. U hebt zojuist een leugenaar van me gemaakt, ik...'

'Meneer Wilde, ga zítten.'

Hij sprak zonder stemverheffing, maar met zoveel gezag dat zijn woorden als kogels in mijn hersenen sloegen. Matsell hief zijn hoofd en trok één wenkbrauw op. Ik weet niet waarom, maar ik ging zitten. Ik vermoedde dat die imposante, waardige, koppige man met groeven in zijn gezicht die als spoorlijnen over zijn wangen liepen me iets te vertellen had. Afhankelijk van wat dat was, wilde ik hem ondubbelzinnig van repliek dienen.

'Ik ben tot een zeker inzicht gekomen, meneer Wilde.' George

Washington Matsell legde zijn pen uiterst bedachtzaam naast het vel papier op zijn bureau. 'Wat het precies inhoudt zal u denkelijk verbazen. Weet u waaraan ik hier werk?'

'Hoe zou ik dat kunnen weten?'

Weer die uitdrukking alsof hij op het punt stond te glimlachen, die onmiddellijk weer met de wind richting de Battery verdween. 'Ik schrijf een lexicon. Weet u wat dat is?'

'Een woordenboek,' zei ik kortaf. 'Ik heb zo-even een man van de brandstapel gered. Hij was daar beland om een brief in de krant waarin een gek de dood van twintig kinchen misbruikt, twintig kinderen wier dood nu nooit zal worden gewroken. En u vindt het nodig me te laten weten dat u een wóórdenboek schrijft.'

Deze keer glimlachte hoofdcommissaris Matsell wel, waarbij hij met zijn ganzenveer tegen zijn lip tikte. Eén keer.

'In een grote stad wonen allerlei mensen. Helaas zijn de personen die het minst ophebben met het gezag tevens degenen die een eigen taaltje hebben ontwikkeld, waarvan de oorsprong ergens te vinden is in de nevelen van de Britse geschiedenis. Wat u voor u ziet, is de eerste aanzet voor een lexicon van het Flash. Een woordenlijst van de boeventaal, zo u wilt.'

'Daar zult u mijn hulp niet bij nodig hebben. U bent immers zelf grondig thuis in de handel en wandel van boeven.'

Hij lachte. Ik keek naar zijn handschrift: stevig, een beetje arrogant en ondersteboven. Ik moest hem nageven dat het een briljant idee was om de taal van de misdaad in kaart te brengen. Maar wat had je aan je kennis van Flash als de feitelijke oplossing van een misdaad niet strookte met de Democratische plannen?

'Voor dit lexicon heb ik uw hulp niet nodig, meneer Wilde. Ik heb liever dat u uw tijd aan iets anders besteedt. Zeker nu ik weet hoe belangrijk deze kwestie voor u is. Dat vroeg ik me wel af, weet u. Hoeveel belang u eraan hechtte.'

'Zoveel belang als naar mijn idee ieder weldenkend mens aan dode kinchen zou moeten hechten,' antwoordde ik koel.

'Ik begrijp wat u bedoelt. Graag zou ik ook willen dat ú begrijpt hoe kwetsbaar onze organisatie is. Zijn de kopersterren bij iedereen even geliefd? Wat denkt u, uitgaande van uw ervaringen op straat?'

Ik schudde onwillig mijn hoofd. Voor iedere burger die dankbaar was voor onze waakzaamheid was er een ander die de mond vol had van vrijheid op straat en de geest van de revolutie.

'Harpers mannen stonden machteloos,' sprak Matsell verder. 'Daarom is dat experiment mislukt. Niet omdat deze stad niet diep vanbinnen beseft dat wij ordehandhaving nodig hebben, maar omdat de New Yorkers incapabele nietsnutten rauw lusten en onze misdadige medeburgers hun argumenten in de taal van patriotten verpakken. Ik ben niet incapabel, meneer Wilde, maar bevindt mij wel in een onmogelijke positie: het is uiterst moeilijk om iets oudere misdaden op te lossen. Nagenoeg onmogelijk. Een dag gaat voorbij, een week, en alle sporen die de dader achtergelaten zou kunnen hebben, zijn weg. Nu hebben we te maken met een reeks misdaden van een dusdanige aard dat ze de stad op haar grondvesten zouden doen schudden en mogelijk zelfs een bedreiging vormen voor alle kiezers van de Democratische Partij. En als we er voor het oog van het publiek niet in slagen deze moorden op te lossen, als blijkt dat we net zo onbekwaam zijn als die vuilbekkende blauwjassen waarvoor we in de plaats zijn gekomen, zou ik er allerminst van opkijken als de Whigs de komende verkiezingen zouden winnen en ons politiekorps wordt ontbonden. Zij steken hun geld bij voorkeur in banken en fabrieken.'

'Mensen zoals u denken alleen maar aan hun vervloekte partij,' beet ik hem toe.

'U hebt er anders wel uw aanstelling aan te danken.'

'Dat is niet bepaald een eer. Iedere schurk die overweg kan met een met lood verzwaarde stok is voor jullie goed genoeg.'

George Washington Matsell tikte fronsend zijn vingertoppen tegen elkaar. 'Nou, nou, we weten allebei dat dat niet helemaal klopt. Net als bij iedere groep mensen heb je ook onder politieagenten verschillende types: de een wil de straten veilig houden, de ander hoopt in diezelfde straten zijn zak te spekken dankzij de koperen ster op zijn borst. Ik geef onmiddellijk toe dat er schurken in mijn korps zitten, maar daar valt ook in het belang van de Partij niets aan te doen. Naar mijn stellige overtuiging kun je beter een paar bruikbare bandieten dulden dan geheel zonder politie zitten. Daarom zijn er onder de straatagenten zowel rabauwen als fatsoenlijke kerels. En dan hebben we u nog.'

'En wat ben ik?' Ik deed niet mijn best om het chagrijn op mijn gezicht te verbergen. Het voelde alsof het daar permanent zat.

'De anderen zijn allemaal bezig met het voorkomen van misdaden. De straatagenten en ook de commandanten. Maar een misdaad voorkomen is iets geheel anders dan een misdaad die reeds is begaan oplossen. Ik vermoed dat we uw rol daar moeten zoeken, meneer Wilde. De oplossing zoeken nadat de daad is begaan. Dat ligt niet binnen ieders mogelijkheden, weet u. Dat is het dus wat u gaat doen. Het raadsel oplossen en aan mij rapporteren, uitsluitend aan mij.'

'Wélk raadsel oplossen?'

Hij spreidde zijn handen in een vriendelijk gebaar en liet ze ontspannen op zijn bureaublad liggen. 'Is er nog een ander raadsel dat u bezighoudt?'

Ik wierp een blik op Matsells kaart. Mijn gedachten kliefden als in een messengevecht razendsnel alle kanten op. Ik staarde naar het punt waar de stad knarsend tot stilstand komt en waar de kinchen onder de zwijgende bomen waren begraven. Zo vurig als ik hoopte te ontdekken waarom ze daar waren verstopt, had ik zelden iets willen weten. Nooit eerder had een raadsel dergelijke gevoelens bij me teweeggebracht. Het kwam door Bird, deels althans, en door de anderen, maar eigenlijk was het eenvoudiger. Achter de bar werken is als een streep in het zand trekken en dat bij herhaling, steeds weer dezelfde verrichting; en om het vol te kunnen houden droom je tussendoor van je eigen veerboot en een stukje grond op Staten Island. Je hersens gebruiken om voldoende belangstelling aan de dag te leggen en zo wat te kunnen verdienen was ook daar vereist, maar wat je ook over een klant te weten kwam, een uur na sluitingstijd was je het altijd weer vergeten; de gebeurtenissen van een nieuwe dag wisten de sporen uit van de voorgaande. Maar dit was één doel, een berg die je kon beklimmen om de top met eigen ogen te aanschouwen. Ik móest gewoonweg weten wat er was gebeurd.

En nu leek het erop dat ook de hoofdcommissaris datzelfde brandende verlangen kende. Ondanks de Democraten.

'Er is vooral één raadsel dat me bezighoudt,' zei ik zachtjes.

'Dan stel ik voor dat u dit bij u houdt,' zei hij, en hij overhandigde me de koperen ster, waarbij het hem ook nog eens lukte er niet zelfvoldaan bij te kijken.

'Zei u alleen maar dat ik weer de straat op moest om erachter te komen wat mijn reactie zou zijn?'

'Het was aanzienlijk verhelderender dan ik had verwacht.'

Ik duwde de speld open en prikte de ster weer op mijn revers. Daar hoorde die naar mijn gevoel ook. 'Ik heb geld nodig,' zei ik. 'Ik zal het eerlijk gebruiken, dat zweer ik. Ik heb het nodig als smeergeld voor de krantenjongens.'

'Een uitermate slimme zet. Ik stel voor dat u uw broer daarom vraagt. Hij zal morgen bij de bestuursvergadering zijn en daar beschikken over een kas met donaties voor de Partij die nog niet in de boeken zullen zijn genoteerd. Geen woord daarover tegen wie dan ook, uitgezonderd commandant Wilde, en meneer Piest, mocht u behoefte hebben aan nog een bondgenoot. De man die de kranten heeft aangeschreven is een gek. Er zijn geen dode kinchen, ze zijn er ook nooit geweest. Hebt u mij begrepen? En als blijkt dat een van mijn kopersterren achter die infame flauwekul zit, sleep ik hem aan zijn ballen naar de binnenplaats. O, en voordat u vertrekt: vergeet niet uw verslag te schrijven over dat kruitvat dat dankzij uw inspanningen vanmiddag niet de lucht in is gegaan.'

'Succes met het lexicon,' zei ik verontschuldigend toen ik bij de deur was aangekomen, en ik tikte tegen mijn hoed. 'Het is echt een zeer goed idee.'

'Het was het beste idee dat ik ooit heb gehad, totdat ik bedacht om een specifieke politieman opdracht te geven een specifieke misdadiger op te sporen,' antwoordde hij kalm. 'En nu weg hier, meneer Wilde. En geen woord hierover, tegen niemand!'

Ik schreef het verslag, waarin ik doelbewust uitdrukkingen als 'mishandeling met het oogmerk om te doden', 'levensbedreigend', 'openbare dronkenschap en verstoring van de openbare orde' verwerkte. Daarmee wist ik voor een groot deel goed te maken dat ook het woord 'voederknol' in het verslag belandde. Omdat ik nog niet over het geld beschikte om de krantenjongens voor me te laten werken en er bovendien erg naar verlangde Bird te spreken, liep ik vervolgens naar huis, naar Elizabeth Street. De rand van mijn hoed beschermde me tegen de stekende namiddaghitte van de augustuszon. Op zo'n twintig meter van mijn woning zag ik iets wat me hogelijk verbaasde.

Voor onze voordeur stond een deftige koets, van het soort dat je niet voor de bakkerij van mevrouw Boehm verwachtte. Stof van de weg had de pikzwarte verf dof gemaakt.

Ik bleef staan om het geval te inspecteren. De zwarte koetsier op de bok zag me niet, want hij zat met zijn bezwete rug naar het westen gekeerd. Ik ging op mijn tenen staan, strekte me nog verder uit en tuurde naar binnen. Misschien had ik verwacht een dokterstas te zien, Peter Palsgrave die als bij toverslag was gekomen om ons te helpen. Of de eigenaar van een krant die gekomen was om een verhaal uit me los te peuteren en die zijn aantekeningen voor de uitgave van morgen in een tas op de bank had laten liggen.

Ik zag niets van dat alles. Maar vermengd met de geuren van de straat en van het warme leer van de bekleding, dreef traag een zweem van viooltjes mijn kant op. De angst sloeg me om het hart, ik draaide me om en dook de bakkerij in.

Geen spoor van mevrouw Boehm. Trouwens ook niet van Bird. Mijn spieren stonden onderhand zo strak gespannen dat ze mijn botten dodelijk omknelden. Wel zat Silkie Marsh daar, engelachtig en glimlachend en volmaakt onschuldig, aan de bakkerstafel te nippen van een kopje thee. Ze was gehuld in de meest flatterende tint groen die je je kunt voorstellen en rook naar viooltjes.

'Neemt u me niet kwalijk dat ik u onaangekondigd een bezoek breng, meneer Wilde,' zei ze met een geoefende schuchtere blik. 'Ik hoop dat u het niet al te ongemanierd van me vindt, maar ik… Ik was zeer ontsteld. Uw hospita moest weg in verband met een bestelling, maar was zo vriendelijk eerst nog wat thee voor me te zetten. Zal ik voor u ook inschenken?'

Denk eraan, ik hoef niet vriendelijk te kijken, dacht ik. Het is volkomen normaal dat ik verrast reageer. Beschouw het als een kans. Houd je kaarten bij de borst en bid tot God dat Bird de hele tijd boven is gebleven.

'Veel tijd heb ik niet, mevrouw Marsh. Ik moet ook eerlijk bekennen dat u mij overrompelt. Ik zou hebben gedacht dat u mijn broer zou opzoeken als u… als u van slag bent.'

Silkie Marsh liet haar roze lippen in een bedroefde curve glijden en schonk een kopje thee voor me in. Tot mijn afgrijzen ontdekte ik wat er schoongeboend door mevrouw Boehm en netjes opgevouwen op een stoel naast de meelzakken lag: Birds nachthemd. Dat had of als bewijs veiliggesteld moeten worden of verbrand moeten zijn, maar was in plaats daarvan door toedoen van een nijvere huisvrouw in een tobbe met potas en steenkalk beland. Er was met geen mogelijkheid te achterhalen of Silkie Marsh het had gezien, geen enkele vraag die ik kon stellen zonder te veel te onthullen.

'Ooit was Valentine inderdaad de eerste naar wie ik in dergelijke omstandigheden zou zijn gesneld. Maar het kan u niet zijn ontgaan dat... het een gevoelig onderwerp is.' Ze rilde, deze keer echt. Het enige gekunstelde eraan was dat ze haar emotie opzettelijk niet voor me verborg. 'Val houdt van afwisseling, meneer Wilde. Ik vrees dat mijn toewijding aan hem niet langer wordt opgemerkt.'

'In zijn geval blijft de toewijding van de meesten onopgemerkt.'

Haar berustende, lijdzame blik sloeg om in een veelbetekenende glimlach. Een geschenk. Een geheimpje tussen haar en mij. 'U kent hem uiteraard beter dan ik. Dat zijn aandacht voor mij is afgenomen doet mij veel verdriet, maar u hebt uiteraard volkomen gelijk: hij is terecht gewend aan veel bewondering.'

'Ik weet niet in hoeverre dat terecht is. Maar vertelt u mij: wat kwelt u zo?'

'Ik heb vanochtend de krant gelezen,' zei ze nog zachter fluisterend. 'Het was zeer... Het heeft mij zeer ontzet, meneer Wilde. Beangstigd.'

Als kinderen op regelmatige basis uit haar hoerentent werden afgevoerd door een man met een zwarte kap die ze ook nog eens opensneed, kon ik haar die gevoelens redelijkerwijs niet kwalijk nemen. En al helemaal niet als ze er op enige wijze mee te maken had.

'Waar was u persoonlijk bang voor, mevrouw Marsh?'

Ze tuitte haar lippen van zogenaamde teleurstelling en knipperde snel met haar lange wimpers. 'Wat dacht u van het welzijn van onze stad, meneer Wilde? Rellen, misschien. Chaos in de straten. Het welzijn van de Ieren en de toekomst van de Democratische Partij, waar ik volledig achter sta. Grote verliezen bij de eerstkomende verkiezingen, natuurlijk. Of veronderstelt u dat mijn belangen meer van persoonlijke aard zijn, aangezien ik u een bezoek breng dat voor ons beiden ongemakkelijk moet zijn?'

Een bekentenis, zelfs al was die niet volledig, was een stoutmoedige zet. Maar mensen neigen er nou eenmaal toe mij van alles toe te vertrouwen. Ik nam een slokje van de thee die ze had ingeschonken en probeerde de stilte te duiden. Alles wat tot nog toe was gezegd had mijn spanning alleen maar gevoed. Maar Silkie Marsh had gelukkig wel ergens geleerd dat haar stem meer overredingskracht had als ze helder en krachtig sprak. Bird moest ons kunnen horen, ook boven. Ik hoopte vurig dat ze ons kon horen.

'U dwingt kinchen in uw bordeel te werken, ik ben met Val bij u geweest om het trieste nieuws over Liam te brengen en vervolgens weer vertrokken met medeneming van twee van uw jongste kinchin-mabs,' vatte ik alles samen. 'En nu wilt u weten hoe dat allemaal zo is gekomen.'

Ze schudde beslist haar blonde haardos. 'Ik maal niet om wat er is gebeurd. Ik wil weten of mijn zusters, de mensen die voor mij werken, iedereen die in mijn huis woont… of wij moeten vrezen voor ons leven.'

'Ik zou denken dat de ongelukkige kinchen die onder uw dak moeten verblijven toch al sterk vrezen voor hun leven. Als je dat wat ze hebben althans nog een leven kunt noemen.'

Haar ogen fonkelden binnen de blauwe ring die haar pupillen omsloot. Het was geen berekende schittering, maar een van verbittering en vermoeidheid. Een verstarde wrevel, te vast geworteld om te verhullen.

'U staat niet alleen in uw onvermogen mij in een positief daglicht te zien, meneer Wilde. Maar ik kom niets tekort en hetzelfde geldt voor alle leden van mijn huishouding. Ik ben een welgestelde, onafhankelijke vrouw. Ik zal niets zeggen over de voordelen van naaiwerk op bestelling tot je er van de honger of anders van de kou bij neervalt, en evenmin iets over de geneugten van fabrieksarbeid waar gunsten met geweld worden afgedwongen in plaats van dat ervoor wordt betaald. Maar ik ben de eigenares van mijn etablissement. Ik bepaal ook zelf wat ik met mijn tijd doe en dat is nog veel meer waard. Het is niet onrealistisch te veronderstellen dat een aantal van de kinderen die onder mijn hoede opgroeien later ook succes zal hebben. En hier zit ik nu voor u, terwijl ook ik op mijn negende een teer wichtje was.'

Ik knipperde hard met mijn ogen. Want als het waar was, als zij hetzelfde had ondergaan, als ze de ervaringen die Bird ertoe brachten aardewerk kapot te smijten zelf had ondervonden... dan kon ik hier niets zinnigs op zeggen. Er zijn littekens waarvan ik niet kan zien hoe diep ze gaan, aangezien mijn eigen littekens van een ander slag zijn. En als ze zat te liegen, was ze geen antwoord waard.

Het leek Silkie Marsh te ergeren dat het gesprek was vastgelopen. Ze rechtte haar rug en roerde een keer met haar lepeltje in haar kopje alsof ze een hardnekkig klontje suiker wilde oplossen, al was gezien de ontbrekende wasem duidelijk dat ze ten minste een kwartier op me had zitten wachten. Toen ze opkeek, lag er weer een opgewekte trek om haar mond en een roze blos op haar wangen.

'Vertelt u me alstublieft wat er echt met Liam is gebeurd,' zei ze. 'Trouwens, hoe bent u erachter gekomen wie hij was en waar hij woonde?'

'Iemand van de armenzorg kon ons dat vertellen.'

'Ah. Dat moet miss Mercy Underhill zijn geweest.'

Een onaangename schok schoot als gloeiend hete koffie door mijn bloed. De schrik moet op mijn gezicht hebben gestaan, want Silkie Marsh keek ineens zeer voldaan. Ze hield haar kin iets schuin in dezelfde hoek als mijn hoofd.

'Het kon bijna niemand anders geweest zijn, meneer Wilde. Ik zie haar niet vaak, maar ze is immers zeer met kinderen begaan. Ik zou niet weten wie anders Liam na een vluchtige ontmoeting zou hebben herkend.'

Er klonk een vreemde bijklank in haar stem door, wat me voor nog meer raadselen stelde. Maar toen ik eenmaal het nieuws had verwerkt dat de twee vrouwen elkaar kenden – en wat was daar in feite verrassend aan, Mercy kon onmogelijk kinchin-mabs hebben geholpen zonder hun madam te ontmoeten – verbaasde het me eigenlijk niet meer dat Silkie Marsh zo'n hartgrondige antipathie voelde voor de mooie, ontwikkelde predikantsdochter. Het verklaarde in ieder geval de bitterheid die door haar flauwe glimlach heen schemerde.

'Kunt u me er niet meer over vertellen?' probeerde ze. 'Ik wil zo graag helpen, weet u.'

'Vanwege mijn broer?'

'Hoe u verder ook over me denkt, meneer Wilde, en u permitteert zich daarbij veel vrijheden, ik kan niet toestaan dat u ervan uitgaat dat ik niets om mijn eigen zwakke broeders en zusters geef.' Die woorden waren welbewust scherp gekozen, wat ze onderstreepte door kort en stekelig te articuleren. 'Ik heb New York niet gebouwd, vraag me dus ook niet om het opnieuw vorm te geven zodat het beter met uw ideaalbeeld strookt. Is er íets wat ik kan doen?'

'Nee. Maar desondanks: dank u wel. U bent gekomen om mij zoveel mogelijk informatie te ontfutselen, ik waardeer daarom het aanbod van een tegenprestatie.'

Ik had haar willen opschrikken, op de een of andere wijze die infame glimlach van haar porseleinen gezicht willen slaan, maar bereikte alleen dat haar glimlach echt doorbrak.

'Valentine had u kunnen vertellen dat ik een zeer billijk persoon ben. Maar naar ik begrijp, luistert u bij lange na niet genoeg naar uw broer, weet u over het geheel niet goed wat u met hem aanmoet.'

'En u gaat dat een stuk beter af, heb ik gezien.'

Die uitspraak bewerkstelligde wat me met een rechtstreekse belediging niet was gelukt. Uiteraard. Het beetje hart dat ze nog had, had ze overduidelijk aan de verkeerde persoon geschonken. Ik betreurde het daarom toen haar ogen niet langer mij maar in plaats daarvan Val zagen en ze terugdacht aan die eerste harteloze streek die hij haar had geleverd. Haar lippen trilden even voordat ze weer in het gareel werden gebracht en ze glimlachte alsof haar leven ervan afhing. Dat was denkelijk ook zo geweest. Meer dan eens.

Ze liet zich bevallig met haar ruisend groene moiré van haar stoel glijden en keek zoekend rond naar haar handschoenen, die op de broodtoog lagen.

En daarbij viel haar oog op het nachthemd. Silkie Marsh keek snel naar mij om.

'Ik kon Neill en Sophia toch niet met goed fatsoen in dat kloffie bij een kerk afleveren?' zei ik misprijzend.

'Natuurlijk niet, meneer Wilde,' antwoordde ze, een en al suiker en vergif, flink geroerd en tegen het kookpunt aan. 'Niettemin hoop ik van harte dat u ze navenant hebt beloond nadat ze hier hebben... gerust. Nadat ze overduidelijk een bron van uitmuntend vermaak zijn geweest. In mijn eigen etablissement sta ik er altijd voor in dat ze naar behoren worden vergoed voor hun tijd.'

'En als ik ontdek dat u weer een kinchin in dienst hebt genomen, dan zal kinderprostitutie, en Christus sta me bij – wat zeg ik, iedere vorm van prostitutie die plaatsvindt onder uw dak plotseling godvergeten onwettig blijken te zijn.'

Voordat ik haar kende, wist ik al dat vrouwen in staat waren een man een dodelijke blik toe te werpen en tegelijk liefjes naar hem te lachen. Maar ik had het nooit met eigen ogen gezien. Het is behoorlijk huiveringwekkend als het goed wordt gedaan.

'Het zal niet meevallen om door het leven te gaan als Valentine Wilde's ondermaatse broertje. Het verbaast me niets dat u zo verbitterd lijkt,' zei ze minzaam, terwijl ze de deur uit liep.

'En zal ik Val de hartelijke groeten doen?'

De deur viel met een klap dicht.

Tegen die tijd voelde ik me behoorlijk beurs. Opgelucht en kwaad en opgejaagd en gemangeld door snelle, sluwe vuisten. Ik besloot dat ik mevrouw Boehm bij haar terugkomst onmiddellijk op zeer beleefde toon zou uiteenzetten waarom deze vrouw onder geen beding ooit nog het huis mocht betreden. De met bloem bestoven tafel, waar ik net op een prettige manier aan gewend was geraakt, zag er sinds Silkie Marsh eraan had gezeten misplaatst uit. De lucht was verschoven en ik wist niet hoe ik die weer op zijn plek moest krijgen. Ik zette daarom mijn hoed af, liep naar de kast waar ik mijn weinige voorraden bewaarde en schonk een flinke scheut brandewijn in mijn thee.

Achter me hoorde ik een voetstap, blootsvoets, slechts een schim van een stap.

'Ik had me niet verstopt, hoor,' verkondigde Bird.

Ik draaide me om. Ze stond haar provisorische jute riem om haar middel te knopen, haar haar hing los, waardoor ze er nog frêler uitzag dan anders, uit haar grijze ogen sprak doodsangst en haar New Yorks accent klonk onveranderlijk als de Hudson.

'Natuurlijk niet,' zei ik spottend. 'Mijn god, nee zeg. Ik dacht, hoopte eigenlijk, dat je stond te spioneren. Goed verscholen, zoals iedere beroepsspeurder.'

Gezien mijn kijk op de dingen werd het de hoogste tijd dat ik ook eens ging liegen. De handen van mijn jonge maatje trilden.

Bird knikte uitgeput en trippelde naar de tafel.

'Klopt, dat deed ik. Voor spion spelen. Hebt u haar even op haar nummer gezet!'

'Vind je?'

'Ik wist wel dat u haar aan zou kunnen en nu weet ik ook hoe dat komt. Ik had niet meteen door waarom ik vanaf het begin zeker wist dat u te vertrouwen bent. Maar ik had u herkend, dat weet ik nu door haar. Ik herinner het me nu ook.'

Ik liet me met mijn thee op een stoel vallen, leunde met mijn ellebogen op mijn knieën en keek haar aan. 'Maar je had me nog nooit gezien.'

'U niet,' zei ze. 'Maar meneer V wel. Als er grote partijen waren, verkleedde ik me als dienstmeisje en bracht drankjes rond voor de heren. Meneer V heeft me een keer een sinaasappel gegeven die hij in zijn zak had zitten. Ik zou het sneller hebben gezien als u even lang was geweest als hij.'

Ik slaakte een sombere zucht.

'Was hij een van de goeien?'

'Een van de besten. En u lijkt sprekend op hem. Broers? Dat verklaart alles.'

'Nee, doet het niet. Maar wel wat.'

We luisterden een tijdje naar de Duitsers in het buurhuis. Het klonk alsof ze vochten of dansten. Afgaande op het gestage gestamp, het grillige gegil en de incidentele schrille lach leek het allebei even waarschijnlijk. Maar ik had er inmiddels geen notie meer van wat boven en wat onder was, dronk daarom langzaam mijn thee op en keek hoe Bird haar naam, haar Ierse naam, in het fijne laagje bloem schreef dat altijd op het tafelblad lag.

'Als je precies wist wat er gebeurd was,' vroeg ik zachtjes, 'dan zou je me alles vertellen, toch?'

Bird knikte ernstig. Maar ze zei niets. Ze trok alleen streep na streep door haar naam op het tafelblad. Meedogenloos secuur ging ze daarbij te werk, tot er nog slechts een schone strook hout te zien was, alsof ze er nooit was geweest.

15

Bovendien kan men eenvoudig een juiste schatting maken van het aantal paapse onderwijzers en leermeesters aan de hand van het daadwerkelijke effect van lessen en instructies. Nog geen een op de twintig, en misschien slechts een op de vijftig kan lezen of schrijven.

• De Amerikaanse protestant ter verdediging van de burgerlijke en godsdienstige vrijheid in de strijd tegen de paapse horden, 1843 •

De volgende dag werd ik bij het ochtendgloren wakker. Een onzichtbaar, kartelmes zaagde weinig doelmatig heen en weer in mijn nek. Dronken dus, bedacht ik – te veel gezopen de vorige avond. Eindelijk. Dat had ik wel verdiend. Mijn keel was bekleed met een donzig whiskytapijtje.

Wat had ik ook al weer uitgespookt?

Pas toen ik beneden was en buiten in de ochtendzon de kom waarin ik mijn hoofd had ondergedompeld had geleegd boven de planken bij de voordeur om het stof op de grond te houden, wist ik het weer. Verloren met kaarten. Van een kinchin dat zo haarfijn kon voorspellen welke kaart er gespeeld zou worden, dat ze wel zes keer vier tegen één had opgestreken. En toen hadden Bird en ik quitte gespeeld, waarbij we in plaats van geld de aanmaakhoutjes van de achterplaats hadden gebruikt en elkaar steeds driester hadden weten af te troeven.

Ik rekte me uit en liep weer naar binnen.

Opeens zag ik daar in het vale licht van de ochtend Silkie Marsh weer voor de tafel staan, zoals ze in mijn geheugen gegrift stond op het moment dat ze de nachtjapon had zien liggen en vervolgens haar hoofd naar mij had omgedraaid alsof er aan een touwtje werd getrokken.

Een kwartiertje later stond ik aangekleed in de deuropening van mevrouw Boehms kamer, nadat ik snel de *Herald* had doorgebladerd om te zien of er nieuws was. Matsell leek zijn kruiwagens te hebben gebruikt, want in een van de artikelen werd gemeld dat de brief over de Ierse kinchin-mabs 'vol leugens van de meest schandalige, helse en lachwekkende soort stond'. Toch had ik geen tijd te verliezen.

'Bird,' riep ik zachtjes.

Vanuit haar onderschuifbed keek Bird me knipperend, met waterige oogjes aan. Beneden hoorde ik de bakkerijdeuren van het slot gaan.

'Ga vandaag maar met mij mee,' zei ik. 'Weg uit dit huis.'

Ze aarzelde. Ik begreep die voorzichtigheid wel, nu ze Silkie Marsh hier gisteren had gezien.

'Je wilt vast niet weten,' zei ik geeuwend, 'hoe een bliksemmaker toneelvuurwerk maakt.'

Eerst hadden we echter afdoende geld nodig om Hopstill te betalen, aangezien we hem nodig hadden om de krantenjongens om te kopen.

Toen Bird en ik onze broodjes en thee op hadden, liepen we in zuidwestelijke richting om na een minuut of tien uit te komen bij Chambers Street, tegenover de hardnekkige schimmelvorming op het aangezicht van de stad New York die bekendstaat als City Hall Park. Augustus had vakkundig de bomen langs de parkrand vermoord en we vingen een zweem op van de stank van een toom zwerfkippen die een naargeestige overnachtingsplek hadden gecreëerd op de steentjes onder hun dode takken. Aan de noordkant van Chambers Street stond echter een keurig verzorgd herenhuis dat eruitzag alsof het ergens anders was opgetild en hier was neergezet. De entree werd geflankeerd door twee diepgroene essen met fluwelen blad.

Op de bovenste drie treden van het trapje naar de voordeur zat natuurlijk een politieman. Hij was gekleed als spuitgast, zoals zovelen van ons nog steeds waren uitgedost, en had zijn koperen ster in het rode flanel geprikt. Met een niet aangestoken sigaar in zijn mond was zijn rouwdouwersuniform compleet. Hij was blond, zelfs lichter nog dan mijn broer en ik, maar boven zijn vlezige lippen zat een snor, wat ongebruikelijk was. Hij heette Moses Dainty en was net zo'n Democraat als Paulus de Apostel een christen was. Zo iemand die het al een eer vond om mijn broers vuile was te mogen dragen.

'Dus jij hebt ook al een koperen ster op, Wilde?' riep hij loom, toen hij me in de gaten kreeg. 'Jij bent het toch? Val zei dat je het flink voor de kiezen had gekregen bij die brand in juli. Dag, jongedame,' voegde hij eraan toe, en hij spuugde beleefd opzij. 'Ze zijn druk aan het polletieken binnen, dus mondje dicht, popje. Wil je dat doen, voor de Partij?'

'Ik hou me wel kin,' beloofde Bird zich stil te houden.

Een kar van de Knickerbocker Company kwam aan gedenderd met paarden die tegen het kookpunt aan zaten. Twee mannen sprongen op straat, gooiden de lekkende achterklep open en trokken met smeedijzeren tangen een groot blok ijs naar buiten.

'Via de achterdeur, jongens. Jullie krijgen je loon als het ijs in de keuken ligt,' riep Moses ze toe.

'Sjieke bedoening, zo'n partijbijeenkomst,' merkte ik op.

'Bij die van vandaag mag alleen het beste op tafel komen. IJs voor de kreeft en de rumpunch, ook nog twee geroosterde varkens – het is een van de grandigste bijeenkomsten van het jaar. Waarom blijven jullie niet ook eten? Kiezers zijn altijd welkom.'

De zaal met het hoge plafond zat bomvol. Mannen in nauwsluitende zwarte pandjesjassen en met felgekleurde halsdoeken stonden op een klein podium achter in de zaal, mannen in flanel dat even rood was als hun haar leunden tegen de muur onder het gewijde portret van Washington, en weer anderen zaten aan tafels voor een beroerd uitgevoerde muurschildering van de Onafhankelijkheidsverklaring, voorzien van foeilelijke handtekeningen van wel dertig centimeter hoog. Verder stond er een grote groep mannen keurig in de rij, alsof ze voor een kassa stonden. Ik draaide me vragend om naar Bird, die er ook niets van begreep en net op dat moment haar wenkbrauwen in verwarring tot een fraai verticaal lijntje trok.

Eerst kon ik niet precies thuisbrengen wat er niet klopte. Er stonden misschien in totaal veertig man achter elkaar te wachten. Ik keek wat beter. Het leek wel of ze stemformulieren in hun vuisten geklemd hielden, maar de verkiezingen waren nog een heel eind weg. Toen bereikte me de zurige dennenlucht van door het lichaam geabsorbeerde alcohol en viel me hun wiegende houding op die al evenzeer aan dennen deed denken, alsof er een bosbriesje in de zaal stond, en besefte ik dat ze stomdronken waren. Verder waren ze stuk voor stuk Iers, of ze nou rood of zwart waren, maar hadden ze allemaal een volle baard, wat niet gebruikelijk was onder Ieren.

Ten slotte rijmde hun uitdossing niet met hun uiterlijk. Bij geen van hen. Elke ongelikte beer in de rij droeg het kostuum van een gestudeerd man. Een kerel met bouwvakkershanden als kolenschoppen stond naar de muur te staren in een te kort habijt van een niet aan enig kerkgenootschap verbonden predikant. Een ander, uit wiens huidskleur van schilferend lood ik opmaakte dat hij zijn nachten doorbracht in een miserabel kelderhok, had een geknoopte satijnen foulard om en een gedeukte gouden monocle in zijn oog. Een vechtersbaas met bloemkooloren die door de alcohol was genekt en in de hoek zijn roes lag uit te slapen, hield zelfs in zijn slaap nog dromerig een wandelstok met een ivoren knop onder de arm geklemd waarin een esculaap was uitgesneden.

'Goed, mannen,' bulderde Valentine vanaf het spreekgestoelte voor in de zaal, met sprankelende groene ogen en de handen op de heupen. Nuchter, wat blijkbaar zijn gewoonte was als hij voor de Partij moest opdraven. 'Als die vertoning van daarnet niet beter kan, moet dat stelletje loenenaars dat jullie zijn het de volgende keer zonder neut doen. Ik kan niet toelaten dat de Partij bij de verkiezingen het onderspit delft als gevolg van onze eigen vrijgevigheid. Vooruit, laat maar eens wat zien, Canavan!'

De zuiplap in het habijt hield het vodje papier als een gewijde standaard voor zich en marcheerde vastberaden op een groene kist af die op de robuuste houten tafel stond waartegen mijn broer ontspannen leunde. Net toen hij het zogenaamde stemformulier in de gleuf wilde proppen, greep Val hem bij de arm.

'Loop rond, je neemt me in de maling,' smaalde Val, en hij kneep het vel van de man venijnig tussen zijn vingers. 'Je wilt toch niet zeggen dat je op de Democraten wilt stemmen!'

'Jawel!' kermde de Ier.

'Ik geef je een afranseling die je nog lang zal heugen. Ik breek je botten, een voor een. Ik muim je tot een bloedige moes waar de honden wel pap van lusten.'

'Dat doe je niet!' schreeuwde zijn slachtoffer, dat zich blindelings losrukte en het stembriefje ferm en onomkeerbaar in de vereerde groene kist propte.

Er klonk een bescheiden applaus na deze voorstelling vanaf de verhoging tegen de achterwand, een lentebuitje van milde goedkeuring. En nu begreep ik ook waar ze mee bezig waren. Het was natuurlijk een repetitie voor de verkiezingen, en ik had nog wel gezworen dat ik nooit zoiets zou bijwonen. Bovendien zou er nog maandenlang van geen verkiezing sprake zijn. Zo'n repetitie moest voorkomen dat stemgerechtigde mannelijke kiezers in Democratische districten bij de stembus zouden worden weggehouden door vechtersbazen van de Whigs. Niet dat de Democraten niet hun eigen krabbedaaiers op Whigslocaties zouden laten posten, natuurlijk. Niets werd zo de moeite van het knokken waard geacht als de stem van een stemgerechtigde, huur betalende vrije burger. Wel zouden de kiezers op de echte verkiezingsdag een tikkeltje minder beschonken zijn door vloeibare Democratische omkoperij. Een tikkeltje.

'Niet slecht,' zei Val goedkeurend, toen de zogenaamde geestelijke terugwankelde naar de stoelen. 'Die had je mooi te pakken. Nu jij, Finerty! Zet je beste beentje voor.'

De kelderrat met de roomwitte halsdoek ter waarde van zeker veertien dagen huur van een fatsoenlijk onderkomen, kwam naar voren. Wel enigszins aarzelend. Bird werd volledig in beslag genomen door het schouwspel, zag ik toen ik even opzij keek. En ik moet toegeven dat het uiterst boeiend was om te zien hoe volwassen mannen via de voorgeschreven stappen hun met drank gekochte stem uitbrachten om maar te zorgen dat de Partij de benodigde voorsprong zou halen. Boeiend en ook niet weinig verontrustend. Bird trok aan mijn mouw en fluisterde: 'Die gaat het niet redden. Die kan geen list verzinnen.'

Dat leek me ook, maar dat liet ik niet merken.

'Wedden om een dollar dat het hem wel lukt?'

'Dat staat bijna gelijk aan jatten.' Ze lachte en haar ogen vonkten als graniet. 'Maar ik vind het best. Waarom hebben ze allemaal een baard?'

'Geen flauw idee.'

De keldermol veegde het dronkemanszweet van zijn voorhoofd en spreidde zijn armen plotseling wijd en verwelkomend uit. 'Oude vriend van me! Als dat m'n oude schoolmakker uit Kilcolgan niet is! Dankzij de…'

Zijn poging om de stem met zijn linkerhand uit te brengen terwijl hij Vals vingers met zijn rechterhand omklemde mislukte toen Val zijn arm ronddraaide alsof hij een wals danste en Finerty om zijn as liet draaien alvorens hem met een stevige duw weg te slingeren. Finerty eindigde languit op de planken. Er steeg een luid gejoel op. Mijn broer leek vooral teleurgesteld. Hij wenkte een andere goede maat van hem uit zijn vroegere brandweerploeg, een kolossale, getaande spuitgast met een gebroken neus die naar de naam Scales luisterde. Zoals te verwachten was, droeg ook Scales een koperen ster. Ik begon het idee te krijgen dat ik de halve politiemacht van Wijk 8 al kende.

'Sleep dit geval naar achteren, Scales, en giet er koffie in tot het weer een mens is,' beval mijn broer. 'Rap een beetje, en laat Moses je helpen als het niet…'

Toen kreeg Val mij in de gaten, zoals ik daar roerloos stond toe te kijken met mijn armen over elkaar en mijn hoed ver over mijn ogen getrokken. Val zo overrompelen dat hij stilvalt druist feitelijk tegen alle natuurwetten in. Maar mij ontdekken bij een Democratische bijeenkomst was kennelijk het geëigende recept. Er was echter meer aan de hand. Aan de stand van zijn mond die iets vertrok alsof hij een nieuw woord op het puntje van zijn tong had, zag ik dat hij me iets wilde vertellen.

'Tien minuten pauze!' bulderde hij met een stem waarin vermoeide ergernis doorklonk. 'Dan kunnen wij in die tijd een Ier leren wat drinken is. Dat zou niet onze taak moeten zijn, heren en aanwezige kiezers. Dat druist tegen alle traditionele logica in. In de zaal hiernaast ligt brood voor wie voor het warme en koude buffet al wat wil eten. Tien minuten. Daarna rammen we die stembus vol als een straathoer!'

Er brak vanzelfsprekend een daverend applaus los, toen Val van het podium stapte en de brand in het sigarenstompje joeg dat hij in zijn vestzak had gevonden. Hij nam niet de moeite me aan te kijken bij het langslopen, maar gebaarde alleen dat ik mee moest komen. Ik volgde hem, met Bird als een schaduw op mijn hielen.

'Dat is dus een dollar voor mij,' zei ze tevreden.

'Zo dadelijk, want die krijg ik van hem,' antwoordde ik, en ik wees naar Vals rug.

Mijn broer liep naar een zijkamer die duidelijk dienstdeed als kantoor en waarvan de planken uitpuilden van de aanplakbiljetten. Die waren rood en geel en blauw en felpaars en stonden vol louter behartigenswaardige uitingen als BURGERS TEGEN DESPOTISME en HET ZWAARD VAN VERANDERING VOOR DE INWONERS VAN NEW YORK. Val had zich omgedraaid en bleef tegen een tafel geleund staan. Toen hij Bird zag, trok hij heel even zijn oog op, wat enkel zichtbaar was aan de korte siddering die door een van de wallen schoot.

'Heb je weer een zwerfkat opgeduikeld, Tim?' zei hij fronsend.

'Dit is Bird Daly. Ik had je al over haar verteld. Ze logeert bij mij.'

Vals mond viel open en hij wist puur op jarenlange ervaring het stompje sigaar binnenboord te houden. Hij keek nog eens beter en duwde zijn duimen achter zijn broekband.

'Verrek, Silkies miniatuurhitje,' mompelde hij.

'Het is me een genoegen, meneer V,' zei Bird. En het klonk alsof ze het nog meende ook.

Hij schudde haar de hand, terwijl hij mij een priemende blik toewierp. 'Dit is d'r, dus. Het wichtje dat van boven tot onder bedekt was met het verse tomatensap van die Liam, dat joch dat Matsell op het spoor zette van… Jezus, Tim, ben je nou helemaal van de ratten besnuffeld?'

'Kijk een beetje uit wat je zegt, ja,' gromde ik.

Bird leek in het geheel niet van de wijs gebracht. 'Waarom hebben ze allemaal een baard, meneer V?'

Valentines trekken verzachtten zich zodra hij Bird aankeek. 'Ah, ja. Nou, die fijne kerels, die rechtschapen kiezers die je daar net zag waren elk drie personen, met drie verschillende uitdossingen, snappie? We hebben overal in de stad kappers zitten die hard moeten oefenen voor de volgende verkiezing. Die kwibussen daarbinnen zijn eigenlijk zowel een man met een baard als een man met een snor als een gladgeschoren man. En allemaal trouwe Democraten.'

Ik keek hem bitter aan, maar Bird lachte alleen maar. Die vond de politiek één grote grap. Zij had het misschien beter begrepen dan ik.

'Moet je horen, popje.' Val haalde verstrooid zijn vingers door zijn haar. 'Ga hier de deur door, dan linksaf en de trap op. Daar vind je een kamer die niet op slot zit en die vol hutkoffers staat. Daarin zitten kleren. Die kleren zijn voor arme kiezers en vrienden van de Partij, maar dat doet er nu even niet toe. Om die kleren gaat het nu. Je komt hier terug met een jurk die je past of ik hang je aan je oren uit het raam tot ze eraf vallen, begrepen?'

Bird ging er met een grote grijns op haar sproetengezicht vandoor en deed de deur achter zich dicht.

'Je bent echt niet goed wijs, Timothy Wilde,' snauwde Val. 'Wat heeft ze je verteld?'

Ik vertelde dat Birds weergave van de gebeurtenissen niet erg betrouwbaar was, dat ze niet wist waarom de kinchen waren vermoord en verminkt, en dat er volgens haar, maar ook volgens de krantenjongens, een man met een zwarte kap achter de moorden scheen te zitten.

'Je hebt toch wel begrepen dat het onderzoek gesloten is, hè?'

'Dat heb ik begrepen.'

'Luister dan voor één keer naar mij.'

Volgens Val moest ik dankbaar zijn dat ik weer gewoon als straatagent aan de slag mocht. Dolgelukkig zelfs, want daarmee liep ik een stuk minder kans op een ingeslagen kop, dan als ik achter een gestoorde kinchenmoordenaar aan ging. Intussen was alles verder prima geregeld volgens hem. Er was een bewaker bij de begraafplaats neergezet, zodat er geen nieuwe lijken konden worden achtergelaten zonder dat wij de schoft of schoften in de kraag zouden vatten. Wat Bird betrof: haar kon ik diezelfde middag nog bij een katholiek weeshuis achterlaten en verder overal vanaf zijn. Maar hij meende een koppig trekje op mijn smoelwerk te zien, zei hij. Waarom zou ik me druk maken, als ik van zo'n stinkende zaak werd gehaald?

'Dat is nou eenmaal het werk van de politie,' zei ik koel.

'Maar die politie is er dan meteen ook geweest, klunzige mestzak!' Val schudde wanhopig zijn hoofd. 'Als het publiek erachter komt wat er is gebeurd en wij lossen die zaak niet op – en dat kunnen we niet – dan kan de politie van New York wel inpakken. Mocht je snel rijk willen worden, wacht dan even tot bekend is geworden dat we op zoek zijn naar een kinchenmoordenaar die van open ribbenkastjes houdt en zet dan je geld erop in dat de kopersterren er niks van zullen bakken.'

'Zoiets zei de hoofdcommissaris ook al, maar ik moet er toch mee doorgaan. Orders van Matsell. Het spijt me als het je niet zint.'

'Matsell kan de tering krijgen. Je hebt naar mij te luisteren.'

'Ik werk niet in Wijk 8.'

'Niet als politieman, als...'

'En ik ben geen lafbek, zoals sommigen.'

Dat trof beter doel dan gewoonlijk. Val knipperde met zijn ogen. Zijn lip kromde zich zo vervaarlijk, als een verbrande krul schors, dat ik me schrap zette voor een vuist in mijn oog. Toen knipperde hij nog eens en een grijns gleed als een verwrongen carnavalsmasker over de woede.

'Er is nog iets,' zei ik peinzend. 'Anders zou je niet zo doen. Wat is er aan de hand?'

Val trok met een weerzin waarvoor hij blijkbaar geen woorden kon vinden een opgevouwen velletje papier uit zijn binnenzak en smeet het van zich af op de grond. Met het vage gevoel dat ik een onuitgesproken regel had overtreden, raapte ik het op. Ik hoefde er niet lang naar te kijken voor ik besefte waarom mijn broer de bijeenkomst had opgeschort alleen maar om mij iets te laten zien. Een dun, maar ijskoud straaltje schuldgevoel liep over mijn rug. En schuldgevoel, hoe gering dat ook mag zijn, valt verdomd lastig te negeren.

Dit stond er in de brief:

Kijk maar uit prottestantse tiranne want ik ben de geesel van het kwaad, slegtheid is bestraft en ontucht versmaat maar er zullen nog meer offers moete valle voor onze messe Amerikaans bloed zulle vergieten. De lichame van hoere zulle opniew met het heilige Kruis worde getekent en het ongedierte zal zich tegoet doen aan hun ingewande, dat is hun verdiende loon voor de omvang van hun zonde en as die kleine duivels er allemaal an zijn is het eind van jullie tijd nabij. God zal ons tot opstand bewege en de Iere zulle op jullie graf danse. Geloof me, want ik ben

De hand van de God van Gotham

'Flauwekul of niet en wie ze ook schrijft, dit zit je niet lekker,' zei ik verontschuldigend. 'Daar is ook reden genoeg voor.'

Val zei niets. Blijkbaar had ik het bij het rechte eind. Hij kwam overeind, liep naar de kast en haalde uit een van de lades een fles whisky. Daaruit nam hij drie fikse slokken, waarna hij zijn mond keurig afveegde met zijn mouw, de fles teruglegde en de lade met een minachtende klap dichtsloeg.

'Hier staat dat er nog meer moorden gaan volgen,' besefte ik. 'God, Val. Geloof je dat? Dat hij nogmaals zal toeslaan? Dat een Ier met een gestoorde geest achter deze moorden zit? Zit dat je soms dwars?'

'De vent die dat geschreven heeft is geestesziek. Als je denkt dat het een aardig tijdverdrijf is om kinderen de darmen uit het lijf te rukken, is er wel meer dan een steekje aan je los. De politie heeft sterke banden met de Democraten, en de Democraten hebben op hun beurt weer sterke banden met de Ieren. Om in de gaten te hebben wat mij dwarszit, Timothy, hoef je alleen maar ogen in je kop te hebben.'

'Reden te meer voor mij om dit zo snel mogelijk op te lossen.'

'Ik snap niet dat die kop van jou op je schouders blijft staan met zo weinig inhoud. Luister. Stel dat die brieven echt zijn. En stel dat jij die gestoorde smeerlap weet te vinden. Stel dat je inderdaad een Ier bij de kladden grijpt die zich bezighoudt met het nifteren van kinchen – hoe denk je dat de stad op dat nieuwtje zal reageren?'

Hoe onaangenaam ik het ook vond om mijn broer gelijk te geven, toch moest ik toegeven dat daar wel wat in zat. Ik begon te vermoeden dat ik niet had willen geloven dat die eerste brief echt van een gestoorde Ier afkomstig was omdat dat heel, heel slecht nieuws zou zijn en niet omdat dat niet geloofwaardig was.

'Dan heb je de poppen aan het dansen,' zei ik. 'Maar wat deze brief betreft... Moeten we ons zorgen maken over de kranten?'

'Hoe denk je dat ik hieraan ben gekomen? We hebben de kranten zwijggeld betaald, genoeg om ze een maand of wat koest te houden. Als er meer brieven komen, sturen ze die naar ons door. Een klerk bij de *Herald* heeft deze vanochtend tussen de post gevonden. De klootzak had er natuurlijk zoveel schik in om zijn naam in de krant te zien staan, dat hij het niet kon laten er nog een te schrijven.'

Mijn broer stak zijn hand uit. Ik wist wat hij van plan was en aarzelde. Maar het begon erop te lijken dat het verbranden van bewijsmateriaal beleid was. Val streek een lucifer af langs het tafelblad en keek gebiologeerd als altijd toe hoe het papier zich tot as spon. Ik op mijn beurt keek ingespannen naar hem terwijl ik op een nieuwe tactiek zon. Elke tactiek zou beter zijn dan wat ik tot nu toe had verzonnen. Maar Val was me, zoals meestal, een stap voor.

'Als je doorgaat met dit onderzoek,' zei mijn broer op een toon die net zo kil en helder was als het ijsblok dat die kerels net naar de keuken hadden gesjouwd, 'zal ik binnenkort de bloemen voor je begrafenis moeten uitkiezen.'

'Is dat een dreigement?' wist ik nog net uit te brengen.

'Zo mag je het zien, als dat helpt. Dat weet je zelf het beste. Je mag het ook als een voorspelling beschouwen, Timmy. Mij maakt het geen ene donder uit.'

'Prima. Ik zal het in gedachten houden. Geef me dan nu het geld maar waarvoor Matsell me hierheen heeft gestuurd, anders zal ik hem moeten vertellen dat spuitgasten geen bevelen aannemen van de hoofdcommissaris van politie, commandant Wilde.'

'Wat een branie,' zei hij opgewekt. 'Als je toch naar de verdommenis wilt, kun je dat maar beter in stijl doen. Je hebt het zeker over de nieuw binnengekomen giften voor de Democraten? Die nog niet te boek gesteld zijn? Hoeveel?'

'Tien dollar moet genoeg zijn. O nee, elf. Bijna vergeten.'

'Je vergat bijna een hele dollar?'

'Dat is de dollar voor Bird. Zij had erom gewed dat Finerty zijn stembiljet niet in de bus zou krijgen.'

'Dan is ze gisser dan jij.'

Dat liet ik maar over mijn kant gaan. Val liep naar een onopvallende doos zonder opschrift die boven op een loden kluis stond en haalde er drie gouden tiendollarstukken uit en één losse dollar, die hij achter zijn rug om met duim en wijsvinger in een boogje naar me toe schoot.

'Dat is te veel,' protesteerde ik toen ik ze had opgevangen.

'O, het stroomt de laatste tijd binnen, Timmetje van me. Koop maar een lijkkist voor jezelf van wat je overhoudt, dan hoef ik dat niet meer te doen.'

Ik overwoog te zeggen dat ik zijn bloed wel kon drinken, maar dat was waarschijnlijk duidelijk genoeg aan mijn gezicht af te lezen. Als hij daarnaar had gekeken, tenminste.

'Silkie Marsh is nog bij me langs geweest. Ik heb haar de groeten van je gedaan.'

Vals ogen schoten duidelijk verrast weer mijn kant op. Heel even klemde hij zijn tanden op elkaar.

'Je hebt haar drie levende inkomstenbronnen afhandig gemaakt en nu is ze bij je langs geweest? Je gaat er nog sneller aan dan ik dacht.'

'Wat prettig voor jou. Zou je me willen vertellen waarom een bezoek van madam Marsh zo'n slecht voorteken is?'

'Met alle plezier, Timmy. Ik herken gewoon de omstandigheden,' beet hij me door zijn opeengeklemde vierkante kaken heen toe. 'Ze heeft mij ook al eens geprobeerd uit de weg te ruimen, wist je dat? Zowaar ik hier sta. Had ik je dat nog niet verteld, hoe graag ze me had willen niſteren? En dat ze daarin bijna was geslaagd?'

Bird kwam binnenstormen zonder te kloppen. Ze had een tasje gevonden, had zich dat toegeëigend en haar oude kloffie erin gepropt. Mijn vriendinnetje had nu een ivoorwit katoenen zomerjurkje aan met een laag uitgesneden ronde hals en een hoog vallende taille. Langs de zoom liep een patroon van oranje klaprozen. De kapmouwtjes bedekten alleen de bovenkant van haar met sproetjes bedekte armen. Het was een veel betere jurk dan ik had verwacht, al had ze waarschijnlijk wel mooiere aangehad wanneer ze er presentabel uit had moeten zien. Maar deze was van haarzelf en ze straalde bij die wetenschap. De gelukzaligheid dat ze nu overdag geen nachtjapon meer aan hoefde, spatte ervan af.

Ik was er zelf zo tevreden mee dat ik bijna mijn broers reactie had gemist. Eén helft van zijn gezicht grijnsde jongensachtig, terwijl de andere nog gedeeltelijk was blijven hangen in zijn gebruikelijke uitdrukking. Dat maakte me heel even sprakeloos.

'Als je er nu niet piekfijn uitziet, heb ik er geen verstand van,' zei hij in antwoord op de vraag in Birds ogen.

'Zo'n mooie jurk heb ik nog nooit gezien,' beaamde ik.

'Je doet wat ik je zeg, Tim,' zei Val bruusk, en hij draaide zich om naar een stapel aanplakbiljetten in kinderlijk felle kleuren. Hij pakte ze op en zei: 'Ik heb je duidelijk genoeg gemaakt wat er anders zal gebeuren, lijkt me. Tabee. Ik heb nog een stel loenenaars die op instructies zitten te wachten. Waarom een geboortige Amerikaan Ieren zou moeten leren hoe ze met de drank moeten omgaan is mij een raadsel. Ze hadden me net zo goed een stel circushonden en hoepels kunnen geven.'

Valentine stampte de kamer uit, waardoor het stof gewichtloos en verdwaasd in zijn kielzog ronddwarrelde. Bird draaide zich om en keek naar me op. Ze was werkelijk een ander mens nu – geen kinchin-mab, geen maïsverkoopstertje in een gejatte nankingbroek, maar gewoon een meisje dat haar voorhoofd fronste op een manier waaraan ik langzaam gewend begon te raken.

'Wat is er gebeurd? Daar meent meneer V niks van. Hij is een vriend van de Ieren.'

Ze had gelijk. En ik zou haar zeker hebben geantwoord, als ik het zelf had begrepen. En als dokter Peter Palsgrave niet net op dat moment de kamer was komen binnenstormen, hijgend in zijn knellende keurslijf. Intussen veegde hij met een felblauw zijden niemendalletje zijn voorhoofd af. We deinsden allebei geschrokken achteruit.

'Ik moet Timothy Wilde spreken,' zei hij, naar adem happend. 'Ik heb een brief gekregen.'

'Hoe komt u hier nou weer?' riep Bird Daly verrast uit.

Dokter Palsgrave knipperde met zijn ogen en had zichtbaar last van hartkloppingen. Hij liet zich uitgeput op de enige stoel zakken die er stond. 'Ik... Hoe kom jíj hier nu weer terecht?'

Ik kon alleen maar van de een naar de ander kijken en weer terug. Bird stond met haar handen ineengeslagen breeduit te grijnzen en leek verrukt dat ze in de tijdsspanne van één kwartier twee oude bekenden tegen het lijf was gelopen. Dokter Palsgrave leek, hoe bibberig en van streek ook, al even opgetogen om Bird hier aan te treffen. Ik was vooral beduusd en zag hoe ze allebei hun best deden een geloofwaardige verklaring te geven voor hun aanwezigheid bij een verkiezingsrepetitie inclusief maaltijd van de Democratische Partij.

16

Vastgesteld is dat in beschaafde gemeenschappen één vierde van de voltallige mensheid die ter wereld komt voor het bereiken van de eerste verjaardag sterft, meer dan één derde voor het bereiken van de vijfde verjaardag, en naar wordt aangenomen is de helft van de mensheid voor het bereiken van de twintigste verjaardag overleden.

• *De hygiënische omstandigheden onder de werkende bevolking van*
New York, januari 1845 •

Het gesprek leek niet op gang te willen komen. Om te voorkomen dat Bird als ze alsnog van wal stak te veel zou vertellen, wat link zou kunnen uitpakken, greep ik zelf de teugels.

'U kent Bird?' vroeg ik rechtstreeks aan dokter Palsgrave. 'Ze komt uit…'

'… het huis van madam Marsh,' onderbrak ze me, en ze keek brutaal van mij naar hem. 'De… de dienstmeid.'

Verbazingwekkend wat een nieuw kloffie met iemand kan doen. Dokter Palsgrave knipperde twee keer met zijn waakzame goudbruine ogen, ademde toen puffend uit en stond weer op uit de stoel. Met zijn rechte rug en bollende borst had hij veel weg van een bantammerhaan in een vest met sjaalkraag. Hij boog houterig naar voren om het breed lachende meisje met de donkerrode haardos beter te bekijken. Even flakkerde een zichtbare genegenheid in zijn ogen, om onmiddellijk weer te verdwijnen.

'Marsh, zeg je?' vroeg hij, terwijl hij zich weer oprichtte. 'Dat zul jij wel beter weten dan ik.'

'Maar zo-even herkende u haar nog,' zei ik verbaasd.

Palsgrave wuifde met zijn hand door de lucht en begon onhandig te ijsberen in de overvolle kamer. 'Ik heb haar ooit ergens voor behandeld. U kunt niet van me verwachten dat ik namen onthoud. Ik zie te veel gezichten. En ze worden allemaal zo snel groot, als het ze althans lukt groot te worden. Wat het ook was, het moet iets ernstigs zijn geweest, anders had ik haar nooit herkend.'

'Waterpokken,' zei Bird opgetogen. 'U gaf ons kompressen van reuzel en gestoofde uien. Ik heb haast niet gekrabd.'

'Aha! Heel goed,' riep hij eveneens opgetogen uit. 'Uitstekend. En u…'

'… wilde weten wat u hier komt doen,' vulde ik hem aan.

'Ik heb een brief gekregen,' vertelde hij. Zijn zilvergrijze bakkebaarden staken breed uit als de snorharen van een blazende kater. 'Een uiterst alarmerend schrijven met betrekking tot het recente… de geruchten over de kinderlijkjes. Moeten we de *Herald* geloven? Is het werkelijk slechts een canard? U en uw aanmatigende broer hebben mij bij deze abjecte affaire gehaald. Daarom ben ik onmiddellijk naar de Tombs gegaan om u te spreken, aangezien ik er nu ook persoonlijk bij betrokken ben geraakt. Ik wil graag helpen. Hoofdcommissaris Matsell heeft me hierheen gestuurd.'

'En die brief…,' zei ik langzaam.

'Die heb ik hier, als u…'

'Laten we die élders bestuderen,' zei ik met klem.

Dokter Palsgrave trok aan zijn vest en streek met zijn hand over zijn strak ingesnoerde torso. 'Komt u dan met mij mee. Mijn praktijk ligt hier maar twee straten vandaan.'

We konden het stenen partijgebouw onopgemerkt verlaten, aangezien Moses Dainty druk doende was kiezers van koffie te voorzien. We liepen Chambers Street in westelijke richting af. Het verbaasde me niet dat dokter Palsgrave praktijk hield in de voor artsen en advocaten meest prestigieuze straat van de stad. Toen we bij het punt kwamen waar City Hall Park aan Broadway grenst, had ik het eigenaardige gevoel alsof de klok de verkeerde kant op ging. We liepen de route die ik als straatagent altijd aflegde, maar dan in omgekeerde richting. Vervolgens kwamen we langs de drukke, verzengend warme kruising, waar het wemelde van de voetgangers en zagen daarna nog meer stenen huizen, deze keer met keurig verzorgde bloembakken en vensterruiten die fel zonlicht in onze ogen weerkaatsten.

Bij zijn eigen zware eikenhouten deur, waarnaast een bronzen plaket met de tekst DR. PETER PALSGRAVE, GENEESHEER VAN KINDEREN hing, haalde dokter Palsgrave zijn sleutels tevoorschijn. Daarbij viel zijn oog op Bird en hij fronste zijn voorhoofd.

'Waarom, als ik vragen mag, is zij...'

'Ik heb liever dat u dat niet vraagt,' antwoordde ik.

Als Peter Palsgrave al niet zo'n hoge dunk had van de kopersterren, bracht ik daar zeker geen verbetering in, want hij keek ronduit kwaad. Er was iets aan zijn snelle omschakelingen tussen onschuldige opgetogenheid en stekelige verbolgenheid wat Bird bijzonder goed leek te bevallen. Telkens wanneer hij zijn lippen op elkaar perste als een zich sluitende mossel, wezen Birds mondhoeken naar boven. Toen de dokter over het weelderige tapijt de gang in beende waar hij zijn gladde kastoren hoed aan een haak hing, stootte ik haar even aan.

'Vriend van je?'

Ze knikte en we volgden de geaffecteerde kleine geneesheer naar binnen. 'Hij doet altijd alsof hij zich niemand herinnert. Altijd. Ik vind dat wel lief.'

'En waarom?'

'Hij wil toch kinchen rédden? Hij is een toffe dokter, weet u, en als hij onze namen allemaal onthoudt en ons dan weer ziet... nou ja, dan zijn we dus weer ziek. Dan heeft hij gefaald. Hij wil ons liever vergeten en niet meer kennen dan ons herkennen en het moeten afleggen tegen de kinkhoest.'

Ik had haar willen antwoorden, want ik vond het voor een tienjarige behoorlijk scherpzinnig geredeneerd, maar de woorden bleven in mijn keel steken toen ik de kamer zag die we betraden en die deels studeerkamer, deels laboratorium was. Ik had namelijk van mijn leven nog nooit zoiets gezien.

De grote kamer was in zekere zin in tweeën gedeeld. Aan de kant waar het licht binnenviel van de twee ramen die op de tuin uitkeken, bevond zich een volledig geoutilleerd laboratorium. Er waren glimmend blauwe glazen potten afgesloten met was, koperen ketels opgewreven tot ze dieprood glansden en allerlei ingenieuze constructies van glazen buizen. Ik zag een kolossaal gietijzeren fornuis, een enorme tafel met daarop kolven en meetinstrumenten en opengeslagen opschrijfboekjes volgepend in een kriebelig doktershandschrift. Aan de muur hingen zorgvuldig ingelijste, kleurige platen waarop met zwierige Latijnse belettering de eigenschappen en theorieën bij de afgebeelde schedels en bomen en bronnen en harten werden verduidelijkt.

Aan de raamloze kant bevonden zich immense boekenkasten, aanzienlijk rijker gevuld dan die in de bibliotheek van de Underhills. Ik bedacht dat het niet toevallig was dat de zeer geleerde dokter en de zeer geleerde eerwaarde zo nauw samenwerkten en de protestantse armen bijstonden. Maar dit waren geen letterkundige werken en evenmin heilige geschriften. Hier stonden medische boeken, gigantische, sobere werken gevat in gebarsten leer, scheikundige banden met goud op snee, tientallen buitenlandse titels met bladgoud op de rug en allerlei vreemde symbolen. Alchemistische werken. Dat moest wel, ik herinnerde me namelijk wat Mercy over Peter Palsgrave had verteld, over het project waar hij zich naast het genezen van zieke kinchen ook mee bezighield.

'Hoe gaat het met het levenselixer?' vroeg ik allervriendelijkst.

Hij draaide zich als een tol om op zijn keurige schoenen, met zijn benen gestoken in dunne kousen en zijn vooruitstekende borstkas in de kostbare blauwe jas. Bird glimlachte nog breder.

'Hoe weet u... o ja, natuurlijk.' Hij zuchtte. 'Ik heb u naar Mercy Underhill verwezen. Zij moet mijn magnum opus hebben genoemd. Het is feitelijk niet het levenselixer, maar een geneeskrachtig drankje. Het gaat om ontzaglijk abstruse proeven, niet iets wat ik aan een leek zou kunnen uitleggen.'

'Is dat zo?' vroeg ik wrevelig. 'Probeert u het gerust.'

Dokter Palsgrave keek tamelijk stellig, maar stak toen toch van wal. Hij was zo geboeid door zijn eigen onderwerp dat hij zelfs Bird wist mee te slepen en ze met haar hoofd ietsje schuin en een lok rood haar rond een vinger aan zijn lippen hing.

Alchemie, zo begon hij, is de wetenschap van het laten ontstaan van processen waarin het ene element in het andere element verandert. Dat is ook precies wat sommige alchemisten voor elkaar kregen tijdens hun lange en moeizame streven om de wijsheid te vinden die vereist is om het onmogelijke te bereiken. Zij distilleerden vloeistoffen die zo zuiver waren dat ze niet langer vele maar nog slechts één ding waren; alcohol bijvoorbeeld. Ze maakten glas dat zo doorzichtig was dat het volledig onzichtbaar was. Maar zuivering en verfijning, legde hij ons uit, waren slechts een middel om een doel te bereiken en er waren snode types die daarmee verwerpelijke ambities najoegen, zoals lood in goud veranderen, wat iedere gezonde economie de das om zou doen, voegde hij er vermoeid aan toe.

Het levenselixer is al honderden jaren de heilige graal van de alchemie, maar het is een onmogelijk doel, zei hij, en uit zijn ogen blonk zoveel bezieling dat zelfs de onbeduidendheid van zijn toehoorders die niet kon afwakken. De mens was geschapen teneinde op een dag weer tot stof te vergaan. Maar een medicijn dat elke ziekte kon genezen waar levenden last van konden krijgen, dat was een haalbare droom. Kinderen zijn zo teer, verklaarde hij hartstochtelijk. Ze vallen zo makkelijk ten prooi aan besmettelijke ziekten.

Zou iemand het echter voor elkaar krijgen om de volmaakte remedie te vinden door de nieuwste vorderingen op geneeskundig gebied te combineren met de oeroude waarheden van de alchemie en de edelste technieken van de scheikunde... Dáár viel een prijs te behalen, niet in termen van rijkdom en roem maar ten behoeve van de mensheid, vertelde ons het vreemde kereltje met zijn goudbruine ogen en zijn gekorsetteerde torso parmantig en bevlogen. Onze jonge en hulpeloze medemensen zouden niet langer overgeleverd zijn aan de verraderlijke grillen van schadelijke uitwasemingen. Welke vorm het eindproduct zou aannemen, wist hij niet, maar hij volgde al lange tijd het spoor van zijn vermoedens. Subtiele, maar onmiskenbare vingerwijzingen.

We luisterden geboeid.

Dokter Palsgraves woorden denderden voort als over een ijzeren spoorlijn en iedere keer dat hij aan de rem ging hangen om te pogen zichzelf nog enigszins in bedwang te houden, leek het of er gouden vonkjes door de kamer spatten. Maar wat een prachtig doel streefde hij na. Het was zonder meer volkomen krankzinnig, maar ook zo romantisch en schijnbaar onmogelijk. Wat een doel. Een hopeloos ziek kind weer gezond maken zodat het veel later pas van ouderdom zou sterven. Onwaarschijnlijk als het was, ik vond het prachtig. Niet dat ik geloofde dat het echt bereikbaar was, maar wie kon het zeggen? Er waren al zoveel magische ontdekkingen gedaan, wat zou er niet verder nog stilletjes liggen te wachten tot het volledig was doorgrond?

'Er zijn momenten dat ik wilde dat mijn eigen toestand niet zo... zo precair zou zijn,' besloot hij zijn uitweidingen, waarbij hij met zijn hand naar zijn door acuut reuma verzwakte hart gebaarde. 'Anderzijds, was ik een gezond man geweest, dan had ik misschien niet met zoveel hartstocht gehoor gegeven aan mijn roeping. Voor de kinderen is ieder ongemak slechts een geringe prijs. Goed, meneer Wilde. Vertelt u mij, alstublieft.' Hij zweeg even en streek met een kenmerkend zichzelf kalmerend gebaar met zijn hand over zijn in zijde gehulde ribbenkast. 'Heeft de politie inderdaad ten noorden van de stad een vondst gedaan van... Hebben ze...'

'Inderdaad,' zei ik. 'Negentien in totaal.'

Dit gegeven leek hem lichamelijk te krenken, een gevoel dat ik volledig respecteerde. Dokter Palsgrave wapperde even met een flesje reukzout onder zijn neus. 'Verachtelijk. Monsterlijk. Ik moet de lijkjes onmiddellijk zien. Ik kan u misschien helpen. Niet aanraken, mal kind! Dat is giftig!' snauwde hij tegen Bird, die snel een glazen kannetje terugzette.

Zodra de vloeistof uit haar tere handje en weer in veiligheid was, ontspande hij en schonk hij Bird een warme verontschuldigende glimlach. Zijn boosheid was verdampt alsof die nooit was opgeborreld. Op dat moment begreep ik waarom ze hem zo graag mocht. De barsheid was uitsluitend een pose, het welzijn van kinderen een oprechte obsessie. Ik mocht hem ook graag.

'Natuurlijk,' zei ik. 'Op voorwaarde van volledige geheimhouding, ook ten opzichte van andere politieagenten. Ik ben de enige die hiermee bezig is. Wat betreft uw brief...'

'Die was bijna mijn dood geworden,' mompelde hij en de felblauwe zakdoek kwam weer tevoorschijn. 'Hier, neemt u hem, ik wil hem nooit meer zien.'

Ik wierp een blik op Bird die stilzwijgend de scheikundige uit-
stalling bestudeerde, maar nu met haar handen braaf op haar rug.
Toen ging ik zitten om het raarste schrijfsel te lezen dat me ooit
onder ogen is gekomen:

Ik kan niets anders meer zien.

*Ooit was er een man die het werk Gods deed en toen deze man zag
wat zijn werk inhield, schaamde hij zich, al wist hij dat het zijn taak
was, en hij kroop weg en weende omdat hij de Engel des Doods was
geworden.*

*Ik kan niets anders zien helemaal niets anders meer voor altijd en
altijd amen alleen zijn lichaampje zo klein en zo kapot. Zo verwoest.
En verder niets.*

*Zo klein dat het een gruwel is nee ik heb het nu voor even verjaagd
maar daar is het weer, onmiddellijk weer bij mij, God sta me bij, God
verlos ons, als ik het kon zou ik mijn ogen uitrukken en dan nog zou
ik het lichaampje zien getekend op de holtes. En gij, als gij de kleintjes
ziet met hun wit weggedraaide oogjes en roerloos als beenderen wat
kunt gij doen, hoe houdt gij het vol? Zij zijn de enigen die ik zie. Met
hun dode ogen als niets anders. Als koude sterren. Met rijp bedekte
schubben.*

Ik ben een vochtig ezelskinnebakken.

*Voltooi uw werk en maak hier een eind aan ze kunnen niet langer
zien en voor hen moet ge er een eind aan maken zoals ik er dadelijk
een eind aan maak. Herstel wat geschonden is. Ik moet er nog een
schenden en ik wens dat het allemaal ophoudt. Niet naderbij, laat me
niet naderbij gaan.*

'Er staat geen naam onder,' zei ik met een kuch.

Het was een povere poging om opmerkzaam uit de hoek te
komen. Maar mijn ogen leken niet meer echt in hun kassen te passen. Palsgrave reageerde met een schampere blik, terecht, maar die
strandde in een huivering. Zijn kleine zege was hij zo weer kwijt.

Ik staarde naar het geval en probeerde er iets zinnigers over te
bedenken. Ik had die ochtend de brief van Val veel te vluchtig
doorgelezen, de eerste brief in Elizabeth Street grondiger. Als ik ze
nog had gehad, had ik het papier kunnen vergelijken, misschien

ook het handschrift en de kleur van de inkt, uit alle drie spraken namelijk dezelfde ideeën. Maar zoals het er nu voor stond, was het vrijwel ondoenlijk concrete aspecten van de eerste exemplaren te vergelijken met dit nieuwe, weer anders ingekleurde bewijs van zwakzinnigheid. De eerste brief kon ik desgewenst nalezen in de *Herald*, maar alleen de inhoud. Wat uiterlijke kenmerken betrof, schoot ik er weinig mee op. Ik probeerde echter hem zo goed mogelijk voor mijn geestesoog te halen.

De twee vorige brieven hadden beide vol spelfouten gezeten, wellicht opzettelijk. Deze was krankzinnig, maar de woorden waren juist gespeld. De andere twee waren opgesteld in grote, duidelijke blokletters, zoals bijvoorbeeld van de hand van een beginnende schrijver, uitsluitend in hoofdletters die niets van een inborst of gesteldheid verrieden. Misschien omdat de schrijver het niet beter kon. Maar misschien ook omdat hij zijn handschrift onherkenbaar had willen maken. Deze laatste brief was geschreven door een geschoolde, maar zeer krachteloze hand, zozeer zelfs dat hij deels amper leesbaar was. Alsof zijn eigen woorden de schrijver met schrik hadden vervuld. Mogelijk onder de invloed van drank of een verdovend middel, terugdeinzend voor uitdrukkingen vol triest venijn die zijn ogen pijnigden. De andere waren ten slotte verdacht opgewekt geweest, zo vol melodrama dat ik sterk vermoedde dat ze niet meer waren dan gezwets van een sensatiezoeker. Dat ik hóópte dat ze gezwets waren, zoals ik nu moest bekennen. In het belang van de stad, van de Ieren, van de politie en misschien zelfs in het belang van Vals verduvelde Democratische Partij. Maar hieruit sprak angst, geen boosaardig genoegen, en de angst klonk oprecht.

'Het handschrift herkent u niet toevallig?' vroeg ik voorzichtig.

'Het is nagenoeg onleesbaar, imbeciel. Waarom zou ik trouwens?'

'Het valt niet te ontkennen dat deze persoon uw werk kent.'

'Iedereen kent mijn werk!' riep het rare kereltje. 'Daarom is deze... deze kwaadaardigheid bij mij bezorgd! Ik ben een geneesheer die uitsluitend met kínderen werkt. Ik ben de enige. Ik... Lég dát néér!' bulderde hij. De huid rond zijn zilvergrijze bakkebaarden vlamde felroze op.

Bird liet een sinister ogend mes vallen waaraan de restjes van een onbestemd kruid kleefden. Ze vouwde haar handen weer ineen, deze keer voor zich, als een boetelinge.

'Ik beloof dat ik mezelf niet zal bezeren.'

'O, Godzijdank,' verzuchtte hij opgelucht. 'Dat zou een immense zegen zijn.'

'Bent u bereid naar de Tombs te gaan om de lijkjes te onderzoeken?' vroeg ik. 'U moet dan Matsell hebben, hij zal u persoonlijk laten zien waar ze liggen. U mag er verder niemand over aanspreken.'

'Ik ga onmiddellijk.'

'Is het goed als ik dit meeneem?'

'Als ik dat bewijs van verdorvenheid nooit meer onder ogen krijg, zal ik een man zijn die nog met een zekere mate van tevredenheid zijn leven zal kunnen voltooien,' zei hij grimmig. 'Zorg dat het mijn huis verlaat. Kom op, jij... jij kind. Voorwaarts mars. Meneer Wilde, u suggereert dat u niet voornemens bent mij te vergezellen.'

'Ik moet nog een ander spoor nagaan,' legde ik uit, voordat we zijn huis verlieten. 'Ik kom vanavond weer bij u langs, als het mag. Om te horen wat uw bevindingen zijn.'

'Als het niet anders kan, en ik vermoed dat het niet anders kan, nietwaar?' zuchtte hij. 'Adieu, dan maar.'

'Dag, dokter Palsgrave,' zei Bird.

'Wat wil zij nou weer? Ah,' zei Palsgrave quasi-getergd en hij haalde een ingepakte karamel uit zijn zak en gaf die aan Bird. 'Kinderen. Schrikbarende wezentjes zijn het. Een goedendag nog.' Kaarsrecht als altijd wuifde hij met zijn buitenissig blauwe zakdoek een huurkoets naar zich toe.

'Die man is niet goed snik,' mompelde ik.

'Rijp voor het kierebusgesticht,' zei Bird en ze haalde de karamel uit zijn papiertje. 'Hij is tof, hè?' Toen betrok haar gezicht en vervolgde ze naar mij opkijkend: 'Is die brief van... van de man met de zwarte kap?'

'Dat weet ik niet,' antwoordde ik. Ik draaide een halve slag om haar in de koets te helpen die ik zo-even had aangehouden. 'Maar ik zal erachter komen, al is het het laatste wat ik doe.'

In Mott Street nabij de Five Points, iets ten zuiden van Bayard Street, kun je je niet onttrekken aan de indruk dat een besmettelijke ziekte door het onderliggende riool woekert. En in augustus is het alsof de hele omgeving bevangen is door de koorts, als overal de verf bladdert en het hout splijt als huid in een ziekenboeg en de hete, klamme lucht voor je ogen siddert. De huizen zien er door het fletse, glazige zweem over de ramen uit als verdoofd. En de stank. De openstaande ramen braken rottende kippendarmen en groente- resten uit, afval dat van drie hoog uit keukenteiltjes naar beneden wordt gesmeten. Ik betwijfelde of Bird ooit eerder in zo'n hellepoel was geweest, want ze liep met wijd open, alerte ogen en bleef dicht bij me in de buurt. We passeerden zwarten die in deuropeningen zaten met hun strohoed in hun handen en een kruik op hun knieën, uitgeput van al het vergoten zweet, Ieren die op hun ellebogen leu- nend uit het raam gedachteloos hingen te roken, hunkerend naar een eerlijke broodwinning. De ingesleten pijn in die straat stijgt op uit de kasseien zelf en trekt in je eigen vermoeide voeten.

Hopstill woonde in een zolderkamertje op Mott Street 24, dat had Julius me althans verteld. Toen we bij dat houten kankerge- zwel aankwamen, stevende ik daarom recht op de deur en de ach- terliggende trap af. Op het moment dat ik over de drempel wilde stappen, bleef mijn voet achter een schoen haken. Ik wierp een snelle blik omlaag en volgde een kous tot aan de hevig vervuilde rokken van een vrouw die met haar nagels aardappels zat te schil- len. Alles aan haar was grijs als stof.

'Wat mot jij hier?'

'Edward Hopstill,' antwoordde ik de eigenaardige poortwacht- ster. 'Hij woont op zolder, niet?'

'Mocht-ie willen,' schamperde ze, en ze liet een stukje aardap- pelschil op de grond vallen. 'Woont nu in de kelder, hè. Sinds een maand.'

Ik bedankte haar en stapte over haar kom. Bird volgde me op de hielen. Hopstill had voordat de brand onze onderkomens had ver- zwolgen al van de hand in de tand geleefd, zoveel wist ik wel. Maar dan nog... een kélder. Ik had de schurk nooit bijzonder graag ge- mogen, maar liep nu toch met lood in mijn schoenen verder, bang om met eigen ogen te moeten zien dat iemand die ik persoon- lijk kende zo diep was gezonken dat hij letterlijk onder de grond woonde.

Boven aan de trap die ik vond zat geen deur, maar onderaan zat er wel een, kaal en luguber. We liepen naar beneden. Ik klopte. De deur ging open. Daarachter Hopstills ogen in een gebrekkig geschoren gezicht en met klamvochtig, zo niet schimmelig haar. Zijn grauwe huid leek nu vooral askleurig. De scherpe lucht van buskruit, brandende lampenolie en wat er verder zoal gist onder de huizen van New York, drong onze neusgaten binnen.

'Wat moet jij hier voor de duivel?' gromde Hopstill in zijn geërgerde Engelse toonval.

Boem.

Het was geen grote ontploffing, maar genoeg voor mij om een beschermende arm om Bird te slaan, voor haar om in elkaar te duiken als een kat die op zijn staart is getrapt en voor Hopstill om een nog chagrijniger gezicht op te zetten.

'Uitstekend. Je wordt bedankt, Wilde. Hoe moet ik nagaan of een nieuwe knal de juiste kleur heeft als ik hem niet eens zíe ontploffen?

We volgden hem schoorvoetend naar binnen. Ook hier bevond zich een laboratorium, maar dit was een met roet bedekte werkplaats van een ambachtsman en niet de kraakheldere speelplaats van een wetenschapper. In het zwavelgele licht van de lampen onderscheidde ik een onopgemaakt bed, één getralide luchtschacht waar vliegen zich verdrongen, twee grote tafels en een klein fornuis. Overal lagen of stonden vijzels en stampers, stapels voetzoekers, sterretjes en gekurkte flessen met vuurwerkpoeder. Langs de betimmerde muren droop een smerig gronderige nattigheid die onderaan, waar de planken de aangestampte aarden vloer bereikten, een drab vormde. Of de po was vol of de bewoners van het achterliggende woongebouw (dat dat er stond, betwijfelde ik geen seconde) waren aangewezen op een beerput. Het was alles bij elkaar het meest onbewoonbare hok dat ik ooit had aanschouwd. Afgezien van het saillante gegeven dat het bewoond werd door slechts één persoon in plaats van tien.

'Het komt zeker door dat vuurwerk van je?' vroeg ik.

'Wat?'

'Je moet wel alleen wonen. Vanwege het vuurwerk. Je moet iets helemaal voor jezelf huren en je kunt alleen dit betalen.'

'Wat voor de duivel gaat jou dat aan? Wat moet dat kind hier? Waarom draag je een koperen ster? En wat moet je trouwens hier bij mij?'

Ik vertelde hem zoveel als ik nodig vond, legde in een halve minuut uit hoe ik bij de politie was beland. We hadden haast en bij Hopstill bereik je het meeste als je het kort houdt.

De bliksemmaker stond kwaad over zijn werk gebogen. Ik kende hem goed genoeg: hij was nijdig dat hij betrapt was in een kelder. Aangezien hij ervan overtuigd is dat God armoede op de onwaardigen afstuurt, kon ik goed begrijpen dat hij zich schaamde. Hij hing boven een ijzeren distilleerkolf om de gloeiende inhoud ervan te controleren, liep vervolgens op een drafje naar de vijzel om daar rood kleurpoeder in te gieten, hevelde buskruit over en liet met heel zijn lichaam blijken hoezeer wij hem stoorden. En nu wilde ik nota bene ook nog dat hij kínderen leerde hoe je vuurwerk maakte en beweerde ik dat ze als tegenprestatie op de een of andere schimmige manier voor mij zouden spioneren. Van hem uit bekeken was ik een vermaledijde lastpost.

'Als je me kunt overhalen zoiets krankzinnigs te doen, kun je wat mij betreft ook gouverneur worden,' snauwde hij. 'En nu opgeduveld, m'n werkplaats uit. Ik heb geen tijd om gunsten verlenen.'

Ik wilde hem net een aanbod doen, toen Bird ineens opgewonden begon te piepen. Het was een vrolijk geluid dat aan me trok en zich losjes achter in mijn nek vasthaakte.

'Ik zie een handgreep,' zei ze. 'Ik heb wel eens vuurwerk gezien, aan de andere kant van de rivier. Maar ik heb het nooit vastgehouden. Is het daarvoor? Moet je het hieraan vasthouden als het afgaat? Welke kleur heeft het?'

Hopstills diepgewortelde aversie tegen kinchen leek minimaal af te nemen. 'Zilver.'

'Hoe kun je nou een zilveren kleur maken?'

'Verpulverd metaal. Ik gebruik het goedkoopste wat ik op de kop kan tikken.'

Er viel een korte stilte. Eentje die ik voor het effect nog iets had kunnen rekken. Maar daar zag ik van af.

'Als je de krantenjongens leert hoe ze vuurwerk kunnen maken voor op het toneel, geef ik je voldoende om uit deze kelder te kunnen verhuizen,' zei ik.

'Belachelijk. Hoeveel denk je wel niet dat daarvoor nodig is?'

'Twintig dollar.'

Zijn ogen fonkelden als vuurwerk, maar doofden onmiddellijk weer en verhulden de smeulende zwavelblik van complete wanhoop. Ik legde de twee goudstukken voor hem op tafel, twintig dollar in klinkende munt.

Hopstill knipperde er begerig naar en zijn mond viel verdwaasd open. 'Ik heb eerlijk gezegd nooit overwogen contact te zoeken met iemand uit de oude buurt. En nu haal jij me uit deze teerpoel. Excuses voor mijn aanvankelijke wantrouwen. Maar het heeft me erg tegengezeten. En dat zonder vertrouwde gezichten om erover te praten.'

'Julius leek anders wat blij dat hij een vroegere buur had gezien. En ik ben hem dankbaar dat hij me liet weten waar jij tegenwoordig uithangt.'

Hopstill keek op van een zak met blauw poeder. 'Julius? O, ja, die zwarte vent uit Nicks oesterkelder. Die ben ik inderdaad tegen het lijf gelopen.'

'Hoe dacht jij dan dat ik aan je adres kwam?'

'Miss Underhill natuurlijk.'

Ik schoof mijn gedachten heen en weer, toetste allerlei ordeningen. Geen eentje leek plausibel. 'Hoezo?'

'Die zie je immers overal,' mompelde hij. 'Ook in het holst van de nacht, als alle fatsoenlijke christenen te bed zijn. Hoe dan ook. Ik zal die knapen leren hoe je een gordijn van vuur maakt dat zelfs doorgewinterde theatergangers de stuipen op het lijf jaagt.'

'Dank je wel.'

Hopstill liet zijn hoofd in zijn hand vallen van pure uitputting. 'Mijn God, en ik meende de komende winter hier te zullen sterven, door gebrek aan geld voor brandstof,' zei hij tegen niemand in het bijzonder. Ik vroeg me af wanneer hij voor het laatst had gegeten. Zover ik kon zien, lag hier nergens voedsel. 'Ik had plannen voor een grande finale van mijn gehele voorraad boven Battery Park. Liever wilde ik al die sublieme knallen zelf bewonderen dan alles verpanden voor nog een handjevol ellendige weken. Maar dat is nu van de baan. Soms komen de dingen verrassend genoeg toch vanzelf goed.'

'Soms,' herhaalde Bird ernstig.

Als alle fatsoenlijke christenen te bed zijn, dacht ik. Die woorden bleven kriebelen in mijn kop.

'Soms,' zei ik hardop.

Nu, bijvoorbeeld, ging iets helemaal goed. Ik had geld over uit het verkiezingspotje, ik beschikte over mijn eigen tijd en dankzij Hopstill zouden de krantenjongens me helpen.

Natuurlijk ging Mercy er ook 's nachts op uit. Ziekte en nood keken niet op de klok.

Wat een prachtige dag.

Ik gaf Hopstill het adres van het theater in Orange Street waar de krantenjongens repeteerden en hij beloofde dat hij die avond nog bij hen langs zou gaan. Het gaat erom dat je doorzet, dacht ik toen Bird en ik weer het zonlicht betraden. Als je maar stevig genoeg doorzet, doet het er niet toe dat je geen flauw idee hebt waar je mee bezig bent.

Nadat ik Bird had toevertrouwd aan de hoede van mevrouw Boehm – die me had verzekerd dat ze bij de geringste aanwijzing dat Silkie Marsh in de buurt was iedere toegang tot het huis zou vergrendelen en in haar moerstaal de Duitse buren te hulp zou roepen – begaf ik mij naar het provisorische lijkenhuis in de Tombs, in de hoop Palsgrave daar aan te treffen, diep verzonken in de bestudering van de medische bewijslast. Hij was er niet, George Washington Matsell daarentegen wel. Hij stond robuust en statig midden in de grote kelder te kijken naar wat ik nu ook zag, netjes uitgestald op de haastig getimmerde tafels. Zonder er iets over te zeggen.

Er viel ook niet veel te zeggen.

'Dokter Palsgrave vertelde me dat het epistel dat hij u heeft gegeven een aardig geval van krankzinnigheid is,' zei hij. 'Het zou ons verder kunnen helpen.'

'Ik weet nog niet hoe, maar ik hoop het wel.'

'Dan moet u het maar goed bestuderen. Dokter Palsgrave gaf me dit verslag. Mocht u het een of ander nader toegelicht willen hebben, dan bent u welkom in zijn praktijk, zei hij. Het is trouwens niet bepaald een médisch verslag. Meer iets van de hand van die halfgare Poe.'

Ik nam het verslag aan. Hoe graag wilde ik niet dat ongrijpbare gegeven vinden dat alles zou verklaren. Maar ik hield even in. Haalde diep adem. Want voor me lagen op houten tafels negentien lijkjes, of de restanten daarvan, uitgestald. Het was zo'n ander uiterste van het prachtige visioen van gezonde kinderen dat dokter Palsgrave me eerder die dag had geschetst, dat ik er haast niet naar kon kijken. Er waren er te veel, God, zoveel, en ze waren veel te klein. Bovendien, niemands lichaam zou ooit zo opengesneden en zo naakt voor het oog van de wereld uitgestald mogen worden. Ik dacht aan mijn eigen organen, aan mijn hart en mijn milt en mijn nieren, van geen enkele waarde behalve voor mijzelf. En ik wilde niets liever dan ons enige harde bewijs van misdadigheid weer onder de grond bergen, waar wat ooit teer en kwetsbaar was, zacht zou kunnen rusten.

'Ik laat me graag door u verrassen, Wilde,' zei hoofdcommissaris Matsell bij het verlaten van de kamer. 'Hoe eerder, hoe beter.'

En ze zien er zo fragmentarisch uit, dacht ik. Een wit stukje huid, een plukje rood haar, een glimmend blootliggend bot.

Ik sloeg het verslag open. Het moest een hele opgave zijn geweest het te schrijven, dacht ik. Dat hoopte ik althans, zeker nadat ik het had gelezen.

Deze negentien lichamen zijn vijf jaar geleden tot zeer recentelijk overleden. De doodsoorzaak per geval is onmogelijk vast te stellen. Alle negentien vertonen sporen van ernstig geweld dat post mortem is toegebracht, inzonderheid bij het borstbeen dat niet meer intact is en bij de ribbenkast die uit elkaar getrokken is. Ik kan alleen maar aannemen dat de onverlaat toegang zocht tot de organen. Zonder inachtneming van natuurlijke ontbinding: in twee gevallen ontbreekt het hart in zijn geheel, in drie de lever, vier keer de milt, twaalf keer de hersenstam, twee keer de ruggengraat. Er valt over te twisten of dit het werk is van dieren voordat het ontbindingsproces op gang is gekomen of dat de moordenaar deze delen heeft verwijderd, maar ik kan onmogelijk geloof hechten aan enige andere omstandigheid dan laatstgenoemde. Met het oog op de moedwillig toegebrachte kruisen vraag ik me af of de brief die enkele dagen geleden in de Herald is afgedrukt, misschien niet toch authentiek was. De theorie van een godsdienstwaanzinnige Ier strookt zonder meer met het geweld dat deze negentien doden is aangedaan.

Dr. Peter Palsgrave

'"Voltooi uw werk en maak hier een eind aan,"' citeerde ik schor fluisterend. '"Herstel wat geschonden is." Lieve God, welk van jullie stelletje onzichtbare machten op dit moment ook maar naar me luistert: wat voor de duvel moet ik nou doen?'

17

De sociale omstandigheden in Ierland zijn momenteel deplorabel en uiterst verontrustend. Armoede drijft de bevolking tot misdaad. Geschillen over grond leiden tot moordpartijen.

• *New York Herald*, zomer 1845 •

Het enige wat erop zat was weer aan de slag gaan. Sterker nog, ik kwam tot de slotsom dat hard werken de enige weg was. En daar kreeg ik gelijk in. Het bleek alleen het werk van een ander te betreffen.

Drie dagen lang wachtte ik op nieuws van de jongens die hun brood verdienen met het verkopen daarvan. Ik vreesde dat bliksem leren maken hun zeer goed afging, maar dat de inspanningen om sinistere rijtuigen op te sporen niets opleverden. Ik las en herlas de enige brief die niet in vlammen was opgegaan. Ik meed de lijkenkamer tot de dag voordat de lichamen in het geheim zouden worden herbegraven. Toen ging ik samen met Piest naar de kelder waar ik elk botje en haarzakje aan een onderzoek onderwierp, maar waaraan ik niets anders overhield dan een langdurige onpasselijkheid en een vettig gevoel dat ik pas van mijn vingertoppen verwijderd kreeg toen ik loog gebruikte. Ik ging langs bij de politiebewakers aan het noordelijke uiteinde van de stad, die zich dodelijk verveelden na zestien uur in het bos te hebben gestaan, en kreeg een aantal niet voor herhaling vatbare verwensingen aan mijn adres voor de moeite.

Na drie dagen, op de ochtend van de dertiende augustus, was ik zo ten einde raad dat ik Bird tegenover me liet plaatsnemen en haar opdroeg een tekening te maken van de man met de zwarte kap.

'Alsjeblieft,' zei ze toen ze klaar was en haar vingers onder de houtskool zaten.

Het was een tekening van een man met een wijde cape en een zwarte capuchon die zijn hele hoofd bedekte. Ik bedankte haar niettemin.

Intussen was mijn broers angst voor ontdekking, die niet meer dan logisch was, ook op mij overgeslagen. Zoals gebruikelijk verslond ik elke ochtend de *Herald*, maar nu kreeg ik alleen al als ik mijn arm naar het vertrouwde dagblad uitstrekte een misselijk gevoel in mijn maagstreek. Laat er niets over kinchen in staan, smeekte ik in gedachten. Gun me nog wat tijd.

En dus las ik over de koortsachtige drukte waarmee in de stad werd gewerkt, las de scheepsberichten en nam kennis van de aanzwellende onrust in het verre Texas, terwijl ik mijn ogen bijna niet over de pagina's durfde te laten gaan uit vrees opeens mijn eigen naam te zien staan: *Onlangs is aan het licht gekomen dat Timothy Wilde, drager van koperen ster nummer 107, onderzoek heeft gedaan naar de brute moord op Ierse kinderen en daarbij jammerlijk heeft gefaald.*

Ik kon het idee dat dat op een gegeven moment wel moest gebeuren niet van me afzetten. Het kon alleen maar een kwestie van tijd zijn.

Op zaterdagavond voelde ik me gesloopt en nutteloos. Omdat ik niet kon bedenken wat ik anders zou kunnen doen, ging ik maar weer eens naar de Tombs. Op de binnenplaats kwam ik Connell tegen, die een tengere en chic geklede man in een groenfluwelen jas meevoerde wiens polsen achter zijn rug geboeid waren. Mijn collega keek bars voor zich uit. Ik knikte, waarop hij zijn hoofd ook even schuin hield.

'Meneer, meneer,' riep de arrestant me toe, 'helpt u me, alstublieft. Ik word tegen mijn zin meegenomen.'

'Zeker, dat is ook de bedoeling,' reageerde Connell.

'Wat is het probleem?' vroeg ik.

'Ik werd op straat aangesproken door deze... deze figuur,' snoof de gevangene. 'Mooie boel is het, dat je tegenwoordig als heer van stand niet eens meer over straat kunt zonder te worden lastiggevallen door een of andere gebleekte wilde. Ik ben mishandeld. Ik doe een beroep op u, meneer, om dit onmiddellijk recht te zetten.'

'Wat is de aanklacht?' vroeg ik kalm.

'Het in omloop brengen van valse aandelen,' antwoordde Connell.

'Zet hem maar achteraan in het oostelijke cellenblok,' stelde ik voor. 'Ik heb gehoord dat daar een nest pasgeboren ratten zit. Soort bij soort.'

'Blijf met je vuile poten van me af!' gilde de vervalser toen Connell hem meetrok. En vervolgens tegen mij: 'Leest u de kranten soms niet? Weet u niet tot wat voor krankzinnigs die Ieren in staat zijn? Hun moordlustige uitspattingen? Wilt u me echt in zijn handen achterlaten?'

'Ik weet niet precies wat je de afgelopen dagen hebt uitgevoerd,' zei mijn collega-agent ten afscheid, 'maar zou je er misschien iets meer vaart achter kunnen zetten?'

Dat was zo'n redelijk verzoek dat ik echt niet wist wat ik erop moest antwoorden.

Ik liep naar de voor de politie bestemde kantoorruimte in de krochten van de Tombs. Eenmaal daar verdiepte ik me in een betoog voor de uitwijzing van papen uit Amerika en een Iers manifest over de rechten van katholieken. Uit wanhoop geboren onderzoek. Splinters schrapen van de bodem van een leeg vat. Toen kwam Piest binnen met veel gestamp van zijn vijfpondslaarzen. Met een fanatieke blik en heftig knikkend met zijn kinloze kaken, gebaarde hij krijgshaftig in mijn richting.

'Het is me gelukt, Wilde! Ik heb het gevonden. Het is ontdekt. Eindelijk heb ik dan toch iets opgespoord,' sprak hij.

Hij wierp het 'iets' op tafel. Het was een preservatief voor mannen. Een van de betere, het soort dat al langer in gebruik was bij huisvrouwen die hun vele miskramen moe waren en bij hoeren die geen zin hadden hun neus te laten wegteren door Cupido's ziekte.

Het was gemaakt van een met piepkleine steekjes dichtgenaaide schapen- of geitendarm, die aldus een lang en herbruikbaar hoesje vormde. Niet nieuw. Al gebruikt, tot er een scheur in was gekomen, en zeker ook niet schoon meer. Ik staarde er nog niet erg overtuigd naar.

'Waar?'

'Naar aanleiding van je aansporing van onlangs tot hard en stug doorwerken, heb ik mijn zoekgebied uitgebreid, Wilde. Het is voor een groot deel aan jou te danken. Ik had tot dan toe een straal van dertig meter rond de plaats van het massagraf aangehouden, maar mijn vondst heb ik op vijftig meter ervandaan gedaan, in een afgezonderd dalletje.'

'Lieve hemel. Ik dacht dat je nog steeds patrouilles liep.'

'Dat doe ik ook,' bekende de nobele oude dwaas vermoeid. 'Orders van Matsell. Ik trek er elke ochtend twee uur voor uit om te profiteren van het beste licht.'

Ik zag dat Piests zilvergrijze haar praktisch overeind stond en dat zijn oude handen lichtelijk beefden en wilde al iets waarderends en hartelijks zeggen, toen ik werd afgeleid door iets wat uit mijn keel naar boven probeerde te kruipen. 'Je wilt toch niet zeggen dat hij voor hij ze vermoordde, of misschien zelfs daarna...'

'Nee!' Piest stak een vinger in de lucht. 'Als dat het geval was, had ik er veel meer moeten vinden, zelfs van vijf jaar terug. Nietwaar? Maar ik heb er maar vier aangetroffen, die zijn weggegooid zodra ze waren gescheurd en ze zijn niet ouder dan een jaar, lijkt me.'

Hij haalde de rest ook uit zijn volgepropte jaszak en legde ze bij hun slappe broertje op tafel. Ik had de bijna onbedwingbare neiging op te springen en de oude malloot ferm de hand te drukken, maar deed dat toch niet.

In plaats daarvan zei ik hartelijk: 'Je bent een mirakel van zoekkunst, Piest.' Opeens schoot opwinding als een strak opgedraaide veer door me heen en ik boog voorover. 'Jij denkt dus dat degene die deze dingen heeft gebruikt daar vaker komt. Heel vaak. Je denkt dat die persoon misschien wel wat heeft gehoord of gezien. Er bevinden zich daar afgelegen boerderijen, kleine bedoeninkjes buiten de stadsgrenzen...'

'En deze zijn duidelijk van eigen makelij, niet gekocht, want wie koopt er...'

'... preservatieven bij een drogist met het risico betrapt te worden als je gemeenschap hebt...'

'... in het bos om je zonde geheim te houden? Ze zijn vast van de ontrouwe echtgenote van een boer, of van een boerenmeid die er wel pap van lust maar heel voorzichtig is. En die op loopafstand van die plek woont, zoals je zult begrijpen, Wilde.'

Ik leunde met een dwaze grijns op mijn gezicht achterover in mijn stoel, lichtte met een zwierig gebaar mijn hoed en boog voor hem vanaf mijn stoel. Piest maakte een belachelijk diepe buiging terug.

Hij griste de stapel darmballonnetjes van tafel en stak ze weer in zijn zak. 'Ik zal de eigenaar vinden, Wilde. Ik ga op onderzoek uit. Mijn vragen zullen het toonbeeld van discretie zijn en we zullen ons antwoord krijgen. Ik ga meteen met de hoofdcommissaris praten!'

En onder het fluiten van een Hollands deuntje scharrelde hij de kamer weer uit. Hij was werkelijk het vreemdste mannetje dat ik ooit had ontmoet. En zijn gewicht in vers geslagen goudguldens waard.

Die avond was mijn tred een stuk minder zwaar toen ik huiswaarts keerde. Mijn schoenen zweefden op het succesje van die dag. Opgewekter dan ik me in dagen had gevoeld kon ik wel een kroes dunbier gebruiken, of twee, gevolgd door een paar glazen whisky en dan naar bed. De hoop had de knopen in mijn schouders losgemaakt. Het licht in de winkel in Elizabeth Street scheen me tegemoet toen ik naar binnen ging.

Mevrouw Boehm stond achter de toonbank naar de nankingbroek te staren die Bird had gedragen. Ze zag er wat vlekkerig uit. Haar scherpe kantjes waren eraf, alsof iemand aan haar had gezeten voor de verf droog was. Haar grote mond hing open en haar beide handen met daarin het kinderkledingstuk rustten werkeloos op het hout.

'Dat was verkeerd van u,' zei ze met een stem zo droog als maïsvezels, die gewichtloos en leeg klonk.

'Wat? Wat is er gebeurd?'

'U had haar nooit mogen wegsturen. Niet naar het gesticht. Nooit. En niet zo snel al. In het begin was ik boos, maar ik was al van gedachten veranderd, meneer Wilde. U had met mij moeten overleggen.'

De zwaartekracht trok en duwde tegelijk aan me, een duizelig, paniekerig gevoel.

Ze zei 'gesticht'. Het Opvoedingsgesticht.

'Waar is Bird?' vroeg ik. 'Ik heb haar nergens heen gestuurd. Waar is ze?'

Angstige dofblauwe ogen schoten omhoog en haar blik kruiste de mijne. 'Er kwam een rijtuig voorrijden. Met twee mannen, één heel donkere en lange. De andere blonder en kleiner, met haar op zijn lip. Ze hebben haar meegenomen. Ik zou ze niet toegelaten hebben, maar ze hadden door u ondertekende papieren bij zich, meneer Wilde, en…'

'Stond er een voornaam bij?'

'Nee, enkel Wilde. Ze zijn hier vijf minuten geleden vertrokken.'

Ik stormde naar buiten.

Elk gezicht op Elizabeth Street leek te grijnzen, elk sloom varken hoopte dat ik besefte hoe enorm ik iets kon verprutsen waar ik niets van afwist. Twee mannen: eentje heel donker en lang, de andere blonder en kleiner, met haar op zijn lip.

Scales, wiens voornaam waarschijnlijk niet eens meer bestond, en Moses Dainty – Vals kornuiten.

Mijn voeten raakten met kracht de grond. Ik schoot als een kogel op het dichtstbijzijnde paard af dat voor een kruidenierswinkel vastgebonden stond en niet van mij was. Hoe ik het ook wendde of keerde, het was gewoon echt niet van mij. Toch rukte ik de leren lus van de paal, sprong in het zadel, drukte mijn hakken in de flanken en negeerde de uiterst begrijpelijke schrik van het dier.

Je woont hier tegenover. De diefstal van het paard kun je morgen in orde maken.

Ik overwoog die verrekte bemoeial van een geniepige broer van me te vervloeken terwijl ik bijna een stel Bohemers van de sokken reed die van een bierhal naar huis liepen. Maar vervloeken leek intussen nogal overbodig.

Het Opvoedingsgesticht ligt op de plaats waar Fifth Avenue, Twenty-fourth Street en Broadway elkaar kruisen, goed verborgen voor de blikken van eerbare mensen, buiten de stad, ten oosten van de plek waar de lichamen waren gevonden, hoewel er onlangs mensen uitgerekend daar herenhuizen waren gaan bouwen. Ik verspilde geen seconde aan de mogelijkheid dat de opgegeven bestemming een list was. Het was een roekeloze gok, en ja, mijn ademhaling stokte ervan in mijn borst, en ja, ik sprong daardoor weinig zachtzinnig om met de kastanjebruine ruin van die arme onbekende, en ja, het was een gok die op harde feiten noch op goede hoop gebaseerd was.

Maar het was de enige aanwijzing die ik had. Het was ofwel in galop naar het Opvoedingsgesticht ofwel naar India of de Republiek Texas. Ik greep de teugels en jakkerde als een razende van Elizabeth Street naar de deftige lantaarnpalen van Bleecker, nog maar één straat verwijderd van Broadway, en werd door iedereen nagestaard toen ik voorbij stoof, van heren met sabelbonthoeden tot en met ruwe Schotse handarbeiders.

Er schoten allerlei sombere gedachten door mijn hoofd tijdens het afleggen van de route, waarbij ik nageschreeuwd werd door straatmadelieven, toeristen en hoogwaardigheidsbekleders, die begrijpelijkerwijs schrokken van die bizarre woesteling met zijn voor een kwart gemaskerde gezicht op deze zoele zomeravond. De gedachten luidden ongeveer als volgt:

Valentine wil je inwrijven dat het hem menens is. Valentine is een schoft. Maar Valentine leek haar wel te mogen. Valentine is een kruitvat met een lont die rechtstreeks in handen is van de Democratische Partij en Bird Daly is getuige van een schandaal en dus een sta-in-de-weg.

En dan had je ook nog deze gedachten:

Bird denkt dat jij hierachter zit. Ze gaat ervan uit dat het jouw idee was om haar eruit te gooien.

En intussen galoppeerde ik door, terwijl mijn ogen zochten naar een gesloten rijtuig. Ik wist ook precies hoe het eruit zou zien. Iets wat er officieel genoeg uitzag om mevrouw Boehm, die niet op haar achterhoofd was gevallen, om de tuin te kunnen leiden. Maar mijn broer was ook behoorlijk uitgekookt, God hebbe zijn ziel nadat ik hem hiervoor vermoord zou hebben. Het rijtuig zou dus gordijnen moeten hebben en goed in de verf moeten zitten, bij voorkeur met iets wat eruitzag als het beeldmerk van een liefdadigheidsinstelling op het portier.

Maar zoiets was nergens te bekennen. En dus vloog ik als een schreeuw met de wind mee over Broadway en zigzagde tussen de omnibussen, brouwerswagens, fiakers en handkarren door. Zonder al te veel moeite, bleek, omdat ik slechts een man op een paard was en geen tijd had om bang te zijn voor een botsing. Ik vloog langs de afslag naar Washington Square en even schoot haarscherp het beeld door mijn hoofd van Mercy die in een park over Londen praatte, nadat ze zich welbewust in een opstootje gewaagd had om een zwarte man te bevrijden. Heel even maar, daarna kwamen er gruwelijker beelden voor in de plaats. Van dingen die kinchen overkomen als ze in het Opvoedingsgesticht terechtkomen.

Bird zal stukwerk moeten naaien tot ze op haar vijfentwintigste stekeblind is. Bird zal als aanstaande echtgenote van een mislukte kolonistenboer naar een kale prairie worden gestuurd, waar de enige gedachte die nog bij een mens opkomt is zichzelf de keel af te snijden. Bird zal in de Tombs aan longontsteking sterven voor het stelen van de beurs van een rijkaard, omdat ze dacht dat haar dat wel zou lukken zonder betrapt te worden.

Bird zal terugkeren in haar oude beroep.

Ik spoorde het arme dier nog harder tot snelheid aan en mijn longen gingen net zo hard tekeer als zijn hoeven – mijn hele lichaam leek een ode aan de snelheid.

Terwijl ik zo over het hooghartige Broadway denderde, met in mijn kielzog kreten van in satijn gehulde verontwaardiging, en terwijl ik herenhuizen passeerde waarbinnen ik talloze glimpen van kroonluchters opving alsof het om aangespoeld wrakgoed ging, streed de genadeloze opwinding van de jacht die ik voelde met de wanhoop over mijn machteloosheid. Ik had hen nog steeds nergens gezien. En als ze er waren geweest, had ik hen zeker gezien. Dat kon niet anders.

Waar hadden ze haar mee naartoe genomen?

Ik overwoog serieus weer om te draaien en het arme paard meedogenloos de andere kant op te jagen. Welke kant dan ook, als het maar de goede was.

Maar toen hield ik stil om na te denken.

Ik was nu bijna bij het Opvoedingsgesticht. Ik was al voorbij het punt waar Seventeenth Street overgaat in Union Place, met zijn gras dat er kurkdroog uitzag in het maanlicht, maar waarvan het nieuw aangelegde groen een ergerlijk hoopvolle aanblik bood. Nog maar een klein stukje. En als ze slim waren en hadden bedacht dat ik elk moment thuis had kunnen komen en zo hun plannen in de war had kunnen schoppen, wat zouden ze dan hebben gedaan?

Dan zouden ze helemaal om Washington Square heen gereden zijn om zo weer op Fifth Avenue terecht te komen, een kleine omweg, maar toch niet heel erg uit de route. Want ze wisten dat ik over Broadway achter ze aan zou komen en ze die weg dus koste wat kost moesten vermijden.

Zo redeneerde ik tenminste toen ik op de poorten van het ontzagwekkende Opvoedingsgesticht afreed. Ik liet de ruin stilhouden en wachtte af. Het enige wat de maanbeschenen stilte doorbrak was mijn hijgende ademhaling.

Ik kon alleen maar hopen dat ik eerder was gearriveerd dan zij.

Het is een verlaten arsenaal. Het Opvoedingsgesticht, bedoel ik. Zwart als teer in het geleidelijk verdwijnende boerenland eromheen, zwarter dan de bomen, zwarter dan een werkelijk arsenaal zou zijn. Zoals ik al zei, worden politiemannen geacht zwerfkinderen hierheen te sturen. Maar dat bevel heb ik nooit opgevolgd. En dat zou ik nooit doen ook. Daarvoor mochten ze me elke straf geven die ze konden verzinnen. Ze mochten me zelf naar de Tombs sturen wegens insubordinatie, met elke strafmaatregel dreigen, me dwangarbeid laten doen, me in de voetboeien slaan, me afranselen met een kat met negen staarten terwijl ik over een vat gebonden sta, me dagenlang alleen opsluiten in een hok zonder licht. Aangezien ik een volwassen man ben en zo'n behandeling hoogstwaarschijnlijk wel zou overleven.

Dat gold niet voor sommige van de kinchen in het Opvoedingsgesticht.

Het paard huiverde. Zweet stroomde donker als bloed langs zijn hals terwijl ik wachtte. Ik streelde hem door zijn manen. Ik voelde zijn ongemak onder me en was hem dankbaar dat hij niet allang besloten had dat het te veel moeite was om me te blijven dragen. Krekels sisten me toe vanuit de verlatenheid en het plagerige fluisterwieken van gedimde vuurvliegjes zoemde in mijn oren. De muur die de schaduw bood waarin ik me schuilhield was een halve meter dik. Een stenen vesting, meer dan hoog genoeg om de meeste vluchtplannen te dwarsbomen.

Die van Valentine echter niet. Bij lange na niet.

De ironie was dat toen hij hier gevangenzat onze ouders nog springlevend waren. Deze instelling was opgericht om de lanterfantende jeugd van de straat te houden en ze te heropvoeden met een stevige dosis 'geestelijke en lichamelijke tucht'. Dit met volledige instemming van het stadsbestuur en van iedere ouder wiens kinderen geen neigingen vertoonden om drank uit winkels te stelen en op de Battery op te drinken.

Niet die van Henry en Sarah Wilde dus.

Het duurde vier dagen voor mijn ouders erachter waren waar Valentine heen was gebracht. En nog eens acht uur voor het ze lukte een rechter te spreken te krijgen. Aangezien ik toen nog maar een snotaap van zes was, weet ik alleen nog hoe stil het die week in huis was. Hoe er opeens nadrukkelijk veel lege plekken waren. Op zijn twaalfde kneep mijn broer er vaak tussenuit, al deed hij dat niet met de regelmaat van de klok. Als hij weer eens de hort op was, ging ik er altijd van uit dat hij ook weer terug zou komen. Zijn terugkeer was de natuurlijke gang van zaken. Maar deze keer was alles anders: mijn moeder kreeg geen rechte zoom meer genaaid en mijn beer van een vader liet zijn eten staan. Toen ze uiteindelijk iemand van de rechtbank te spreken kregen, liet die hun weten dat Val was betrapt op het inslaan van een ruit. En dat ze een rechtsgeldig document moesten komen overleggen waarop zijn geboortedatum stond. Met die opdracht stonden ze even later weer op straat.

Val kwam twee dagen later thuis, toen mijn ouders bijna gek geworden waren van ongerustheid en al veertig uur aan één stuk door met elkaar hadden gefluisterd. Zijn donkerblonde haar was ruw afgeschoren en hij droeg een voddig uniform. Met een brutale grijns op zijn gezicht vroeg hij om een stuk vlees en een glas dunbier. Mijn vader stond het dichtst bij hem en kon hem als eerste in zijn armen trekken. Hij was daarom ook de eerste die merkte dat Vals hemd vastgedroogd zat in de bloederige strepen die kriskras over zijn rug stonden.

Wat kon het mij duvelen of Val schromelijk overdreef met zijn verhalen over hoe hij koperen spijkers had moeten maken of over de helse klokken die hen in een verder geestdodende stilte van de ene naar de andere plaats dirigeerden of over de vernederende gedwongen wasbeurten of het bedorven eten. Ik had zijn hemd met eigen ogen gezien. Henry Wilde was geen gemakkelijke man, maar toen mijn moeder het katoen van Vals huid weekte, hoorde ik hem zo duidelijk als wat met zijn vuisten tegen de schuurmuur beuken. Al was ik zelf nog maar zes, ik had diezelfde drift gevoeld die niet in woorden kon worden uitgedrukt en had daarom een houten kratje in elkaar getrapt.

Het idee dat Valentine Bird naar diezelfde plek wilde sturen, wekte deels mijn afgrijzen en deels mijn ontzag. Het was zo verkeerd dat het een flard uit een nachtmerrie leek. Hetzelfde gevoel had me ooit bevangen toen ik droomde van een monster met tanden aan het uiteinde van zijn vingers en een mond vol vingernagels.

Hoefgetrappel naderde.

En met een flinke vaart ook. Zonder aandacht te trekken of een moment te verliezen.

Er trok een tochtvlaag over mijn rug die langs de gevangenismuur huiverde en weerklonk in het gedempte briesen van het gestolen paard. Ik stond onder dekking van de schaduw van de hoge muur en de koetsier was de enige die me mogelijkerwijs zou kunnen zien, maar mijn eigen uitzicht op het klepperende rijtuig dat naderde was onbelemmerd. Het was een koets met vier wielen, door twee paarden getrokken, met gordijnen voor de raampjes, en ik meende vaag een soort beeldmerk op het portier geschilderd te zien. Intussen had ik een plan bedacht.

Ik drukte mijn hakken in de ribben van het dier en schoot de weg weer op.

'Halt!' riep ik, en ik zwaaide met mijn armen.

De twee paarden gehoorzaamden me onmiddellijk, nog voor de voerman dat deed, want ik bevond me direct op hun pad. Het rijtuig had bij nacht voorzien moeten zijn van verlichting en ik zag de schaduwen van de lampen die verraderlijk koud en onaangestoken aan de vier hoeken hingen.

'Wie is daar?' riep de voerman naar beneden.

'Politie.' Ik stak mijn koperster naar hem op. 'Ik moet even met uw passagiers spreken.'

Ik gunde hem geen tijd om te antwoorden, maar klakte met mijn tong naar de ruin en liet me naar de zijkant van het voertuig rijden. Of het dier me vertrouwde omdat het gehoorzaam van aard was of omdat het mij liever had dan zijn echte baas zal ik nooit weten. Ik stak mijn arm uit en rukte het portier open. Mijn voeten bevonden zich op dezelfde hoogte als het metalen trapje.

Moses Dainty zat met een van verwarring zenuwachtig trekkende snor links. Scales zat rechts en ademde door zijn mond. Dat doet hij altijd als plannen in het honderd dreigen te lopen. Naast Scales zat Bird Daly, kaarsrecht en woedend, met betraande ogen en blakend gezond. Ze keek me woedend aan, tot de woede zichtbaar wegzakte.

Bird herkent leugens feilloos, en degene die ze vertelt ook.

'Geef haar aan mij,' zei ik bars. 'Wat jullie ook te horen hebben gekregen, madam Marsh wil haar terug.'

De twee schobbejakken keken me kwaad aan en wisselden vervolgens een blik met elkaar. Intussen had de hevige verontwaardiging die over het gezicht van het wichtje was gevlogen plaatsgemaakt voor de blik van een schipbreukeling. Het uitdrukkingsloze gezicht van een halfverdronkene die zich vastklampt aan een vlot en hulpeloos wacht tot er iets zal gebeuren.

'Je gaat een man van de Partij toch niet om de tuin leiden, Tim, ik neem aan dat jij wel beter weet,' zei Moses, 'aangezien jij…'

'Wat mijn broer jullie ook verteld heeft, ik ben hier om jullie te vertellen dat hij zijn boekje te buiten gaat. Madam Marsh heeft me hier persoonlijk naartoe gestuurd. Het lijkt me geen goed idee als zij zich terugtrekt uit de Partij vanwege een misverstand waarvoor ik jullie op tijd heb gewaarschuwd. Dit kind is al iemands eigendom. Geef haar aan mij, dan hebben we het er verder niet meer over.'

'Madam Marsh? Wacht eens even,' stamelde Scales in verwarring. 'Heeft zij…'

'Ja. In hoogsteigen persoon. Nog geen uur geleden. Ik ben meteen hierheen gereden, zoals je wel ziet. Maar ik vind het best. Als jullie willen dat Silkie Marsh jullie beschouwt als een stelletje afvalligen dat haar haar bezit afhandig maakt, ga dan vooral je gang. Ik hoop er alleen geen getuige van te hoeven zijn als ze het jullie betaald zet. Maar de Partij zal ongetwijfeld de begrafenissen voor haar rekening nemen.'

'Dit was allemaal geregeld,' zei Moses. 'Ik denk niet dat we…'

'Geef haar hier,' onderbrak ik hem, 'of ik laat mijn broer eigenhandig uit de politie zetten. Let maar eens op. Ik moet aan mijn eigen huid denken, mochten jullie per se willen doorgaan met deze stommiteit. Heb je niet gezien hoe ik haar tijdens de Partijbijeenkomst beschermde?'

Het had me pakweg tien seconden gekost, maar het bleek de juiste combinatie van woorden. Scales, die de langste armen had, ging met een voet op het trapje staan, greep Bird onder haar oksels en zette haar voor me in amazonezit op het paard, zodat haar jurk niet in de weg zat.

Ik nam niet de tijd om ze te bedanken, maar stoof zodra ik haar stevig vast had in volle vaart terug naar de stad, op mijn gestolen paard in het duister van de nacht. Toen we ten zuiden van Union Park waren en de verblufte huurlingen in geen velden of wegen meer te bekennen waren, ging ik langzamer rijden en gaf haar een duwtje.

'Alles goed daar?'

'Waar gaan we heen?' klonk een klein stemmetje.

'Naar huis. Naar mevrouw Boehm. En daarna gaan we snel op zoek naar een betere schuilplaats.'

Bird drukte zich wat steviger tegen me aan voor ik onze vliegende vaart hervatte en de wind flarden van haar woorden wegblies.

'Ik heb nooit gedacht dat u het was die me wegstuurde,' loog ze. 'Nooit.'

Ik had Bird al heel wat leugens horen vertellen om zichzelf in te dekken. Uit voorzorg, ter verdediging, bij wijze van misleiding of om sympathie te wekken. Die leugens vergaf je haar meteen, omdat Bird Daly leugens nodig had zoals sommige dieren hun schelpen. En dus had ik me die rustig laten aanleunen en gekeken hoe ze als kralen van een kapotte ketting haar mond uit kwamen stuiteren. Een andere keus had ik ook niet. Maar ik was niet van plan dit laatste verzinsel van haar te slikken. Geen tel. Zoals ik al zei, ben ik een volwassen man.

'Wil je niet liegen om mij te plezieren,' zei ik, terwijl ik het paard weer in beweging zette. 'Nooit.'

'Goed,' fluisterde ze, nadat ze daar even over had nagedacht. 'Dan ben ik opgelucht dat u het niet was.'

Het licht dat door de ruiten van de bakkerij in Elizabeth Street scheen, trilde verwachtingsvol. Toen ik het gehoorzame paard liet stoppen en afsteeg en vervolgens Bird ervan af tilde, was ze binnen zes tellen alweer van me afgepakt. Deze keer door mevrouw Boehm, die naar buiten was komen stormen met een brede grijns die in tegenspraak leek met het vocht in haar ogen.

'Alles goed met je?' snauwde mevrouw Boehm, die klonk alsof ze behoorlijk geërgerd was dat Bird zichzelf had laten ontvoeren.

'Ik geloof het wel,' zei Bird bedeesd. 'Zijn er nog maanzaadcakejes over?'

Ik voerde het paard mee naar de overkant, naar de kruidenierswinkel en gluurde om me heen. Alles zag er vredig en kalm uit achter de uitgestalde verlepte en naar zwavel ruikende kolen en er klonk een opgewekt geroezemoes aan de als bar dienstdoende plank binnen. Ik gooide de teugellus om de paal en gaf het paard een emmer Crotonwater uit de pomp op de hoek. Ik schuierde hem met een lap die ik naast ons huis had gevonden en met een ruime hoeveelheid schoon water. Het dier huiverde tevreden. Het hele grimmige avontuur had nog geen uur geduurd. In gedachten boekte ik weer een puntje bij voor de politie en ging naar binnen.

'Waar is ze?' vroeg ik mevrouw Boehm. Ik wierp mijn hoed af en ging achterstevoren op een stoel zitten die ik bij de tafel had getrokken.

'Boven, met melk en een cakeje.' Mevrouw Boehm stond haar ovens schoon te maken, maar nu draaide ze zich naar me om en haar vriendelijke gezicht was pijnlijk verwrongen. 'Ik heb haar laten gaan. Het was mijn schuld, ik...'

'Het was helemaal uw schuld niet. We moeten er alleen voor zorgen dat het niet nog eens kan gebeuren.'

Ze knikte en terwijl ze een diepe zucht liet ontsnappen, zakte ze neer op een stoel tegenover me.

'Ik wilde u nog zeggen hoezeer het me voor u spijt van uw man en zoontje.'

Ik wilde haar niet aan haar ongeluk herinneren, maar het moest worden uitgesproken. Misschien was het uit eigenbelang. Maar toch. De naam op de bakkerij die was overgeschilderd om te laten zien wie hier nu de baas was, afgezet tegen de stroom vaste klanten die verder terugging in de tijd dan de verf. De manier waarop ze met Bird praatte en er geen schaduwen van meer volwassen zorgen over haar gezicht gleden als het kind iets zei. Ze luisterde echt. De ervaren manier waarop ze kompressen aanlegde, de voorraden stil geduld die ze bezat en de nankingbroek die ze nog in een koffer had liggen.

'Dank u wel,' zei ze zachtjes. Om er na een korte stilte aan toe te voegen: 'Was dat een vraag?'

'Niet als u er niet over wilt praten. Het is gewoon een feit.'

'Twee jaar geleden werd er op een dag vee opgedreven op Broadway. Heel plotseling, waardoor er paniek onder de dieren ontstond. Ze waren niet meer te beheersen.' Ze haperde en wreef met haar duim over een glazige streep vet op de houten tafel. 'Soms vraag ik me af of ik het gevaar misschien eerder in de gaten gehad zou hebben. Het op hol slaan, het hoefgetrappel. Maar voor Franz ging het te snel en Audie zat op zijn schouders.'

'Het spijt me,' zei ik nog eens.

Mevrouw Boehm haalde haar schouders op, niet omdat de herinnering haar niets meer deed, maar omdat ik er ook niets aan kon doen. 'Ik heb een winkel en een dak boven mijn hoofd. Toen het net gebeurd was, zei een buurvrouw tegen me dat ik geluk had dat ik nog zoveel had en dat het Gods wil was. Hoe dom kan een mens zijn? Alsof God na het maken van zoiets jongs en volmaakts het met opzet zou laten verpletteren. Waarom dan al die moeite doen? Domme mensen denken dat God net zo denkt als zij. Misschien bestaat God niet, maar ik kan niet geloven dat Hij dom is.'

Achter ons klonk geklop op de deur. Een bescheiden *pok-pok-pok*.

Behoedzaam deed ik open. Het geluid had vreemd geklonken, niet alleen omdat het zo zacht was, maar toen ik naar beneden keek zag ik hoe dat kwam. De knokkels waren klein van stuk en het raakpunt op de deur ongeveer een meter lager dan waar je het zou verwachten.

'Neill,' zei ik. 'Wat is er gebeurd?'

Neill hijgde van de inspanning, waarbij zijn knokige schoudertjes op de maat mee bewogen. Hij droeg kleren van de bedeling, maar wel van goede kwaliteit – een katoenen hemd en een gerafeld vest van tweed en een kniebroek die niet helemaal tot over de glimmende halve schelpen van zijn knieën reikte.

'Pastoor Sheehy wacht op u bij St. Patrick's. Hij kon zelf niet komen. Heeft mij gestuurd. Hij bewaakt het daar zo goed hij kan, maar heeft u dringend nodig. Kom, ik moet u zo snel mogelijk naar hem toe brengen. Alstublieft.'

'Is er iemand gewond?' wilde ik weten, nadat ik mijn hoed had meegegrist en mevrouw Boehm het advies had gegeven voor niemand open te doen behalve voor mij.

'Dat zou ik niet weten,' hijgde Neill toen we ervandoor vlogen. 'Maar er is iemand vermoord en bruut ook, zowaar als er een krankzinnige Ierse duivel door de straten waart.'

18

Het moeten voorzeker duivels in mensengedaante zijn geweest die voor enige tijd op aarde mochten huishouden, teneinde de zaak van een zuiverder en vromer geloof te sterken.

• De Amerikaanse protestant ter verdediging van de burgerlijke en godsdienstige vrijheid in de strijd tegen de paapse horden, 1843 •

Maar dat is niet zo, dacht ik halsstarrig terwijl we renden. Laat dat alsjeblieft niet zo zijn. Als dat het geval is, is de prijs te hoog, veel te hoog, voor ons allemaal. Als er een krankzinnige Ierse duivel door de straten waart, zal iedere redelijkheid in de publieke opinie in een ommezien ver te zoeken zijn.

De weinige straten die we doorliepen naar het noorden, op weg naar St. Patrick's Cathedral, die duizelingwekkend hoog boven alles uitstak, zagen er onwerkelijk en tegelijk verraderlijk vertrouwd uit, als papieren coulissen op het toneel van de krantenjongens. De lucht gloeide zo dicht bij de grond, was gruizig en zwaar toen we langs een weeïg zoet riekende, overvolle put kwamen. Ik wilde dat alles sneller ging en wenste tegelijk dat ik het vergrijp van het paard dat ik zo-even had gestolen bij de winkel in Elizabeth Street niet al had teruggedraaid.

Bij Prince Street sloegen we links af en daar verrees St. Patrick's al voor ons, een door bleek maanlicht beschenen monument voor de god der katholieken. Het was het enige nachtelijk tijdstip waarop in de straten van New York op zijn minst een suggestie van stilte hangt, het beschutte straatje verloren tijd dat ergens tussen drie en vier in de ochtend ligt. Al ruim verwijderd van het tijdstip van twee uur 's nachts dat stijf staat van de drankwalmen en de geur van gebraden vlees van middernachtelijke hapjes en die van na de opera genuttigde koffie en vleselijk verkeer in donkere steegjes. En nog niet in de buurt van vijf uur in de ochtend als er steeds meer paarden opduiken in de straten en het hanengekraai niet van de lucht is. Het scharnier tussen vertier en arbeid, wanneer een hoer na een orgie tot ver in de kleine uurtjes eindelijk haar bed opzoekt en daarbij rakelings een nog slaapdronken steenhouwer die op weg is naar zijn werk zo'n vijf kilometer van huis zou kunnen passeren. Ik draaide me langzaam om naar Neill.

'Er is geen krankzinnige Ierse duivel die het op katholieke kinchen heeft voorzien,' zei ik. Ik wilde zo graag dat ik gelijk had. 'Dat is enkel een walgelijk gerucht dat gebaseerd is op een vuige brief in de *Herald*. Ze hebben al laten weten dat die niet op waarheid berust, Neill.'

Neill schudde meewarig zijn hoofd om mijn naïviteit en ik zag de blauwe aderen onder de dunne huid van zijn witte hals trillen.

Voor de driedubbele deuren van de kathedraal stond een groepje mensen, voornamelijk Ieren, maar ook een aantal Amerikanen. Voor het merendeel straalden ze iets uit wat ik wel eerder had waargenomen: dezelfde soort gretige, bangige, kinderlijke gezichtsuitdrukking als die van de omstanders die vanaf een veilige afstand hadden toegekeken toen een groot deel van het stadscentrum in de as werd gelegd.

'Ik heb één keer nee gezegd en het blijft nee,' verklaarde pastoor Sheehy met nadruk. Hij had een pistool in zijn hand, zonder twijfel geladen, de haan gespannen en onmiskenbaar een trouwe kameraad. Vooralsnog hield hij het op de grond gericht. 'Ik zal het net zo vaak herhalen als nodig is en net zo lang tot jullie een beter tijdverdrijf gevonden hebben!'

'Hebben wij er dan geen recht op te zien wat de duivel heeft aangericht?' vroeg een vijandig kijkend oudje. 'Terwijl het nota bene een van ons betreft?'

'Het is niet een van de uwen, mevrouw MacKenna. Bid voor zijn ziel, bid voor ons allen, bid God om wijsheid en keer huiswaarts.'

'En wíj dan?' vroeg een kerel met een zwarte baard en temperamentvolle blauwe ogen. Hij was duidelijk een man die werk wilde maken van een toekomstige Democratische verkiezingswinst en was ook zonder twijfel een vader – op zijn gezicht stond rationele angst te lezen en niet alleen om zijn eigen bestaan. 'Hoe moet het met onze kinderen? Met onze broodwinning en veiligheid zodra dit nieuws zich als een lopend vuurtje verspreidt? Mogen we de vijand niet recht in de ogen kijken?'

Sheehy keek even onverzettelijk als de stenen gevel achter hem. 'Die knaap was geen vijand van u, meneer Healy, al begrijp ik wat u bedoelt te zeggen. U bent bezorgd om uw gezin en wilt uw naasten beschermen. Maar ik zeg u hoe u dat moet doen: keert allen huiswaarts.'

'Maak plaats, weg van die deur,' riep ik, terwijl ik met mijn vingers over de koperen ster streek.

De aanwezigen vertoonden bij het zien van de koperen ster de inmiddels vertrouwde spontane reacties van spot en hoon. Bij een aantal van hen ging dat over in ronduit agressieve blikken, maar anderen verstarden en deden inderdaad een stap terug. Hoe dat zo kwam, was me niet duidelijk, maar ik was allang dankbaar dat het er niet naar uitzag dat de situatie alras zou ontaarden in een handgemeen. Pastoor Sheehy wierp me een snelle blik toe om meteen weer zijn parochianen in het vizier te nemen. Hij was nog even gespannen als voorheen, maar kon de last nu samen met mij dragen.

'U hebt gehoord wat meneer Wilde zei en niemand van u wil het aan de stok krijgen met een politieman. Ga weer aan het werk of ga weer slapen. Bid voor de knaap zijn ziel. Bid voor onze stad.'

Toen ik me bij de linkerdeur bij pastoor Sheehy voegde, zag ik dat verschillende omstanders heimelijk naar me wezen en elkaar iets toefluisterden. Sheehy opende de hoge deur een fractie en bleef er met lege ogen voor staan. Ik boog me voorover naar Neill.

'Je kunt wat verschieren als je voor mij zo snel als je kunt naar de Tombs rent om een agent te zeggen dat hij hierheen moet komen,' zei ik. 'Hij kan daar ieder moment arriveren, maar zal dan ook zo weer vertrekken naar de noordrand van de stad. Hij heet Piest. Jakob Piest. Denk je dat je hem kunt vinden?'

'Zeker wel,' zei het joch, en hij vloog er al vandoor.

'Waar kennen ze me van?' vroeg ik zachtjes aan pastoor Sheehy, die de deur iets verder openhield zodat ik naar binnen kon.

'Dan weet u zeker niets van een politieman die in zijn eentje drie losgeslagen Ieren heeft geklopt ten behoeve van een zwarte timmerman,' zei hij met een zucht. 'Dat zal dan wel een Iers sprookje zijn. Laten we maar snel naar binnen gaan.'

Ik draaide me ietwat perplex vanwege mijn plotselinge plaatselijke faam naar de geestelijke om. We stonden net achter de deur en ik knipperde met mijn ogen om aan het donker te wennen. Ik meende er klaar voor te zijn razend te worden om een gruwelijk tafereel dat ik te vaak had aanschouwd, maar ontdekte ook dat ik er klaar voor was om dat het hoofd te bieden en aan de slag te gaan. Mijn zo-even ontdekte bekwaamheid gaf me vleugels.

Maar onverhoeds overviel me een dierlijke angst die me een koude rilling bezorgde van boven tot onder aan mijn rug.

Ik kon nog steeds niets onderscheiden. Maar er hing een bepaalde lucht. Een lucht die verwant was aan het gevoel van ijzig metaal dat van mijn nek naar de grond glibberde. Het rook een beetje naar ijzerhandel, maar ook naar vers gesneden biefstuk én naar oude gootsteen. Het deed denken aan messen en natte aarde. Een gevoel van afgrijzen had me al in zijn greep toen ik me fluks omdraaide om te zien wat er achter mij lag.

Ik zag een schim van iets kleins dat met handen en voeten aan de middelste deur van de kathedraal was genageld met daaronder een donkere plas.

Met verstikte stem uitte ik woorden die denkelijk niet eerder in een huis des gebeds hadden geklonken. Het was profaan, wat het ook was. Ik wankelde met mijn hand voor mijn mond achteruit. Ik gaf allerminst blijk te beschikken over sterke zenuwen. Daar ben ik blij om. Ook nu nog. Pastoor Sheehy huiverde. Op zijn gezicht stond een blik van ontreddering en opperste menselijkheid en zijn ogen gleden van wat ik zo-even had aanschouwd weer naar mij. Snel deden we een stap terug van de goddeloze poort.

'Het was terecht dat ze naar het jong vroegen. De mensen uit de buurt, bedoel ik. Maar als ze wisten wat het was zouden ze het niet met eigen ogen willen zien. Nu gaat het echter als een lopend vuurtje door de wijk, ik was er een halfuur te laat bij. Wie deze heilloze daad op zijn geweten heeft – en ik bid tot God dat we dat monster vinden – had die buitendeur wijdopen laten staan.'

Ik kon niet meer dan mijn hoofd schudden, met mijn hand voor de mond om mijn hart binnen te houden.

Mijn ogen zagen iets wat eenvoudigweg niet kon bestaan en toch was het daar. Twee geestelijk stabiele mannen staarden met ontzetting in de opengesperde rode muil van de waanzin. Neill had het niet zelf gezien, dat wist ik zonder ernaar te vragen. Hij was bleek en aangeslagen geweest, maar niet ontredderd. Deze dood zou hem veel meer van zijn stuk hebben gebracht dan alleen het bericht van weer een moord.

'Wie heeft het als eerste ontdekt?'

'Ik weet het niet. De buitendeur stond immers open. Ik kwam erachter door het gekrijs van een bedelares die hier in de buurt voor een fooi de straten veegt. Ze is nu niet aanspreekbaar, de arme ziel. God mag weten wie er verder van afweten. Toen ik haar ontdekte, kreet ze zo hard dat het de doden nog had kunnen doen herrijzen. Ik heb haar met wat eten en drinken en een ruime dosis laudanum in de muziekkamer ondergebracht. God sta me bij.'

Vind Piest, smeekte ik in stilte Neills kant op, toen ik merkte hoe ik ongewild mijn ogen had dichtgeknepen. Ik dwong mezelf ze weer open te slaan. *Ik heb op dit moment maar één ding nodig en dat is een beter stel ogen.*

Het gapende gat van het ingekerfde kruis was niet eens mijn grootste zorg. Hij was een tengere jonge jongen. Een jaar of elf, schatte ik op basis van zijn gezicht en de grootte van zijn al te zichtbare ribbenkast. Zonder twijfel Iers, het rossige haar en de sproeterige huid zeiden genoeg. Geen arbeider, constateerde ik toen ik het voor elkaar had gekregen naar zijn handen te kijken. Hij was een kinchin-mab geweest, daar durfde ik mijn hoofd om te verwedden. In zijn ooghoeken zaten koolzwarte sporen waar hij of zijn moordenaar ze niet helemaal schoon had geveegd.

Maar verder... er was zoveel bloed. Zoveel bloed en dan zo'n klein lichaam. Zijn gescheurde kleren waren ervan doordrenkt, het vormde een plas op de grond, het drupte langs het dikke eikenhout van de deur waar zijn handen en voeten tegenaan genageld waren. Om het lichaam heen ontwaarde ik een soort kader van bleke, slordige vegen op het hout.

'Waarmee zijn die tekens geschilderd?' vroeg ik hees. 'Die, die... al die kruisen. Zeven tel ik er. Waarom zou dat zijn? Dat is nieuw, die waren er de andere keren niet. En wat is dat voor verf? Het lijkt wel gewoon witkalk. Is het witkalk? Volgens mij wel.'

'Dat lijkt mij ook.'

'Het is nog niet droog, maar wel bijna. Dat kan een nuttige aanwijzing vormen.'

'Hoe bedoelt u?'

'Hoe lang duurt het eer witkalk droog is?'

'O, zo. Ja, natuurlijk. Ik zou zeggen hooguit anderhalf uur als het zo dun is aangebracht als hier.'

Ik dwong mezelf een stap dichterbij te zetten, mijn lichaam gekromd als een vraagteken. Ik ademde in. De lucht was verstikkend, vettig als lampenolie. Wierook vermengd met de scherpe lucht van offerbloed.

'Kent u hem, eerwaarde?'

'Nee. Ik heb hem nooit gezien. Ik heb al in mijn geheugen gezocht, maar weet niet wie hij is.'

We stonden weer een tijd te staren. Uit machteloosheid met stomheid geslagen.

'Dit klopt niet,' fluisterde ik, maar wat ik daarmee bedoelde ontging me.

Ik schrok op van hard gebons op de andere kant van de onzalige deur. Pastoor Sheehy grauwde iets in zijn eigen taal, streek met zijn vingertoppen over zijn glanzende schedel en wankelde als een slecht bespeelde marionet naar de onbezoedelde deur links van hem.

'Ik moet dringend Timothy Wilde spreken, het gaat om het welzijn van de burgerbevolking!' riep een schelle stem, als van een kreeft die al half in het kokende water hangt.

Ik rechtte mijn schouders. Ik had nooit gevochten in iets wat ook maar in de buurt kwam van een leger. Niet in een brigade, zelfs niet in een bende van rabauwen die ruzieden over de grenzen van hun grondgebied. Misschien voelt het zo wel als er versterking komt, dacht ik. Alsof je weer compleet bent. Eenvoudigweg omdat je niet langer de enige bent. In mijn eentje was ik nog een gekromde barkeeper geweest die met angst in zijn hart naar de dood had staan staren. Twee koperen sterren en ik was weer een politieman.

'Dank je, Neill,' zei ik over pastoor Sheehy's schouder in de donkere stilte aan de andere kant van de deur. 'En dan heb ik nu dokter Peter Palsgrave nodig. Zo snel als je maar kunt.'

Nadat ik Neill met het adres weer op pad had gestuurd, glipte Piest met zijn lantaarn laag gedraaid door de kier naar binnen. Pastoor Sheehy en ik deden een stap opzij. Mijn collega draaide zich om en keek. Hij bleef roerloos staan en zijn hart sloeg zichtbaar een slag over. Maar hij trok niet wit weg. Felrood als het hemd van een brandweerman draaide hij zich om. Zijn lippen legden zijn onregelmatige tanden bloot. Dat was het moment waarop ik besefte dat deze hele verdomde kwestie hem net zo razend maakte als mij.

'Ten eerste,' zei Piest. 'Ten eerste. Wat te doen. Wat moeten we als eerste doen?'

'Hem daar weghalen?' vroeg de pastoor opzettelijk bruusk om niet geïntimideerd over te komen. 'Het is een belediging van de Heilige Kerk. Godonterend.'

'Nee. Eerst moet de dokter hem zien,' antwoordde ik. De woorden wilden slechts met de grootste moeite mijn keelgat verlaten.

'En hoofdcommissaris Matsell,' vulde Piest aan. 'Ik heb hem onmiddellijk laten waarschuwen.'

Ik knikte en zei vervolgens tegen Sheehy. 'De buitendeur was open, zei u? Maar de kathedraal was toch zeker afgesloten?'

'Jazeker. De sleutels bewaar ik altijd in de pastorie, dat hebt u zelf gezien.'

'Is er ergens iets geforceerd? Ramen? Een slot?'

'Ik zou het niet kunnen zeggen. Het ging allemaal zo snel en ik moest immers de deur bewaken. Hier zijn mijn sleutels nu, ze waren precies waar ik ze had opgeborgen. Iemand moet de deur met geweld hebben opengemaakt.'

'Hebt u deze gewijde plaats dan nog niet in zijn geheel doorzocht, eerwaarde?' vroeg Piest die het lichaam van dichtbij had bekeken en nu weer een stap terugdeed.

'Ik... wel, nee, dat heb ik niet. Ik heb me er alleen van verzekerd dat de boosaard was vertrokken. Zal ik dat nu doen?'

'Pastoor Sheehy, ik stel voor dat u met meneer Piest door het gebouw gaat en daarbij goed kijkt of u iets ongewoons ziet,' zei ik. 'Ik steek even uw sleutels bij me. Ik ga proberen te achterhalen hoe onze dader is binnengekomen.'

'Uitstekend. De hoofdcommissaris zal hier zeker snel zijn,' zei mijn collega. Hij hield zijn hand beschermend bij de elleboog van de pastoor. 'Laten we zorgen dat we dan een bruikbare aanwijzing hebben om hem te laten zien.'

Ik nam de lamp die Sheehy had gebruikt en Piest schoof de klep open van zijn walmende dievenlantaarn. We gingen ieder ons weegs, snel, maar behoedzaam. Ik hoorde dat Piest op beproefde, rustige wijze pastoor Sheehy begon te ondervragen. Hij stelde korte, eenvoudige vragen die zowel bedoeld waren om de ondervraagde op zijn gemak te stellen als om feiten aan het licht te brengen. Hoe had hij de avond doorgebracht? Hij had het druk gehad, had in de kathedraal een interkerkelijke bijeenkomst geleid over de voorstellen voor een katholieke school. Er waren een stuk of tien vooraanstaande vertegenwoordigers van verschillende kerken geweest. En allemaal waren ze faliekant tegen.

'U vraagt naar mijn notulen van een vergadering waarin alle aanwezigen mij stuk voor stuk hebben belasterd?' vroeg hij. 'Wilt u hun namen horen? Van de mannen die van mening zijn dat een katholiek kind niet ook katholiek hoort te worden opgevoed?'

Hoe laat had hij zich ter ruste begeven? Te middernacht. Was St. Patrick's ooit eerder bedreigd? Ja, vele malen, maar het was altijd bij het werpen van stenen gebleven. Ik sloop langs de muur met het tafereel van de hel zelve achter mij en probeerde me niet voor te stellen dat het arme jong me zou kunnen zien. Probeerde me niet voor te stellen wat er met hem gebeurd zou kunnen zijn vóórdat hij was gestorven. Dat zorgde er weer voor dat het bloed me naar mijn hoofd steeg, wat, zoals ik de laatste tijd had gemerkt, venijnige speldenprikjes veroorzaakte in het geschonden deel van mijn gezichtshuid onder het dunne laagje verband. Ik kon Piests behoedzame vragen niet langer letterlijk verstaan toen de twee mannen aan de oostkant in het oksaal verdwenen. Zodra hun stemmen waren weggevallen, zong het weer door mijn hoofd.

Dit klopt niet.

En meteen daarop een woedende volgende gedachte: *Natuurlijk niet.*

In de zijmuren van St. Patrick's zitten smalle stroken glas-in-lood. Achterin, waar de torens oprijzen en er kleinere ruimtes zijn voor het opbergen van de misgewaden en allerlei voorwerpen voor de mis waarvan ik niet weet hoe ze heten, bevinden zich nog eens drie deuren. Toen ik de rechterdeur opende en naar buiten stapte deed een kobaltblauw schijnsel vermoeden dat de ochtendschemering aanstaande was. De hemel glom koortsig aan de randen en de lucht had iets verkwikkends.

Ik knielde neer en bestudeerde alle sloten stuk voor stuk. Wat ik precies zocht, wist ik niet. Ze waren allemaal van glad, koud metaal, heel gewone sloten, sierlijk van vorm. Ze roken een beetje zurig en glansden keurig. Nergens op het glimmende laagje zat een kras. Als je een slot kraakt, laat je vrijwel altijd sporen achter. Dat wist ik omdat Valentine het eens als zijn plicht had gezien mij te leren hoe je een slot kraakt. Ik gleed met de scherpe kant van een van pastoor Sheehy's sleutels over een van de sloten en er bleef inderdaad een spoor achter. Maar echt veel wijzer werd ik daarvan niet. Als een koelbloedige schurk ervaren was en zijn gereedschap verfijnd genoeg, kon je een slot ook kraken zonder sporen achter te laten.

Ik liep naar de voorzijde, waar de grote grijze steenblokken ophielden en dof rood zandsteen de voorbijganger groette. Er was weer een oploopje ontstaan. Men stond met elkaar te fluisteren en wierp me steelse blikken toe. Ik besteedde er geen aandacht aan en knielde neer.

Het leverde niets op. Ook de sloten van de vooringang glommen maagdelijk glad en nietszeggend. Niets kon ik eraan aflezen toen ik met het licht op en door de sleutelgaten scheen. Eventjes bleef ik bij de middelste ingang staan en zag voor mijn geestesoog het tafereel aan de ommezijde van de deur. Ik voelde het gewicht van het lichaampje dat daar hing, het belastte mijn borst aanmerkelijk zwaarder dan het feitelijke gewicht rechtvaardigde.

Via de linkerdeur ging ik weer naar binnen. Piest en pastoor Sheehy stonden verderop voor het altaar, waar het licht van de gedeelde lantaarn bij beide eenzelfde verbeten, licht ontvlambare trek bescheen.

'Zijn er nog meer sleutels?' vroeg ik, terwijl ik de bos teruggaf.

'Nee,' antwoordde pastoor Sheehy.

'Dan moet de moordenaar heel goed overweg kunnen met sloten. Dat beperkt het aantal verdachten tot zo'n zes- of zevenduizend schurken in deze stad. Ik zie dat jullie meer resultaat hebben geboekt.'

Op een stuk stof dat over de voorste kerkbank was gespreid lagen verschillende voorwerpen. Een zak met grote ijzeren spijkers, die er inmiddels misselijkmakend vertrouwd uitzagen. Een hamer. Een zaag, gewikkeld in een stuk teerdoek, maar niettemin bloederig. Een kwast die in het gelige licht ivoorkleurig glom en een potje witkalk. En nog een grotere zak, die er leeg naast lag: alles bij elkaar een keurig setje benodigdheden voor de ontwijding van alles wat goed is.

'Waar hebben jullie dit gevonden?' vroeg ik.

'In mijn sacristie. De zak hing bij de misgewaden,' antwoordde pastoor Sheehy. Hij bracht de woorden met moeite over zijn lippen. Ik had nooit eerder aanschouwd dat iemand zoveel withete woede binnen wist te houden puur door zijn kaken op elkaar te klemmen.

'Geen buitendeuren die met geweld zijn opengebroken, u bent de enige persoon met een sleutel en dit gerei is verstopt in uw sacristie,' somde Piest langzaam op.

'Veronderstelt u soms dat ik, een katholiek en plichtsgetrouw dienaar van Zijne Heiligheid en de Kerk van Rome, ook maar zou overwegen het kwaad te beëindigen met een meedogenloze daad die dermate allesontheiligend is dat zij het begrip "zonde" een geheel nieuwe invulling verleent?' grauwde de pastoor. 'Deze… deze… beestachtigheid, dit barbaarse kwaad… het houdt een brandende lucifer bij de povere onderkomens van de Ieren van New York. Ik ben niet naar Amerika gekomen teneinde mijn kudde de vernieling in te jagen!'

'Nee, nee, eerwaarde, het pleit juist vóór u,' legde Piest uit. 'Zeer beslist.'

'Dan bid ik u mij te vertellen hóe.'

'Omdat niemand zich zo gedraagt,' antwoordde ik, want ik begreep exact wat mijn collega bedoelde. 'Een kinchin nifteren en vervolgens laten zien waar hij zijn moordgerei heeft verstopt. Als we dat zonder uw hulp hadden ontdekt, had het er anders voor u uit kunnen zien. Maar ook nu is dit geen goed nieuws.'

'Hoezo?'

'Iemand heeft weer een kinchin afgeslacht, maar deze keer wil hij ons laten denken dat ú dat op uw geweten hebt.'

'Zou hij soms daarom die kruisen op de deur hebben gekalkt?' riep Piest met een knip van zijn vingers uit. 'Als vingerwijzing naar de pastoor?'

'Zeker weten doe ik het niet. Maar liever dat dan die andere verklaring.'

'En die luidt?'

'Dat hij ook zijn laatste restje verstand heeft verloren.'

Boem boem boem.

Het bonzende geluid klonk deze keer aan de achterkant van de kathedraal. Piest greep de sleutels en ging ervandoor. Ik bleef bij pastoor Sheehy, bang dat hij groen om de neus zou worden of in de zwarte diepten van de wanhoop zou wegzinken. Die angst bleek echter ongegrond, hij zag er namelijk uit alsof hij niets liever wilde dan een veelkleurig kerkvenster van nieuwe tinten voorzien door er het hoofd van een gestoorde hellebrok doorheen te jagen.

Hoofdcommissaris Matsell kwam binnen, op de voet gevolgd door dokter Peter Palsgrave en daarachter Piest, die eerst Neill er nog eens op uit had gestuurd.

'Hoe staan we ervoor?' vroeg de hoofdcommissaris. 'Hoe erg is het?'

'Erger dan dit gaat mijn voorstellingsvermogen te boven,' antwoordde ik, en ik gebaarde naar de plek des onheils.

We liepen gezamenlijk naar de voorkant van de kerk, Piest en pastoor Sheehy in ons kielzog. Ik wilde de situatie net verder toelichten toen dokter Palsgrave een lange kreet slaakte.

Het was een onwerkelijk, afgrijselijk geluid; iets wat zich uit zijn keel losscheurde wat daar had horen blijven. Een intiem geluid.

Gekweld en vol doodsangst, alsof zich onder hem een afgrond had geopend. Toen hield hij schielijk weer op en zeeg neer in de dichtstbijzijnde kerkbank.

'U hebt toch zeker wel vaker bloed gezien, dokter,' reageerde hoofdcommissaris Matsell verwonderd.

'Het is... het is niets,' hijgde dokter Palsgrave, terwijl hij zijn borst vastgreep. 'Het is mijn hart maar. O, mijn hárt. Hemelse genade, wat is hier gebeurd?'

'Hetzelfde als twintig keer eerder,' zei ik scherp.

'Maar dit. Dit, dit. Kijkt u toch,' riep Palsgrave uit. Hij hees zichzelf aan de rug van de volgende bank weer overeind. 'En dan zo'n weerloos jong kínd. Wie is er in hemelsnaam in staat zoiets te doen? Ik kan er niet naar... het is volslagen krankzinnig.'

Dit klopt niet, galmde het onverbiddelijk door mijn hoofd.

'De geestesgesteldheid van onze dader gaat er hard op achteruit,' bevestigde hoofdcommissaris Matsell beslist. 'We hebben zijn waarschuwingen naast ons neergelegd en hij is in een staat van gewelddadige krankzinnigheid gedreven. Wilde, vertel mij wat u verder hebt ontdekt. Onderwijl kan dokter Palsgrave zijn eerste bevindingen in kaart brengen. Dokter Palsgrave, verman u.'

De bijna hysterische medicus leek ziek van angst, maar dwong zichzelf een paar stappen te zetten alsof hij vastbesloten was het geweld dat in zijn borstkas woedde te negeren. Ik hoorde Birds stemmetje in mijn hoofd en voelde een zekere affectie voor dokter Palsgrave. Dat hij van kinderen hield, wilde ik wel geloven. Maar ik rook ook de geur van het bloed van zo'n tien meter afstand. Dit was verspilling in haar zuiverste vorm, tartte alles waar een geneesheer voor stond. *... als hij onze namen allemaal onthoudt en ons dan weer ziet... nou ja, dan zijn we dus weer ziek. En dan heeft hij gefaald.* Maar de hoofdcommissaris had gelijk en de dokter wist dat. Hij kneep daarom zijn ogen een paar keer stevig dicht en liep werktuiglijk naar de middelste deur.

Slechts vijf minuten later gaf dokter Palsgrave al aan dat het lichaam op de grond kon worden gelegd. Het nog langer aanschouwen in die infernale mise-en-scène van een krankzinnige leverde verder niets op. De hoofdcommissaris knikte instemmend, pastoor Sheehy haalde een koevoet en samen wisten deze twee bikkelharde kerels de klus in drie minuten te klaren. We legden de jongen neer op een stuk zeil, waar hij er zoveel kleiner uitzag dan een paar tellen daarvoor.

Na nog een paar minuten van geagiteerde bedrijvigheid gaf dokter Palsgrave ons zijn eindoordeel.

'Bij mijn weten heb ik dit kind nooit eerder gezien. Hij was bij leven gezond, is ongeveer elf jaar oud, zijn organen zijn allemaal ongeschonden en hij is overleden aan een overdosis laudanum,' verklaarde hij.

Wij staarden hem aan.

'Op zijn lippen zitten speekselsporen die wijzen op eerste braakneigingen. Dat zegt op zichzelf nog niet veel, maar hij vertoont bovendien álle tekenen van verstikking – zijn vingernagels zijn behoorlijk blauw, evenals zijn lippen.'

'Hij is dus gewurgd,' zei de hoofdcommissaris.

'Geenszins – er zijn geen sporen op zijn hals.'

'Hij is dus vergiftigd? Maar…'

'Ruikt u zelf eens aan deze vlek op de hemdkraag van de knaap. Dat is toch zeker een opiumtinctuur met anijssmaak!' riep de oudere man uit. 'Waar nog wat morfine aan toegevoegd is, als u het mij vraagt, want alles wijst erop dat dat al zijn uitwerking had gehad voordat het braken werkelijk werd opgeroepen.'

'Het is alleen een beetje vergezocht, nietwaar dokter?' zei Piest voorzichtig. 'Het is zo'n… zo'n genadige methode. Is dat waarschijnlijk?'

'We hebben hier te maken met een godsdienstwaanzinnige moordenaar en u zeurt over waarschijnlijkheid?'

'Wilt u soms beweren dat een bruut met een inzieke geest hier met het ontvoerde jong heeft ingebroken, hem heeft vergiftigd en hem vervolgens, nadat hij zich ervan had verzekerd dat hij in een zachte slaap was gevallen, heeft vastgespijkerd en opengezaagd?' grauwde hoofdcommissaris Matsell. 'Alleen uit effectbejag?'

'O, lieve God,' fluisterde een andere stem heel zachtjes.

Hoe fel we ook ruzieden, hoezeer we ook in beslag genomen werden door het jong op de grond, niets kan voor mij goedpraten dat ík, Timothy Wilde, de zachte tred van Mercy niet had opgemerkt tot het al te laat was. Zonder eigen lantaarn, met loshangend haar en bleek als de maan stond ze achter ons, haar ogen gericht op het laatste sacrament van de moordenaar. Ik ving haar vervolgens wel op en terwijl ze bezwijmde zei ze iets wat mogelijk 'Timothy' geweest kan zijn.

19

En dan stellen we nogmaals deze vraag: kan het rooms-katholicisme de godsdienst voor Amerika zijn? Als religieus systeem is het een fossiel uit de duistere Middeleeuwen, ontwikkeld om een primitief en bijgelovig volk ontzag in te boezemen en in al zijn buitengewone eigenaardigheden een regelrechte tegenstreving van de godsdienst van de Bijbel, welke de religie van deze Verenigde Staten vormt.

• Brief aan bisschop Hughes van St. Patrick's Cathedral
in New York •

Dit is wat er die dag, zondag de eenendertigste augustus, ge-beurde in de negentien uur voordat de stad New York uit-eenviel. Tussen vijf uur in de ochtend, toen Mercy in de kathedraal aankwam en de rode gloed van de dageraad zich aandiende in het koele, grijze zwerk boven de East River, tot middernacht, toen de lont in het kruitvat werd geworpen.

De onopvallende komst van een aantal agenten die opdracht hadden gekregen het lichaam naar de Tombs te vervoeren is aan me voorbijgegaan. Pastoor Sheehy had me zijn sleutels nogmaals ge-leend, zodat ik Mercy in zijn bed te rusten kon leggen. Het slaap-vertrek was sober en schaars gemeubileerd. Er hingen religieuze af-beeldingen aan de muur, dus het was geen monnikencel, die ter meerdere glorie van God kaal werden gehouden. Voorzover ik de pastoor intussen had leren kennen, paste de kamer voortreffelijk bij hem: bescheiden, beschaafd en degelijk. Het bed, met daarop een effen sprei, stond tegen een van de muren. Ik sloeg het dek open en legde de aan mijn zorgen toevertrouwde jonge vrouw op het kussen.

Haar ogen gingen open. Scherven lichtblauw die door een bewolkte hemel braken.

'Marcas.' Haar stem klonk vreemd gespannen, hoewel ze nauwelijks wakker was. 'Wat is er gebeurd?'

'Het is in orde. Je bent in pastoor Sheehy's huis. Maar...'

'Wat is er met Marcas gebeurd?' Er lag een schittering in haar ogen die mijn hart brak.

'Dus zo heet hij?' zei ik zachtjes. 'Je kent hem dus. Waarom ben je in hemelsnaam hierheen gekomen?'

'Was dat... Is dat eerst bij hem gedaan?' vroeg Mercy, en ze beet zo hard op haar onderlip dat ik mijn hand wel wilde uitsteken om haar mijn knokkels in de plaats aan te bieden.

'Nee, hij was bedwelmd met laudanum. Hij heeft er niets van gevoeld. Vertel me alsjeblieft wat er met jou is gebeurd.'

'Weet je al wie het heeft gedaan?'

'Nee, nog niet. Mercy, alsjeblieft.'

Ze liet haar hoofd weer op het kussen vallen. Ze moest zoveel moeite doen om haar tranen te bedwingen dat het horen van haar naam uit mijn mond genoeg was om haar laatste weerstand te breken. Het uitspreken ervan had ongeveer hetzelfde effect op mij, maar een van ons moest het hoofd koel zien te houden. En dat kon ik ook, nu zij degene was voor wie het nodig was.

'Ik hoorde geschreeuw op straat,' fluisterde ze. 'Ierse stemmen. Ze riepen naar elkaar, dwars door het donker. Dat er een duivel op vrije voeten was en dat hij St. Patrick's had ontwijd.'

Er joeg een koude huivering door me heen. Het maakte dus niet meer uit wat er in de kranten stond. Niets wat we hadden gedaan om dit vuile onderzoek geheim te houden deed er nog toe – we waren net zo te kijk gezet als die arme jongen die voor de ogen van de hele wereld was opgehangen.

'Ik heb in het donker mijn jurk en mijn mantel aangeschoten,' vervolgde Mercy. 'Ik... ik dacht dat ik het slachtoffer misschien wel zou kennen, dat ik misschien zou kunnen helpen. Ik vermoedde dat jij hier zou zijn. Dat we het misschien samen konden oplossen.'

Iets volkomen zelfzuchtigs besloot zich in mijn arm te nestelen. Ik stak hem uit en liet mijn hand in de hare glijden. Het was geen vooropgezet plan, maar puur voor mezelf en niet bedoeld als troost. Haar vingers waren koud en ze drukte ze nog wat steviger in mijn handpalm.

'Hij heet Marcas, maar alleen omdat ze hem zo noemen. Hij heeft niets met Silkie Marsh te maken. Zijn huis ligt zowat in de East River, in de zuidwesthoek waar Corlears Street in Grand uitkomt. Er wonen alleen maar jongens. Ik heb hem een keer voor kinkhoest behandeld. Toen ik hem zag... Excuseer.'

Een halve tel later lag ze tegen mijn schouder te snikken en deed manmoedige pogingen daar geen geluid bij te maken. Mijn armen om haar heen geslagen en haar open mond tegen mijn jas. Het is niet erg aardig om te zeggen dat dat het gelukkigste moment van mijn leven was, maar in het nachtmerrielandschap waarin ik verzeild was geraakt, geloof ik toch dat het zo was.

Ze kalmeerde snel en ging blozend weer rechtop zitten. Ik liet haar los en gaf haar mijn zakdoek.

'Ik wil je mijn gedachtegang voorleggen,' zei ik voorzichtig tegen haar. 'Alleen bij jou ben ik zeker van een luisterend oor.'

Mercy zuchtte somber.

'Zal ik dan maar opstaan voor ik mijn licht over je gedachten laat schijnen?'

We begaven ons naar de keuken. Ik had het gevoel dat mijn hoofd vol zat met onafgestoken vuurwerk. Het kostte me niet veel tijd om pastoor Sheehy's whisky te vinden, een met het stof van zes maanden bedekte fles die tot mijn vreugde nog voor een derde gevuld was. Ik schonk ons twee royale glazen in.

'Heeft volgens jou,' vroeg ik haar, 'elke moord noodzakelijkerwijs een reden?'

'Voor de moordenaar zeker,' zei ze langzaam. 'Waarom zou hij hem anders begaan?'

'En wat is dan,' vervolgde ik, allang blij dat ze voldoende hersteld was om mijn vraag met een wedervraag te beantwoorden, 'in dit geval de reden?'

Mercy kneep haar ogen samen en keek me aan. Ze leunde met haar hoofd naar achter en nam een slokje van de drank.

'Godsdienst,' antwoordde ze dof.

'Niet politiek?'

'Komt dat in New York niet op hetzelfde neer?'

'Nee,' wierp ik tegen. 'Een man die besluit kinchen te vermoorden en hun lichamen in het geheim te schenden zou dat om religieuze redenen kunnen doen, of om een krankzinnig ontaarde versie daarvan, maar niet om politieke redenen. Bij politiek gaat het niet om geheimzinnigheid. In de politiek draait het om aandacht.'

'Jawel,' zei ze bedachtzaam instemmend, 'maar sinds die... die wreedheid in de kerk is er wel wat veranderd, toch?'

'Juist. Daarom denk ik ook dat er iets is veranderd voor onze dader. Misschien voelt hij zich opgejaagd omdat we dichterbij komen. Misschien wordt zijn ziekte steeds erger. Er is nog een brief, aan dokter Palsgrave, die daarop lijkt te duiden. Misschien wilde hij om de een of andere goddeloze reden pastoor Sheehy verdacht maken. Het enige wat ik weet is dat dit van een heel andere orde is dan wat we tot nog toe hebben gezien. Ik geloof er ook niets van dat die andere moorden om politieke redenen zijn gepleegd, wat er ook naar de *Herald* geschreven mag zijn. Dit was wreedheid met een bedoeling. De witte kalkkruisen die om het kind heen geverfd waren, de mise-en-scène. Het was wreedheid met de bedoeling de aandacht te trekken.'

Mercy's kaken bewogen weer als vanouds. 'Ik neem aan dat de kathedraal op slot zat. Hoe is hij binnengekomen?'

'Dat weet ik nog niet. Maar daar kom ik nog wel achter, op mijn erewoord.'

Ze stond op en dronk netjes haar glas leeg. 'Ik hoop het van harte, Wilde. Maar ik ben veel te plotseling van huis vertrokken. Ik moet nu gaan.'

Haar kennende had ik ook niet anders verwacht. Toch bleef ze nog even met haar hand op de deurknop staan en keek me met één opgetrokken wenkbrauw aan.

'Beloof me dat je voorzichtig zult zijn.'

'Dat beloof ik,' antwoordde ik.

Mercy Underhill vertrok naar huis.

Ik bleef een tijdje grijnzend als een idioot naar mijn whisky staren. Ik dacht na over mijn werk, dat zoveel van me vergde. Over mijn taak die bijkans onmogelijk was. Mijn gezicht dat verminkt was. Mijn spaargeld dat niet langer bestond.

Ik klokte mijn glas leeg en bracht stilzwijgend een toost uit op al die ellendige omstandigheden. Daarna deed ik pastoor Sheehy's deur achter me op slot.

Toen ik terugkeerde in de kathedraal, was het meeste bloed weggeschrobd, waren hoofdcommissaris Matsell en dokter Palsgrave vertrokken en borg Piest het bewijsmateriaal dat we hadden gevonden net op in een zak. Een paar geestelijken stonden met slaperige ogen met elkaar te fluisteren, terwijl ze consciëntieus hun zwabbers hanteerden. Pastoor Sheehy was nergens te bekennen.

'Naar de Tombs,' legde Piest uit. 'Hij is meegenomen voor verhoor.'

'Larie,' viel ik uit. 'Je wilt toch niet zeggen dat hij gearresteerd is?'

'Nee, maar gezien het bewijsmateriaal... denk je even in hoe de hoofdcommissaris dat zal zien. Als ons beeld van Sheehy juist blijkt, is hij binnen twee uur weer een vrij man. Maar als blijkt dat we het mis hebben en als zou uitkomen dat we verzuimd hebben hem te verhoren, zou dat een heel slechte zaak voor de politie zijn.'

Ik knikte en voelde een plaatselijke hoofdpijnaanval achter mijn rechteroog ontstaan. Dat oog was weliswaar gespaard door de brand, maar ik vermoedde dat ik het extra spande als ik me zorgen maakte. En als ik op dat moment íets deed, was het dat wel. Ik had mijn zelfbeheersing al een keer verloren en was net weer gekalmeerd, maar nu ging het meteen weer mis.

'Is dokter Palsgrave met hen meegegaan?'

'Hij is naar huis. Hij klaagde over ernstige hartkloppingen.'

Ik deed woedend mijn mond open.

'Hij is een gewone burger, die niets met dit misdrijf te maken kan hebben,' was Piest me in alle redelijkheid voor. 'Ik zal je vertellen wat mijn plannen zijn. Nadat ik deze gereedschappen aan een nauwgezet onderzoek heb onderworpen, stel ik mijn bevindingen op schrift. Vervolgens ga ik zo snel als menselijk gezien mogelijk is een maaltje oesters met brood en boter eten, en daarna rijd ik naar het noorden om de eigenaar van de gebruikte preservatieven te vinden. En jij?'

Ik vergaf de Hollandse oude dwaas elk probleem dat niet zijn schuld was en knikte. 'Miss Underhill heeft de jongen geïdentificeerd. Hij heet Marcas en komt uit een bordeel in de haven. Ik wil erachter zien te komen of hij gemist wordt en wie hem voor het laatst heeft gezien.'

'Prachtig,' riep hij uit. 'Dan wens ik ons allebei veel succes toe.'

'Ik ben je zeer erkentelijk voor je scherpe blik, dat mag je best weten, Piest. Zoveel meer om dankbaar voor te zijn heb ik niet bij dit onderzoek.'

'Kijken is een kunst.' Hij glimlachte, wat zowel een lelijk als een prachtig gezicht was. 'En ook een wetenschap. Ik doe mijn best.'

'Hoe heb je het geleerd?' kon ik niet laten te vragen.

'Mijn ouders waren Hollandse bonthandelaars.' Hij boog voorover en steunde met zijn handpalmen op de rug van de kerkbank voor zich. 'Aan het eind van hun leven raakten ze alles kwijt, waardoor ik met lege handen achterbleef. Op een dag beklaagde een oude vriend van mijn vader zich dat hij driehonderd meter zeer kostbare zijde kwijt was uit zijn opslagplaats, die alleen maar kon zijn gestolen door iemand die wist dat het raam aan de achterzijde niet goed sloot, iemand die voor hem werkte of een goede vriend, en dat maakte hem zo razend dat hij een beloning van tien dollar uitloofde voor degene die de gestolen waar zou terugvinden. Die blik in zijn ogen, Wilde. De pijn die het hem deed om door een van zijn eigen mensen te zijn bestolen. Die ben ik nooit vergeten en zal ik ook nooit vergeten. Het liet me niet meer los, ook omdat mijn vaders compagnon destijds heel veel geld verduisterd had, waardoor ik uiteindelijk mijn eigen bed in stukken heb moeten hakken om op te stoken. Er is bijna geen erger gevoel denkbaar dan bestolen te zijn.'

Ik wist dat dat waar was en knikte. 'Je hebt de zijde teruggevonden, de beloning geïnd en zo ontdekt dat je een verborgen talent had, neem ik aan?'

'Talent had met mijn eerste succes weinig te maken, aangezien ikzelf degene was die de diefstal op zijn geweten had.' Hij lachte hartelijk toen hij mijn opgetrokken wenkbrauwen zag. 'Mijn vaders vriend bood me een betrekking aan in plaats van de beloning, maar ik wilde daar niets van horen. De volgende dag heb ik me aangemeld als nachtwaker en een advertentie in de krant gezet. Het vinden van verloren voorwerpen tegen tien procent van de waarde in contanten. Vanaf dat moment heb ik nooit meer honger geleden, al zal ik er nooit rijk van worden. Maar het is werk dat me past. Wees voorzichtig bij je speurwerk, Wilde.'

Ik was al halverwege naar de achteruitgang, toen zijn stem me tot stilstand dwong.

'Hoe is de jongedame... miss Underhill, zei je? Hoe is zij hier verzeild geraakt?' vroeg hij beleefd.

'Onrust op straat onder haar raam,' riep ik terug. 'We moeten nu nog behoedzamer te werk gaan dan we al deden.'

'Aha,' zei hij. 'Zonder enige twijfel.'

Maar opstootjes zijn in New York even alomtegenwoordig als de varkens. En niet iets om voor van huis te gaan, verre van dat zelfs. Terwijl ik de kathedraal uit liep, vroeg ik me af of straatrumoer mij ooit ongewapend het huis uit zou hebben gejaagd voordat ik bij de politie was gekomen. Die gedachte, waarvoor ik me, toegegeven, lichtelijk schaamde, speelde nog door mijn hoofd toen ik uitkwam op Prince Street, waar ik Valentine zag lopen.

Mijn broer liep oplettend om zich heen te spieden. Scales en Moses Dainty liepen aan weerskanten van hem. Val was zeer op zijn hoede. Toen hij mij in de gaten kreeg, hield hij heel even en nauwelijks merkbaar zijn pas in.

Dat is het voordeel van iemands broer zijn, wat voor slag mens die broer ook mag zijn: je doorziet hem. Sneller dan een onbekende. Sneller dan jezelf, om eerlijk te zijn. Je hoeft hem maar twee keer te zien knipperen met zijn groene ogen of je weet hoeveel morfine hij binnen heeft (een ruime hoeveelheid, maar minstens vier uur geleden genuttigd). Je weet ook in wat voor bui hij is (op zijn hoede, zich indekkend, maar klaar om te vechten mocht dat nodig zijn). Je weet waarom hij daar is (het aandeel Ieren onder zijn kiezers is nagenoeg honderd procent en hij wil ze graag wijsmaken dat hij begaan is met koud gemaakte kinchin-mabs).

Maar dat je hem doorziet, wil nog niet zeggen dat je hem moet sparen.

·'Tim!' bulderde Val in het glorende daglicht door de straat. 'Wat is er gebeurd? Praat me even bij, wil je. Ik moest...'

'Jou kennende,' beet ik hem toe toen ik dichterbij kwam, 'mijn hele leven lang al nota bene, had ik kunnen weten dat je Bird naar het Opvoedingsgesticht zou laten afvoeren zodra je wist waar ze zich bevond.'

'Tim...'

'Na alles wat je in het verleden al hebt uitgevreten, had ik er niet van moeten staan te kijken dat je er geen been in ziet een toegetakeld kinchin naar dezelfde plek af te voeren waar jij bent afgeranseld en in eenzame opsluiting hebt gezeten.'

Hij zweeg. Het was niet zijn woedende en evenmin zijn sombere zwijgen. Zijn gezicht bleef roerloos stil, slechts ten prooi aan de zwaartekracht. Het was een beeld van Val zoals hij werkelijk was: moe, immoreel, het beu en altijd op zoek naar een nieuwe dosis afleiding. En dat zat me niet lekker.

'Jezus, Timothy,' zei hij door zijn opmerkelijk gave tanden. 'Hoe kan ik het tot je door laten dringen dat je ermee moet ophouden? Hoe krijg ik het in je kop geramd dat je stekeblind bent?'

'Als jouw oplossing voor dit probleem, voor welk probleem dan ook, is om kinderen naar het Opvoedingsgesticht te sturen, dan wil ik niets meer met je te maken hebben,' zei ik.

En dat meende ik.

'Dat is het niet,' zei hij op zijn hoede. 'Maar je moet ophouden...'

'Ga opzij,' onderbrak ik hem. Het kon me niets schelen dat hij kolossaal was en ik niet, of dat hij in ontelbaar veel opzichten beter was dan ik en me toch het liefst te lijf zou willen gaan. Maar hij liet me gaan, terwijl zijn verblufte Democratische slippendragers me van achter zijn rug enkel lafhartige blikken toewierpen. Ik wendde mijn gezicht naar de zilte lucht en de havens.

Ruziemaken met Val is voor mij net zoiets als me scheren of een kop koffie halen. Maar deze keer hield ik er een ongemakkelijk gevoel aan over en bleven mijn vingers zich onwillekeurig tot vuisten ballen. Hij had me vaak genoeg voor aanzienlijk kleinere vergrijpen een kaakslag verkocht en tegen de tijd dat ik bij de masten aankwam die dicht als onkruid langs Corlears Hook uit het water opstaken en ik onder een gestreepte overkapping van voorstevens doorliep, jeukten mijn vingers om met wie dan ook te knokken, nu me die kans net leek te zijn ontnomen.

De omgeving waarin Corlears Hook gelegen is, bij de aanlegplaatsen van de veerboten, hoort bij Wijk 7 en ik benijd degene die hier zijn rondes moet lopen niet. Het krioelde er van de meest uiteenlopende types toen ik er aankwam op deze zomerochtend waarop een stevige bries het zout op de flappende zeilen tot een korst droogde. Tussen de inwoners van Brooklyn die dagelijks naar de stad reizen om er te werken zag ik veel hoeren, die brutale mabs van de East River, die onbeschaamd naar potentiële klanten lonkten. Mabs die hun rokken met spelden hadden opgekort en mabs met een hoge split in hun rok. Mabs die op stapels goederen zaten en zich knipogend naar voorbijgangers met een oude krant koelte toewuifden, en mabs die in de deuropening van hun huis stonden en nog niet de moeite hadden genomen hun borsten te bedekken. Mabs die naar zout water en drank en andermans zweet roken. Ze waren net zo overdekt met klatergoud als met littekens van de Spaanse pokken, wat maakte dat ik me evenzeer geroepen voelde ze naar een armenziekenhuis te sturen als ze naar binnen te jagen om het straatbeeld te verbeteren. Verder, maar dat spreekt vanzelf, wemelde het er van de Ieren, even alomtegenwoordig als de stank van de dokken. Ik wist niet welke scheepslijn net had aangemeerd, maar er stonden er een stuk of honderd op een kluitje bij elkaar bij een van de pieren, met ribben die door de huid heen zichtbaar waren als de baleinen van een korset. Ze keken met blinde angst in hun ogen naar elkaar en de onbekende omgeving. Het enige wat door mijn hoofd schoot toen ik hen passeerde was dat ze een verrekt ongunstige ochtend hadden gekozen om voet aan wal te zetten.

Toen ik bij het gebouw aankwam waarover Mercy had gesproken, keek ik omhoog. Zoals veel panden in deze buurt was het ooit het huis van een rijke koopman geweest. In fraaie siersteen gebouwd om indruk te maken en later in gebruik genomen als ellendige woonkazerne en voor louche doeleinden. Aan alle kanten vervallen, waarschijnlijk sinds de Paniek, of misschien was de oorspronkelijke bewoner alleen maar nog rijker geworden en verkast naar Broadway, maar hoe dan ook, het huis was nu nog slechts een bouwval.

Ik ging zonder te kloppen door de voordeur naar binnen. Zo was ik geluimd.

Buiten was het beter uit te houden dan binnen. Een piano onder een dikke laag stof stond te vergaan naast een plank vol drankkruiken en een uitermate prullig schilderij van het Griekse idee van een aangename namiddag met mannenvrienden in het bos. Op een van ongedierte vergeven, inzakkende bank lag een vrouw, naar alle waarschijnlijkheid de madam des huizes, aan een opiumpijp te lurken. Het armzalige beetje lucht dat er was, stond stijf van de opiumstank, deels rotte maïs, deels teer.

'Geef je me een minuutje, schat? Er is op dit onchristelijke uur van de dag nog niemand wakker.'

'Ik ben van de politie,' zei ik, en ik liet mijn ster zien. 'Timothy Wilde.'

'Doet dat ertoe, lieverd?' vroeg ze zich wazig af.

'Dat zal zo blijken. Wie is de laatste klant van Marcas geweest?'

'Ik wou dat ik het wist. Dat moet uren geleden zijn geweest. Heeft hij iets uitgevreten?'

'Wanneer is het u voor het eerst opgevallen dat Marcas er niet meer was?'

Het oude wijf sloeg haar lodderige neushoornogen vragend neer. 'Hij is er gewoon, hoor. Hij is boven. Derde deur van links. Ga maar. Als hij naar uw zin is, hoef ik de anderen tenminste niet naar beneden te roepen.'

Vol walging draaide ik me om en haastte me naar boven. De deur van de derde kamer links stond open. Binnen trof ik een bed aan, een lamp, een po en een toilettafel met goedkope theaterschmink in de bovenste la. Veel meer was er niet. Ik liep de kale kamer weer uit en klopte aan bij die ernaast.

Een gezicht van een jaar of dertien, veertien gluurde om de hoek van de deur. Niet nieuwsgierig. Zo dodelijk ongeïnteresseerd zelfs in wie ik was en wat ik kwam doen, dat ik de aandrang kreeg mijn vuist door de muur heen te slaan. Hij had jongenskleren aan, maar zag er belachelijk uit: goedkope satijn, kanten manchetten en koperen sieraden. Hij had niet liggen slapen, want zijn bruine ogen stonden helder.

'Kun je me vertellen wanneer Marcas weggegaan is? Ik ben van de politie en het is belangrijk,' zei ik.

'Hebben we politie?' vroeg hij, oprecht verbaasd.

'Die hebben we,' zei ik mat.

'Maar Marcas, ik zou het niet weten. Kan elk moment geweest zijn, als ik erover nadenk, madam hangt toch al twee dagen aan de pijp. Gistermiddag was Marcas zo lam als een kanarie, hij kon nauwelijks nog op zijn benen staan. Een van de gasten had zijn neurie zeker met hem gedeeld. Is hij weggegaan, zei u?'

'Ja. Weet jij of er iets is verdwenen uit zijn kamer?'

De jongen kwam zijn kamer uit en liep de naastgelegen kamer in. Hij keek om zich heen en schudde toen van nee.

'Niks. O, wacht, zijn schrift ligt meestal daar, op de toilettafel. Dat laat hij daar altijd liggen. Voor ons. Als we even tijd hebben, komen we langs om er berichtjes in te schrijven aan elkaar. Of moppen. Ik zie het nergens.'

Hij keek even of hij het schrift kon vinden, maar het kwam niet boven water. Aangezien ik niet wist wat ik eraan zou kunnen hebben, ging ik stug door met vragen.

'Had Marcas een of meer speciale vrienden?'

'Bedoelt u onder ons of klanten?'

'Allebei.'

'Nee, niet met dat gestotter van hem. Hij krijgt de woorden bijna zijn strot niet uit. Daarom heeft hij dat schrift. Dan kunnen wij hem gedag zeggen en als hij dan een uur of wat later terugschrijft, lezen wij het weer. En wie niet kan schrijven, maakt een tekening. Dat is een spelletje van ons.'

Opeens betrok het gezicht van de knaap. Er zaten al permanent zorgelijke groeven in zijn gezicht waar die uitdrukking zich naar kon voegen, dieper dan hoorde bij iemand van zijn leeftijd en meer uitgesproken dan die van Bird. Hij was dan ook een jaar of drie, vier ouder dan zij.

'U vroeg of Marcas speciale vrienden hád,' fluisterde hij.

'Ik heb nog één vraag, daarna zal ik het uitleggen,' beloofde ik.

'Wat dan?'

'Hoe snel kun je iedereen van onder de zestien die hier werkt stilletjes verzamelen en voor allemaal een paar schoenen bij elkaar scharrelen?'

Er zijn ongetwijfeld mensen die van mening zijn dat de kostbare minuten die nodig waren om de zes jongens, onder aanvoering van mijn enthousiaste nieuwe assistent John, die de oudste van het stel bleek, naar beneden en weg uit die hel te voeren beter besteed hadden kunnen worden, maar die kon ik geen gelijk geven. En het had nog veel langer kunnen duren als de feeks beneden zich niet volledig aan haar opiumpijp had overgegeven tegen de tijd dat wij er met zijn zevenen vandoor gingen en niet in haar met pisvlekken bevuilde jurk als een uitgeputte os had liggen snurken. Aangezien ik haar het liefst zo snel mogelijk de kelders van de Tombs in zou trappen, zou ik hier ongetwijfeld binnenkort weer aankloppen, maar op dat moment had dat even geen prioriteit.

Al met al was ik dus al binnen twee uur terug in St. Patrick's, in de hoop dat pastoor Sheehy intussen zou zijn vrijgelaten. Hij stond met Neill en Sophia in de kleine tuin van de pastorie tomaten te dieven, zodat de vochtige lucht doordrongen was van de diepkruidige geur van het tomatenblad, terwijl de zon op zijn kale hoofd weerkaatste.

'Wat krijgen we nou?' zei hij vragend, toen hij ons aan zag komen.

'Dit zijn Peter, Ryan, Eamann, Ekster, Jem, Streep en John,' antwoordde ik.

'Godlof!' De priester grijnsde. 'En ik maar denken dat niets op Zijn aarde vandaag nog een lach op mijn gezicht zou kunnen toveren.'

Ik ging naar huis.

Mevrouw Boehm was aan het bakken en drukte voorovergebogen over de tafel haar handen in het deeg. Toen ik bij haar ging staan, blies ze een lok van haar doffe haar bij haar mond weg.

'Is er een plek waar u veilig heen kunt?' vroeg ik haar. 'Voor een dag of twee? Met Bird? Dan houd ik de winkel dicht en betaal ik u wat u anders zou hebben verdiend. De Democraten vergoeden dat wel. Het bevalt me niks zoals de dingen zich nu ontwikkelen. Zeg alstublieft ja.'

Ze stopte met kneden. Bewoog haar waterig blauwe ogen nadenkend van boven tot onder over me heen.

'M'n nicht Marthe. Die woont in Harlem. Niet ver reizen hiervandaan. Ik was altijd al van plan een keer bij haar langs te gaan. Dat kan ik best vandaag doen.'

'Dank u,' zei ik, immens opgelucht. 'Ik zal eerst even met haar gaan praten.'

'Ik moet u bedanken,' zei ze, toen ik de trap op liep. 'Voor het stelen van dat paard. O ja, meneer Wilde?'

'Ja?'

'Het was een erg goede aflevering van *Licht en schaduw in de straten van New York*. Bijzonder... boeiend.' Haar lippen braken open in een verlegen lach. 'Ik heb hem voor uw deur gelegd.'

'U bent een schat, mevrouw Boehm,' zei ik, en ik lachte terug.

Bird was niet in mevrouw Boehms kamer. Ze zat in die van mij mijn amateuristische tekeningen te bestuderen met een leeg vel slagerspapier voor zich en een potlood in haar hand. Op haar rechthoekige gezicht verscheen een piepklein lachje toen ze opkeek.

'Hopelijk bent u niet boos, meneer Wilde.'

'Natuurlijk niet. Maar ik ben niet zo rijk dat ik een potlood bezit. Hoe ben je daaraan gekomen?'

'Van mevrouw Boehm. Ze heeft niet meer zo de pest aan me als in het begin.'

Ik ging een stukje bij Bird vandaan met mijn rug tegen de muur zitten. Ik zag enorm op tegen wat me nu te doen stond, mijn maag draaide zich ervan om.

Eerst zette ik mijn hoed af. Toen verwijderde ik de lap goedkope katoen. Nadat ik allebei naast me had neergelegd, sloeg ik mijn armen om mijn knieën. Nu waren we met zijn tweeën, Bird en ik, met mijn hele gezicht, want dat verdiende ze, en de herinnering aan een kerkdeur vol bloedvlekken. Dat beeld bezorgde me een beetje broodnodige moed.

'Nu moet ik alles weten,' zei ik tegen haar. 'Ik zeg het niet graag, maar het moet gewoon.'

Ik zag paniekflitsen in de wijd opengesperde ogen van Bird. Toen sloot ze ze. En niet lang daarna haalde ze haar schouders op. Ze kwam naar me toe gekropen, ging ook met haar rug tegen de muur zitten en greep haar knieën vast, nadat ze eerst haar met borduurwerk versierde jurkje recht had getrokken, maar ze zei niets.

Als je wilt weten hoe moed eruitziet, kan ik geen beter beeld verzinnen.

'Niet gelogen, deze keer,' fluisterde ze.

'Niet gelogen,' zei ik instemmend.

Zo bleven we een tijdje zitten. Toen dook Bird opeens onder in het verhaal en ik dook met haar mee, terwijl ik me uit alle macht verweerde tegen het gevoel dat ik in een bodemloze put viel.

20

Houdt steeds de HEER voor ogen
Met heel uw hart en ziel
Begaat geen enkele Zonde
Maar houdt u aan Zijn Gebod.
Verfoeit de Aartshoer van Rome
En al haar Blasfemieën;
Drinkt niet uit haar vervloekte kelk
Verwaarloost haar decreten.

• *New England Primer*, 1690 •

'**L**iam bleef maar hoesten,' begon Bird. Ze hield haar ogen angstvallig op haar handen gericht en haar handen angstvallig om haar knieën geklemd. 'Dagen achtereen. Toen hebben ze dokter Palsgrave laten komen. Hij was zo ongerust. Hij snauwde iedereen af, of ze het verdienden of niet, en vervolgens bood hij zijn excuses aan en deelde karamellen uit tot hij er geen meer had. Daardoor wisten we hoe bezorgd hij was. Eén keer bleef hij zelfs een hele nacht bij Liam, maar daar heeft hij eigenlijk helemaal geen tijd voor omdat hij voor zoveel kinderen zorgt. Duizenden en nog eens duizenden, volgens mij. En daarom dachten we allemaal dat Liam zou sterven.'

'Aan zijn longontsteking.'

'Ja. Maar dat was eerder, twee weken geleden of zo. Liam werd weer beter, hij kreeg ook weer wat kleur. Dankzij dokter Palsgrave, maar ik weet zeker dat hij Liam zo snel als hij kon weer is vergeten.

Toen ging Liam op een dag naar buiten en daarna hoestte hij weer heel erg. Het klonk verschrikkelijk. De volgende ochtend was zijn deur afgesloten en vertelde mevrouw ons dat het beter met hem ging, maar dat hij moest uitrusten en dat we hem niet mochten lastigvallen.'

Bird stopte. Ik stootte haar niet echt aan, verschoof mijn elleboog alleen iets zodat die haar bovenarm raakte. Ze sloot haar ogen.

'Die avond,' zei ze.

'Eenentwintig augustus.'

'Ja.'

Ik wachtte.

'Ik ging naar beneden voor wat melk. Mevrouw deed nooit moeilijk over dat soort dingen. Extra eten. Ze heeft het bovendien breed genoeg zodat de melk altijd goed is, niet dat ze er water en kalk door mengt tegen de bedorven smaak zoals volgens sommigen in hun vorige huizen wel gebeurde. Ik schonk wat in en dronk ervan. Ik had geen… er waren geen gasten, afgezien van eentje geloof ik, die was bij Sophia. Ik liep daarom de voorkamer in om uit het raam te kunnen kijken, naar de japonnen van de vrouwen. Ik zag de koets staan. Die van de man met de zwarte kap. Ik wist hoe die eruitzag en kreeg het ijskoud toen ik hem herkende.'

'Kun je me vertellen hoe de koets eruitziet?'

'Groot en donker. Vier wielen, twee paarden ervoor. Op de zijkant is iets geschilderd, maar dat kon ik nooit goed zien.'

'Wat deed je toen?'

'Ik dook snel weg van het raam, bedacht dat ik me misschien beter in mijn kamer kon verstoppen. Ik had toch gezien wat er gebeurde als… ik had het nooit tegen iemand gezegd. Dat ik had gezien hoe sommigen weggedragen werden. Gewikkeld in een donkere lap, maar ik zag toch wel wat daarin zat. Ik had alleen dingen uit mijn handen laten vallen, maar nooit iets gezegd. Theekopjes. Eén keer een lamp. Ze had me daarvoor nooit slaag gegeven, me alleen met die slangenogen van haar aangekeken en dan moest ik een paar nachten extra lang opblijven.'

'Hoe lang heb je daar alles bij elkaar gewoond?'

'Ik weet het niet. Ik heb er jarenlang het zilver gepoetst. Zij zegt dat ik daar ben geboren. Ik weet niet of dat waar is. Ik ben gaan werken toen ik acht was, dat weet ik nog wel.'

Mijn vingers verkrampten, maar ik zei niets.

'Ik schrok toen ik die koets zag. Ik wilde niet dat hij mij ook zou komen halen. Maar toen werd ik ook nog om een andere reden bang, omdat... omdat Liams deur dicht was, weet u. Wat nu als dat was omdat de man met de zwarte kap voor Liam kwam? Ik dacht dat ik hem misschien kon helpen ontsnappen. Ik vond Liam aardig. Hij kon allemaal vogelgeluiden nadoen. Hij zei dat ik dat ook zou moeten kunnen, omdat ik Bird heet, begrijpt u? De moeilijke hadden we nog niet gehad, die wilde hij me later die week leren.'

Bird huilde, maar haar stem klonk nog even vast. De stille tranen lieten enkel een nat spoor na op haar wangen.

'De sloten van de kamerdeuren kun je makkelijk open krijgen. Dat heeft Robert me geleerd toen ik zeven was. Ik haalde dus een haarspeld uit mijn kamer en lette goed op of de gang leeg was. Ik kreeg het slot makkelijk open. Ik probeerde zo zachtjes mogelijk te zijn en had bedacht dat Liam goed via de achterdeur zou kunnen wegglippen. Er waren bordelen genoeg waar hij terechtkon of... ik wist het ook niet precies. Misschien zou hij wel beter worden en naar zee gaan. Dat dacht ik allemaal. Maar ik was zo stom. Zo stom, stom, stom. Ik had niet eerst onder de deur gekeken.'

'Waarom had je dat moeten doen?'

'Omdat het daarbinnen pikdonker was,' zei Bird met verstikte stem. 'Als hij er was geweest, zou er licht hebben gebrand. Ik deed de deur open en glipte naar binnen. Ik had nog maar een paar stappen gezet, tot de rand van zijn bed, toen ik over een grote kom struikelde.'

Ik hoefde haar niet te vragen wat er in de kom had gezeten. Haar oogleden trilden zo heftig. Twee doodsbange mottenvleugeltjes die met alle macht uit de ban van een kaarsvlam proberen weg te komen.

'Heb je een lichtje aangestoken?' vroeg ik in plaats daarvan.

'Nee. Ik kon Liam in het licht van de sterren op zijn bed zien liggen. Hij ademde niet. Hij zat niet onder het bloed. Het zat allemaal in de kom. Alleen in de kom. En toen ook overal op de grond en op mijn nachthemd.'

Ik legde losjes een arm om haar schouders. Ze stribbelde niet tegen, dus liet ik hem daar liggen.

'Ik rende terug naar mijn kamer, waar wel licht brandde. Ik wilde iets kunnen zien. Ik wilde schreeuwen, ik schreeuwde ook bijna, maar ik drukte een kussen tegen mijn mond tot ik wist dat ik mijn schreeuw binnen zou kunnen houden. Toen heb ik een stel kousen aan elkaar geknoopt en die aan het haakje van het raam vastgemaakt. Ik was bang dat iemand me in de gaten hield, zo bang dat mijn handen trilden. Er zijn huizen waar ze... kijkgaatjes in de muren hebben. Volgens mij heeft niemand ze ooit bij madam Marsh ontdekt, maar misschien was ze ons gewoon te slim af. Ze is de meeste mensen te slim af. Maar niemand hield me tegen. En toen begon ik te rennen. Ik moest daar weg. De man met de zwarte kap heb ik die avond niet gezien. Alleen zijn koets. Maar ik wist wat hij in zijn schild voerde, altijd al. Ik wist dat hij Liam dood zou maken.'

Ik had vooraf niet gedacht dat me dat goed af zou gaan. Op de vloer zitten met mijn arm om een mager kinchin van tien en proberen te voorkomen dat ze haar botten uit haar sproetige huid rilde. Mensen vertellen me dan wel van alles, maar dat wil nog niet zeggen dat ik als geen ander weet hoe je die mensen weer oplapt. Misschien was ik wel net zo'n slappeling als altijd en pakte ik het helemaal niet goed aan. Maar god, wat deed ik mijn best.

Bird rilde met betraande ogen. 'Het was niet de eerste keer dat ik me naar voelde, maar dit was anders. Het bloed was iets nieuws. Alsof ik het er nooit meer af zou kunnen krijgen. Alsof niets ooit nog zou kunnen helpen.'

'Ik wou dat ik iets kon doen om het goed te maken.'

'Niets kan het goedmaken. Het spijt me dat ik het niet eerder heb verteld. Het was alleen... ik vond u aardig. U hebt me mee naar huis genomen.'

'Alles komt goed, Bird.' Als zij mocht liegen wanneer het haar uitkwam, dan mocht ik dat godbetert ook wel een keertje. 'Je bent niet anders dan ik en het was niet jouw schuld. Niets van wat er is gebeurd. We zijn precies hetzelfde.'

'Dát is niet waar,' snikte ze.

'Het komt allemaal goed,' bezwoer ik haar. Ik hoopte zo hard dat dat waar was. 'Het zal steeds beter gaan hoe verder weg je er vandaan bent.'

'Hoe bedoelt u "verder weg"?'

'Mensen zoals jij en ik hebben geen tijd om lang stil te staan bij dat soort dingen, van die dingen die ons kwetsen of besmeuren,' zei ik. Ik hield haar iets steviger tegen me aan. 'We gaan gewoon door. In New York is nooit iets echt schoon.'

Aan het eind van de middag zwaaide ik Bird en mevrouw Boehm uit bij de halte Broome Street waar ze op de tram van de New York and Harlem Railroad stapten. Op de terugweg overwoog ik wat ik vervolgens het beste kon doen. De lucht hing dik en vuil als sigarenrook in het schemerlicht en ik besloot langs het theater te gaan en mijn krantenjongens nog een beetje op te jutten. Dat ik hen in de arm had genomen was misschien wel het beste idee dat ik had gehad en ik had ze niet kinderachtig betaald. Daar mocht wel wat tegenover staan. Maar toen ik Elm Street in sloeg, ontdekte ik dat er al op me werd gewacht. Ik zag mijn jonge bondgenoot op een drafje richting de Tombs lopen, waarbij hij steeds weer alle kanten op spiedde. Zodra hij mijn hoed ontwaarde, bleef hij staan.

'Daar bent u,' zei Bokkie. Hij zette zijn goudgerande damesbril af en begon opgelucht de glazen te poetsen. 'U weet zich bijna te goed gedeisd te houden, meneer Wilde.'

'Maar nu heb je me gevonden.' Mijn hart ging iets sneller kloppen, want hij keek me weliswaar strak maar ook wat somber aan. Zo'n blik die je bijvoorbeeld zou verwachten van een knaap die een zekere zwarte koets had gezien. 'Is er nog nieuws?'

'Deize,' siste hij dat ik niet zo hard moest praten. Met korte rukjes met zijn hoofd wees hij Elm Street in, in de richting van hun vaste theaterstek die een paar straten verderop lag. 'Ik heb niet gezien hoe... Nou ja, we hebben gemat. Heb er zelf ook eentje een watjekouw voor zijn grijns gegeven. Kom nou, snel.'

'Waarom hebben jullie gevochten?'

'Dat hoort u zo wel,' zei hij, en we liepen haastig door.

We waren ter hoogte van de Five Points toen het gebeurde. De schaduwen om ons heen werden steeds donkerder en langer naarmate de zon zich verder terugtrok. Armoedige gebouwen die tegen elkaar aan leunden, nog armoedigere bewoners die tegen de schuine gebouwen aan hingen. De gebruikelijke taferelen. Toen ging bij mij de vaart eruit. Flink eruit. Het is een apart gevoel als iemand een mes tussen je ribben port.

Zodra de punt je huid raakt, komt je lichaam tot stilstand, alsof een tovenaar je in een marmeren beeld verandert.

'Eén kik en ik maak een gat in je rug en wel hier en nu,' gromde de stem van Moses Dainty over mijn rechterschouder. Een Scales-vormige schaduw verried dat hij niet alleen was en dat Valentines twee onafscheidelijke getrouwen in de meerderheid waren. 'Geef me je koperen ster.'

Ik klemde mijn kaken op elkaar toen het mes iets dieper in me verdween en overhandigde mijn ster.

'Zo mag ik het zien. Goed, dan nu linksaf.'

Terwijl ik me met een van pijn vertrokken gezicht omdraaide, wilde ik tegen Bokkie gebaren dat hij hem moest smeren. Maar hij was al in de lome vlagen rook verdwenen; dat was dan tenminste één zorg minder. Ik liep voor ze uit in oostelijke richting door de drukke Anthony Street. Ik voelde al wat bloed langs mijn rug sijpelen. Toen we bijna bij het hart van de Five Points en de oude brouwerij waren, misschien wel de meest verloederde, maar ook de meest publieke plek van Manhattan, meende ik dat ze niet goed wijs waren. Maar toen we in noordelijke richting een steegje in sloegen, wist ik dat me weinig goeds te wachten stond.

Ik was nog nooit eerder in Cow Bay geweest. Hoe dat kwam, werd me onmiddellijk duidelijk toen we ook maar één stap op dit voormalige koeienpaadje hadden gezet. Met elke stap werd de duistere doorgang nauwer en werden de bergen afval hoger, een bedompt vlekje hel. Voor de Paniek hadden hier muziek en gelach geklonken uit de vrolijke Afrikaanse muziekcafés en liepen kleurlingen én blanken de deur plat bij de bordelen om de zoetgevooisde zwarte kalletjes te bezoeken. Maar dat was voor de Paniek. In het eerste stuk kon ik, ondanks de schaduwen van de steil overhellende gebouwen en de ontbrekende uithangborden, nog de trapjes zien die je met een paar treden naar beneden brachten, naar de bars die anderen doorgaans zouden aanduiden als beerputten. Hier en daar zag ik op de trapjes in de schaduw iemand ineengedoken zitten. Te arm om nog meer te drinken, te dronken om te lopen en te levensmoe om de vliegen van zich af te slaan. Maar een stuk verder, waar de steeg nog smaller werd, waren er geen trapjes meer en zag ik alleen nog verrotte houten krotten die uit de modder- en strontbergen oprezen. Muren met scheefhangende deuren. Vrijwel geen ramen. En geen zuchtje frisse lucht.

Bedoeld als plekken om te wonen, maar zelfs de loslopende magere varkens verging het niet zo slecht dat ze hun heil zouden zoeken in het zwarte gat van Cow Bay.

'Goed, Tim,' zei Moses toen we de hoofdweg niet langer konden zien. 'Met je rug tegen die muur.'

Ik deed wat hij zei, met mijn armen langs me heen.

'Jullie zijn een flink eind uit de buurt van Wijk 8,' gromde ik.

'Niet zo ver dat het ons niet lekker zou zitten,' zei Scales schokschouderend en met een zelfvoldane grijns op zijn brede, gehavende kop.

'Mooi staaltje politiewerk van jullie. Jullie hadden me beter al afgemaakt kunnen hebben, weet je.'

'Moet je hem horen,' zei Moses.

'Nou, nou, dat waren we ook zeker van plan,' antwoordde Scales. 'Maar we moeten je eerst nog iets vragen, voordat je je stem helemaal kwijt bent.'

'Waarom denk je dat ik jullie zal geven wat je nodig hebt?'

'We vinden dat meissie toch wel weer.' Moses Dainty grijnsde me van onder zijn bleke snor brutaal toe. 'En dan vermoorden we haar net zo langzaam als we willen. Misschien dat we eerst nog een beetje plezier met haar hebben. Als je wilt, kunnen we jou ook langzaam vermoorden, hoor.'

'Wat we willen weten is dit: heb je Matsell verteld dat je Bird Daly in huis hebt genomen?' vroeg Scales. 'Weet hij ook maar iets van haar bestaan?'

'Hij weet alles,' loog ik. 'Hij weet waar ze nu is en heeft ervoor gezorgd dat iemand haar in de gaten houdt. Hij zet jullie achter slot en grendel nog voordat je tijd hebt verslag uit te brengen aan Val.'

Scales keek wat sip.

'In dat geval gaat de jonge Wilde er snel aan,' mompelde hij tegen Moses.

Ik meen althans dat hij dat zei.

Ik luisterde niet goed, want ik had het te druk met mezelf afzetten tegen de muur. Ik stortte me op Moses die als een kinchin in korte broek met zijn mes stond te spelen en gooide hem met heel mijn gewicht tegen zijn maat aan.

Hoe ik verder ook over Valentine dacht, dat ik in zijn schaduw was opgegroeid gaf me nu wel één enorm voordeel: ik ben een wat kleinere man die weet hoe je met groot uitgevallen mannen knokt.

Je moet sneller zijn.

Opstoot, draai, uitval, schop, alles sneller dan zij, al gaat je hart tekeer. Alles welgemikter dan zij, al ben je een stuk kleiner. En zo vocht ik die middag.

Sneller. Scherper.

Beter.

Het is namelijk afgelopen zodra twee grotere kerels een kleinere ten val brengen.

En toen raakte Scales mijn kaak en het kraakte als een pistoolschot. Ik stortte neer alsof ik echt neergeknald was, met gonzende oren plat op mijn rug in de onbestemde drek die achter in Cow Bay de grond bevuilt. Ik weet nog dat ik me, toen Scales zijn voet op mijn keel zette en Moses weer met zijn mes zwaaide, afvroeg of je treuriger aan je eind kon komen dan zo: languit in de drek, afgemaakt door twee collega-agenten.

Ik spartelde even machteloos toen Scales' schoenzool mijn strottenhoofd begon te verbrijzelen.

Alles vervaagde.

En toen hoorde ik iemand brullen en kwam ik met een ruk weer bij mijn positieven.

'Raak me niet aan, vuile Ierse smeerlappen…' grauwde een andere stem.

Ik kon me nog steeds niet bewegen, maar dat duurde maar een tel.

Mijn longen zogen zich weer vol met lucht. En dat is godzijdank iets wat vanzelf gebeurt, want anders had ik die kans gemist terwijl ik nog op het randje van iets groots en donkers wankelde.

Nog een brul, minder luid deze keer. Een doffe klap.

Zodra ik weer kon zien, had ik mezelf al weer op mijn knieën gerold. Ik hijgde als een drenkeling. Maar was verder zo vief als wat. Nergens was meer iets te bekennen van Moses Dainty en Scales. Ik zag ze althans niet. Het was plotseling onverklaarbaar stil geworden.

Zodra ik het voor elkaar kreeg, kwam ik overeind richting het streepje zonlicht mijlenver boven die ellendige steeg.

Ik was volledig omsingeld door schimmen.

Ze hadden uitgehouwen groeven in plaats van oogkassen, waarin nog wel bruine ogen zaten, maar in letterlijk van de honger weg-kwijnende gezichten. De rafelige vodden die aan hun lichaam hingen waren misschien kleren, maar kunnen ook doorzichtige gewaden zijn geweest zoals je bij spoken in plaatjesboeken ziet. Maar spoken ruiken niet zo en ik hoopte dat spoken ook niet zo gekweld zouden kijken. Hoe oud ze precies waren kon ik niet zeggen, maar ik zag wel dat het zowel vrouwen als mannen waren. Alles bij elkaar een stuk of twaalf. Allemaal zo stil en roerloos alsof ze al overleden waren en niet op sterven na dood. En allemaal staarden ze me aan alsof ik de geestverschijning was, een magische schim, en niet zij.

Ze waren uit de omliggende huizen gekomen, besefte ik. En ze waren stuk voor stuk zwart. Toen wist ik weer wie er achter in Cow Bay wonen, het Cow Bay waar zelfs de Ieren zich niet lieten zien. Althans niet zo ver achterin. Nog niet.

'U bent Timothy Wilde,' zei een vrouw.

Ik probeerde te antwoorden, maar zakte weg tegen de muur achter me en knikte alleen maar.

Ze wachtten.

'Waar,' bracht ik reutelend uit toen me dat eindelijk min of meer lukte, 'waar zijn de andere twee politiemannen?'

Een man deed een stap naar voren. Hij schudde zijn hoofd.

'U moet die twee maar vergeten, meneer Wilde. Gaat het?'

Ik knikte, al voelde ik mijn keel nog als een vertrapt insect onder mijn vingers kloppen. De zwarte man die ik van mijn leven nog nooit had gezien, legde mijn koperen ster in mijn geopende hand.

'Ik zal die twee vergeten,' beloofde ik hem.

Mijn gesproken woorden stelden niet veel meer voor dan letters getekend met een stok in wat zand, maar het was voor nu goed genoeg.

'U ziet er al weer wat beter uit, meneer Wilde,' zei de man, ter-wijl de andere spoken een voor een weer in het duister verdwenen. 'Kunnen we verder nog iets voor u doen?'

'Dank u wel, het gaat wel. Maar doet u de groeten aan Julius Carpenter van mij.'

De overgebleven mannen en vrouwen sloften langzaam terug naar hun huizen. Van onder de dikke lagen honger en ontberingen schemerde grimmige voldoening door.

'Zeker, meneer Wilde, als een van ons die hem kent hem ziet, doen we dat,' zei hij, en toen loste ook hij op in de schaduwen waaruit ze waren opgedoemd.

De steekwond was maar een klein gaatje, dacht ik. Verder geen aandacht waard. Ik wankelde terug naar het begin van Cow Bay, waar ik werd opgewacht door het tweede zooitje ongeregeld van die avond.

Bokkie was niet zonder reden weggeglipt, dat was duidelijk. Giftand stond voorop. Tussen zijn vingers bungelde losjes een verzwaarde knuppel en het litteken op zijn lip trok die op als een marionettenpop. Achter hem zag ik nog zes jongens staan, onder wie Vonkie, Katoog en de grotere soldaten uit *Het aangrijpende, ijzingwekkende en bloederige spektakel van de slag van Agincourt*. Hun aanwezigheid liet me zeker niet koud. Met een weids armgebaar drong ik mijn lijfgarde de steeg uit, waar ik uitgelaten de laatste zonnestralen van die dag nog eens begroette.

'Ze hebben u danig verblast,' zei Vonkie bezorgd. 'Ken u nog wel ademhalen?'

'Het gaat prima.'

'Waarom ziet u er dan zo belabberd uit?'

'Zo ziet een kerel eruit als zijn bloedeigen broer een stel schobbejakken op hem af stuurt om hem te nifteren.'

Niet dat hij me niet zou hebben gewaarschuwd, voegde ik daar in gedachten aan toe.

De rest van de weg naar het theater legden we zwijgend af. Daar aangekomen gingen we naar binnen en liepen de trappen af naar het verlichte toneel. De schaduwen leken die avond onnatuurlijk laag te hangen, althans in mijn beleving. De duistere vegen zagen eruit als een tafereel geschilderd door een kinchin dat halverwege het perspectief uit het oog had verloren. Ik besefte met een doffe pijn dat te veel mensen het dode lichaam van Marcas hadden gezien en dat alles dus toch al verloren was, wat ik verder ook zou doen.

Het handjevol krantenventers lummelde rond op het toneel, ze schuifelden wat met hun voeten of lagen op hun rug naar boven te staren. Ik zag een nieuwe werkbank die vol lag met papier en lonten en pakjes buskruit. Hopstill was kennelijk al een aantal keren langs geweest. En geen van hen leek tot nog toe vuurwerk in zijn eigen gezicht opgeblazen te hebben. Maar ik zag er wel drie met een blauw oog en een kapotte lip.

'Wat is er gebeurd?' vroeg ik streng.

'We hebben mot gehad.' Vonkie keek vermoeider dan anders uit zijn griezelig volwassen ogen. Hij streek met zijn vingers door zijn donkere haarbos en liet zich in kleermakerszit voor de gesmolten bergjes was van de voetlichtjes zakken.

'Jullie hebben de zwarte koets gezien,' gokte ik.

Stilzwijgen. Een van de bont en blauw geslagen jongens snoof verachtelijk, terwijl hij zogenaamd onverschillig een krantenpagina omsloeg. Maar ik werd overspoeld door een gevoel van trots.

Een van mijn pogingen had warempel iets opgeleverd.

'Luister, het gaat van kwaad tot erger in onze stad, jullie kunnen het me daarom maar beter vertellen.'

'Was er echt...' begon Katoog, terwijl hij zenuwachtig over de stuiter in zijn oogkas wreef. 'Was er echt een kinchin-mab die vastgespijkerd zat als Je...'

'Ja,' zei ik kortaf. 'En jullie weten hoe dat gaat met nieuws. Als het niet in jullie avondkranten stond, dan is dat uitsluitend te danken aan de hoofdcommissaris van politie.'

'Het stond wel in de avondkranten,' verbeterde Giftand me.

Dat nieuws benam me even de adem.

'Ik móet weten waar die koets is, jongens,' zei ik smekend.

'Jullie horen de man,' zei Giftand lijzig tegen het groepje jongens met de meeste sporen van het recente gevecht. 'Poekel maar.' Hij sprak op een toon die ik niet goed kon duiden.

'Ik heb al tegen hun daar gepoekeld,' snauwde een slungelige jongen die met een groezelige vinger naar Bokkie en Vonkie wees. 'Kreeg ik als dank een watjekouw voor m'n grijns.'

'Je krijgt er weer een als je nog eens dezelfde bak zet, Tom Cox,' grauwde Bokkie.

'Niet zolang ik hier ben,' zei ik beslist. 'Vertel op. Waar is de koets?'

'Geen idee. We zijn hem kwijtgeraakt,' mompelde Tom Cox.

'Wát? Goed, zeg me dan waar de koets wás.'

'Voor een herberg in de buurt van St. John's Park, we stonden daar avondflikken te verkopen. Reed net weg toen we hem in de smiezen kregen. We lieten de flikken voor wat ze waren en hebben de koets een kilometer of zo gevolgd, hij ging niet snel, stopte toen voor een stenen bidkeete. Daar stapte íemand uit,' zei Tom en hij keek tartend naar Bokkie. 'Iémand ging die bidkeete binnen. Trok de deur achter zich dicht terwijl dat rolmandje weer wegreed. Ik heb het met m'n eigen ogen gezien. Zij hier ook. We zijn 'm toen weer gesmeerd, zijn hierheen gegaan. Wisten ook niet wat we ervan moesten denken.'

'Zeg op: wie is er voor de kerk uit die koets gestapt en naar binnen gegaan?'

'Als je nog eens beweert dat het Mercy Underhill was, smak ik je net zo vaak als nodig tot je die smoel van je houdt,' grauwde Bokkie, die zijn bril afzette en aan Giftand gaf.

'Ach, sodemieter op,' bitste Tom Cox, die was opgesprongen. 'Ze had die groene jurk aan met die varens, je weet wel, met die blote schouders. Die hebben we allemaal al duizenden keren gezien…'

Ik greep Bokkie bij zijn kraag toen hij zich op de jongens wilde storten. Maar met mijn gedachten was ik niet bij hem. Ik hield hem alleen vast.

De groene jurk met de varens, met blote schouders zoals vrijwel al haar jurken. De jurk die ze aan had gehad toen ik haar in maart tegenover Niblo's Garden had zien staan.

Als in een geschiedenisboek. Zo lang geleden.

Haar mand had aan haar arm gehangen, in dezelfde hoek als de richting van haar dromerige blik. De mand had boordevol half voltooide verhalen gezeten. Mercy had wegens zware koortsaanvallen dagenlang binnen gezeten, maar was zo te zien goed opgeknapt. Ik had niet geweten dat ze al weer beter was en had net de vorige dag nog een flesje bitter en een boek dat ik bij een marktkraampje had gekocht aan de predikant meegegeven. Hij had me bedankt alsof de eenvoudige attenties heilzame amuletten waren, Thomas Underhill verafschuwt het namelijk als Mercy ziek is, vindt dat erger dan wat ook op aarde. Maar daar stond ze dan, een beetje uit het

lood zoals alle betere standbeelden. Ze had tijdens haar herstel de ode die
ze onder handen had voltooid en ik had die daar midden op straat gelezen
terwijl de zonnestralen weerkaatsten op haar donkere haar.

Als Mercy uit de koets van de man met de zwarte kap was gestapt, was ze in gevaar. Zo simpel was het.

'Was het de bidkeete in Pine Street?' vroeg ik.

'Klopt,' zei Tom Cox met een opgewonden blos en klaar om zo
nodig Bokkie een hengst te verkopen en te vloeren.

'Houd dan onmiddellijk op met jullie geruzie. Miss Underhill is
in gevaar.'

Iedereen viel stil.

'Dank je wel. Jullie zijn stuk voor stuk toffe gabbers. Houd je gedeisd en blijf vanavond hier binnen,' beval ik. Ik liet Bokkie los en
liep weg.

Dat ze niet had geweten in wiens koets ze zat, wist ik zeker. Er
zijn van die dingen, die je als man gewoon wéét. Dingen als 'Mercy
heeft mijn hulp nodig'. Op de eerste straathoek waar ik een huurkoets kon verwachten, bleef ik staan en floot er een. Tegen de koetsier zei ik dat ik bij de kerk in Pine Street moest zijn.

21

Hoeveel inwoners van de Verenigde Staten zouden ervan op de hoogte zijn dat de Paus de Kruistochten nog steeds als een realiteit ziet en om het jaar een pauselijke bul uitvaardigt waarin hij soldaten uitnodigt die te ondernemen?

• *De Amerikaanse protestant ter verdediging van de burgerlijke en godsdienstige vrijheid in de strijd tegen de paapse horden,* 1843 •

D e duisternis plooide haar dikke rokken om New York toen ik op de hoek van William en Pine Street stilhield. Ik kreeg met het voorbijglijden van de minuten meer lucht, wat een zegen was, maar nu ik weer normaal kon ademen, zag ik niets meer. In deze contreien worden de lantaarnpalen niet gerepareerd als het glas gebroken is. Ik stapte uit en betaalde de koetsier. Ik leek me in een gedempte wereld te bevinden. Het rijtuig had normaal gesproken veel meer geluid moeten maken bij het wegrijden.

Alles zou heel anders zijn gelopen als Mercy Underhill niet een paar tellen later door haar voordeur naar buiten was gekomen uit het bakstenen huisje onder de bomen naast de kerk in Pine Street. En alles zou heel anders zijn gelopen als ze me daar onder de kapotte straatlantaarn had zien staan. Een man in het duister.

Maar ik zag haar wel en zij mij niet, en iets in mijn hoofd gleed op zijn plaats alsof er letters werden gezet. Dat leidde echter niet

tot een conclusie, wat alleen maar bevestigt dat ik werkelijk een onnozele hals ben. Nee, het was een vraag die in mijn hoofd ontstond.

Waar gaat ze heen?

En dus liep ik achter haar aan.

De eerste straten ten westen van Pine Street liep ze haastig door
met haar grijze zomercapuchon over haar haar. Ik kan geruisloos
zijn als ik wil, dus ze hoorde me niet. Ik bleef dicht genoeg achter
haar om voor haar in de bres te springen als iemand haar kwaad
wilde doen, maar wel op ruime afstand voor het geval ze een bekende tegenkwam.

Op Broadway hield ze een rijtuig aan. Ik deed hetzelfde en spoorde de voerman aan haar zo onopvallend mogelijk te volgen. Op dat
moment brak de maan door het wolkendek heen. Inmiddels had ik
de krantenjongens niet meer nodig om me te vertellen dat de meest
recente gruweldaad al in de avondkranten stond. Dat was duidelijk
af te lezen aan het gedrag van de voetgangers op straat. Voor iedere
stadgenoot die strak in het pak en keurig verzorgd langs de etalages
liep, waren er twee die met een afkeurende trek om hun mond en
gespannen gezichten, als canvas dat nog moet drogen, met elkaar
stonden te praten. Dandy's en beurshandelaren van het soort dat
vroeger verhalen tegen mij afstak, waren met hun gedachten even
niet bij hun kleding en hun geld. Ik wist welke woorden ze zeiden
zonder de moeite te hoeven nemen hun lippen te lezen.

Iers.

Katholiek.

Schande.

Barbaars.

Overlast.

Gevaar.

Toen Mercy in Greene Street uit haar rijtuig stapte, vlak bij het
bordeel van Silkie Marsh, twijfelde ik er al niet meer aan dat ze daar
naar binnen zou gaan, terwijl ik een halve straat verder met mijn
eigen koetsier afrekende. Ze kenden elkaar, er waren honderden
redenen denkbaar waarom ze daar langs zou gaan. Maar ze bleef
onder een gestreepte markies van een theehuis staan wachten. Met
haar capuchon ver over haar hoofd getrokken, liet ze haar ogen
heen en weer gaan tussen de twee hoeken van de straat.

Een minuut of twee later kwam er een man op haar af. Ik kende hem niet. Knappe vent, met een vest met meer geborduurde bloemen dan dat van Valentine en zijn schoon geschuierde blauwzwarte rokjas nauwsluitend om zijn borst. Ik had meteen een hekel aan hem. De maan blonk in de ronding van zijn kastoren hoed. Ik kon Mercy niet horen toen ze op hem af liep, maar ik zag haar gezicht in het spinnenzijden schijnsel, en daar had ik genoeg aan.

'Ik ben zo bang geweest,' zei ze. 'Het doet gewoon pijn om zo bang te zijn. Snel, snel of ik ben voorgoed verloren. Wat wil je?'

Wat hij antwoordde weet ik niet, want hij stond met zijn rug naar me toe. Met een armlengte afstand tussen hen in liepen ze daarna de maanverlichte straat door.

Ik volgde hen. Ze belden aan bij het huis van Silkie Marsh en gingen naar binnen. Achter elk raam brandde licht. Ik zag glimpen van spiegels en kaarsen en kleden die mannen binnen moesten lokken, een en al verleidelijke glans van hardhout en kristal. Een minuut of tien lang bleef ik enkel wachten. Als ik Mercy het bordeel van Silkie Marsh in zou volgen, was dat precies wat het was: dan volgde ik Mercy, een andere uitleg was er niet. Uiteindelijk dwong ik mijn voeten in beweging te komen. Mercy die er 's avonds op uit ging: het was ongebruikelijk, maar kon met enige moeite wel worden verklaard. Een kinchin dat roodvonk had, een arme kerel die van zijn paard was geworpen, een vroedvrouw die een extra stel handen nodig had. Maar Mercy die een vreemdeling ontmoette nadat ze een paar uur eerder in het rijtuig van de man met de zwarte kap was gezien – ik had het mezelf nooit vergeven als ik daar niet achteraan zou zijn gegaan.

Dat is althans wat ik mezelf wijsmaakte.

Toen ik uiteindelijk de straat overstak, nam ik niet de moeite aan te kloppen. De voordeur zat niet op slot en ik vloog naar binnen. Mijn ogen schoten door de lege gang met zijn rijke kleuren. Ik liep alles straal voorbij, de olieverfschilderijen en de varens, en stormde de salon binnen.

Ik zag mezelf een keer of negen terug in de manshoge Venetiaanse spiegels en negen keer leek ik op een man die een kennismaking met Cow Bay ternauwernood had overleefd. En ook Silkie Marsh zag ik een stuk of negen keer, en alle keren zat ze op haar purperviolette fluwelen stoel, ik zweer het, een kous te stoppen. Ze keek verrast op, wat haar kortstondig een jeugdige aanblik gaf, zacht als een bloemblad, en haar gezicht lieflijk deed gloeien boven het strengzwarte satijn van haar modieuze japon. Silkie Marsh heeft gelijk dat ze dat soort dingen aantrekt, want ze staan haar niet. Ze ziet er dan uit als een meisje dat de baljurk van haar oudere zus heeft aangetrokken. Het zwarte satijn, hoe onwaarschijnlijk het ook klinkt, wekt de indruk dat ze niet gevaarlijk is.

'Timothy Wilde,' zei ze. 'U ziet eruit alsof u elk moment kunt instorten. Mag ik u wat te drinken aanbieden?'

Ik sloeg het aanbod af, maar ze deed alsof ze dat niet hoorde. Ze legde haar kous en de naald op een stoel en liep naar het dressoir bij de piano, waar ze twee pure whisky's inschonk en de hare meteen aan haar lippen zette terwijl ze mij de andere aanreikte.

Ik besefte dat ik hem toch hard nodig had, sloeg de drank in één teug achterover en gaf het glas weer aan haar. 'Bedankt. Waar is Mercy Underhill?'

'Ik weet niet of u daar iets mee te maken hebt, meneer Wilde,' zei ze poeslief. 'Sterker nog, ik weet wel zeker van niet.'

'Ik weet dat ze hier is en ik moet haar dringend spreken. Zeg me waar ze zit.'

'Liever vertel ik u dat niet. Het zijn geen fraaie zaken. Dwing me niet, meneer Wilde, dat is ook niets voor u. U zou nog slechter over me gaan denken dan u al doet.'

'Maakt u zich daar maar geen zorgen over.'

'Ik verraad niet graag geheimen. Ik ben een vrouw van mijn woord, meneer Wilde. Maar als u erop staat, ze bevindt zich verderop in de gang, achter de deur naast de Chinese vaas. Ik weet dat u mijn gezelschap nooit zult waarderen, maar verzoek u toch niet te proberen haar nu te spreken te krijgen. Doe het niet, voor haar.'

Ik had, geloof ik, minder dan vijf seconden nodig om de gang door te rennen. De Chinese vaas stond op een sokkel waarboven een fraaie schemerlamp hing die met zijn zachte oranje licht een krans op het behang wierp.

Ik duwde de deur open en ging de kamer binnen.

Het was maar een klein hok waarin het gedempte licht meer

schim dan schijnsel wierp. Er klonk een schrikgeluid en koortsachtig gewoel. Ik zag gedaantes op het bed waarvan één met een ontbloot bovenlichaam en een gezicht dat zich met grote ogen en een wazige blik naar me toe draaide. De man was er ook, boven haar, maar half onder de dekens. Hij keek achterom en was volledig naakt. Met zijn hand bedekte hij de bleke ronding van Mercy's borst en zijn pink volgde de lijn van haar rib.

'Deze kamer is bezet,' zei hij met temerige stem. 'Wilt u alstublieft...'

Ik trok hem van haar af, wat hem de mond snoerde.

'Wat je haar ook hebt aangedaan, ik zet het je driedubbel betaald,' bezwoer ik hem, terwijl ik met mijn ene hand zijn onderarm kneusde en met de andere zijn haar zowat uit zijn hoofd trok.

'Hij doet me helemaal niets aan, dwaas,' steunde Mercy. Ze was overeind gaan zitten en had de deken over zich heen getrokken. 'Ziet het er soms uit alsof hij me iets aandoet?'

Ik liet hem los en de dandy wankelde achteruit.

'Wilde,' begon Mercy. Ze had haar ogen nu dicht en ademde snel door haar neus. 'Je moet...'

'Goddomme, nu kan ik het wel vergeten,' vloekte de onbekende, en hij strompelde hulpeloos door de kamer op zoek naar zijn chique kleren. 'Wat denk je wel? Ik ben een gevoelig man, ik kan nu onmogelijk nog... niet nadat... En jij kent die vent?'

Mercy opende haar mond, maar er kwam niets uit. Ze hield haar vuist gebald tegen de deken en kneedde die verwoed. Mijn rug kwam in aanraking met de muur en ik liet me erlangs naar beneden zakken op de kale houten vloer vanwaar ik toekeek hoe de beursverkoper – nee, exporteur-importeur leek waarschijnlijker, zijn accent was vlekkeloos New Yorks, maar zijn schoenen, horloge en de zijde van zijn vest waren buitenlands – probeerde zijn waardigheid zo goed en zo kwaad als het ging te hervinden.

'Nou ja, of je hem kent of niet, het spijt me dat ik de voorgestelde transactie niet zal kunnen vervolmaken, aangezien... Ik kan niet... Wat drommel, veel succes, Mercy. Je vindt vast een andere manier om aan het geld te komen. Wat mij betreft, nou ja... misschien ooit een andere keer.'

Met die woorden verdween hij uit de kamer en trok de deur achter zich dicht. Ik huiverde en stond op. Ik ging met mijn gezicht naar het raam staan en keek niet naar Mercy.

'Ik weet niet of je beseft wat je hebt gedaan,' klonk haar stem achter mijn rug, 'maar wil je me alsjeblieft vertellen wat dit in hemelsnaam te betekenen heeft?'

'Wilde hij je betalen?' fluisterde ik. 'Had hij Silkie Marsh soms ook betaald voor de gemeubileerde kamer?'

Geritsel van stof toen ze uit bed stapte.

'Hoe lang al?' probeerde ik. 'Vertel het me, alsjeblieft. Hoe lang is dit al aan de gang?'

Er klonk een treurige lach vanuit het bed. Die eindigde in een zucht, alsof ze verdronk, wat een kille siddering door mijn binnenste joeg.

'"Hoe lang" wil je weten? Hoe lang ik al met mannen omga of hoe lang ik daar al voor betaald word?'

Daar kon ik niet op antwoorden, maar desondanks praatte ze door.

'In het eerste geval een jaar of vijf, sinds mijn zeventiende. En een minuut of vijf in het tweede geval. Sinds ik geruïneerd ben.'

'Geruïneerd,' herhaalde ik verslagen.

'Ik neem aan dat je bij het lezen van *Licht en schaduw in de straten van New York* nooit hebt vermoed dat je de schrijver kende.'

Ik was niet van plan geweest me om te draaien, maar was zo geschokt dat het vanzelf ging. Natuurlijk was ze adembenemend. Een huid als versgevallen sneeuw op een bevroren rivier, ogen die lichtblauw glansden terwijl ze haar jurk opraapte. Elke ronding van een subtiele pracht, onmogelijk zwarte haren die de welving van haar borst streelden voor ze naar beneden vielen langs haar heupen, een tikje uit het lood, wat haar schoonheid benadrukte. Ik sloeg mijn ogen neer, haatte mezelf intens, en dwong mezelf te horen wat ze me net had verteld.

'*Licht en schaduw,*' herhaalde ik, en in gedachten zag ik mevrouw Boehms tijdschrift voor me en haar verlegen blos. Dat waren pikante roddels over de beau monde, wrange Wall Streetdrama's en verhalen over het zware bestaan van immigranten en de onderdrukte woede van de armen. Eén ging er over een ten onrechte van kippendiefstal beschuldigde indiaan die op straat was gestenigd, een ander over een verslaafde die zijn winterjas had verkocht voor een dosis morfine. Het waren ongebreideld sensuele, hartverscheurende verhalen, melodrama van de beste soort, en ik had ze allemaal gelezen. 'Door anoniem.'

'Bestaat er een saaier pseudoniem?' antwoordde Mercy mat.

Ik streek met mijn hand over mijn ogen, zoog mijn longen vol en blies de lucht met kracht weer uit. Dat zij die verhalen had geschreven verbaasde me niet. Ze had het meeste ervan waarschijnlijk zelf wel eens zien gebeuren.

Wat me wel verbaasde, was dat ik het niet in de gaten had gehad.

'Maar wacht... geruïneerd?' stamelde ik, nu ik langzaam weer iets van mijn verstand terug begon te krijgen.

'Ik zit aan de grond,' bevestigde ze. 'Het is hopeloos. Maar God, wat was ik er dichtbij. Tot gisterochtend had ik bijna zeshonderd dollar bij elkaar gespaard, maar toen ontdekte vader het en barstte hij uit in...' Bij die herinnering bleven de woorden haar even in de keel steken. 'Het werd een flinke ruzie. Ik zou niet weten waar ik mijn spaargeld nu nog zou kunnen verstoppen of hoe ik ooit nog ook maar één woord zal kunnen schrijven zonder dat iemand over mijn schouder meekijkt en mijn... de gedachte aan mijn vaders ideeën is ondragelijk.'

'En je reactie daarop was om jezelf te... verkopen?' riep ik vol afschuw uit.

'Een andere mogelijkheid was er niet,' zei Mercy vlak, en het geritsel van het katoen van haar jurk trilde in mijn oren. 'Ik moet hier weg, ik kan onmogelijk in New York blijven, ik moet gaan, je hebt geen idee hoe het thuis is, ik... Waarom heb je dit toch gedaan, Timothy?'

Ik draaide me nogmaals om. Mercy had de groene jurk inmiddels min of meer aan, maar hij hing wel weer net zo scheef als altijd. Toen ik haar aankeek, zag ik de wanhoop in haar ogen. Diepblauwe poelen waarin een man kon verdrinken.

'Ik wilde zo graag naar Londen,' zei ze. 'Daar wonen. Mijn eigen leven bepalen. Al had de voltallige bevolking van de staat New York me tegen willen houden, het was ze niet gelukt. Ik zou echt gegaan zijn – alles is anders in Londen, begrijp je dat niet? Niet die platte puriteinse haat van hier. In Londen heb je hervormers en bohemiens en filosofen, mensen als mijn moeder en... Hier probeer ik kinderen te redden om alleen maar te horen te krijgen dat arme kinderen er niet toe doen. Hier probeer ik mijn leven te leven en mijn hart te volgen, maar God verhoede dat ik ooit openlijk van de ene straathoek naar de andere loop met enige andere man dan jij, Timothy Wilde. Hier heb ik een bureau en papier en inkt, en vader die me vanaf dat ik klein was overlaadt met kusjes en me vertelt hoe trots hij is dat ik zo graag schrijf, me complimenten geeft voor mijn natuurgedichten en mijn gezangen en passiespelen. Tientallen korte verhalen had ik al geschreven en drieëntwintig hoofdstukken van een roman, toen hij gisteren het manuscript op mijn bureau zag liggen. Zo stom van me. Ik was er met mijn hoofd niet bij, ik was in gedachten met de kinderen bezig, met jouw onderzoek. Zo stóm. Ik laat het nooit, maar dan ook nooit rondslingeren, maar gisteren lag het open en bloot op mijn schrijftafel toen hij kwam zeggen dat hij gebakken eieren met spek had gemaakt. Nu kan ik alleen nog proberen om zwemmend in Londen te geraken. Alles beter dan hier te sterven.'

Ik beet letterlijk op mijn tong en hield mezelf voor: wacht. Nog niets zeggen. Wacht.

Luister.

Ik kon me goed voorstellen dat ze *Licht en schaduw* geheim had gehouden – geen enkele dame uit mijn kennissenkring kreeg het voor elkaar toe te geven dat ze het las zónder te blozen. Minder vergeeflijk, maar ook begrijpelijk was dat haar vader ontzet was dat Mercy uiterst wereldlijk proza het licht deed zien. Waar ik wel van opkeek was dat de lokroep van Londen vanaf de andere kant van de oceaan zo dwingend voor haar was, dat die aantrekkingskracht op haar zoveel sterker was dan ik ooit in de gaten had gehad.

Maar dat was nog niet de onaangenaamste verrassing van die avond, bij lange na niet.

'Je vader heeft een woede-uitbarsting gehad en dat heeft jou geruïneerd?' vroeg ik ten slotte. 'Hij heeft een woede-uitbarsting gehad en...'

'En nu is mijn spaargeld weg,' beet ze me toe. 'Verdwenen. Hij heeft alles afgepakt. Het is allemaal weg. Net als mijn boek. Hij noemde het vuiligheid en het is in de kachel verdwenen.'

Mijn mond viel dwaas open en ik wist me geen raad met mijn handen: ze stil laten hangen, in mijn zij planten, voor mijn mond slaan, niets werkte.

'Nee,' zei ik zacht, want Thomas Underhill die zijn dochter verdriet doet, zoiets kon ik me gewoonweg niet voorstellen. De eerwaarde kan het nog niet verdragen als Mercy haar knie heeft geschaafd. Ze had zichzelf een keer, nadat haar moeder was overleden, bij het schillen van de aardappels in haar duim gesneden, één keertje maar, en vanaf toen heeft hij dat domme karweitje voorgoed van haar overgenomen. 'Nee, dat kan niet. Dat is afschuwelijk. Hij houdt van je.'

'Natuurlijk houdt hij van me,' zei ze met verstikte stem. 'En ja, het kan wel. Hij heeft het echt verbrand, elke pagina, al mijn woorden, mijn…'

Mercy viel stil. Ze drukte haar vingers tegen haar keel en dwong zichzelf tot kalmte nu de emoties haar het spreken beletten. 'Ik weet dat jij daar niets aan kunt doen,' vervolgde ze, toen het weer ging, 'maar ik ben al mijn geld kwijtgeraakt en Robert zou me betalen…'

Ik moet bekennen dat ik, hoe treurig ook, vanaf dat moment de draad van het gesprek ben kwijtgeraakt.

Ik had tot dat punt naar ieder diepbedroefd woord van haar geluisterd, maar om nou te zeggen dat ik alles goed in me had opgenomen, dat kan ik moeilijk volhouden. Ik sloot mijn ogen. Ik heb het helemaal verkeerd aangepakt, dacht ik terwijl de misselijkheid zich riant op de bodem van mijn maag nestelde. Door haar op een voetstuk te plaatsen en niet in te zien dat ze een mens is. Ik zou mijn hand voor haar hebben afgehakt als dat haar prijs was geweest, maar ze had nooit de moeite genomen om mij te vertellen dat haar prijs in feite…

'Wie is hij?' Waarom ik dat wilde weten, is me een raadsel.

'Een koopvaardijhandelaar die veel hervormingsgenootschappen financieel steunt. We zijn al jaren bevriend en hij heeft altijd al een oogje op me gehad. Ik was voorheen niet in die mate in hem geïnteresseerd, maar hij is een beste man en ik wist gewoon niet wat ik moest doen.'

'Dus daar kent Silkie Marsh je van,' besefte ik opeens. 'En helemaal niet via je liefdadigheidswerk. Toch? Heeft iemand als zij je, toen je begon, gekrenkt, hebben ze je gedwongen...'

'Daar hoef ik niet op te antwoorden.'

'Geef antwoord, verdomme.'

'De eerste keer werd ik gedreven door begeerte, al meende ik toen dat het liefde was. Het was in zekere zin mooi, maar hield geen stand, het kan dus geen liefde zijn geweest, nietwaar? En daarna... Het was altijd uit vrije wil, ik mocht ze graag, Timothy, ik vond het aangenaam om me begeerlijk te voelen, om voor iets anders in trek te zijn dan als leverancier van braakwortel en rapen,' zei ze boos. 'En dus zorgde ik dat ik werd voorgesteld aan Silkie, en als ik een privéruimte nodig heb voor mezelf en een vriend, huurt die vriend een van haar kamers. Zij kan het extraatje altijd goed gebruiken. Ik kan haar niet uitstaan, maar ze is zo praktisch in dit soort dingen dat ik wist dat ze me nooit aan vader zou verraden. Alsjeblieft, dat is het hele verhaal. Zo nu en dan mag ik een van haar slaapvertrekken gebruiken en ik kom en ga wanneer ik dat wil. Ik kan tenslotte moeilijk met een ongetrouwde heer naar een hotel gaan. Of naar zijn kamers. Maar hier gaat iedereen ervan uit dat ik om liefdadigheidsredenen kom. En dit was voor het eerst dat...' Plotseling klemde ze haar kaken op elkaar en gloeide er woede door haar gekwetstheid heen. 'Kijk niet zo naar me, dat is vreselijk. Ikzelf ben het enige wat ik heb. Een man zal dat nooit kunnen begrijpen. Ik heb niets anders te bieden, Timothy.'

'Noem me niet zo.'

'Waarom niet? Zo heet je toch? Kon ik mijn boek nog aan Harper Brothers verkopen nadat het tot as was verbrand? Had ik dan moeten stoppen met het liefdadigheidswerk dat ik zo belangrijk vind, had ik me dan niet meer om de kinderen moeten bekommeren en herenhemden moeten gaan naaien? Ik doe wat ik kan, ik mag sterven als het niet waar is, maar het is nooit genoeg. Had ik dan een oude dwaas met een bankrekening moeten trouwen en van dag tot dag als hoer door het leven moeten gaan tot hij was gestorven? Dat had ik nooit kunnen opbrengen. Het één keer te doen, voor een vorstelijk bedrag en met een vriend, leek... makkelijker.'

Als je het goed bekijkt, is bijna iedereen hier op de een of andere manier wel een hoer, was mijn eerste, uit woede geboren, gedachte.

Het is alleen maar een kwestie van gradatie. De vrouwen die door de achterafsteegjes van Corlears Hook slieren om aan geld te komen, doen dat doorgaans niet omdat ze dat zo graag willen, maar ze zijn niet de enigen die een stukje van zichzelf verkopen. Je hebt gewillige meisjes die met je in bed duiken voor een nieuw paar schoenen, moeders die alleen in hun handen spugen als de kleintjes ziek zijn en de dokter ook wel in natura betaald wil worden, maintenees die elk jaar de donkere, koude winter overleven door mannen onder hun rokken te laten. Er zijn duizenden debutantes die trouwen met bankiers zonder dat ze verliefd op hen zijn of zelfs maar van plan zijn dat te worden. Meisjes die het één keer uit nieuwsgierigheid hebben gedaan en chagrijnige slenterkatten die het duizend keer hebben gedaan. Knappe meiden die een kamer huren als ze er zin in hebben, net als Mercy. Een doodgewone zaak. Maar al te gewoon. Het was nooit bij me opgekomen hun voor de voeten te werpen dat ze geld belangrijker vonden dan het bewaken van hun eer. En het was geen fraai beeld van vrouwen dat ik hier schetste, dat wist ik zelf ook wel, aangezien er genoeg meisjes waren die zo'n keuze niet uit vrije wil maakten. Ik wist dat ik gruwelijk cynisch was. Harteloos, misschien ook. Maar op dat moment kon ik niet bepalen wat ik het weerzinwekkendst vond: dat Mercy betaald kreeg of dat ze zich in de armen van iemand anders dan ik had gestort.

Wat ik intussen had moeten merken, was hoe erg van streek ze was, dat ze haar vingers strak in haar rok wikkelde om ze maar stil te houden. Dat haar adem maar niet tot rust kwam. Dat het moeten toezien hoe je boek verbrandt terwijl jij er machteloos bij staat misschien wel voelt alsof iemand een vinger bij je afsnijdt. Na de vernedering die ze net had moeten doorstaan, had ik de barmhartigste vrouw uit mijn kennissenkring op deze helse avond op duizend barmhartige manieren moeten behandelen.

Dat ik dat niet heb gedaan, vervult me nog steeds met afschuw, als ik de gedachte toelaat.

'Hoe kon je?' vroeg ik verslagen. 'En nog wel hier, waar kinchen in zwarte rijtuigen verdwijnen…'

'Nee, dat is niet waar.' Mercy's stem brak. 'Ik ben hier niet meer geweest sinds… sinds dat allemaal speelt. Jouw onderzoek. Denk alsjeblieft niet zo over me, dat smeek ik je. Ik heb hier voordien nooit iets gemerkt van enige narigheid, helemaal niets, dat zweer ik op mijn eigen leven, ik heb alleen maar af en toe gebruikgemaakt van een kamer en ik heb trouwens maar heel weinig contact met haar kinderen, behalve als ze ziek worden, er gaan soms maanden voorbij dat ik ze niet zie. Meer dan een jaar in het geval van Liam. Maar toen vader gisteren mijn spaargeld vond, raakte ik in paniek en deed ik nog één laatste poging om weg te komen. Ik was zo wanhopig. Ik wilde hier niet heen, wilde haar niet zien en me afvragen wat ze weet. Het was afschuwelijk, Tim, geloof me alsjeblieft. Ik had geen keus.'

'Je hebt altijd een keus. Hoe kon je me dit aandoen?'

'Maar het heeft helemaal niets met jou te maken, dat zeg ik toch, het...'

'Het heeft álles met mij te maken!' schreeuwde ik, en ik greep haar bij de arm, harder dan mijn bedoeling was. 'Zo stom ben je niet. Stom is verdomme wel het allerlaatste wat jij bent. Je ziet al jaren hoe ik je achterna loop, hoe ik naar je kijk. Voor iedereen is het zo klaar als een klontje, dus je gaat me nu niet vertellen dat je het nooit in de gaten hebt gehad. Hoe durf je te beweren dat het niets met mij te maken heeft? Dat is het wreedste wat ik ooit heb gehoord. Alles wat met jou te maken heeft, heeft ook met mij te maken en dat weet je al jaren. Ben je echt zo dom of sta je gewoon te liegen? Hoe kun je doen alsof je niet weet dat ik vierhonderd zilveren dollars had en aan niets anders kon denken dan met jou te trouwen? Ik zou ervoor naar Londen zijn gegaan, zou er alles voor over hebben gehad.'

Ik liet haar los en Mercy's volmaakt onvolmaakte gezicht verzachtte. Ze leek iets te bedaren, alsof ze zich nu pas herinnerde wie ik was en niet alleen wat ik net had gedaan.

'Het was wel bij me opgekomen dat je huwelijksplannen zou kunnen hebben.' Ze draaide zich om naar de toilettafel en begon haar haar op te steken. 'En ik had het heel wat slechter kunnen treffen dan een huwelijk met mijn beste vriend. Maar heb je me ooit gevraagd?'

'Niet na... kijk naar me. Hoe had dat gekund? Ik had je niets te bieden.'

'Hoe kun je dat over jezelf beweren?'

'Ik had niets. Ik heb nog steeds niets. Alleen een gestoorde broer en twintig lijkjes.'

Op dat moment stond mijn hart zowat stil.

Volgens mij kwam dat doordat ik de feiten zo naast elkaar zette. Alsof ik eerst een foto had gemaakt, die aan stukken had gescheurd en de stukjes in een andere ordening weer had teruggelegd.

Val. Valentine.

Mijn gedachten ontspoorden.

Dat de twee rancuneuze brieven van de Hand van de God van Gotham het werk van een fanatiek Nativistische politieman waren, was altijd al waarschijnlijk geweest. Meer dan waarschijnlijk. Maar die derde brief. Die zowel gestoord als verontrustend was.

Die geschreven leek onder invloed van… van iets.

Morfine wellicht? Vermengd met wat er maar voorhanden was? Loogdampen, hasjiesj, laudanum?

Ik voelde me misselijk.

Maar dat kan niet. Ik bleef me ertegen verzetten. Mijn bloed kroop de verkeerde kant op door mijn bloedvaten en mijn hersenen duizelden. *Dat hij jou wil vermoorden, betekent nog niet… Jou wil hij dood vanwege die verrekte Partij van hem en dode kinchen zijn wel het laatste wat hij kan gebruiken. Hij heeft je zelf meegenomen naar Liam, verdomme. En Bird. Bird vertrouwt hem. Bird…*

Kende hem uit de tijd dat hij kind aan huis was bij Silkie Marsh en was kort nadat ze hem had teruggezien meegesleurd naar het Opvoedingsgesticht.

Was hij in staat om in aanwezigheid van mij madam Marsh aan een verhoor te onderwerpen en samen met haar een verhaal bij elkaar te verzinnen, terwijl ze me met z'n tweeën een fantastisch rad voor ogen draaiden? Had ik die dag alles verkeerd begrepen en mijn broer nog wel het minst van alles?

Mijn handen trilden zo hevig dat ik ze plat tegen elkaar legde, handpalm tegen handpalm. Ik werkte het lijstje in mijn hoofd nog eens af, Vals lijstje met dubieuze liefhebberijen.

Verdovende middelen, drank, omkoperij, geweld, hoererij, gokken, diefstal, bedrog, afpersing, sodomie.

Rituele kindermoord.

'Dat kan niet,' zei ik hardop. 'Nee, dat kan echt niet.'

'Wat kan niet?' vroeg Mercy, die nog steeds met haar haar bezig was.

'Mijn broer. Hij zit me steeds achter de broek om het onderzoek te staken, maar dat kan niet zijn omdat hij bang is dat...'

'Dat wat?'

'Dat ik hem op het spoor kom.'

Mercy beet op haar lip en wierp me van onder haar wimpers een medelijdende blik toe.

'Val zou geen kind ooit kwaad doen. Zo goed ken je je eigen broer toch wel?'

Ik staarde haar aan.

Godallemachtig.

Ik weet niet of ik de vijf daaropvolgende seconden niet kón ademen of dat het gewoon geen erg nuttige bezigheid meer leek.

Mensen vertellen me vaak onbedoeld van alles. Ik ben een wandelende biechtstoel in de vorm van een groenogige, blonde politieman met vierkante kaken, een pezig lichaam, een verminkt gezicht en een klein postuur. Ik had net zo goed een wandelende doodskist kunnen zijn, zo weinig heb ik er ooit aan gehad.

'Je zei net Val. Die eerste keer, dat was hij zeker?'

De stilte die ik had verwacht te horen, viel inderdaad.

Dat betekende dus ja.

'We waren zo vaak bij jullie thuis,' vervolgde ik dwaas, al was het maar om de oorverdovende stilte stuk te slaan. 'Die keer dat je dacht dat het liefde was, dat ging over Val.'

Mercy zei niets. Ze was klaar met haar haar, op het lokje aan de linkerkant na, dat nooit gehoorzaamt.

'Waarom ben je zo fel tegen Valentine gekant?' mompelde ze. 'Zo erg zelfs, dat je hem in staat acht tot kindermoord?'

'Hij heeft onlangs wel geprobeerd mij te laten vermoorden.'

Met een kwade blik sloeg Mercy haar grijze zomercape om. Het was een goedaardige kwaadheid, voorzover dat bestaat.

'Dat zou je broer nooit doen. Iemand houdt je voor de gek. Wie was het die achter je aan kwam?'

'Scales en Moses Dainty, de schoothondjes van Val.'

Mercy schoot in de lach. 'Je bedoelt de schoothondjes van Silkie Marsh, al betaalt ze hen goed genoeg om daarover te zwijgen.'

Natuurlijk had ik het niet bij het rechte eind gehad. Silkie Marsh had de nachtjapon gezien en had Bird terug gewild. Silkie Marsh wilde dat ik me niet langer druk maakte over de vraag waarom haar kinchin-mabs in afvaltonnen opdoken, en Val had me gewaarschuwd dat ze zou proberen me het zwijgen op te leggen. Dat ze ook ooit uit jaloezie geprobeerd had hém tot zwijgen te brengen.

'Denk je dat dat er nu nog toe doet?' vroeg ik met een stem zo dun als een geslepen lemmet. 'Nu ik weet dat je hem wilde en niet mij?'

Ook deze keer antwoordde ze niet, maar haar lippen gingen wel van elkaar. Ze probeerde het, zo teerhartig en lief is ze. Haar eigen leven mocht dan net de nekslag hebben gekregen, toch probeerde ze het. Ze kon alleen met geen mogelijkheid iets bedenken om te zeggen.

'Misschien vind je het zo wel beter,' praatte ik door. 'Is het misschien beter dat ik ga proberen hem te vermoorden in plaats van andersom?'

Haar adem stokte in haar keel.

'Tim,' probeerde ze. 'Je moet niet...'

'Toen je vanmiddag in een rijtuig zat, het rijtuig dat je voor de deur in Pine Street afzette... Die koets was van de man met de zwarte kap. Je was bij hem.'

Haar gezicht werd vuurrood en meteen daarna trok alle kleur eruit weg, als een stukje goedkoop papier dat vlam vat. Het vreemdste ervan was dat ik dat al eerder had gezien. Als een inwendige bom waarbij alles door elkaar wordt geschud, vlam vat en rondvliegt, en vervolgens het stof weer neerslaat. De laatste keer dat ik dat had gezien was op Birds gezicht, toen ik haar uit het rijtuig had gered waarin ze naar het Opvoedingsgesticht werd ontvoerd.

'Dat kan niet.' Mercy perste de woorden uit haar samengeknepen keel. 'Nee, dat kan niet.'

'De krantenjongens hebben je gezien. Vertel op, wie is het?'

'Nee,' riep ze uit, en ze schudde wild met haar hoofd. 'Nee, nee, nee. Je hebt het mis. Zij hadden het mis. Er moeten twee van die koetsen bestaan. Dat moet het zijn! Er zijn er twee, van dezelfde maker.'

'Wil je hem werkelijk tegen mij beschermen? Een gestoorde kindermoordenaar? Waarom, miss Underhill?'

Mercy legde twee bleke, trillende handen op mijn vest. 'Noem me niet zo. Dat klinkt zo vreselijk uit jouw mond. Het is onmogelijk, dat moet je geloven, die jongens hebben zich vergist, ik weet het zeker. De eigenaar van die koets gelooft niet in God en de politiek kan hem geen moer schelen. Ik zeg je, het kan echt niet.'

'Ga je me zijn naam nog vertellen? Hij zal ervoor boeten, daar ga ik voor zorgen, hoe dan ook. Al moet ik hem zelf van kant maken.'

'Nee, als ik je zijn naam geef, maak ik het alleen maar erger. Je zult een vreselijke vergissing begaan,' fluisterde ze. Ik trok voorzichtig haar vingers los van mijn effen zwarte vest.

'Ik wil hem laten lijden – dat heeft hij verdiend en dat weet jij ook. Dat heb ik godbetert wel verdiend.'

'Je maakt me bang, Tim. Kijk niet zo. Ik kan het je niet vertellen als je zo kijkt.'

Ik bedacht een of twee manieren om haar te dwingen het me te vertellen, maar geen daarvan was haalbaar. Mercy is het soort vrouw dat langs woedende Ierse krachtpatsers loopt om een zwarte man te bevrijden die ze nauwelijks kent, dus ik zou heel wat schade moeten aanrichten, maar ook al zou dat in de verste verte tot de mogelijkheden hebben behoord, dan nog was ik met mijn hoofd te veel bij iets anders. Er was iemand anders die eraan moest.

'Misschien heb je gelijk,' mompelde ik. 'Ja, je hebt gelijk, geloof ik. Maar nu weet ik het tenminste van Valentine en dat had je me zeker niet moeten vertellen.'

En toen ik de deur uit liep, voegde ik daaraan toe: 'Ik zou je eerder hebben gewaarschuwd, als ik het had geweten. Niemand zou me ooit iets moeten vertellen. Ik vind het erg van je boek en dat meen ik op mijn woord.'

'Ga niet zo weg, alsjeblieft… Timothy!'

Ik liet haar daar achter, met haar leikleurige capuchon op haar opgestoken haar en haar hand naar me uitgestoken. Ik had een broer die nodig tegen de grond moest worden geslagen en ik had geen tijd te verliezen. Op weg naar buiten werd ik ter hoogte van de salon tegengehouden door een schuldbewust en bezorgd kijkende Silkie Marsh.

'Is alles goed met u, meneer Wilde? Ik ben bang, ziet u, dat de precieze... situatie van mezelf en miss Underhill u niet helemaal duidelijk was.'

'U koos exact de goede woorden om mij rechtstreeks naar binnen te sturen,' herinnerde ik haar door opeengeklemde kaken.

'Maar dat is niet waar. "Doe het niet" zei ik.'

Doe het niet, voor haar.

Ik had moeten luisteren. Dit treurige, schandelijke feit dat ik had ontdekt... Dat ik dat nu wist, was geheel en al mijn eigen fout.

Silkie Marsh lachte nu. Hetzelfde lachje dat ik eens in een koffiehuis bij een veel onooglijker vrouw had gezien toen ze een vriendin vertelde dat haar nicht ongeneeslijk ziek was.

'Dat schijnheilige slettenbakje,' teemde ze lieflijk. 'U houdt zeker van haar? Ja, dat is wel duidelijk, al begrijp ik niet waarom. U zou eens moeten weten wat voor blikken ze me telkens weer toewierp als ze de kinderen kwam verzorgen die ik nota bene in mijn eigen huis van kost en inwoning voorzie. Ik wens niemand enig kwaad toe, meneer Wilde, maar misschien brengt het die slet een tikje menselijke sympathie bij, nu ze weet hoe wij ons voelen als we onze benen spreiden.'

Ik had ooit eenzelfde blik gezien, maar niet bij een mens. Dat was in de ogen van een gele hond geweest die getroffen door hondsdolheid vals was geworden, een paar seconden voor een brandkraancontroleur met burgerzin het beest de kop had ingeslagen.

'Ik zal u eens wat over menselijke sympathie vertellen,' zei ik op weg naar de deur. 'Ik zal u niet arresteren voor dat stel idioten dat u op me af stuurde om me koud te maken. Dat zou belachelijk zijn. Maar dat is het laatste kruimeltje genade dat u ooit van mij zult krijgen. En dat gaat u nog hard nodig hebben, kan ik u wel vertellen.'

Eenmaal weer op straat voelde ik me misselijk en binnenstebuiten gekeerd. Voorovergebogen steunde ik met mijn handen op mijn knieën en hijgde alsof ik zojuist half verzopen uit een kolkende stroom was gevist. Me verloren voelen is iets wat me nooit goed afgaat. Als ik me in zo'n situatie bevind, weet ik nooit wat ik met mezelf aan moet: of ik mijn ellende met een fles whisky te lijf moet gaan of me moet afreageren op een muur tot ik mijn hand breek.

Beide methodes bieden bijzonder veel afleiding weet ik uit erva-ring, maar helaas niet blijvend.

Kwaad zijn daarentegen kan ik als de beste. In woede ben ik een vakman.

En aangezien ik Mercy geen pijn kon doen en ze me de naam van de man met de zwarte kap niet wilde geven, en ik Bird een be-lofte had gedaan die me belette de vergetelheid van de Hudson in te lopen, was mijn broer vermoorden nog zo'n beetje het enige wat erop zat.

22

Laatste dag van de verkiezingen; afgrijselijke rellen tussen de Ieren en de Amerikanen hebben wederom de openbare orde verstoord. De burgemeester kwam met een flinke troep ordebewakers, maar ze werden aangevallen en verslagen en een groot aantal ordebewakers raakte ernstig gewond.

• Uit het dagboek van Philip Hone, 10 april 1834 •

Silkie Marsh' bordeel lag op vijf minuten lopen van het politiebureau van Valentines wijk. Het was negen uur 's avonds, mijn broer zou op het bureau zijn. En mocht dat niet het geval zijn, dan was hij vast in Liberty's Blood. Ik was halverwege toen ik in de gaten kreeg dat er die avond veel meer mis was dan mijn bar slechte humeur. Onze jammerlijke pogingen de zaken geheim te houden hadden uiteindelijk niets opgeleverd. De avondeditie van de *Herald* had ons genekt.

In Greene en Prince Street hadden de bewoners de gordijnen dichtgetrokken. Sommigen hadden ondanks de verstikkende hitte zelfs de vensterluiken gesloten. Het hout van de luiken zweette een goor en ziekelijk glimmend vocht uit. Bij verschillende van de zandstenen en roodstenen huizen zag ik de zenuwachtige vingers van bewoners steels de gordijnen iets opzijtrekken voor een snelle blik naar buiten. Een man, die dusdanig goed gekleed was dat hij ambtenaar zou kunnen zijn, maar ook zo gespierd dat ik wist dat hij een actief Partijlid was, zat met een knuppel tussen zijn knieën op het stoepje voor zijn huis een sigaar te roken. Te wachten tot de storm losbarstte. Het zag ernaar uit dat dat niet lang meer zou duren.

Ik had geen tekst en uitleg nodig om te weten wat het allemaal betekende, veranderde daarom van koers en stevende recht op het brandpunt af. Toen ik een groepje politiemannen uit een zijstraat aan zag komen lopen, van wie ik de meeste herkende als leden van Valentines oude brandweereenheid, bleef ik staan. Ze droegen toortsen en taps toelopende, met lood verzwaarde knuppels bij zich. Ik zag ook dat een aantal een pistool in hun riem droeg. Maar nergens kon ik de indrukwekkende omtrek van mijn broer onderscheiden.

'Is dat Timothy Wilde?' riep een van hen.

'Kun je wel zeggen.'

'Sluit je bij ons aan, we zijn opgeroepen. Alle kopersterren. Wij zijn de laatsten van Wijk 8, je broer is al ter plekke.'

'Waar is de rel?' vroeg ik. Ik maakte rechtsomkeert en nam een flinke knuppel aan van een stevige Ier die eraan had gedacht er twee mee te nemen.

'Waar we die het minst kunnen gebruiken natuurlijk,' foeterde de politieman. 'In de Five Points. Het enige gootgat op dit eiland waar het al erger dan erg was.'

'Dan zijn jullie op weg naar mijn wijk,' merkte ik op.

'Zeker. Dat zei commandant Val ook al. God sta je bij.'

Daar heb ik vandaag nog weinig van gemerkt, dacht ik.

We hoorden het gejoel nog eer de stank van brandend afval ons bereikte of we de vonken zagen. Ik wierp een blik naar de lucht boven ons en zag dat de lappendeken van zomerse stormwolken nog overheersend grijs was en geen donkere plekken vertoonde die zouden wijzen op een brandend gebouw. De maan dook op en verdween weer als een onrustig spook. Een stelletje eerbare Jiddische handelaren in gebruikte waar kwam ons op een drafje tegemoet. Ze knikten in het voorbijgaan, keken steeds achterom en probeerden koste wat kost bijtijds een veilig heenkomen te vinden. Bijna gelijktijdig holde een bende jonge kinchen die tekeergingen als jonge honden Anthony Street uit richting de onheilspellende gloed om koste wat kost niets van het festijn te missen. Ik dacht aan Bird in Harlem, waar de sterren zelfs als er een storm op komst is helderder stralen, en greep mijn knuppel nog eens extra stevig vast.

''t Ziet eruit als een verdomd groot spektakel,' zei ik. 'Weten we wie erachter zit?'

De kranten en bladen mogen nog zo hard beweren dat rellen spontaan uit de grond schieten, maar dat is een misverstand. Ik kan je twee dingen over rellen vertellen: ze gaan steevast over hetzelfde en ze zijn iedere keer in scène gezet. Altijd. Rellen worden gekweekt en als ze tot bloei komen, krijgen de telers een kans om hun verbitterde vuisten in het gezicht van een complete stad te beuken.

'Bill Poole, zeggen ze.'

'Die ken ik wel,' zei ik, en ik dacht terug aan de dronken schurk en het blauwe oog dat ik hem had bezorgd voor de deur van St. Patrick's. 'We mogen elkaar niet zo. Hebben we dit aan hem te danken?'

'Hij heeft er in elk geval de hand in, hij en een flink aantal Nativistische rabauwen die hem steunen en altijd klaarstaan om te verbrijzelen wat ze kunnen, of het nou koppen zijn of ruiten. We moeten zorgen dat het niet uit de hand loopt. Voorzover mogelijk. Matsell zal misschien proberen ze met woorden te bedaren, maar je weet hoe Bill Poole is.'

'Dat wordt me steeds duidelijker.'

'Gevaarlijke idioot, die Bill Poole,' mompelde een Amerikaanse koperster. 'Wat wil hij van de Ieren, zou ik wel eens willen weten. Je kunt beter proberen hun stem voor je te winnen. Ze zijn hier nu toch. En ze blijven. Je kunt net zo goed de kakkerlakken uit de stad willen verjagen.'

'Donder op, man,' zei de Ier.

'Hé, even goede vrienden,' zei de ander goedmoedig. 'We gaan er toch samen op af?'

Als je de grens met Wijk 6 bent overgestoken en nog tweeën-halve straat verder richting het oosten loopt, kom je bij de Five Points. Op het punt waar de vijf straten bij elkaar komen, in het oog van de hellepoel, heet het ook nog eens Paradise Square, het Paradijsplein – gebrek aan gevoel voor humor valt ons niet te verwijten. Het is geen paradijs, maar slechts een kwakkelende driehoek. In sommige delen van deze stad kan het gebeuren dat gedurende de drogere zomerweken de enkeldiepe modder volledig verhardt en minder stank verspreidt. Maar niet in de Five Points. In sommige delen van deze stad wankelen de stomdronken, halfnaakte mabs om een uur of vier, vijf 's ochtends als ze nauwelijks nog overeind kunnen blijven naar binnen. Maar niet in de Five Points. En in de meeste delen van het eiland hebben de bewoners net genoeg centen om harteloos hautain neer te kijken op de afkomst van de bewoners van de aangrenzende wijk. Maar in de Five Points, waar we naast Crown's Grocery stonden en het monstrum van een gebouw van de oude brouwerij met zijn vier verdiepingen als een bleke, kapotte, oude schedel voor ons oprees, wonen alle rassen bij elkaar. Want voor iemand die zo arm is dat hij daar een onderkomen zoekt, is dit het helse eindpunt.

Her en der brandden flinke vuren op de klamme rioolondergrond van het plein. Het liefst had ik mezelf wijsgemaakt dat we op onlangs weggegooid koffiedik stonden, maar ik wist wel beter. Mensen stonden in kluitjes van drie of zeven of twaalf, staken hun fakkels aan het dichtstbijzijnde vuurtje aan, op zoek naar soortgenoten. Vooral groepjes Ieren, die vermoedelijk te hulp waren geroepen. Ook een handjevol zwarten, maar die stonden voor hun eigen huizen wantrouwend om zich heen te kijken. Ook nog andere politieploegen, veel andere politieploegen.

Direct voor de oude brouwerij stonden de meeste Bowery Boys. Je kunt het verschil tussen uitdagers en uitgedaagden herkennen aan de manier waarop ze hun wapens vasthouden. Deze Nativisten lieten ze nonchalant over de grond zwieren, alsof het gebruik ervan één grote zomerse grap zou zijn. Ze waren stuk voor stuk uitgedost als goedkope uitvoeringen van Val. Elke hemdkraag opgezet, elk vest vol bloemenborduursel, elke gedeukte hoed hoog en van geruwde zijde. En de hoogste hoed van allemaal, boven op de wreedste kop van allemaal, was die van Bill Poole. Tussen zijn lippen bungelde een sigaar en hij stond precies in het midden van Cross Street op het zuidpuntje van de driehoek, vlammend als Onafhankelijkheidsdag.

'… en krijgt deze etterende plaag van een godsdienst alle kans hier te gedijen!' oreerde hij met een stentorstem. 'Niet langer houden ze zich schuil in hun ellendige krotten en kruidenierszaakjes in schimmelige souterrains. Ze hebben nota bene een kathedraal gebouwd! En wat doen die blanke wilden vervolgens, zult u zich wellicht afvragen? Ze nemen een van hun eigen kinchen en offeren dat aan de antichrist van Rome!'

De Bowery-kerels begonnen hierop potsierlijk te klappen, de Ieren giftig te snuiven en de zwarten leken lijdzaam af te wachten welke van hun huizen deze keer in vlammen zouden opgaan.

'Goed, dat kan zo niet,' zei de man links van me en zijn ogen gleden zenuwachtig over zijn koperen ster. 'Een rel stoppen voordat die een feit is is één ding, maar….'

'Bill Poole!' klonk een stem die als een alarmklok door de rokerige lucht sneed. 'Als ik u was, zou ik naar huis gaan en daar m'n roes uitslapen. En laat ik vanavond nou in een redelijk goede bui zijn. Daarom zal ik u geen strobreed in de weg leggen áls u nu naar huis gaat om uw roes uit te slapen.'

George Washington Matsell stond aan het hoofd van een troep bestaande uit al zijn achttien commandanten en zesendertig hulpcommandanten. Nooit van mijn leven heb ik een vervaarlijker ogende verzameling brandweermannen, straatknokkers, Partijschurken en vechtlustige zakenlui bij elkaar gezien. Ze maakten ook woordeloos duidelijk welke argumenten Matsell bij hun aanwerving hanteerde: als je een trouwe aanhanger van de Partij was of alleen al een goede nachtwaker, kon je een koperen ster krijgen, maar als je eruitzag alsof je met je blote handen een kerel had vermoord en er niet voor terugdeinsde dat nog eens te doen, kon je commandant worden. Valentine stond met zijn knuppel zwierig over zijn schouder direct achter Matsell alert om zich heen te spieden.

'Zien jullie ook welke kant dit staand leger, deze zogenaamde politiemacht, kiest?' schreeuwde Bill Poole. 'Ze zijn een affront voor de democratie! Oprechte vaderlanders zwichten niet voor een stelletje straatvechters.'

'Dat zijn uit uw mond vermakelijke woorden,' teemde Matsell. De zinderende fakkelpunten om hem heen leken allemaal met in-

gehouden adem gretig te luisteren. 'Ik zeg het nog één keer: burgers, gaat uiteen! Mocht u die uitdrukking niet kennen: het betekent dat u als de wiedeweerga naar huis vertrekt terwijl wij de onverlaat opsporen die de moord op dat kinchin op zijn geweten
heeft.'

'En ik zeg "gaat niet uiteen",' hoonde Bill Poole. 'Nu u weer.'

'Dan zullen er mensen gewond raken. Dat wil ik niet, Poole,
maar u misschien wel. Laat ik het daarom anders zeggen: ú zult dan
gewond raken.'

'Jullie kunnen nog geen zieke Ierse gek in de kraag grijpen en
denken dat jullie een Amerikaan kunnen intimideren?'

'Ik denk dat ik een vuilbek kan arresteren,' gromde hoofdcommissaris Matsell gelaten. 'Wilt u de honneurs waarnemen, commandant Wilde?'

'Je leert iedere dag weer wat,' zei Valentine, die rustig als wat met
een stel ijzeren handboeien en een boosaardig lachje op Bill Poole
af liep. 'Ik dacht altijd dat "gaat uiteen" "rot op" betekende. Alles
goed met je, Bill?'

'Mannen!' bulderde de hoofdcommissaris. 'Houd ze op afstand!'

Want het geweld was op verschillende plaatsen tegelijk losgebarsten.

Ik knipperde verrast met mijn ogen toen ik hardhandig opzij
werd geschoven en boven op de gammele veranda van Crown's
Grocery belandde. Het plein oogde eensklaps als een van Hopstills
goed doordachte bliksemspektakels. Waar je maar keek spoot de in-
gehouden woede uit rondzwaaiende knuppels. Achter me deden de
kopersterren van Wijk 8 een uitval en ik werd in de richting van de
oude brouwerij gedreven waar de strijd het hevigst woedde en
dacht: eindelijk.

Eindelijk een vechtpartij. En godbetert zelfs eentje die het winnen waard is.

Omdat ik vrijwel geen ervaring had met knuppelgevechten, wist
ik bij de eerste klap die voor mij was bedoeld slechts ternauwernood aan een hoofdwond te ontkomen. Mijn tegenstander had het
op mijn kop voorzien, maar ik dook weg en de knuppel knalde hard
op de modder zodat het vuil alle kanten op spatte. Zo snel als ik
kon draaide ik me in de enkeldiepe bagger om en liet mijn eigen

met lood verzwaarde stok neerkomen op de hand van de dronken rabauw. Ik hoorde iets breken, vervolgens een kreet en de kerel wankelde onmachtig zonder wapen achteruit.

En ik mengde me in een volgend robbertje, dat me net zo goed beviel als nummer één.

Koperen boksbeugels weerkaatsten her en der de vlammen, er klonk een pistoolschot net voordat de onnozele schutter een klap op zijn nek incasseerde en ik dacht alleen maar: *Meer, meer, geef me meer hiervan.* Ik zag alles zo duidelijk die nacht, voelde de geringste ademhaling van schurken achter mij en draaide me razendsnel om om een zware knuppel in hun maag te rammen. Sommigen gingen ervandoor zodra ze geraakt waren. Het liet me koud. Het ging mij er niet om iemand te straffen, ik wilde enkel winnen, íets winnen, iets in dat tuchteloze hondenhol waarin ik op de een of andere manier verzeild was geraakt. Dat maakte ik mezelf althans wijs terwijl ik een vals uitziende fielt in zijn romp raakte waardoor hij tegen een openbare pomp lazerde.

Het was regelrecht oorlog – gesneuvelde ruiten, kerels uitgestrekt in de drab, kreten die opgingen in een jankende maalstroom van geluid. Het was een kolkende, ordeloze kloppartij tussen Amerikaanse rabauwen, Ierse schavuiten en een groep kopersterren, waarbinnen die eerste twee categorieën vrijwel gelijkelijk vertegenwoordigd waren. Ik hecht eraan dat te benadrukken. Want we verbraken de gelederen niet, zag ik met een gevoel dat ik ook min of meer had gehad als ik mijn broer met anderen op de vuist zag gaan. En we gingen elkaar niet te lijf. Geen van ons. Als een van ons zag dat een ander gevaar liep, weerde hij een knuppel af met zijn eigen stok. Als een van ons een ander zag vallen, hielp hij hem weer overeind. Ongeacht de kleur van zijn haar of zijn gelaatstrekken.

Het was eerlijk gezegd een klein wonder. Zo zag ik het althans. En ook nog eens het soort wonder dat ik niet meer in New York had verwacht.

Toen werd alles nog een slag vuiler.

Ik stond in de deuropening van de oude brouwerij te zweten als een trekpaard. Hoe ik daar was beland weet ik niet precies. Er moesten al ten minste dertig minuten zijn verstreken sinds het matten was begonnen, want de wind had het wolkendek ver voor zich uit gedreven en het flonkeren van de sterren deed bijna pijn aan mijn ogen. Er werd nog flink gevochten, maar sommigen waren ook neergegaan of ze waren opgepakt en werden in boevenwagens geduwd.

Woesj.

Het was een van Bill Poole's trawanten. Ik herkende zijn door de drank aangetaste gebit en opmerkelijk aapachtige handen. Het viel hem misschien ook niet te verwijten dat hij de bouw had van een woesteling.

Ik wankelde achteruit.

Het was een mes geweest, geen knuppel. En het had een flinke haal over mijn onderarm veroorzaakt. De snee voelde weliswaar oppervlakkig, maar was ook ten minste twintig centimeter lang.

Mijn broer verscheen bij de ingang van de brouwerij, smakkend met zijn lippen als een Franse toerist. Volledig ontembaar en o zo vertrouwd. Hij nam de situatie op.

'Kijk eens aan, als het Smith de Snaaier niet is,' zei hij opgewekt. Vals kleren waren verkreukeld, maar voor het overige leek het of nog niemand hem had geraakt. 'Geeft m'n broer je er goed van langs?'

'Bij lange na niet,' schamperde de fielt.

'Ah, dan wilde hij dat net gaan doen. Toch, Tim?'

Ik had dan wel een flinke snee in mijn arm, maar het bloeden bleek me weinig te hinderen. De sneue dronkaard was voldoende afgeleid door Valentine om te laat te reageren toen ik opnieuw naar hem uithaalde, zodat hij een stevige stoot onder zijn arm moest incasseren. Het mes vloog uit zijn handen, rechtstreeks het duister van de oude brouwerij in.

Maar ik had hem niet uitgeschakeld. Hij gokte in welke hoek het echte gevaar zat en had zijn enorme vlezige handen al rond Vals keel geslagen nog voordat een van ons in de gaten had wat er gebeurde. Ons geluk was dat hij verkeerd had gegokt.

Ik sloeg hem met mijn knuppel buiten westen. En zeeg daarna onmiddellijk zelf neer en staarde bekaf naar de zwarte dakspanten boven me. Gesloopt en bloedend en te lang zonder slaap en met bonzend hoofd. Boven me verrees een eeroude houten trap. Ik hoorde een hond grommen en nog wat lauw geschreeuw buiten.

Val stond overeind, bijna gewurgd, maar verder kerngezond.

'De Snaaier heeft het niet zo op ziekenhuizen,' hoorde ik mijn broer hees zeggen, terwijl hij de bewusteloze man de deur uit smeet. 'Hij mag een tijdje tukken op Paradise Square, kan hij daar over zijn toekomst prakkiseren.'

'Ik had het fout,' zei ik vanaf de grond tegen Valentine. 'Dat met Bird. Het was Silkie Marsh die haar in het Opvoedingsgesticht wilde laten opbergen. Zou haar vermoedelijk hebben laten nifteren zodra ze daar binnen was. Ik heb jou daar ten onrechte de schuld van gegeven.'

'Jij haalt je de krankzinnigste dingen in je kop,' zei Val moeizaam. 'Als je lang en zorgeloos wilt leven, houd je je waffel en doe je wat ik zeg. Kom, we gaan.'

'Waarheen?'

'De rel is zo goed als de kop ingedrukt en Piest heeft iets opge-duikeld. Een of andere boerendel met een geheime vrijer ten noor-den van de stad, waar de kinchen begraven lagen. Jij en ik gaan naar de Tombs, bevel van de hoofdcommissaris…'

Ik ging zitten.

'Jij hebt het bed gedeeld met Mercy Underhill, nietwaar.'

Het was geen vraag. Mijn broer streek met zijn hand over zijn keel, besloot dat die niet erger gehavend was dan te verwachten viel en reikte mij zijn rechterhand om me overeind te helpen. Ik nam die aan.

Hij vertrok even zijn mond. 'O ja, ik heb haar tuintje bezocht. Maar al enige tijd geleden. Waarom wil je dat weten?'

Die vraag verblufte me volkomen.

'Mooi duifje, die Mercy, en daar zelf zo verrukkelijk onwetend van,' kuchte hij. 'Daar zit 'm de bekoring, als je het mij vraagt.'

Uitgerekend het feit dat hij gelijk had, maakte dat ik het wel uit kon schreeuwen. 'Jij hebt het bed gedeeld met Mercy Underhill,' zei ik nog eens.

'Zeker, jij niet dan? Jij liemt haar toch al jaren? Nou en? Iedere gezonde kerel heeft Mercy Underhill gepakt, als hij haar althans aanstond. En jij een barman met in die dagen poen genoeg, genoeg om het haar naar de zin te maken. Christus, Timothy, wat is er ver-domme nu weer mis? Een jonge gezonde vrouw heeft toch zeker ook recht op haar pleziertjes. Wil je echt beweren dat jij haar níet hebt gepakt?'

Het was te veel. Ik vloog hem naar de keel.

Ik wilde het bloed van de ellendeling zien stromen, een eerlijke luide kreet van pijn horen. Eerst waren er wat schijnbewegingen en zag ik hem soepel uitwijken. Toch lukte het me met mijn vuist zijn oog te raken, het knalde als vuurwerk. Dat was wat mij betreft voor herhaling vatbaar. Het gevoel dat ik hem iets zou kunnen leren. Dat hij mijn gevoel van machteloosheid eens zelf zou ervaren of desnoods mijn soort medeleven.

Toen wist hij mijn rechteram achter mijn rug te drukken en smakte ik met mijn gezicht tegen de afbrokkelende gewitte muur, terwijl hij me in mijn nekvel vasthield alsof ik een pasgeboren poesje was. Langs zijn slaap liep bloed, dat dan weer wel. Het gaf me een gevoel van voldoening.

'Sodeju, Timothy! Ben je compleet van God los? Waarom zou het van mij zoveel erger zijn dan van een van die anderen? Je weet toch net zo goed als ik...'

Val zweeg omdat ik bij die woorden merkbaar in elkaar was gekrompen en mijn hoofd tegen de afbladderende verf had gestoten, waarmee ik hem die moeite weer bespaarde. Ik voelde dat zijn klauw in mijn nek verschoof.

'Je wist van niets. Je komt er nu net achter dat ze... beschikbaar was. En jij wilde niet zomaar met haar spelevaren,' zei hij peinzend. 'Jij dacht meer langs... kerkelijke lijnen.'

'Zou je voor één keer alsjeblieft je waffel willen houden.'

Een stilte als een gapende afgrond.

'Tim, het spijt me,' zei hij. Het waren opmerkelijke woorden uit de mond van een man die je bij de nek tegen een muur gedrukt houdt. 'Ik kan niet beweren dat ik het gevoel precies zo ken, maar ik zou ook kaduuk zijn.'

Ik kon me niet herinneren of mijn broer ooit eerder zijn excuses bij me had gemaakt. De vingers die mijn arm onbeweeglijk omklemd hadden, ontspanden iets.

'Als ik je loslaat, ga je me dan op mijn grijns beuken?'

'Ik denk het wel.'

Hij liet me los en ik draaide me naar hem om. Uit de verwonding die ik hem bij zijn oog had toegebracht gutste behoorlijk wat bloed. Ik wilde er nog steeds een schepje bovenop doen, maar kreeg dat niet meer voor elkaar toen ik zijn gezichtsuitdrukking zag. Valentine keek praktisch schaapachtig.

'God weet dat je reden genoeg hebt om me op mijn grijns te beuken,' zei hij met de droevigste lach die ik ooit heb gezien. 'Haal nog maar een keer uit, kost je niets. Dan gaan we daarna naar de Tombs. Ik heb je tenslotte al veel ergers aangedaan, lang voor er een Underhill in ons leven was.'

'Brandweerman worden is niet erger dan het bed delen met de vrouw aan wie ik mijn naam wil geven.'

Hij knipperde met zijn ogen. 'Wat jij vanavond allemaal uitkraamt gaat mijn pet te boven, Tim. Ongelogen. Wat is er mis met brandweerman worden?'

Ik kon mijn oren niet geloven. 'Houd je niet van den domme.'

'Godsamme, Tim, misschien bén ik wel dom. Wat is er mis mee?'

'Onze ouders zijn omgekomen bij een brand,' beet ik mijn oudere en veel grotere broer toe. Mijn gretige vuisten hingen werkeloos langs mijn lichaam. 'Weet je nog? En praktisch één dag later stormde je zelf van brand naar brand.'

Valentines kneep zijn groene ogen tot spleetjes, waartussen zijn gedachten razendsnel heen en weer schoten. 'Dat was misschien moeilijk in het begin. Maar dat is niet de reden waarom je al die tijd woest op me bent geweest. Dat ik branden bestrijd. Zo iemand ben ik doodweg, iemand die branden bestrijdt.'

'Door jouw beroepskeuze zal ik gedwongen zijn je op een dag te zien doodbranden,' zei ik fel. 'Wat zou me in hemelsnaam meer dwars kunnen zitten?'

Val begon te lachen.

Het was niet zijn gebruikelijke treurige gniffel. Het was evenmin zijn schuldbewuste bulderlach. Dit was een lach die dwars door je maag sneed. Val zou geheid in lachen kunnen uitbarsten bij een ophanging, maar hierbij vergeleken was galgenhumor niet meer dan lachen om een vlieger in de lucht. Het was alsof ik toekeek hoe iemand levend werd gevild, wat me even dusdanig veel angst aanjoeg dat ik met beide handen zijn armen vastgreep. Hij huiverde, zoals altijd, maar deze keer sprak hij de gedachte hardop uit.

'Het is niet grappig. Er is niets grappigs aan, geen ene moer.'
'Val,' zei ik. En vervolgens: 'Val, houd op.' Maar hij hoorde me niet.
'Beweer jij nu dat je al die jaren kwaad bent geweest…' kreunde hij.
'… omdat je je direct nadat onze ouders bij een brand waren omgekomen in iedere brand stortte die je maar kon vinden. Ja. Val. Valentine.'

Het was in mijn herinnering het enige moment dat ik groter was dan hij, want hij klapte voorover met zijn handen op de knieën, zijn donkerblonde haar viel voor zijn gezicht en hij lachte als een man die al tijden in de hel verblijft.

'O, kostelijk. Echt kos-te-lijk. Zal ik je eens iets vertellen, Timothy? Echt een mirakel van een verhaal? Ja? Dan moet je ook maar weten waarom ik dacht dat je zo kwaad was. Christus, m'n longen.'

'Val,' zei ik. Mijn eigen iele stem galmde afgrijselijk na in mijn oren en ik dacht: *verduvelde idioot die je bent, gedraag je toch eens meer zoals hij.*

Val draaide zijn hoofd naar me om. Over zijn wang liep nog een straal bloed. Hij rechtte zijn schouders. 'Over die brand. Die eerste. Die waardoor jij achter de bar bent beland en ik heb leren koken.'

'Ja,' zei ik.

'Die brand heb ik aangestoken,' zei Valentine.

Hij stond niet langer voor me. Hij bevond zich duizenden en nog eens duizenden en duizenden mijlen van mij verwijderd. Hij had een gekooide blik. Eentje die hij me nog nooit eerder had laten zien. En omdat ik die nog nooit eerder had gezien, had ik nooit geweten dat die bij hem hoorde.

'Ik zat een sigaar te roken in de paardenstal in plaats van mest te ruimen zoals ik eigenlijk had moeten doen. Ik zat die verrekte sigaar te roken, Tim, en een vonkje joeg de brand in het stro en toen ik razendsnel de paarden los ging maken… ik deed de staldeuren open omdat we ze nodig hadden. Pa kon niets beginnen zonder de paarden, en wat was ik voor een… en ik holde weg uit de… Ik was zestien, Tim, en ik dacht dat jij me had gezien. Je hebt me ook gezien terwijl ik alle staldeuren opengooide en de paarden naar buiten probeerde te lokken. Rondhollend alsof de duvel me op de hielen zat. En dat was ook zo. Ja, toch? Jij stond in die deuropening en zag hoe ik die brand aanstak. Dat heb je gezien, toch? Al die tijd heb ik... Jij stond daar verstijfd van angst toen ik me omdraaide. En toen zag ik niet dat de vlammen al bij de petroleum waren, die enorme voorraad petroleum. Tegen de tijd dat ik jou daar vandaan had... We konden niet... Je weet het nog wel. Niet met al die bijgebouwen... En de brand sloeg uit de deuropening. Het was voorbij. Ik heb het niet opzettelijk gedaan.'

Toen Val ophield met praten streek hij met zijn vingers over zijn nek en keek me niet aan. Uit een nabijgelegen ruimte klonk een gil, gevolgd door gekakel en het vrolijke stukslaan van glas. Ik wilde iets zeggen. Maar de verbinding tussen mijn hersenen en mijn mond was verbroken, net als de verbinding tussen mijn mond en dat verre gebonk in mijn borstkas.

Val tikte op mijn koperen ster. 'Jij bent wat een nieuwe politieman hoort te zijn. Ik wist het. Ik had nooit gewild dat je zo gehavend zou raken in een brand, maar toch ben ik blij om die brand, omdat hij een politieman van je heeft gemaakt. Ik ga mijn biezen pakken, dan heb jij meer rust aan je kop. Je hoeft me nooit meer te zien. Ga naar Matsell en zorg ervoor dat New York ook morgen nog fier overeind staat. Het ga je goed, Tim.'

Hij liep weg met zijn handen in zijn zakken, rechtstreeks de brede voordeur uit. Ieder afzonderlijk stukje van mij wilde hem tegenhouden. Zelfs de partjes die nog woest waren en zelfs de deeltjes die hij zo-even als een vat petroleum tot ontploffing had gebracht.

Maar ik kreeg mezelf niet snel genoeg in beweging. Toen ik uiteindelijk de straat op rende met zijn naam op mijn lippen, was het alsof Valentine Wilde alleen in mijn verbeelding had bestaan.

23

Zo doet men dat: men hoeft de Amerikanen simpelweg kennis te laten nemen van de naakte waarheid over de roomse leer en ze zullen haar spottend verwerpen, en zelfs haar aanhangers zullen haar stellingen en praktijken uit pure schaamte verloochenen.

• *De Amerikaanse protestant ter verdediging van de burgerlijke en godsdienstige vrijheid in de strijd tegen de paapse horden, 1843* •

Uiteindelijk ben ik niet naar Matsell toe gegaan. Nee, ik heb mezelf naar huis gesleept, naar Elizabeth Street. Alles tolde om me heen en het was puur een kwestie van geluk dat ik bij thuiskomst nog in het bezit van mijn beurs bleek te zijn. Het huis was akelig leeg toen ik er uiteindelijk aankwam. Er stond niemand te kneden, er zat niemand te tekenen.

Ik pompte zoveel Crotonwater op als ik kon dragen en maakte een vuur in de haard. Ik verwarmde het water in ketels en soeppannen, alles wat ik maar kon vinden. Het vullen van het zitbad dat ik achter de opgestapelde zakken meel vandaan had getrokken was een van de vermoeiendste klussen van die nacht en het was niet eens echt nacht meer, het krijtwit van de nazomerse morgenstond was niet ver. Maar ik had geen keus. De kleine steekwond in mijn rug klopte verschrikkelijk en met de jaap in mijn arm was het al niet veel beter gesteld. Het is niet aantrekkelijk om aan bloedvergiftiging dood te gaan.

Het is hoe dan ook niet aantrekkelijk om dood te gaan als er nog zaken zijn die je moet afhandelen. En daar had ik er genoeg van. Drie stonden er boven aan mijn lijst.

Zorgen dat Mercy geen gevaar loopt. Je broer terughalen. De schoft die dit op zijn geweten heeft oppakken.

Ik wist niet zeker welke van de drie het belangrijkst was en besloot daarom zo goed en zo kwaad als dat ging alle drie tegelijk aan te pakken.

Mezelf in het water laten zakken was een uiterst pijnlijk gebeuren, maar viel in het niet bij het moment waarop ik een paar lepels potaszout op een schone doek uit de kast van mevrouw Boehm schepte en daar alle plekken waar ik nog bloedde mee begon te schrobben. Het bleke poeder spatte en siste als het met het water in aanraking kwam en ik ontzag mezelf niet. Dat deed ik met opzet. Het is makkelijker om helder te blijven als je flinke pijn hebt.

Toen ik in elke wond die ik kon vinden potas had gewreven en vooral in het kloppende steekwondje in mijn rug, had het water een roze glans en was ik wakkerder dan ik ooit in mijn leven geweest was. Snel droogde ik me met een schone doek af en gooide het roze water uit het bad op het vuur. Ik pakte nog meer doeken en verbond er mijn brandende wonden mee. Daar zou ik voorlopig geen last van hebben. Ik was er wel eens erger aan toe geweest. En toen ik mijn gezicht in de vensterruit weerspiegeld zag, glimmend en alsof het van water was – afzichtelijk, maar door de bank genomen wel gezond – wist ik opeens wat me te doen stond.

Wat het eerste was dat ik moest doen. En dat was niet op zoek gaan naar Piest of Matsell.

Met een laken om mijn middel vloog ik naar boven om slagerspapier, een stuk houtskool en mijn enige schone hemd en broek te halen. Onderweg werd het me even zwart voor ogen, maar daar weigerde ik aan toe te geven, eerder geïrriteerd en ongeduldig dan wat anders. Ik stormde net zo snel weer naar beneden en spreidde het bruine papier over tafel uit. Ik schonk mezelf een scheut brandewijn in. Niet te veel, want ik wist dat een zekere hoeveelheid pijn me scherp zou houden. Vervolgens liep ik naar de stoel waarover ik mijn vuile kleren had gehangen en voelde in de binnenzak van mijn jas. En toen kon ik eindelijk gaan zitten, met Palsgrave's brief in mijn handen, de enige brief die klonk alsof hij was geschreven door een gek en niet door een toneelschurk, en legde hem voor me op het ruwe hout.

Ik kan niets anders meer zien.

Ik kan niets anders zien helemaal niets anders meer voor altijd en altijd amen alleen zijn lichaampje zo klein en zo kapot.

Dat deel sloeg ik verder over. Het was gekte zonder dat iets eruit sprong, zonder opvallende feiten. Maar die brief, in combinatie met de manier waarop Marcas aan zijn einde was gekomen...

Het knaagde aan me. *Iets klopt er niet.* Ja, natuurlijk klopte er iets niet, dat wist ik al sinds die arme kleine Aidan Rafferty. Maar als ik dit alles als een verhaal zag, als een manier waarop mensen dingen doen, als een manier waarop een loslippige klant aan de bar het mij zou vertellen...

Iets klopte er niet.

Ik pakte het stuk houtskool, ging staan en dronk de brandewijn in één teug op, nog steeds een beetje draaierig. Ik had bijna twee hele dagen niet geslapen, had gemene steekwonden, droeg alleen een broek en een niet-dichtgeknoopt overhemd en schreef op dat enorme vel slagerspapier in een van de hoeken:

DINGEN DIE IEMAND TOT MOORD DRIJVEN:
God.
Politiek.
Zelfverdediging.
Geld.
Waanzin.
Liefde.

Ik bekeek het rijtje. Je zou misschien kunnen stellen dat geld en eigenliefde hetzelfde zijn of dat politiek en God op hetzelfde neerkomen, maar ik vond het wel prima. En dus ging ik door. Deze keer gebruikte ik een veel groter stuk van het papier. Ik schreef de volgende woorden elk op een eigen plek in het midden en omcirkelde ze met een dikke, zwarte streep alsof ik er een hek omheen zette:

19 begraven lichamen (naamloos – zit het krantenventertje Jack Vinger-vlug erbij?)
1 afvalton (Liam)
1 ontsnapt (Bird)
9 bevrijd (Neill, Sophia, Peter, Ryan, Eamann, Ekster, Jem, Streep, John)
1 publiekelijk geschonden (Marcas)
1 abusievelijk voor een rat gehouden (Aidan)

Ik weet eigenlijk niet waarom ik die laatste naam erbij zette. Dat was al zo lang geleden en had er niets mee te maken. Maar ik wilde hem erbij. Voor mij was hij belangrijk.

Dus.

Tweeëntwintig doden en Bird warm en veilig in slaap ergens op een bessenkwekerij in Harlem. Dat hoopte ik althans.

Maar toen begon ik een patroon te herkennen. Ik schonk mezelf nog een bodempje brandewijn in, alleen maar om mijn handen wat te doen te geven zolang ik geen ideeën had. Vreemd genoeg voelden mijn handen bezield zolang ze maar schreven en omcirkelden en bezig waren. Ik dacht: ja, dit werkt. Vooral niet stoppen. Alles wat je kunt bedenken hoort op dit papier thuis. Iedereen rekent op je.

Ik boog me over de tafel en begon te tekenen. Ik maakte een snelle schets van Silkie Marsh. Ik tekende Mercy zoals ze er in St. Patrick's had uitgezien, met wijdopen ogen en los haar. Ik tekende een van de opgegraven lijken, opengesneden en met blootliggende botten. Ik schetste Marcas in pijnlijk ruwe streken, omdat zijn moord er pijnlijk en ruw had uitgezien. Ik tekende Birds nieuwe jurk. Kleine schetsen op de plaatsen die nog vrij waren om de spinnenwebben uit mijn hoofd te verdrijven.

En het werkte. Toen de beelden uit mijn hoofd weg waren, begon ik me de woorden te herinneren.

En deze keer de goede.

Mensen vertellen me dingen die ze voor zich zouden moeten houden. Dingen die ze verborgen zouden moeten houden, die ze zouden moeten begraven, feiten die ze in een valies zouden moeten proppen om dat daarna in de rivier te gooien en stilletjes te laten verdrinken. Ik schreef de reeks verklaringen op een ander stuk, want ik besloot dat 'verklaringen' wel de juiste benaming ervoor was. Stukken van zinnen van Mercy, van Palsgrave, opmerkingen die niets met elkaar te maken leken te hebben gehad.

Toen ik die allemaal op papier had gezet, leken het helemaal geen uitgesproken zinnen meer. Ze hadden meer weg van een kaart. Een kaart van de hel misschien, maar toch een kaart en mijn adem stokte in mijn keel.

Ik haalde de brief – de enige brief die ik nog had – onder het slagerspapier vandaan. Ik las hem nog eens door.

Ik begreep er niets van, maar alles paste.

Ik kreeg zin om te lachen, maar dat zou afschuwelijk zijn geweest. Er moest toch enig verschil tussen Val en mij overblijven. En dus werkte ik door op het slagerspapier.

Eerst omcirkelde ik *Liefde* in het lijstje onder DINGEN DIE IEMAND TOT MOORD DRIJVEN. En daarna ook *God*, want dat maakte er ook deel van uit. En vervolgens *Geld*.

Daarna schreef ik de volgende vragen op:

Wat heeft Piest in het bos gevonden waarover hij de baas heeft ingelicht?
Wie waren er aanwezig bij de bijeenkomst van pastoor Sheehy over het voorstel voor een katholieke school?

Bij de ruit naast de broodrekken klonk een klop.

Ik liep naar de winkeldeur en stopte onderweg in de keuken om een mes te pakken. Buitengewoon moe, treurig gestemd en tollend van alle nog ongeordende en verontrustende inzichten die mijn gekrabbel op het slagerspapier had opgeleverd. Met mijn ene hand greep ik de deurknop en met de andere hief ik het mes dat mevrouw Boehm gebruikte om kippen in vieren te hakken.

En daar stond Fluwelen Jim, de laatste persoon die ik verwacht had te zien. Hij zeulde mijn bewusteloze broer met zich mee, had diens boomstronk van een biceps over zijn schouders gedrapeerd. Nadat ik Jim voor het eerst had gezien, met zijn hoofd over Vals elleboog hangend in Liberty's Blood, zou ik iedereen voor leugenaar hebben uitgemaakt die had beweerd dat hij zijn eigen geringe gewicht overeind zou kunnen houden, laat staan dat van Val. Maar dan had ik me toch schromelijk vergist. Valentine leek momenteel niet in staat zelf te lopen. Ik kon daar wel negen redenen voor bedenken, maar kwam uit bij één overkoepelende, namelijk dat zijn broer Tim een kortzichtige slappeling is.

'Goeie god,' wist ik uit te brengen. 'Dank je wel. Kom in godsnaam binnen. Ik pak zijn benen wel.'

'Dat zou ik zeer op prijs stellen,' antwoordde Jim buiten adem.

Maar zo kregen we het toch niet voor elkaar. Wat wel leek te werken was Vals armen over mijn schouders slaan en met hem op mijn rug de trap op lopen, terwijl Jim erachteraan kwam en de enkels van mijn broer optilde, zodat zijn voeten niet tegen elke tree aan sloegen, al zou hij dat in de staat waarin hij verkeerde toch niet hebben gemerkt. Dat heb ik wel al honderd keer gezien.

Toen we bij mijn kamer waren, liet ik hem nogal hard op mijn stromatras vallen, deze keer niet uit woede, maar omdat hij zo verrekte zwaar is.

'Jezus, man,' zei ik bij wijze van vraag.

'Ja, nou.' Fluwelen Jim trok vermoeid aan de papieren boord van zijn gesteven overhemd. 'Dat hij niet volmaakt was, was me altijd wel duidelijk. Het is vooral die ongelofelijke aantrekkingskracht van hem.'

'Volgens hem is hij geen sodomiet,' merkte ik stompzinnig op.

'En wat wil je daar precies mee over mij beweren, als ik zo vrij mag zijn?'

Vanaf dat moment was hij mijn vriend. Die opmerking was recht in de roos. En als Val zich het vege lijf had weten te redden dankzij sodomie, was dat vanaf nu van zijn ondeugden onbetwist mijn favoriete.

'Wat heeft hij gedaan?'

'De schurk kwam ongelukkigerwijze de kapitein van een schip tegen in Liberty's Blood en monsterde meteen aan voor een reis naar Turkije,' snoof hij. 'Maar iedere moederszoon die daar het glas heft, is Valentine veel te veel geld schuldig en veel te veel gunsten om hem zo'n... misstap te laten begaan, dus maakten ze bezwaar.

Ernstig bezwaar. Het zijn geen valse zusters,' voegde hij eraan toe, en hij sloeg vermoeid zijn ogen ten hemel voor ik een woord kon zeggen. 'Ik durf wel te stellen dat ik als enige van degenen die in City Hall Park rondhangen op zo'n intieme voet met hem sta. Dat hoop ik althans ten stelligste. Godallemachtig, wat een akelige gedachte, Timothy. Maar goed, de dokwerkers zagen hem ook niet graag vertrekken gezien zijn rol in hun Partij en dergelijke, en dus kreeg ik de opdracht hem naar huis te begeleiden. Val gedroeg zich *en route* echter erg onbeschaafd omdat ik zijn dromen over het ruime sop dwarsboomde, en werd steeds nukkiger tot hij op een gegeven moment zelfs zijn huissleutel in het riool gooide. Daar ga ik beslist mijn handen niet aan vuil maken, dus daarom zijn we nu hier.'

Ik probeerde erachter te komen of mijn broer nog ademde en concludeerde dat de kans daarop reëel was. Het blauwe oog dat ik hem had bezorgd was niet mals, maar iemand had de plaats waar de huid beschadigd was zorgzaam schoongemaakt.

Ja, ik mocht die Jim wel, besloot ik.

'Kan ik hem hier met een gerust hart achterlaten?' vroeg Fluwelen Jim oprecht bezorgd.

'Je bent een echte vriend. En nu ook die van mij,' antwoordde ik. Bij wijze van excuus.

'In je dromen, zeker!' Jim lachte, al weer onderweg naar de trap. 'Als hij aanstonds bijkomt – en ik weet niet wat jullie uit elkaar gedreven heeft, hij heeft altijd beweerd dat jullie een hechte band hebben – kun je mijn bloed wel drinken. Wanneer Val na zo'n aanzienlijke dosis morfine wakker wordt, berg je dan maar. Ik wens je er alle geluk van de wereld mee en dat zul je nodig hebben.'

Ik was veel te bezorgd om Val om naar de Tombs te vertrekken. Niet omdat ik dacht dat hij deze keer misschien echt te veel van zijn lichaam had geëist, maar omdat er geen enkele garantie was dat de koppige smeerlap niet alsnog scheep zou gaan naar Brazilië als ik er niet was wanneer hij bijkwam. En dus ging ik op zoek naar wat gedroogde munt om zijn maag te kalmeren en zette daar een pot thee van. Mijn broer kan de zweetaanvallen en de rillingen uitzonderlijk goed verdragen en de fase waarin zijn hartslag op die van een kolibrie lijkt doet hem ook weinig. Maar deze keer was hij echt gevloerd, wat betekende dat muntthee hard nodig zou zijn en – als de thee niet zou blijken te werken – misschien wel een emmer ook. Ik zette alles klaar.

Goddank hoefde ik maar een minuut of twintig te wachten. Ik zat met mijn rug tegen de muur naast het stromatras in mijn verder nog kale kamer toen Valentine overeind kwam. Hij zag eruit als een wildeman die net uit zijn hol was gekropen en de plunje van een keurige Partijman had gestolen.

'Wat doe ik hier?' zei hij met een stem zo ruw als boomschors.

'Je morfineroes uitslapen,' zei ik gemoedelijk. 'Fluwelen Jim heeft je hier afgeleverd.'

'Wat een huppelend hobbelpaard is het toch.'

'Ik mag hem wel.'

Val wreef een paar keer over zijn gezicht. 'Je wilde me nooit meer zien.'

'Ik ben van gedachten veranderd.'

'Hoezo?' wilde hij weten, en hij duwde zijn wijsvinger en duim hard in zijn oogholtes.

'Omdat ik geen al te beste broer ben, maar dat wel wil leren zijn.'

Val hoestte iets op wat op de grond van de Five Points thuishoorde en trok zijn roodzijden zakdoek uit zijn zak.

'En hoe dacht je dat kunstje te gaan leren, Tim?'

'Door het van jou af te kijken, lijkt me. Dat was ik tenminste van plan.'

'Dan ben je echt zo stom als het achtereind van een varken.' Val rochelde in zijn zakdoek.

'Dat weet ik.'

Ik had meer dan een half leven lang gedacht dat mijn broers ergste misdaden tegen mij bestonden uit branden blussen, morfinegebruik en morele verdorvenheid. In die volgorde. En ik heb nooit de geringste neiging gehad hem iets daarvan te vergeven. Niet dat Val daar ooit om had gevraagd. Maar de wetenschap dat zijn grootste misdaad eigenlijk zo'n enorme schandvlek was dat die een mens geheel en al kon uitvlakken... Wonderlijk genoeg viel me die gemakkelijker. Heel even was het de afgelopen nacht bij het naar huis wankelen door mijn hoofd geschoten dat ik nu wel eens af kon zijn van degene die me mijn ouders had afgenomen. Dat ik Valentine gewoon kon laten gaan. Maar meteen daarna zag ik die idiote wervelwind van een broer voor me, met zijn zorgvuldige manier om een duif met boter en niervet en majoraan te vullen voor hij hem in de oven zette, mijn broer die altijd zorgde dat onze ramen, als we die hadden, brandschoon waren en die toen we een keer zonder zakdoeken zaten een oud vest in vierkanten had geknipt en die had omgezoomd. En ik dacht aan de ruggengraat die je moest hebben als je brandende huizen in gaat om mensen te redden. En aan de redenen die je moest hebben om zoiets te doen. En ik kon mezelf er slechts met de grootste moeite van weerhouden zijn naam uit te schreeuwen door Elizabeth Street.

'Is dat muntthee?' vroeg Val schor, en hij deed aarzelend één oog open.

'Ja.'

'Is het echt zo erg?'

'Ja.'

En dat was ook zo. Maar dat duurt altijd maar een halfuurtje, de emmerfase, bedoel ik, en toen de misselijkheid was overwonnen, stak Val zijn hoofd in mijn waskom en friste zich op, waarna we naar beneden liepen. Daar vond ik al snel een brood van een dag oud, dat mevrouw Boehm voor me in papier had gepakt en in de kast had gelegd, een stuk boerenkaas en wat huisgebrouwen bier. Het zou niet lang meer duren voor het grijs van de dageraad zich aandiende, en intussen was het buiten iets opgefrist door de storm die was overgewaaid. Een stille, afwachtende ochtend. Nadat ik koffie had gezet, ging ik tegenover mijn broer zitten. Val zat naar mijn slagerspapier te kijken, met opgetrokken wenkbrauwen die de boog van zijn haargrens weerspiegelden.

'Je koffie ruikt naar de zool van een Ierse laars,' zei Val.

'Ik zal je maar meteen vertellen dat je Scales noch Moses Dainty ooit nog zult zien. Dat heb ik niet op mijn geweten, maar ze... ik denk niet dat ze ooit nog teruggevonden worden. Ze speelden met Silkie Marsh onder één hoedje en liepen lui tegen het lijf die zich er niet in konden vinden dat ze mij wilden vermoorden.'

Mijn broer voelde zich nog te beroerd van de morfine om het zich erg aan te trekken, maar zakte wel wat verder onderuit. 'Daarmee is dan één raadsel opgelost. Ik had al het idee dat er de laatste tijd aan die twee schoepers een rattenluchtje zat. Maar we werkten al zo lang samen dat ik daar gewoonweg niet aan wilde.'

'Je moet me vertellen wat je van Matsell en Piest te horen hebt gekregen. Ik kan wel zelf naar ze op zoek gaan, maar...'

'... maar ze hebben toch al met mij gesmoesd. Ben je nou politie-tekenaar geworden?' Hij zat naar het bruine papier te kijken.

'Dat heeft me geholpen om alles op een rijtje te krijgen. Wat heeft Piest in het bos gevonden waarover hij de baas heeft inge-licht?'

'Dat stuk Hollands vreten is zo leep als wat.' Val zuchtte en met zijn ellebogen op tafel staarde hij fronsend naar het brood. 'Ik neem aan dat je al wist dat hij in de buurt van de begraafplaats een smerig zootje schaapsdarmen had opgeduikeld? Nou, hij heeft het grietje gevonden dat ze gebruikt had en zij was makkelijk aan de praat te krijgen. Ze heet Maddy Sample.'

Maddy Sample was een vrolijke boerendeerne van zeventien met appelwangen, die in een kersenboomgaard woonde aan de rand van het bos waar de preservatieven waren gevonden. Piest, die goede oude dwaas, had bedacht dat de vrouw in kwestie wel in de buurt moest wonen en was haar op het spoor gekomen na een be-zoek aan de dichtst bij de begraafplaats gelegen kroeg, The Fair-haven. Hij had daar gedaan alsof hij op elk vrouwmens geilde dat hem een blik waardig keurde en had natuurlijk, zoals te verwach-ten viel, steeds de kous op de kop gekregen. Maar zijn gedrag had de aanwezige mannen de indruk gegeven dat hij achter hun eigen-dommen aan zat en al snel had hij beet bij ene Ben Withers, die niet bijzonder snugger, maar wel galant was en die hem waarschuwde bij Maddy uit de buurt te blijven als hij geen prijs stelde op Bens vuist in zijn oog.

'Wat prima zou zijn geweest,' legde Val uit, 'behalve dat Maddy Sample niet met Ben Withers getrouwd blijkt te zijn. Hij woont bij een brouwerij vierhonderd meter verderop, eveneens aan de rand van het bos. Zodat Piest zich ging afvragen waar kleine Ben zich in vredesnaam zo druk om maakte.'

Toen had Piest Maddy Sample nog niet ontmoet. Dat gebeurde daarna snel genoeg bij de kersenboomgaard, waar hij haar ouders vertelde dat zijn vrouw ziekelijk was en dat hij op zoek was naar een opgewekt meisje om haar gezelschap te houden. Voor een aanzienlijke som geld, waarvan hij hun als gebaar van goed vertrouwen alvast een klein deel overhandigde. De Samples wensten zijn vrouw een spoedig herstel en stuurden hem naar de moestuin om met Maddy te praten. Toen hij haar voorzichtig op de hoogte bracht van zijn vondst en zijn bedoelingen, en van wat hij haar zou betalen als ze zou doen alsof ze een bezoek aan zijn vrouw ging brengen, ging Maddy haar handen wassen en reed met hem mee naar de Tombs.

'Matsell en Piest hebben haar ondervraagd en die weten wel hoe ze een meidje op haar gemak kunnen stellen.' Val doopte een korst brood in zijn bier en waagde zich aan een hap ervan. 'Toen het sletje eenmaal een opwarmertje binnen had, was ze niet meer stil te krijgen. Ben Withers is een fijne gozer, maar hij is nog in de leer bij de brouwerij. Ben Withers is nogal kittelorig als ze met een ander praat. Ben Withers kan goed met de beentjes van de vloer. En toen ze haar van het onderwerp van haar vrijer af hadden weten te brengen, bekende ze dat ze regelmatig naar het bos gaan om te rollebollen, en toen ze haar vroegen of ze daar wel eens getuige was geweest van ongure zaken, zei ze dat er wel eens een rijtuig komt. Dat had ze twee keer gezien.'

'Allemachtig,' zei ik zachtjes. 'Heeft ze ook gezien wat er dan gebeurde?'

'Ze wilde niet betrapt worden, natuurlijk, dus ze liet zich niet zien. Zodra ze verschenen, maakten Ben en zij dat ze wegkwamen.'

'Was er nog meer?'

'Eén ding maar. Op de zijkant van het rijtuig stond een afbeelding. Volgens haar van een engel.'

'Een engel?'

'Zeker te weten, een engel. Daarom wilde Matsell ons spreken. Het is dus echt een godsdienstgek, Tim. Wat betekent dat gisteravond nog maar een voorproefje was. We hangen als we hem vinden en we hangen als we hem niet vinden.'

'Nee,' zei ik bijna fluisterend. 'Dat betekent het helemaal niet. Ik weet wat er is gebeurd. Van het begin tot het eind.'

Het is maar goed dat Val mijn koffie niks vindt en hem dus met geen vinger aanraakt, anders zou hij hem nu hebben uitgespuugd.

Intussen had ik een gevoel alsof ik tegelijkertijd vloog en viel, en dat was geen plezierige ervaring.

'Hoe kan dat?' wilde mijn broer weten. Ik wees zwijgend naar het vel slagerspapier.

'Sodeju, man, wat zitten we hier dan nog te doen? En krijg ik het ook nog te horen?'

'Word je giftig als ik het nog niet vertel?' vroeg ik, terwijl ik opstond.

'Ja. Nee. Jezus, Tim.'

'Ik moet nodig iemand spreken.' Ik knoopte mijn vest dicht, zocht naarstig naar mijn schoenen en bond de reep verband over mijn litteken. 'Kun je één ding voor me doen? Alsjeblieft?'

'Als ik op mijn benen kan staan,' zei Val voorzichtig, 'en als je me een glas whisky hebt ingeschonken. Smerig ongastvrij varken dat je bent.'

Ik pakte de fles. 'Kun je nu meteen naar Harlem rijden en daar op zoek gaan naar de boerderij van ene Boehm? Marthe Boehm. Mijn hospita zit daar, met Bird Daly. Ze zijn van plan om vandaag terug te komen naar de stad, maar dan hebben ze wel begeleiding nodig. Als jij dat wilt doen, kan ik met een gerust hart aan de slag.'

'Denk je dat het nog link wordt, wat jij van plan bent?' vroeg hij nadrukkelijk.

'Niks aan het handje, Val, geloof me,' zei ik geruststellend. 'Gewoon een of twee mensen die ik even moet spreken.'

'Nou ja, ik heb wel eens opdrachten van grotere sukkels dan jij uitgevoerd.'

Mijn broer hield zijn hoofd peinzend scheef en schonk zichzelf nog een glas whisky in. Voller dan het vorige. Ik had mijn overjas al aan en was bijna buiten, toen ik me nog eens omdraaide.

'Waarom zei je niet gewoon dat je niets te maken had met die ontvoering van Bird naar het Opvoedingsgesticht?'

'Omdat je toch nooit naar me luistert, Tim.'

Hij zei het op dezelfde toon als waarop hij zou zeggen: 'Waarom zou ik, het is mooi weer', of: 'Omdat je nooit citroensap bij de melk moet doen, sufkop, dan schift de saus.' Hij keek me niet aan ook, trok alleen maar zijn notitieblokje tevoorschijn en schreef daarin 'Boehm' met een potloodstompje uit zijn jaszak. Ik had het niet erg aangenaam gevonden dat mijn hart de avond ervoor door een wrede speling van het lot was gebroken. Deze nieuwe barst leek echter niet meer dan billijk omdat ik blijkbaar zeventien jaar lang een werktuig van genadeloze bestraffing was geweest, en omdat Valentine Wilde nooit iets opschrijft om het te kunnen onthouden. Ondanks zijn verslavingen heeft hij dat niet nodig. Wat betekende dat hij het gewoonweg niet kon opbrengen om mij aan te kijken.

'Dat dacht ik al,' zei ik, toen ik weer iets kon uitbrengen. 'Het spijt me, Val. Ga alsjeblieft niet naar Turkije. Beloof me dat.'

Toen keek hij me wel aan en zijn wenkbrauw trilde van boosaardige pret. 'Het leven van een zeerot heeft zijn glans al weer verloren.' Val zweeg even om zijn notitieboekje weer op te bergen. 'Wil jij dan geen overhaaste beschuldigingen naar de Partij slingeren? Dat kan je duur komen te staan. Ik heb al eens eerder geprobeerd je dat aan het verstand te peuteren.'

'Ik blijk inderdaad niet bij hen te moeten zijn,' riep ik terug, terwijl ik wegliep en mijn hoed over mijn voorhoofd trok. 'Ik ben echt zo stom als het achtereind van een varken, zoals je al zei. Het zijn juist alle anderen.'

24

Ze zetten de zonen en dochters van protestanten en zelfs van sommige godsdienstgeleerden bij elkaar in de scholen en gewennen hen geleidelijk aan de godsdienst van de katholieken... Ik zou een aantal feiten kunnen noemen die deze opmerkingen staven, over gebeurtenissen die hier hebben plaatsgevonden, maar ontbeer hiervoor de ruimte.

• een verslaggever voor de *Home Missionary*, 1843 •

Op het kruispunt Chambers en Church Street stapte ik uit het huurrijtuig. De woning annex praktijk blonk me tegemoet, een baken van goede gezondheid in de vorm van behuizing. Een groter contrast met de Five Points was bijna niet denkbaar. De trapjes waren onlangs schoongeboend door de bedienden en de knop op de deur kaatste vrolijke bogen licht terug naar de zon. Ik wierp een korte blik op de bronzen plaket met de tekst DR. PETER PALSGRAVE, GENEESHEER VAN KINDEREN en belde aan.

Een verschrompelde, spichtige huisknecht deed open.

'Dokter Palsgrave mag niet worden gestoord.'

Ik hoefde alleen maar even met de mouw van mijn jas mijn koperen ster op te poetsen. Hij zuchtte bedroefd om de treurige staat waarnaar New York was afgegleden.

'Goed dan. Dokter Palsgrave geeft college aan de Universiteit van New York. Daar zult u hem aantreffen,' zei hij vlak, terwijl hij de deur alweer dichtdeed.

De ochtend was al half om toen ik Washington Square op liep. De zon stond hoog boven de bomen en studenten stroomden als mieren over het plein in hun vrolijk bonte broeken en met hun platte hoeden. Met frisse wangen en vol zorgen om niets. De derde die ik aansprak wees me de weg naar de collegezaal voor medicijnstudenten en het anatomisch theater. Ik liep erheen en voelde me zo'n dertig jaar ouder dan mijn gids in plaats van de meer waarschijnlijke vijf of zes.

De deur naar de collegezaal piepte toen ik hem opentrok. Licht stroomde door de opening naar binnen en ketste onstuimig af op het stof in de lucht. Onder in de collegebak was het nogal duister, al hingen er geen gordijnen voor de metershoge ramen en brandden er verschillende lampen. Een aantal gepruikte hoofden draaide zich naar me om, maar men keek al snel weer weg. Dokter Palsgrave stond achter een lijk waarbij in het hoofd een gat was geboord. In dat gat was een metalen haak gedraaid en die haak was met een touw verbonden aan een katrol. Hij trok aan het touw en de bovenste helft van het lijk kwam omhoog. De ribben waren al opengelegd, de huid weggepeld als een sinaasappelschil. De mond grijnsde in onwaarschijnlijke welwillendheid.

'En zo ziet u,' sprak hij, terwijl ik de trap af liep, 'dat de borstholte ter hoogte van de bovenste rib niet abrupt ophoudt. Zij biedt onder meer de *thymus*, *trachea*, *oesophagus* en de *musculi longi colli* de ruimte om verder naar boven door te lopen. Maar voor nu richten wij ons op het pad van de *arteria carotis* links tot boven in de schedel.'

'Ik moet u spreken, professor,' zei ik, toen ik onder aan de trap was.

De kleine man keek op. Goudbruine ogen die gloeiden en een gekorsetteerde ruggengraat die knetterde van ergernis. Maar toen had hij weer uitsluitend aandacht voor de wetenschap.

'Ik ben bezig. Dat ziet u toch? Alsof er niet al genoeg ellende is ontstaan door deze zogenaamde politiemacht...'

'Het zou aanzienlijk beter zijn als u me meenam naar een plek waar ik u onder vier ogen kan spreken,' drong ik zacht bij hem aan.

'Uitgesloten! Ik zou een uiterst waardevol specimen verspil…'

'Waarom vraagt u niet of een van uw collega's uw college voortzet. Ik wacht wel.'

Een razende dokter Palsgrave deed wat ik had voorgesteld. Met een geërgerde zwaai nam hij me vervolgens mee de collegezaal uit en een andere gang in. Hij liep recht als een balletdanser, zijn grijze snorharen stonden kwaad overeind als die van een kat, zijn deftige jas was zeer geruwd en zeer blauw en hij gaf me aan één stuk door mompelend te verstaan hoe verbolgen hij wel niet was. Aan het eind van de gang gooide hij een deur open, waarboven, zo viel me op, eveneens een plaket met zijn naam hing.

Dokter Palsgrave had een tweede alchemielaboratorium op de universiteit, besefte ik toen we de kamer betraden. En er was net een proef gaande, want ik zag een assistent in een lange jas die zich over delicate apparatuur boog. Retorten stonden op branders, kleine dansende vuurtjes met vloeibaar metaal erboven. Stukjes weefsel zaten vastgepind op plankjes en er stonden fiolen gevuld met een geheimzinnig vergif. Ik had geen flauw idee waar dokter Palsgrave mee bezig was, maar het zag er allemaal verrukkelijk hoopgevend uit. Alsof hij een toekomst kon zien waarin een of ander nog net niet ontdekte substantie een klein deeltje van een kind weer heel zou kunnen maken. Ik droomde, heel even maar, dat ik het was die getuige zou zijn van zijn ontdekking.

Het gebeurde uiteraard niet. Maar ik wenste het oprecht.

'Wil je ons even alleen laten, Arthur,' zei de dokter met een zucht.

Toen zijn assistent was vertrokken, draaide ik me naar dokter Palsgrave om. Ik voelde me danig ongemakkelijk over de juiste handelwijze onder deze omstandigheden, maar kon het me niet permitteren meer tijd te verdoen.

'Ik weet alles,' zei ik rustig. 'Over de kinchen. De begraafplaats buiten de stad is van u. Ik moet het daar met u over hebben.'

Een marionet met doorgesneden touwtjes zou minder gruwelijk te aanschouwen zijn geweest. Zijn ogen schoten naar mij en ik zag hoe hele beschavingen, de steden die hij had gebouwd en gekoesterd en verder uitgewerkt als het model van een complete wereld, hoe alles in elkaar stortte. Dokter Palsgrave trok wit weg. En toen begon hij te hijgen, waarbij hij zijn hand als een verkrampte klauw over zijn hart hield.

'Stop,' zei ik verschrikt, en ik sprong op hem af. 'Het kwam er heel anders uit dan ik had bedoeld. Als ik hetzelfde had kunnen doen, met uw kennis... Maar ik moet weten of ik het bij het juiste eind heb, dokter Palsgrave. Zegt u me dat ik gelijk heb. En houdt u alstublieft op met dat gebeef.'

Het duurde nog een paar seconden, maar toen werd hij rustiger. Leugens opdissen gaat me allerminst goed af. Maar de waarheid vertellen juist wel en hij geloofde me dus. Hij rilde nog een paar keer en haalde vervolgens een gifgroene zakdoek ter waarde van ten minste tien dollar tevoorschijn en veegde daarmee het zweet van zijn nek. Ik doofde onderwijl snel alle open vlammetjes en ging toen weer voor hem staan.

Dokter Palsgrave bracht beide handen naar zijn gezicht en streek ermee langs zijn zilvergrijze bakkebaarden. 'Hoe bent u achter mijn geheim gekomen?'

'Deels door iets wat Mercy Underhill me vertelde, al was het nooit haar bedoeling u te verraden. De rest hebt u me zelf verteld. En iemand heeft u gezien.'

'Iemand heeft me gezíen? Wie?'

'Een jonge vrouw uit de buurt, ze woont bij een kersenboomgaard. Ze heeft uw gezicht nooit gezien, maar uw koets wel. Ik ben bang dat ze al aan de hoofdcommissaris heeft verteld dat op de zijkant een engel geschilderd staat. Maar dat is het natuurlijk niet. Het zijn twee slangen om een gevleugelde staf. Een caduceus. Welk embleem zou er anders op uw koets moeten staan?'

Ik acht dokter Palsgrave zeer hoog. En daarom wens ik verder niet uit te weiden over dat moment toen zijn geheim uitgelekt bleek. Hij is niet echt een waardige man, afgezien van zijn korset. En ik zou willen dat zijn versie van de wereld eerder werkelijkheid zou worden. Daarom pak ik de draad op bij de eerste zinnige vraag die hij me stelde nadat ik voor ons allebei een stoel had gehaald en hij er op een was neergezegen.

'Wanneer begon u mij te verdenken?'

'U stond eerlijk gezegd voor mij tot zo'n drie uur geleden geheel niet onder verdenking. Maar ik begon me af te vragen waarom iemand zoiets zou kunnen doen. En er waren nog wat... aanwijzingen. Wanneer bent u begonnen met lijkschouwingen van net overleden kinchen?'

'Zo'n vijf jaar geleden,' zei hij zacht. 'Ik heb niet tegen u gelogen toen ik u mijn bevindingen over de kinderen uit het grafveld meedeelde. Ze waren vijf jaar tot nog maar kort dood. En om de een of andere reden bevroedde u...'

'Dat u de kinderen stuk voor stuk kende, ze had opengesneden en de organen naar behoefte had verwijderd,' vulde ik voor hem aan. 'Uw reactie op het allereerste lijkje was achteraf gezien veelbetekenend. Liam. U was doodsbenauwd dat we u opzettelijk hadden laten komen om hem te onderzoeken, dat het een list was om u een bekentenis af te dwingen. De redenen die u aanvoerde waarom iemand een lichaam zou openzagen waren bespottelijk, dokter Palsgrave. Iets kostbaars ingeslikt? U gaf een hele lijst van mogelijke redenen maar liet, als anatoom nota bene, die van een lijkschouwing weg. Ik moet bekennen dat uw lijkschouwingen er heel anders uitzien dan ik ze tot nog toe kende – de opening is breder, klopt dat? Langs de ribbenkast? De snee onder het borstbeen? Zodat u meer kunt zien?'

Hij knikte vermoeid.

'Ze waren nooit bedoeld als symbolisch kruis. Maar het mag er dan immoreel uit hebben gezien, u kunt toch niet hebben gedacht dat ik zou geloven dat het om kannibalisme ging of...'

'Ik wist niet wat ik moest zeggen. Het overviel me, het was zo gruwelijk. En dan het lichaam van dat jong in een... in een áfvalton... het ergste wat ik ooit van mijn leven heb gedaan,' fluisterde hij. 'Ik zal het mezelf nooit kunnen vergeven.'

'Waarom vertelt u het me niet vanaf het begin,' stelde ik rustig voor. 'Ik zal u op weg helpen. Het valt niet mee om aan lijken te komen, met name die van kinchen. De onlangs overleden lichamen die u nodig hebt voor uw onderzoek zijn nog zeldzamer. Welke weldenkende ouders zouden ooit hun overleden kinchen aan u overlaten zodat u die kunt opensnijden? Maar in de bordelen...' Ik zweeg even. 'Daar worden ze dikwijls ziek.'

Dokter Palsgrave huiverde en streek met zijn hand over zijn mond. 'De lichamen van kinderen verschillen in anatomisch opzicht aanmerkelijk van die van volwassenen. Toen het me niet lukte het materiaal te verkrijgen dat ik nodig had voor het onderzoek, stemde mij dat zo... zo somber. Ik was er al zovelen kwijtgeraakt, meneer Wilde, en vaak waren ze nog zo jong. Ik kon geen eind maken aan de bordelen in New York, maar ik meende een mogelijke oplossing te ontwaren toen vijf jaar geleden een meisje dat ik behandelde aan de gevolgen van een ernstige hartafwijking stierf. Silkie Marsh was haar madam en zij vroeg me of het stoffelijk overschot mij iets waard was, aangezien ze het krap had en niet over de middelen beschikte om het kind zelf te laten begraven.'

Dokter Palsgrave had verklaard dat hij geen recht op het lichaam had en dat de universiteit zeker opheldering zou eisen als hij een onbekend lijk zou ontleden. Maar Silkie Marsh had onmiddellijk een oplossing paraat. Hij zou die avond nog terug kunnen keren, met een masker of kap op. Zij zou in haar kelder ruimte maken, teerdoek op de grond leggen en er een tafel neerzetten. En dat allemaal voor slechts vijftig dollar. Dokter Palsgrave mocht verder aan instrumenten meenemen wat hij nodig had en zo lang doorwerken als hij wilde.

'En toen u madam Marsh erop wees dat het ontlede lichaam na afloop opgeruimd zou moeten worden zonder dat iemand argwaan kreeg, zat zij evenmin om een oplossing verlegen,' gokte ik. 'U zou voor de koets zorgen, want als dokter was u immers boven alle twijfel verheven, en zij voor de sjouwers.'

'Ze heetten Scales en Moses,' antwoordde dokter Palsgrave. 'En ze waren heel voortvarend met dat begraven buiten de stad. Het was goed werk, meneer Wilde, ik zweer het: het was góed werk. Eindelijk kon ik lichamen ontleden die me verder hielpen, die de *kinderen* verder hielpen.'

Alles bij elkaar was het vijf jaar lang zo gegaan. Als een kinchinmab stierf, werd dokter Palsgrave erbij gehaald. Hij betaalde vijftig dollar. Hij kon weer verder met zijn levenswerk. Hij zag erop toe dat het kind werd begraven, iedere keer weer, geen halve maatregelen. Hij bedankte hen hardop als ze in het graf werden gelegd, dat weliswaar ondiep was, maar niet ondieper dan ieder ander armengraf. En onderwijl deden ze goed werk, allemaal onderwijl, elke zonde goedgemaakt tijdens dat onderwijl. Dokter Palsgrave twijfelde daar geen moment aan.

In totaal waren er negentien doden geweest, slachtoffers van een longontsteking of koortsen of de pokken of een andere besmettelijke ziekte. Op een dag was dokter Palsgrave weer met zijn zwarte kap op naar het bordeel gekomen. De kinchen hadden allemaal te horen gekregen dat ze op hun kamer moesten blijven en Silkie Marsh en hij waren naar Liams kamer gegaan om zijn lichaam naar de kelderruimte te brengen. Maar toen ze binnenkwamen, leek zijn kamer wel een slachthuis.

'Liam had last van zijn longen,' lichtte dokter Palsgrave toe. 'Ik was bezig met alchemistische proeven waarvoor ik bloed nodig had. Die proeven doe ik trouwens nog steeds, de uitkomsten zijn…' Zijn stem stierf weg, hij verzonk in gedachten en keek kortstondig pijnlijk hoopvol, maar opeens was hij weer met een ruk bij het hier en nu. 'Dat doet nu niet ter zake. Ik had madam Marsh verzocht me zo snel mogelijk te verwittigen mocht het onfortuinlijke kind niet herstellen, dan wilde ik namelijk zijn bloed afnemen. Uit onderzoek gedaan in Frankrijk zijn aanwijzingen naar voren gekomen dat bloed elementen van metaal zou kunnen bevatten en ik wilde nagaan of het me zou lukken het naar zijn zuivere essentie te distilleren. Het idee dat je bloed kunt zuiveren biedt zoveel perspectief. Ik werd tijdig op de hoogte gebracht, spoedde mij naar het bordeel waar het jong de laatste adem uitblies en liet het bloed van het arme kind in een kom lopen. Ik was zo gehaast dat ik dit in de ziekenkamer deed in plaats van in de kelder. Maar toen ontdekte ik dat ik het vaatje om het bloed mee naar huis te nemen niet bij me had. Ik haastte me dus weer naar mijn koets.'

'De kamer bleef donker achter toen u vertrok,' zei ik. 'Waarom?'

Verbazing en vrees streden om dominantie in zijn gezicht. 'Hoe weet u dat? Ik had mijn lantaarn meegenomen. Ik heb altijd getracht zo discreet mogelijk te werk te gaan als het zo uitkwam dat ik onderzoek moest doen in de buurt van de andere kinderen. Ik was binnen drie minuten terug, maar…'

'Maar u trof een abattoir aan. Iemand had ontdekt waar u mee bezig was, iemand die het bloed door de hele kamer had verspreid.'

'Madam Marsh smoorde een kreet en ik vrees dat ik werd bevangen door ernstige palpitaties.' Dokter Palsgrave kneep bedroefd zijn vingers samen op zijn neusrug. 'Het zou van invloed geweest kunnen zijn op mijn verdere optreden. Ik weet het niet. We volgden voetafdrukken tot in een andere kamer, waar het venster openstond en aan de haak in het kozijn een geïmproviseerde ladder hing. Madam Marsh droeg me op het lichaam op te ruimen zonder het verder nog te benutten en verlangde bovendien dat ik haar zou helpen het bloed van de vloer te schrobben. Binnen twintig minuten waren Moses en Scales ter plekke.'

'Maar toen kwam u in opstand.'

'Ik kon het gewoonweg niet,' snikte hij. Hij sloeg met zijn gebalde vuist op zijn knie. 'Het omhulsel van een kind zo onbenut verloren laten gaan. Het bloed was al verspild. En ik had een milt nodig. Het spijt me dat ik tegen u heb gezegd dat de ratten dat hadden gedaan. Ik stond erop dat ik de kelder zou gebruiken. In eerste instantie weigerde Silkie Marsh dat. Maar toen zei ik tegen haar dat ik haar huis nooit meer zou betreden als ze me niet tien minuten speling gaf. Dat anders onze regeling volledig zou komen te vervallen. En zo kwam het dat ze instemde.'

'Vertelt u verder.'

Dokter Palsgraves mondhoeken wezen naar beneden om iets wrangs en bedroefds en afgemats te verbergen. 'Ik verwijderde het orgaan. We legden het arme jong in mijn koets en reden weg richting het noorden, naar het grafveld. Maar we waren nog niet verder dan Mercer Street toen ik, en dat geef ik openlijk toe, werd overvallen door een afgrijselijke paniek. Ik was tien minuten langer bezig geweest, wat naar madam Marsh beweerde rampzalige gevolgen kon hebben. Het bewijs lag aan mijn voeten, en een getuige – God mocht weten wie, ik heb nooit geweten exact hoeveel kinderen ze op enig moment in huis had – liep ergens daar buiten rond en was vermoedelijk doodsbang, het arme ding. Ik liet halt houden bij een afvalton voor een herberg.'

Hij viel stil.

'Ik… het zal me altijd blijven achtervolgen, meneer Wilde.'

En dat geloofde ik onmiddellijk. Het is een hele toer om zo verslagen te kijken vanwege een erekwestie als je in werkelijkheid verstoken bent van elk greintje eergevoel.

'Silkie Marsh hoorde van Moses en Scales wat u had gedaan. Was ze verbolgen over het feit dat het lichaam zich nog zo dicht bij haar huis bevond?'

'Nee. Of mocht dat wel zo zijn geweest, dan heeft ze dat mij nimmer kenbaar gemaakt. De volgende ochtend liet ze me weten dat het vermiste kind weer terecht was. Ze had uitgelegd dat Liam een aderlating had ondergaan en daarna rustig was heengegaan. Het kind had haar goddank geloofd. Ze had het probleem opgelost en we konden weer op de oude voet verder, aldus madam Marsh.'

'U wist precies hoe het zat met de dode lichamen. De brieven moeten u hebben verbijsterd, al leidden ze de aandacht wel van u af,' zei ik. 'Bij de ene die in de *Herald* is verschenen, die brief die was ondertekend met "De hand van de God van Gotham", wist u zich nog op de achtergrond te houden. Maar toen ontving u zelf een brief met zeer lugubere inhoud. Gericht aan u persoonlijk, terwijl u nota bene de persoon was die feitelijk achter die hele geschiedenis zat. Het joeg u angst aan. U wist niet wat het te betekenen kon hebben en kwam daarom bij mij, want u wist wel dat u dat schrijfsel niet kon vernietigen en het daarmee zou kunnen vergeten. En toen zag u Bird Daly.'

'Ja,' zei hij rap, en hij glimlachte bijna. 'Ik had haar nog nooit eerder bij daglicht gezien. Het was een geschenk haar bij u te zien.'

'Hebt u tegen madam Marsh gezegd dat u haar in mijn gezelschap was tegengekomen?' vroeg ik, heel behoedzaam.

'O ja, zeker. Ik herinner me nog dat ik opmerkte dat ze er zo gezond, echt blakend, uitzag sinds ze niet meer bij madam Marsh werkte. Meer niet.'

Ik glimlachte gedachteloos. Het moet eruit hebben gezien als een ijselijke grimas, want dokter Palsgrave keek me ontsteld aan. Ik trok daarom snel mijn gezicht in de plooi. Dokter Palsgrave zag ik rondom zijn jukbeenderen enigszins grauw wegtrekken en hij wreef met twee vingers nerveus over de brede kraag van zijn vest, ter hoogte van zijn hart. En ik wist meteen wat er door hem heen ging. Er was één onverklaarde dood, een gruwel die nooit kon zijn voortgesproten uit zijn brein, een opengerukt lijkje, vastgespijkerd aan een deur en daar rondom een walgelijke witte zwerm van krankzinnige kruisen van kalkverf. Marcas, die niet voor de wetenschap was gestorven. Marcas, die niet in het bordeel van madam Marsh had gewoond.

'Ik weet het,' onderbrak ik zijn gedachtegang. 'Ik weet niet wát er gebeurd is, maar ik zal er persoonlijk voor zorgen dat de dader niet vrijuit gaat.'

'Heeft het te maken met de brief die ik u heb gegeven? Het doet mij al zoveel pijn als ik er alleen aan denk...'

'Maar dat hoeft niet. Ik heb het uitstekend in de hand. Er is alleen nog één andere kwestie.'

'Ja?'

'Er is een keer een jongen geweest, Jack Vingervlug heette hij, die een nieuwsgierige blik in uw koets wierp terwijl u op het punt stond een lijkje weg te brengen. Hij wilde de zak net openen toen u hem ontdekte. Dat gebeurde voor het bordeel van Silkie Marsh. Wat hebt u toen tegen die jongen gezegd?'

'Verbluffend. Werkelijk verbluffend, meneer Wilde, ik... Ja, dat herinner ik me inderdaad. Niet hoe hij heette, dat heb ik nooit geweten. En u hebt gelijk, hij had nog niet ín de zak gekeken, alleen de koetsdeur geopend. Niettemin schrok ik zo erg, het heeft me wel tien jaar van mijn leven gekost. Hij was aanzienlijk ondervoed, geloof ik. Gewend om zijn kostje bij elkaar te moeten scharrelen, zoals voor al die straatjongens geldt. Ik gaf hem een muntje en zei dat hij naar binnen moest gaan en de vrouw des huizes moest vragen hem een bord stevige kippensoep te geven. Geen goed woord over de weerzinwekkende praktijken van madam Marsh, maar met haar keuken is werkelijk niets mis, moet ik zeggen.'

Ik stond met een uitgestrekte hand op. 'Dank u wel dat u mij zo eerlijk te woord hebt gestaan, dokter Palsgrave. Neemt u me niet kwalijk dat ik het zo botweg zeg, maar u moet ermee ophouden. Het is afgelopen met het ontleden van lijken uit het bordeel van Silkie Marsh. Het mag nooit meer gebeuren.'

Hij stond eveneens op en schudde mijn hand. 'Ik zou het ook niet meer kunnen, meneer Wilde. Mijn hart zou het begeven. Maar wacht... bent u waarachtig van plan niets tegen mij te ondernemen?'

'Waarachtig.'

'O, maar alstublieft, ik moet het weten... U zei dat u mij dankzij Mercy Underhill op het spoor bent gekomen? Hoe is dat mogelijk? Zij weet hier niets van, dat zweer ik.'

Ik moest weer glimlachen, maar deze keer warmer. 'Kinchen die menen te weten dat u een onguur heerschap bent, hebben haar gisteren uit uw koets zien stappen. Vermoedelijk had u samen zieke kinderen bezocht. Tegen mij zei ze dat de eigenaar van de koets in God noch politiek geloofde. Ik moest onmiddellijk aan u denken.'

'Ah, zo dus, ik begrijp het.' Dokter Palsgrave aarzelde en zette toen zijn aangeboren trots van zich af. 'Meneer Wilde, ik kan u als dank niet dezelfde dienst bewijzen, maar drinkt u dan ten minste een glaasje met mij.'

'Ik moet er dringend vandoor,' antwoordde ik, terwijl ik mijn hoed weer opzette.

'Natuurlijk. Een andere keer misschien, u zou mij een groot plezier doen. Maar hoe denkt u ooit de gebeurtenissen in St. Patrick's te kunnen oplossen? Alleen een onmens kan zoiets hebben gedaan.'

'Om te beginnen ga ik terug naar de plaats delict,' zei ik.

'En dan?'

'Daar stel ik één vraag.'

'Eén vraag? Wat denkt u dat er vervolgens zal gebeuren?'

'Vervolgens zal ik een rasechte moordenaar moeten bezoeken,' zei ik. Ik tikte ernstig tegen mijn hoed en sloot de deur van zijn laboratorium achter mij.

St. Patrick's was zo te zien ongeschonden uit de rel gekomen. Alles lag er schoon bij, een dwingend, grondig, uitzinnig soort schoon, van de granieten trappen en de rode stenen tot en met de drie houten deuren. Het zou me niet in het minst hebben verbaasd als pastoor Sheehy zelfs de eik naast de kerk had schoongeschrobd en ik zou hem dat zeker niet kwalijk hebben genomen. Een aangenaam veranderlijk briesje woei door de ongewoon stille straat.

In de kathedraal verwees een misdienaartje dat de kerkbanken aan het afstoffen was me naar de sacristie. Ik klopte op de deur en hoorde een zachte uitnodiging om binnen te komen. Pastoor Sheehy was niet aan het werk, daar zag het althans niet naar uit. Met zijn kale hoofd schuin keek hij nadenkend en stil naar een religieus schilderij. Het was een oud werk, een afbeelding van een man van een jaar of zestig met wit haar en een vriendelijk gezicht en in zijn handen een vergulde staf.

'Meneer Wilde,' begroette pastoor Sheehy me. 'Komt u met een heuglijk bericht over uw vorderingen?'

'Heuglijk is het helaas niet. Wie is die man die uw aandacht zo opeist?'

'Sint Nicolaas is altijd een man naar mijn hart geweest en zeker de laatste tijd docht het mij goed hem aan te spreken, hij is immers de beschermheilige van alle kinderen.'

'Is dat zo?'

'Inderdaad.'

'Dat lijkt me een behoorlijk zware taak,' kon ik niet nalaten te zeggen.

Pastoor Sheehy knikte alleen maar, hij begreep uitstekend wat ik bedoelde. 'Hij is de aangewezen man, maar hij moet oneindig veel te doen hebben. Weet u, meneer Wilde, er is een verhaal waarin Sint Nicolaas een dorp bezoekt waar hongersnood heerst. Niets wil er groeien, het is er doods en dor. De dorpsbewoners krijgen het zwaar te verduren, het lijden neemt hand over hand toe, dag na dag, zoals het naar ik vrees het komende jaar ook in mijn geboorteland zal geschieden. Tot op een dag een man gek geworden van de honger en ontbering drie kinderen afslacht en in stukken hakt. Met het oogmerk het vlees te kunnen verkopen, begrijpt u. Maar onze Sint Nicolaas, een man Gods en een goedheilig man, doorziet de list. En hij ontmaskert hem.'

'Wat een verschrikkelijk verhaal.'

De pastoor glimlachte triest. 'En het klinkt u zeker ook al te bekend in de oren. Maar Sint Nicolaas ging nog een stap verder. Hij wekte de drie kinderen op uit de dood. Nu heb ik hem laten weten dat wij hem zeer dankbaar zouden zijn als hij ons zou opnemen in zijn gebeden. En hem doorgegeven dat aangezien hij hier niet is om zijn wonderen te verrichten, wij doen wat we kunnen.'

'En hoe liep het af met de moordenaar?' vroeg ik toen pastoor Sheehy achter zijn bureau ging zitten en gebaarde dat ik tegenover hem moest plaatsnemen.

Hij keek verrast en wreef met zijn hand over zijn kale schedel. 'Dat is de beste vraag die ik sinds lange tijd heb gehoord, meneer Wilde. Des te spijtiger dat ik u het antwoord schuldig moet blijven. Als bisschop Hughes terug is, zal ik het hem vragen. Ik zag mij genoodzaakt hem te berichten over de recente tragische gebeurtenissen en naar ik meen is hij thans vanuit Baltimore vertrokken en onderweg naar huis. Maar misschien kan ik u anderszins wel behulpzaam zijn?'

'Ik heb maar één vraag,' antwoordde ik langzaam. 'De avond waarop Marcas hier werd gevonden, had u hier een bijeenkomst. Over katholieke scholen voor de katholieke kinchen van New York. Dat wil zeggen Ierse kinchen en Ierse scholen.'

'Jazeker.' Zijn stem klonk droog als spijkers en even scherp.

'De avond verliep niet zo prettig?'

'Weet u, meneer Wilde, ik vraag me af of u bekend bent met een traktaat getiteld *Is paperij verenigbaar met burgerlijke vrijheid,*' antwoordde hij met een ijzige glimlach. 'En anders hebt u misschien de meeslepende vertelling van de gebroeders Harper gelezen: *De gruwelijke onthullingen van de zwarte non?* Niet? Dan is het wellicht zo dat u nog niet op de hoogte was van het feit dat priesters het als hun heilige plicht zien nonnen te verkrachten en vervolgens de petieterige gevolgen van deze verbintenissen in kuilen in de kelders van kloosters begraven. Dat heeft uiteraard aanleiding gegeven tot bezorgdheid.' Dat laatste woord sprak hij met zoveel venijn uit dat menig volwassen man ervan ineengekrompen zou zijn.

'Ik begrijp dat deze kwaadsprekerij u woest maakt. Daar hebt u alle recht toe.' Ik zweeg even. 'Maar gebeurt dat soort dingen dan ooit in werkelijkheid, eerwaarde?'

Zijn gezicht verstrakte. 'Ja, het gebeurt ook in werkelijkheid. Over de hele wereld en iedere dag, bij de hindoes en de Turken en de anglicanen en de protestanten en de katholieken. Aan dergelijke weerzinwekkende praktijken kan ik heus geen eind maken door mijn God te loochenen, meneer Wilde, want hoe zal ik ooit iets bereiken zonder God aan mijn zijde?'

Ik ging rechtop zitten en steunde met mijn onderarm op de rand van zijn bureau.

'Na de bijeenkomst ging ieder zijns weegs. Heeft toen een van hen een schenking gedaan? Voor het weeshuis misschien of voor de kerk?'

De pastoor trok zijn wenkbrauwen op. 'Dat heeft een van hen inderdaad gedaan, het resultaat van vele, vele vriendelijke toenaderingen mijnerzijds evenals van die van de bisschop.'

'Was het kleding of voedsel, een of andere vrij grote zak? Het was al laat en u stond met belangrijke mensen te praten. U hebt hem bedankt. U was blij dat hij was gekomen. U moest op tien plaatsen tegelijk zijn en bedacht dat u de inhoud later wel zou uitzoeken.'

'Ja, zo was het,' zei hij. Hij knipperde hulpeloos en verward met zijn vriendelijke ogen.

'Hebt u die zak nog?'

Pastoor Sheehy trok zo wit weg dat het leek of hij uitgevlakt werd. Zijn hand schoot naar boven en bedekte zijn mond. Alsof het antwoord giftig was en hij dat zou opnemen via zijn tong als hij de woorden eenmaal had uitgesproken. Mijn hart ging naar hem uit, maar ik kon het me niet permitteren te wachten.

'Wilt u de naam van de gulle gever alstublieft opschrijven? Schrijf hem op een stuk papier en geef dat aan mij. Anders is het alleen mijn woord.'

Zijn hand verkrampte even voordat hij hem kon gebruiken. Maar gebruiken deed hij hem: hij pakte papier en een ganzenveer, met een gezicht dat even star was als dat van Sint Nicolaas aan de muur.

Terwijl ik toekeek hoe hij het lot van een ander bezegelde, dacht ik eigenaardig genoeg niet na over de onvermijdelijk volgende stap. Over wat ik zou gaan doen, wat dat stuk papier feitelijk inhield. Ik dacht aan wat Mercy had gezegd in het Washington Square Park. Dat je door dingen op te schrijven in zekere zin een kaart maakte. En dat ze nooit haar eigen innerlijke grenzen zou kennen als ze er niet over schreef, als een landmeter met een touw en een astrolabium, die peinzend naar een rivier kijkt. Zelf was ik geen groot schrijver, maar ik besefte dat ik niettemin vrijwel hetzelfde deed met behulp van slagerspapier. Toen dacht ik aan haar verbrande boek en voelde een ongekende schaamte in mij opstijgen dat ik haar de vorige avond alleen had gelaten.

De pastoor gaf me de naam. Het was geen verrassing, dus vouwde ik het vel alleen maar dubbel en stopte het in mijn vestzak.

'Ik heb dit nog niet eerder gedaan,' zei ik. 'Maar ik zal het in orde brengen.'

Ik schudde zijn hand en draaide me om om te vertrekken.

'Sint Nicolaas was naar verluidt hooguit één meter vijftig, meneer Wilde. Hij was opvallend klein van stuk.'

Ik wierp een blik op het schilderij. 'Ik zie het verband niet,' zei ik.'

'God maakt gebruik van de juiste werktuigen.' Hij sprak zacht en staarde daarbij naar zijn handen. 'Het was niet kwetsend bedoeld, neemt u het me niet kwalijk.'

'Zou ik misschien dat pistool van u mogen lenen?' was mijn enige zinnige reactie.

Terwijl ik de kathedraal uit liep met het pistool in mijn jas, vroeg ik me af welke god hij bedoelde, aangezien ik niet één specifieke god had. Iedere seconde van dat hele ellendige onderzoek steunde op mijn bloed en mijn zweet en mijn hersenen en mijn drang om te weten. Maar als ik een onzichtbare kracht aan mijn zijde had, zou ik een dwaas zijn geweest om die uitgerekend op dat moment tegen te spreken. Daarom liet ik het voor wat het was, liet ik het voorbijgaan met een onuitgesproken 'dank u wel'. Aan alles en iedereen die mij misschien zonder dat ik het wist had geholpen, tot en met Maddy Sample en haar gezonde gevoelens van begeerte.

Een halfuur later klopte ik aan bij het huis van de Underhills.

25

Het doet mij immens veel deugd te horen dat u zich nog steeds inzet ten be-
hoeve van de rooms-katholieken. Lange tijd is de kerk van mening geweest
dat het bekeren van de joden een hopeloze zaak was en ook nu nog horen
we zelden dat er voor hen gebeden wordt. Maar zowel ten opzichte van de
rooms-katholieken als van de joden mogen we ons afvragen: 'Bestaat er
iets wat te moeilijk is voor de Heer?'

• brief aan *De Amerikaanse protestant ter verdediging van de burgerlijke*
en godsdienstige vrijheid in de strijd tegen de paapse horden, 1843 •

Er werd niet opengedaan. De voordeur zat echter niet op slot en ik liep door, maar deed dat wel zo geruisloos mogelijk.
Ik wist meteen dat er iets niet in de haak was.

Ten eerste ving mijn oor een geluid op. Een broze stilte, iets wat verder ging dan wat te horen was – alsof toen ik binnenkwam zo-juist iets was opgehouden.

Ik spitste mijn oren, maar dat leverde niets op. Ik liep daarom verder.

Toen ik de zitkamer in ging, zag ik de boekenkasten, het groene kleed, de schemerlampen en alle uiterlijke kenmerken van een ruimte waar het prettig toeven is. Door het raam waren de blozende rode tomaten te zien. Hun tijd zat er bijna op. De kou kwam er im-mers aan, dat was een vast gegeven.

Toch klopte het niet. Het zag er exact zo uit als ik het had achter-gelaten.

En daarmee bedoel ik ook echt exact. De tekst waarmee de predikant bezig was geweest toen we elkaar voor het laatst hadden gesproken lag nog op tafel. Bijna ijlend van vermoeidheid vroeg ik me af wanneer dat ook al weer geweest was. Vijf dagen geleden? Ik wist het niet meer precies. De twee sherryglazen stonden er nog naast. Een daarvan het mijne, het andere het zijne. De sherryglazen en de stilte betekenden dat hun dienstmeisje Anna al een tijd niet meer was geweest. De tekst betekende dat ik gelijk had. Het deed pijn om zoiets bewezen te zien als het om iemand ging die je dierbaar was. Iemand die je in het verleden een onvervangbare gunst had bewezen.

Ik haalde het pistool uit mijn jas. Er zat al een kogel in, vol stevig aangestampt buskruit. Ik hoopte onzegbaar vurig dat ik het ding niet zou hoeven gebruiken. Maar ik was wel onnoemlijk dankbaar dat ik het bij me had, vanwege de geur.

Het eerste wat me verwelkomd had, was een vleugje petroleum geweest, besefte ik opeens. Intens verontrustend, waar je het ook tegenkomt. Vooral voor mij.

Ik liep de werkkamer van de eerwaarde Underhill in en vond daar het antwoord dat ik zocht.

Hij had een touw door de slanke armen van de kroonluchter geslagen en er een strop van geknoopt. En een goede ook. De lamp hing precies voor zijn bureau tegen het plafond en daaronder lag op het eenvoudige tapijt van gevlochten repen stof een berg kleren. Allemaal pastelkleuren, subtiele blauw- en geeltinten die je aan vogeleitjes deden denken, zo licht dat je ze alleen buiten in de zon als kleur herkende. Jurken en onderjurken en kousen en shawls, allemaal gedrenkt in petroleum.

Natuurlijk waren die allemaal van Mercy en natuurlijk kende ik ze stuk voor stuk.

Ik schrok er enorm van, want de eerste vraag die ik hem had willen stellen was niet: 'Wat hebt u met uw dochter gedaan?'

Op het bureau stond een brandende kaars en daarachter zat de predikant naar het tafereel te staren dat hij had gecreëerd.

'Ik had je al verwacht, Timothy,' fluisterde hij.

Ik had graag willen zeggen dat ik nog nooit zo'n blik als de zijne had gezien. Zo gekwetst en rauw en machteloos. Hij zat daar in zijn hemdsmouwen met vermoeide blauwe ogen naar de kaars te staren, maar alles aan hem was weerzinwekkend onverholen. Zijn gedachten, zijn gezichtsuitdrukking. Het was iets wat je niet hoorde te zien, evenmin als de glinsterende ingewanden van zijn enige vermoorde slachtoffer dat in St. Patrick's had gehangen. Hij had er al niet zo goed uitgezien toen ik hem de vorige keer had ontmoet, met zijn magere gezicht dat nog magerder had geleken en zijn handen die verloren aan zijn polsen leken te bungelen. Ik vervloekte mezelf dat ik niet eerder had beseft dat het begin er zo uitzag. Omdat ik wél al eens zo'n gezicht had gezien, in het laatste stadium. Dat van Eliza Rafferty.

'Waar is Mercy?' Ik liet het pistool nog maar even langs mijn zij hangen. 'Waarom bent u van plan haar kleren te verbranden?'

'Mercy is er niet meer,' zei hij, en zijn stem klonk hol, alsof hij uit een lege huls kwam. 'Dit is alles wat er van Mercy over is, ben ik bang.'

Ik verstijfde en het wapen woog zwaar in mijn hand.

'Wat bedoelt u precies met "is er niet meer", eerwaarde? Hebt u haar iets aangedaan?'

'Wat zeg je?' mompelde hij, en hij keek even op. 'Waarom zou ik mijn meisje iets aandoen? Ze had hoge koorts, haar huid gloeide. Ik heb gedaan wat ik kon, maar nu is het te laat.'

Als je ooit tijdens een novemberstorm op het dek van een boot hebt gestaan, hoef ik het zeezieke gevoel dat door me heen golfde niet te beschrijven.

Je hebt haar daar achtergelaten. Laf monster dat je bent. Je hebt haar in haar groene jurk in die kamer achtergelaten, terwijl ze je naam riep.

'Gisteren mankeerde haar nog niets,' zei ik vertwijfeld.

'Die dingen gaan zo snel. Alles gaat altijd zo snel, Timothy. Ik was van plan om net zo te branden als zij, zie je, maar misschien wil jij haar nu begraven? Ons begraven? Wil je dat doen? Ik zal je zeggen waar ze is, maar eerst moeten we praten. Ik denk niet dat je het al helemaal begrijpt.'

Nu pas zag ik wat er naast de kaars op het bureaublad lag. Een schrift. De bladzijden die ik zag waren volgeschreven in minstens zes verschillende handschriften, de meeste niet erg geoefend, en met één niet onaardig tekeningetje van een hond met hangende oren. Het schrift van Marcas. Als ik nog misselijker had kúnnen worden dan ik al was, was dat waarschijnlijk wel gebeurd.

'Waarover moeten we het hebben voordat u me vertelt waar Mercy is?'

'Liever had ik het niet gedaan, maar niemand wilde naar me luisteren,' vervolgde hij op vlakke toon. 'Zelfs jij niet, Timothy, en ik had je nog wel zo uitvoerig gewaarschuwd. En niemand wilde na die eerste keer mijn brieven nog afdrukken. En de politie die de geloofwaardigheid ervan in twijfel trok... Liever had ik het niet gedaan, dat moet je van me aannemen.'

Alle brieven waren door dezelfde man geschreven. Natuurlijk. De Hand van de God van Gotham, die zich eerst onhandig had voorgedaan als een domme immigrant. Maar het enige wat ik nog fysiek in handen had was de laatste brief, de genadeloos eerlijke afspiegeling van een geknakte geest. Ik haalde de krankzinnige tirade die de predikant aan zijn vriend Peter Palsgrave had geschreven uit mijn binnenzak. Er moest een eind aan dit gesprek komen. Toen ik het weerzinwekkende briefje op tafel legde, was het bijna alsof sommige zinnen als krankzinnig naar me knipoogden.

'Ik wist dat het van u kwam toen ik er lang genoeg naar had gekeken,' zei ik tegen hem. 'Vertel me nu waar Mercy is.'

Stilte.

'U schreef: "Zo klein dat het een gruwel is." Dat sloeg op Aidan Rafferty. En zo was het ook, en veel erger nog, maar te bedenken dat het u zo had geraakt – en wat er dan volgt. Dokter Palsgrave is uw beste vriend. "Herstel wat geschonden is." Dat is wat hij doet, kinchen teruggrissen uit de klauwen van de aanstormende dood, al weet u niet dat... God, het is onuitsprekelijk. U wilde dat hij u zou tegenhouden voor u een moord zou plegen. Dezelfde soort moord als u dacht dat die andere waren, maar deze keer voor het oog van de wereld. Eindelijk kon iedereen het zien. En u probeerde hem in de schoenen van pastoor Sheehy te schuiven. Uitgerekend pastoor Sheehy.'

De predikant liet zijn gezicht als in gebed in zijn handen zakken.

'Het kon gewoonweg niemand anders dan u zijn. Dat komt uit de Bijbel, toch? "Ik ben een vochtig ezelskinnebakken"?'

'Het kaakbeen van een ezel. Een wreed, duister, laag wapen. En passend, dus daarin ben ik voor de gelegenheid veranderd.'

'Passend?' riep ik uit. Ik had mezelf niet meer in de hand en zwaaide met het pistool. 'Passend? En hoe dan wel? Hoe kon dat kind ooit verdienen...'

'Het is een plaag,' gromde hij tussen zijn tanden. De predikant stond op, sloeg het schrift dicht en pakte de kaars op. 'Je hebt gewoonweg nog niet lang genoeg geleefd om te zien wat de gevolgen van een ongedierteplaag zijn, Timothy. Of misschien heb je dat vandaag gezien, want Mercy's koorts kan alleen maar afkomstig zijn uit dat soort holen. Toen eenzelfde besmetting een eind aan het leven van Olivia maakte, dacht ik dat het misschien deel uitmaakte van Gods plan met mij. Om me te laten lijden, zodat ik een grotere bereidheid zou tonen om me op te offeren. Mij pijn te doen, zodat ik zou leren wat verdriet is. Ik dacht dat ik misschien op de proef werd gesteld en dat ik alleen maar waardig bevonden zou worden als ik niet zou verzaken in mijn toewijding, zuiver zou blijven. Hoe kan iemand zuiver blijven in een mestvaalt, Timothy?'

Het schrift van het vermoorde joch landde erbarmelijk wapperend in de koude haard, terwijl ik hem met grote ogen aankeek. Het was zo logisch. Het klopte gewoon. Die bezetenheid met zichzelf, de vroomheid, de arrogantie, die sfeer waardoor Mercy alleen nog maar 'Londen, Londen, Londen' had kunnen denken, de gloed in haar ogen toen ze het gisteravond in die vervloekte bordeelkamer had gehad over haar vluchtplannen. Het was slechts een hellend vlak, waarover een man steeds verder afdaalde naar de voet van de berg. Dit was precies dezelfde man als degene die Aidan Rafferty pas room wenste te geven als zijn moeder eerst de paus afzwoer.

Ik herinnerde me hoe hij tegen Mercy had geschreeuwd toen ik hen in de omlijsting van het zitkamerraam had zien staan, toen zij rood van schaamte had gekleurd, en ik beet zowat het puntje van mijn tong af toen ik te laat besefte wat voor soort gesprek ze werkelijk hadden gevoerd.

'Ach kom, je kunt toch niet werkelijk staan te kijken van mijn mening,' smaalde hij. 'Eerst overspoelen ze als sprinkhanen de stad, ónze stad, en belasteren God overal waar ze gaan en staan. Vervolgens stuurt God hun Zijn plagen na, ondanks hun vlucht, en wat doen Olivia en Mercy? Ze gaan de geplaagden helpen. Ze sterven met hen, met die ratten in mensengedaante. En je ziet hoe we daarvoor gestraft worden. Kijk naar Eliza Rafferty. Kijk dan naar haar. Zij doorzag die poppenkast uiteindelijk, wist dat haar kind gedoemd was. En dus sloeg ze het dood alsof het een straathond was, zonder plichtplegingen, als een ware heiden.'

'U dacht dat het onverwachte nieuws van twintig verminkte lijken een manier zou kunnen zijn om de stad van Ieren te ontdoen,' vulde ik aan om hem weer op koers te brengen. 'U had het van Mercy gehoord. Het was Mercy die u over de lijken vertelde die wij kopersterren hadden gevonden, en toen hebt u die brieven geschreven om de Ieren in diskrediet te brengen. U hebt ze naar de kranten gestuurd. U hebt er godbetert zelfs een naar mij gestuurd om me te waarschuwen voor wat eraan zat te komen. Ik dacht dat hij voor Val bedoeld was, maar hij was altijd al voor mij bedoeld.'

'Ik dacht dat je betere voorzorgsmaatregelen zou nemen als ik je waarschuwde, misschien zelfs een oogje op mijn dochter zou houden. Dat hoopte ik vooral. Het was duidelijk dat er een monster vrij rondliep, dat kruisen in kindhoertjes kerfde en dat moest me wel zorgen baren, gezien het grauw waaronder ze zich dagelijks begeeft. Het was duidelijk wat er gaande was. Ik maakte het probleem alleen maar openbaar, vertelde de New Yorkers wat ze moesten weten. Wat deden de details ertoe? Heb je ooit ook maar enig idee gehad wie de dader is, Timothy? Ik heb nooit enige hoop gehad dat je erachter zou komen, want dat verachtelijke soort is sluw. Maar ik wist dat het iets goeds moest opleveren, dat het een zuiverende werking zou hebben om het geheim aan de openbaarheid prijs te geven.'

'En dus probeerde u het de wereld te vertellen. U dacht dat het wel tot een opstand zou leiden. Dat de Nativisten de Ieren zouden verjagen. Mercy wist wat ik wist en dat wist u dus ook. Wáár is Mercy nu?'

Een oorlogstrom had niet regelmatiger kunnen zijn, de zonsopkomst niet voorspelbaarder. *Waar is Mercy?* Ik had er al die tijd van gedroomd om de kinchenmoordenaar te ontmaskeren, gedacht dat het gerechtvaardigd groots zou voelen als ik de smeerlap zou vinden. Maar het voelde betekenisloos. Ik zou me ernstig tegen zo'n kille beloning hebben verzet als ik niet elke seconde ervan gisteravond zelf had verdiend.

'Het was zo'n teleurstelling toen je de verspreiding ervan verhinderde,' zei hij peinzend. 'Toen wist ik dat ik moest overgaan op drastischer maatregelen, al heb ik dat nooit gewild.' Opeens oogde hij gekweld en dun als perkament. 'Zoals ik ook tegen Peter zei, had ik...'

'U hebt die brief aan hem niet ondertekend. Hij heeft geen idee dat die van u afkomstig was.'

'O, nee? Ik kon me erg moeilijk concentreren toen, omdat ik wist wat komen ging. Ik kon niet meer helder denken. Ik wist dat de daad zelf weerzinwekkend zou zijn, maar hij was me opgedragen door God. Hij had me een duidelijk teken gegeven en dat heb ik gehoorzaamd. Daarvoor kan ik me niet verontschuldigen.'

Ik moest even heel hard nadenken welk teken hij zou kunnen bedoelen, maar toen deinsde mijn maag in mijn buikholte achteruit als een bange kat. Ik wist het al.

Mercy, of ze nog leefde of alleen nog als herinnering in mijn hoofd bestond, klonk in mijn oor... *Ik zou niet weten waar ik mijn spaargeld nu nog zou kunnen verstoppen en de gedachte aan mijn vaders ideeën is ondragelijk.* Ik had al sinds het slagerspapier het vermoeden gehad dat zij haar vader verdacht. De reden dat ze zich met losse haren naar St. Patrick's had gehaast, was dat ze vreesde dat haar vader een moordenaar was toen hij midden in de nacht was thuisgekomen. Thomas Underhill was zo tekeergegaan dat hij waarschijnlijk onder het bloed had gezeten.

Wat ik nog niet had begrepen, was dat ze hem zelf onbedoeld tot de moord had aangezet.

'Eerst vermoorden ze mijn vrouw,' mompelde de predikant. 'Ze was zo mooi. Jij kunt je haar niet goed meer herinneren, dat zou onmogelijk zijn, maar dat was ze werkelijk. En vervolgens besmetten ze mijn dochters geest en denkvermogen zodanig dat ze verandert in een soort van pornograaf.' Hij verpakte dat laatste woord in een bijna tedere zucht, alsof hij wilde voorkomen dat het hem de keel zou snoeren. 'Ze is nu niet beter dan de eerste de beste hoer – hoe had Mercy anders dat soort vunzigheid kunnen schrijven, als ze niet

door vele mannen was beroerd? Alles wat op hun pad komt, besmeuren ze, zie je dat dan niet? Zelfs mijn dochter. Ik heb het loon
van haar vele zondes afgepakt en het op straat gegooid. In een mum
van tijd was het verdwenen, dat begrijp je. Opgeraapt door zwer-
vers, andere hoeren en welk uitschot er verder nog op straat rond-
hangt. En toen wist ik wat me te doen stond. Een mens kan een van
God gegeven opdracht niet weigeren en hoe kun je mededogen
hebben voor een ras waarvan zelfs de kinderen zo makkelijk bereid
zijn de hoer te spelen?'

Ik sloot mijn plotseling blinde en brandende ogen. In gedachten
zag ik Mercy's muntstukken over straat rollen – het geld waarvoor
zij had gewerkt, waar ze op had vertrouwd. Ik zag mijn eigen geld
dat in juli was weggesmolten. Ik ben niet inhalig en ik geloof ook
niet dat Mercy dat is. We zijn geen effectenmakelaars of huisbazen
of partijbestuurders. Maar er is geen mededogen in New York. En
omdat dat er niet is, heeft iedereen een buffer nodig.

*Ik weet niet of je beseft wat je hebt gedaan, maar vertel me op zijn minst
waaróm je het hebt gedaan.*

'Ik vind het onvoorstelbaar,' zei ik. 'Dat u Mercy's bureau hebt
doorzocht, hebt ontdekt waar ze mee bezig was en vervolgens haar
eigendom hebt afgepakt. Daarna bent u naar de hoerenkast in de
haven gegaan. Daar hebt u een dronken jongen meegenomen en
hem genoeg laudanum gevoerd tot het hem niets meer kon schelen
waar hij naartoe ging.'

'Ja,' riep hij uit. 'En zelfs in dat duisterste uur was ik gespitst op
signalen en tekens, Timothy. Als iemand me had tegengehouden...
dat zou een teken zijn geweest. Begrijp je dat niet? Niemand kon
het wat schelen waar hij heen ging. Zelfs zijn hoeders maakte het
niets uit. Niemand gaf er wat om, ze zijn niet meer te helpen. Ik
moest de stad een waarschuwing geven, moest de wantoestanden
aan het licht brengen voor er nog maar één ander kon worden be-
smet. Ze hebben mijn prachtige dochter van me afgenomen en haar
geleerd...'

'U hebt hem in een zak gestopt onder... kleding, neem ik aan,'
ging ik onverbiddelijk door. 'Omdat kleding niet zo zwaar is. En u
hebt verf en spijkers meegenomen. Nadat u pastoor Sheehy's vergadering had uitgezeten, hebt u zich verstopt in een nis, die zijn

daar genoeg. Het maakt me onpasselijk, eerwaarde. Wat een pech voor u dat Marcas nog niet helemaal dood was.'

'Ja, er was wel veel bloed voor een dode jongen,' verzuchtte hij, en hij streek met zijn hand over zijn ogen. 'Erg veel bloed.'

'Is hij nog bijgekomen?' wilde ik weten.

'Dat weet ik niet.'

'Dat weet u wel,' beet ik hem toe. 'Geef antwoord.'

'Ik weet het niet meer. Hij was erg klein van stuk en de daad zelf was zo volbracht. Ik kan me nauwelijks meer herinneren wat er is gebeurd voordat ik mezelf via het voorportaal naar buiten heb gelaten, maar misschien...'

Ik verloor mijn kalmte.

'U weet het nog wel.' Ik liep naar hem toe en hield mijn pistool tegen zijn voorhoofd. 'Vertel op.'

Zelfs mensen die willen sterven, rillen als er koud metaal tegen hun huid wordt gedrukt en dat gold ook voor de eerwaarde Underhill.

'Hij zei niets,' zei de gek met een zwakke, lispelende stem. 'Dus hij zal ook wel niets hebben gevoeld. Er was alleen... er was zo enorm veel bloed.'

'Hoe hebt u Mercy's boek kunnen verbranden?' was mijn volgende vraag.

Nu ik pastoor Sheehy's pistool tegen zijn hoofd gedrukt hield, voelde ik me een schurk, niets beter dan de kerels die een voederknol tussen Julius' lippen hadden geklemd. Maar ik ondervond wat Val waarschijnlijk al heel lang geleden had ontdekt. Als er maar genoeg verschrikkelijke dingen gebeuren, wordt het een stuk minder moeilijk om ze zelf uit te voeren.

'Dat heb ik voor Mercy gedaan,' antwoordde hij verbaasd. 'Hoe wist je dat? Ze weigerde er daarna met mij over te praten. Het was losbandig – op schaamteloze wijze erotisch, zo overdreven en plat, zo vrijpostig. Het was iets wat haar goede naam onherstelbaar had kunnen aantasten. Ooit zou ze moeder zijn geworden, daartoe was ze voorbestemd, en hoe had ze haar kinderen ooit onder ogen kunnen komen als schrijfster van dat soort wellustige rommel?'

Als ik één ding zeker weet, ondanks al mijn in blinde adoratie gekoesterde illusies over Mercy, is het dat ze geen rommel produceert.

Ik heb *Licht en schaduw in de straten van New York* tenslotte zelf gelezen. Elke aflevering. Het idee van dat verloren boek, het boek
dat ze net als Frances Burney of Harriet Lee of tientallen anderen
had kunnen verkopen, zorgde dat mijn keel dichtklapte als een be-
renval.

'Mercy,' prevelde de predikant. 'Ik zou er alles voor over hebben
gehad om Mercy te redden. Zij was nog een stukje Olivia. Nu is de
enige manier om haar nog terug te zien de hand aan mezelf te slaan.
Een passende manier om te boeten, want het is deels mijn eigen
schuld – ik had haar nooit zoveel vrijheid moeten geven. Het is
mijn schuld. Ik heb haar voor haar dood gesmeekt berouw te tonen
voor haar dwaasheid en ook Olivia heb ik dat gesmeekt in plaats
van die godslastering vol te houden, maar allebei weigerden ze en
ik kan de eeuwigheid niet aan zonder hen tweeën. Mercy heeft me
mijn ziel gekost.'

Thomas Underhill leek nu wel een kind, verlorener had hij er
niet uit kunnen zien. Hij had geen oog meer voor zijn werkkamer
en zijn voeten rustten onzeker op zijn eigen tapijt.

'Waar is ze?' vroeg ik nogmaals.

'Je bent hierheen gekomen om ons te begraven, hè?'

Ik gooide het over een andere boeg.

'Wat heeft mijn broer lang geleden tegen u gezegd,' vroeg ik, 'die
dag dat we elkaar hebben leren kennen? Toen hij was bijgekomen
uit zijn roes en naar u toe was gekomen om te praten, voordat u ons
te eten had gevraagd. Wat heeft hij toen gezegd?'

'Dat kan ik me echt niet...'

'Ik móet het weten,' smeekte ik.

De ankerloze ogen van de predikant dwaalden naar de muur. 'Hij
vroeg me of ik van mening was dat God iedere daad kon vergeven,
hoe gruwelijk ook. Je begrijpt natuurlijk waar hij op doelde. Natuurlijk zei ik ja.'

Mijn ogen vielen dicht toen ik de hele wereld dankte voor die
ene kleine genade.

'En toen,' vervolgde Thomas Underhill, 'vroeg hij me of mensen
tot datzelfde in staat waren.'

'Wat hebt u daarop gezegd?' fluisterde ik.

'Ik zei dat hij moest blijven proberen daarachter te komen.'

'Dank u wel,' zei ik welgemeender dan ik ooit iets heb gezegd. 'Lieve God, dank u wel. Waar is Mercy?'

'Ze is dood.'

Ik duwde hem met het pistool naar de leunstoel en dwong hem te gaan zitten. Vervolgens klom ik op het bureau en sneed met mijn zakmes twee stukken touw van het losse eind van de strop. De macabere lus liet ik intact zodat die voor zijn ogen zou blijven bungelen en ik bond vlug zijn polsen vast aan de armen van de stoel.

'Ik ben gekomen om u te arresteren,' zei ik. 'Hebt u haar naar de dokter gebracht? Naar een kerk? Naar een ziekenhuis? Vertel me waar ze is, dan zal ik haar begraven. Duurt het nog langer, dan sleur ik u eerst mee naar de Tombs en zal ik uw verzoek eerst nog een maand of twee in overweging nemen.'

Ik ben nooit erg goed geweest in liegen, maar deze keer kostte het me geen enkele moeite.

'Ze ligt boven in een ijsbad,' riep hij uit. 'Ik heb zo mijn best gedaan, maar ze was me al aan het ontglippen, toen...'

Dat ik de rest van zijn zin niet meer hoorde, was geen bewuste tactiek, maar op dat punt was ik al halverwege de trap.

Mijn ogen gleden bij het naar boven stormen langs een verblindende hoeveelheid vertrouwde details. Tientallen nutteloze feiten over de trap van de Underhills. En kale feiten worden in mijn nieuwe professie hogelijk gewaardeerd, maar ze vertellen niet het verháál. Ze zijn enkel markeerpunten, grafstenen zonder opschrift. Dat heb ik geleerd tijdens mijn werk als politieman en dat heb ik niet van Bird Daly meegekregen. Dat leerde ik van Mercy toen ze in het park aan Washington Square zat, nadat ze het als een tijgerin had opgenomen voor een lid van een al eeuwenlang veracht ras, net zoals haar moeder altijd had gedaan. Mercy had gezegd dat woorden een cartografie kunnen vormen en dit is wat ze daarmee bedoelde:

Er zit een zes centimeter lange kras in het lichtbruine behang in het trappenhuis van de Underhills, net boven de achtste tree. Dat is verder in het geheel niet belangrijk. Wat wel belangrijk is, is dat ik daar op mijn zestiende ondanks de stevige maaltijd die ik had gekregen zwijgend en ongelukkig heb gezeten, omdat mijn broer al twee dagen niet was thuisgekomen. Ik ging er zoals gewoonlijk van uit dat hij dood was. Ik ging er zoals gewoonlijk van uit dat hij was omgekomen bij een brand. Ik ging ervan uit dat ik nu alleen op de wereld was. En daarom haalde ik mijn zakmes tevoorschijn en stak het met één beweging in de muur. Het volgende wat ik me herinner is dat Mercy besloot om op de onderste tree van de trap te komen zitten. Ze zei dat ze de gedichten van William Cullen Bryant wilde voorlezen aan haar vader. Aan haar vader die twintig meter verderop in zijn werkkamer zat met de deur open. En die niet op de achtste tree zat.

Feiten zijn op zichzelf niet van belang.

Mensen zijn van belang. Hun verhalen en hun genadevolle gebaren. Verhalen zijn volgens Mercy – en dat begon ik intussen beter te begrijpen – het enige wat ertoe doet.

De feiten luidden als volgt.

Boven aan de trap, meteen rechts, ligt Mercy's slaapkamer. Ik ging naar binnen. Het behang van de kamer is vrolijk helderblauw, maar de moeite van het behangen hadden ze zich net zo goed kunnen besparen vanwege alle boekenplanken en de honderden met draad en hazenlijm gebonden banden die nu verspreid over de grond lagen. Boeken waarvan door ruwe liefde de rug geknakt was, boeken waarvan het omslag regelmatig was gestoft, boeken die tot twee keer toe waren gekocht omdat van het eerste deel weinig meer over was dan afgebrokkelde stukjes inkt. De klerenkast stond open. Leeggehaald, de jurken beneden in een deplorabele staat.

Mercy had nog niet zo lang geleden in een ijsbad gelegen. Dat was een feit dat ik nooit zal kunnen uitvagen. Maar ze had zich aan de grof gehakte blokken bevroren water weten te ontworstelen. Ze lag nu op de plankenvloer, ondanks het feit dat haar enkels vastgebonden waren met hetzelfde henneptouw dat ik beneden al was tegengekomen. En ook ondanks het feit dat ze in een ochtendjas gewikkeld was met haar armen in de lange mouwen naar binnen gepropt en de lege manchetten op haar rug aan elkaar gebonden, als een dwangbuis.

Haar lippen waren blauw en de bovenste wierp nog steeds een minimale schaduw op de onderste. Haar gezicht leek intussen uit bot gesneden. Ik zou bijna geneigd zijn te zeggen dat zelfs de kleur van haar ogen was vervaagd, maar dat was niet het geval. Het is alleen zo dat blauwe cirkels er heel anders uitzien tegen een witte achtergrond dan tegen een dofrode. En het wit van Mercy's ogen was zo purper gekleurd van inspanning en uitputting dat ze misschien wel onherkenbaar waren geworden. Voor ieder ander.

Dat waren de feiten.

Het verhaal was echter als volgt.

Mercy Underhill ademde nog. Ik zag die ademstootjes een voor een verschijnen terwijl ik door de kamer stoof. Waarheen ik me ook wendde, overal zag ik ze, terwijl ik op zoek was naar iets om haar mee droog te wrijven. Naar manieren om haar warm te krijgen. Het was alsof je een kind zag dat gevallen was. Een verkeerd soort val, waarna het kind van binnenuit trilt en aftast waar de pijn zit. Het waren kleine zuchtjes. Ongeveer zo diep als mijn duim, als ik het tegen haar borstbeen had afgemeten.

Ik slaagde erin het touw en de ijzig koude stof los te maken. Ik wikkelde haar eerst in mijn overjas en daarna in elk kledingstuk uit de kast van Thomas Underhill dat ik kon vinden. Haar weer warm krijgen was belangrijker dan wat ook, belangrijker nog dan een dokter halen, en dus droeg ik haar naar de keuken beneden en maakte daar een zacht bedje van dekens voor haar voor het gietijzeren fornuis.

Als er ooit in de geschiedenis van Noord-Amerika ergens sneller een vuur is gemaakt, dan zou ik niet weten waar en wanneer.

Vreemd genoeg was ik tegen de tijd dat ik genoeg adem had verbruikt om Mercy's vingers de kleur van de pianotoetsen te laten aannemen in plaats van die van haar blauwe behang, al een heel eind op weg om de eerwaarde Underhill te vergeven. Alleen voor dat gedeelte. Niet voor de dode kinchen en niet voor de brieven. Maar ik wist dat hij van Mercy hield. Hij hield van haar als een man die verder geen familie meer heeft.

En ik bedacht dat het de duisterste hel op aarde moest zijn om degene van wie je het meeste hield pijn te doen, alleen maar omdat je geest uit zijn baan was geraakt. Ik had het afschuwelijk gevonden om Eliza Rafferty in een vochtige cel te moeten opsluiten, vol met de ratten die haar ook daarvoor al hadden achtervolgd. Zij had geen excuus gehad en ik geen alternatief. Maar toch.

Ik had zelf ook krankzinnige dingen gedaan. Domme dingen. Maar nooit zó krankzinnig of zó dom, al was dat niet omdat ik het niet zou hebben geprobeerd.

Toen Mercy begon bij te komen, keek ze om zich heen alsof ik het enige was wat ze herkende. Ik zat met mijn rug tegen de muur te wachten en had haar tegen me aan gelegd. Toen ze wakker begon te worden en haar ogen heen en weer zwommen en haar lippen een tikje minder krijtwit werden, trok ik haar wat dichter tegen me aan. Het was hypnotiserend.

'Je was helemaal niet ziek, hè?' vroeg ik zachtjes.

Mercy's lippen vormden een nee.

'Heb je het nog koud?'

Ze sloot haar ogen en schudde van nee. Haar donkere haren en haar slaap raakten mijn bovenarm heel licht. Een paar tellen later siste ze: 'Hij is gek geworden. Hij dacht dat ik ziek was. Dat was ik niet. Echt niet, Timothy. Ik ben niet koortsig, alleen maar omdat... Dat ben ik niet.'

'Dat weet ik,' fluisterde ik in haar haar. 'En het spijt me, liefste. Het spijt me zo ontzettend.'

Misschien was het verkeerd om Mercy in snikken te laten uitbarsten zonder een poging te doen haar, broos als haar toestand nog was, te kalmeren. Maar ik geloof eigenlijk niet dat vrouwen zo broos zijn en ook niet dat mensen altijd gebaat zijn bij kalmte. Dus behalve dat ik haar een warme schouder bood om tegenaan te huilen, liet ik haar met rust. Het warmde haar op. Het was misschien wel het beste wat ze kon doen. Medisch gesproken. Maar Mercy is ook heel slim, dus dat verbaasde me niets.

'Is alles goed met mijn vader?' vroeg ze uiteindelijk.

'Ik geloof het eigenlijk niet.'

'Ik ben degene die hem over de geheime plek met lijken heeft verteld, Tim. Het was mijn idee. Ik hoopte dat hij misschien iets bruikbaars zou hebben gehoord, het is...'

'Niet zeggen,' zei ik fel. 'Waag het niet je tegenover mij te verontschuldigen. Er zijn verschillende mensen die daar schuld aan hebben, maar jij hoort daar niet bij.'

Na nog een uur van stilte en af en toe een rilling, viel ze in slaap. Eindelijk helemaal opgewarmd, met haar hoofd op mijn schouder en de drie broeken die ze aanhad over mijn knieën. Heel, heel mooi. Daar deden de van de vrieskou gesprongen lippen noch de blaren op haar handen iets aan af.

Toen ik terugliep naar de werkkamer om te kijken hoe het met de predikant was, kwam niets van wat ik daar zag als een verrassing voor me.

Ik had Mercy niet verteld hoe los ik de knopen had gemaakt waarmee ik Thomas Underhill had vastgebonden. Hoe gemakkelijk ik het hem had gemaakt zich te bevrijden.

Ik had het tenslotte voor Mercy gedaan. Daarom is dat niet iets wat ik tegen haar kan zeggen. Dat ik de eerwaarde iets eerder naar de hel heb gestuurd, als die bestaat, in plaats van haar op te zadelen met bezoeken aan hem in de Tombs.

Thomas Underhill had zich op een vreemde, primitieve manier opgehangen. Zijn rug was op meerdere plaatsen gebroken, zijn gezicht paars en gezwollen en zijn nek minstens drie centimeter uitgerekt, al weet ik maar weinig van anatomie.

Mensen die uit krankzinnige haat en vanwege bittere herinneringen kinchen opensnijden verdienen erger dan hun eigen strop om hun nek. Die verdienen gevangenisstraf. Contact met de ratten waarmee ze bestaande mensen zo graag vergelijken. Ik vermoed dat als dat soort lui de kans krijgt bij echte ratten op bezoek te gaan, ze de overeenkomst met woorden als Ieren, zwarten, dieven en misschien zelfs hoeren vanzelf vergeten. En ze verdienen elke minuut ervan, wat mij betreft. Maar het ging niet om mij.

Ik liet Mercy goed ingepakt in dekens bij het langzaam uitdovende vuur achter. Ik liet de predikant opgesloten in het tuinschuurtje van zijn eigen kerk achter. Daar lag hij voorlopig tussen de spades en harken gepropt. Omdat ik niet wilde dat Mercy hem zou vinden, nam ik de sleutels mee.

Ik haalde diep adem en wierp om mezelf te kalmeren een blik op het kerkhof en de vredige grafstenen. Er hing een oranje gloed over de wereld. De zon was nog niet echt aan het ondergaan, maar ik voelde dat eraan getrokken werd. Het zou een herfstgloed worden, stelde ik me voor, en het donker zou snel vallen. Meestal talmt de augustuszon voor slecht nieuws, maar deze zon was barmhartiger. Ik snakte naar barmhartigheid. Ik was dodelijk vermoeid.

Toen ik de schuurdeur op slot had gedaan, ging ik op zoek naar iemand wiens tijd te koop was. Dat had ik binnen veertig seconden voor elkaar. Het was een verkoopstertje van geroosterde maïskolven met een lichte hazenlip. Ik kocht haar hele voorraad op met het geld van de Partij en stuurde haar naar Dr. Palsgrave, die Mercy kennelijk vertrouwde, om hem te zeggen dat hij naar de woning van de Underhills moest gaan.

Vervolgens ging ik op pad om de koelbloedigste moordenaar die ik me kon voorstellen op te zoeken. De predikant was tenslotte gek geweest, maar zo'n gemakkelijk excuus bezat mijn nieuwe prooi niet.

26

Laten we niet vergeten dat paperij vandaag de dag nog hetzelfde is als in de Middeleeuwen. De wereld is veranderd, maar het geloof, de sentimenten, de hebzucht en het streven van de papen zijn dat allemaal niet.

* *De Amerikaanse protestant ter verdediging van de burgerlijke en godsdienstige vrijheid in de strijd tegen de paapse horden*, 1843 *

Silkie Marsh was helaas niet in haar etablissement. Men verwees mij naar het theater in Niblo's Garden aan Broadway, nabij Prince Street, de schouwburg waarvoor Hopstill altijd vuurwerk maakte. Ik betwijfelde echter of hij er ooit zelf een voorstelling had bijgewoond.

Toen ik er aankwam, was het geel uit de lucht verdwenen. Een helder najaarsblauw vulde de hemel boven het overvloedige groen en de nog overvloediger beschonken menigte die zich in de met koper afgewerkte bar verdrong. Ik liep rakelings langs verkopers van geglaceerde appels en de grote groene bladen van het park en betrad het theater. Die avond zou er een zanger optreden, eens iets anders dan de eindeloze optocht van acrobaten. Ik gaf een pindaverkopertje met een papieren hoed schuin op zijn hoofd een geldstuk en vroeg hem waar Silkie Marsh die avond zat. Hij wist het me meteen te vertellen. Vervolgens wuifde ik even met mijn ster in plaats van met een kaartje en liep naar boven.

Silkie Marsh troonde in een loge die deed denken aan een juwelendoosje, waarbij zij zelf uiteraard het kroonjuweel vormde. Even broos als een geslepen edelsteen en even breekbaar als een diamant. Klaar en kil en volmaakt. Het enige waar ik van op aankon, het enige wapen dat ik had, was het feit dat ik haar volledig doorzag.

'Heren,' zei ik tegen een stel fatjes die ook in de loge zaten. Ze waren een en al gepommadeerde snor en mouwen van een geraffineerde snit, als een plaatje zo mooi en net zo plat. 'Uw tijd hier is op.'

'Meneer Wilde,' zei Silkie Marsh liefjes, al sproeide de ergernis uit haar ogen, 'u bent uiteraard welkom om zich vanavond bij ons aan te sluiten, maar ik kan werkelijk geen enkele reden verzinnen waarom mijn vrienden zouden moeten vertrekken.'

'Nee? Ik wel twee. Ten eerste brand ik van verlangen om ze, nadat ze me naar de Tombs hebben vergezeld, te ondervragen over de bordelen in New York. Dat kan uren duren, vermoed ik zo. Als ze zich althans niet uit de voeten maken voordat ik ook maar in de gaten heb dat ze zijn vertrokken. En ten tweede: het kan zijn dat ze zich in uw etablissement graag inlaten met kinderen, maar ik wil er wat om verwedden dat ze zelfs als ze dol zijn op kinchin-mabs niet per se over de dode exemplaren willen katsen.'

Nog geen vijf seconden later was er geen spoor meer van ze te bekennen. Ik had al die tijd op uiterst vriendelijke en rustige toon gesproken. Een aangenaam melodietje met een duistere tekst. Ik moest ervoor zorgen dat ze haar kalmte verloor, kwaad genoeg werd om ten minste één fout te maken.

Silkie Marsh vertrok geen spier toen ik me op een van de zojuist vrijgekomen met fluweel beklede stoelen liet zakken. Knipperde zelfs niet met haar ogen. Dat liet me verder koud. Wat me echter niet koud liet en me een rilling van afschuw bezorgde, was dat ze zelfs niet de moeite nam haar metgezellen na te kijken. Eenmaal uit haar onmiddellijke blikveld was het alsof ze werkelijk heengegaan waren: onbeduidend en levenloos als schaakstukken en even inwisselbaar.

'Ik was er al aan gewend dat u enigszins onbehouwen bent, meneer Wilde. Maar het heeft er nu alle schijn van dat u volledig vergeten bent hoe men zich in gezelschap gedraagt.'

Ze boog voorover naar een fles champagne in een emmer ijs en schonk voor ons allebei een glas in. Ze droeg een japon van gemoireerd rood satijn die de blauwe ringen in haar ogen accentueerde en haar vlasblonde haar was opgestoken met een zwartfluwelen lint. Alles even prijzig als smaakvol.

'En, meneer Wilde,' zei ze zachtjes, en ze leunde achterover zodat het licht als talloze prismascherven van haar champagneflûte ketste. 'Bent u hier gekomen om mij eindelijk te vertellen wat er met arme Liam is gebeurd? Hebt u de schuldige te pakken? Het zou mij zeer dankbaar stemmen als blijkt dat er een reden is waarom u zo expliciet dode kinchen te berde brengt.'

'Wees gerust, die is er ook. Waarom vertelt u mij niet eerst hoeveel van uw kinchen u welbewust hebt genifterd voordat u de lichaampjes hebt verkocht aan Peter Palsgrave voor zijn lijkschouwingen?'

Ontsteltenis ziet er bij de meeste mensen uit als angst. Bij Silkie Marsh ziet die eruit als genot. Haar mond viel open en haar hoofd achterover en ze knipperde rap met haar wimpers. Ik vroeg me af of ze zich dat had aangeleerd. Het moest heel wat oefening hebben gevergd.

'U liegt,' steunde ze.

'Nee, het was een vraag. Ik wil alleen maar weten om hoeveel kinchen het gaat. Ik heb geen flintertje bewijs, al mijn kaarten liggen op tafel. Ik kan niets aantonen. Ik sta met lege handen. Ik wil het weten, vertelt u het me.'

Vertel het me.

Je hebt me ongewild verteld dat je zelf als kinchin-mab bent begonnen, nadien was je kwaad dat je je mond voorbij had gepraat. Vertel me dan ook dit. Ik ben eerlijk en jij bent een buitengewone leugenaar, laten we daarom allebei ons eigen wapen in de strijd gooien tot een van ons wint.

'Ik denk dat u mij hoort te vertellen wat u dokter Palsgrave ten laste legt,' zei ze om het gesprek een andere kant op te sturen en weer vlogen die wimpers angstig op en neer. 'Dit is allemaal te laag, te affreus. Hij is een door en door goed man, een ongeveinsde filantroop, zo'n man die niet tevreden is tenzij hij iets terug kan doen voor de mensheid.'

'En hij heeft aan mij toegegeven dat hij u vijftig dollar per lijkje heeft betaald. Ik heb voldoende bewijs tegen hem om hem aan de galg te krijgen, maar ik wil weten hoeveel van die kinderen die u aan hem hebt verkocht een onnatuurlijke dood zijn gestorven. U hebt ze laten inslapen, heb ik het juist? Ze misschien vergiftigd? Er zijn zoveel vergiffen die niet opspoorbaar zijn, zelfs niet door dokter Palsgrave. En inmiddels zijn de lichamen trouwens al lang vergaan. Alle bewijs is weggerot. Een antwoord kan u niet beschadigen.'

Silkie Marsh boog met haar bovenlichaam naar voren alsof ze het me als een mes op de keel wilde zetten en bracht haar glas naar haar lippen. Ze vlijde het alleen tegen haar onderlip aan, subtiel en koket.

'Als u niets weet,' zei ze, 'kan ik me niet voorstellen waarom u denkt dat ik u dat zou vertellen.'

'Ik zou dan weten hoe ingenieus u bent. Zou dat u geen goed gevoel bezorgen?'

'Waarom zou ik in hemelsnaam mijn eigen personeel willen vermoorden, meneer Wilde?'

'Ik heb nooit gezegd dat u dat wilde doen. U hébt het gedaan.'

'Dit is allemaal zo vermoeiend.' Ze zuchtte. 'Zelfs als we aannemen dat ik de lichamen van de aan ziekte overleden kinchen aan onze gezamenlijke vriend heb overgelaten... En ach, ik kan het niet ontkennen, hij wilde ze zo graag hebben, meneer Wilde,' voegde ze er op een tedere toon aan toe, als de tong van een adder die mijn huid speels likte. 'Hij wilde zoveel lichamen als hij kon krijgen. En hoe kon ik hem dat gezien mijn positie ontzeggen? Ik ben een hoerenmadam, hij een gerenommeerd arts van wie ik afhankelijk was voor medische hulp. Hij stond erop dat ik zou meewerken. Hoe kon ik weigeren terwijl hij zoveel macht had over mijn huishouden? Het was feitelijk chantage.'

Ik nam haar sceptisch op. Ik geloofde er niets van.

Na een korte stilte zei ze: 'Dat u niets weet bevalt me wel, meneer Wilde. Ik denk dat ik het liever zo houd.'

'Van twee weet ik zeker dat u ze hebt omgebracht. Dat is niet hetzelfde als niets weten.'

Ze glimlachte beminnelijk. 'Welke twee van mijn geliefde broeders en zusters heb ik omgebracht, meneer Wilde?'

'Om te beginnen Liam. Hij had een longontsteking. Maar hij werd weer beter. Ik weet niet of u om het geld verlegen zat of dat u steeds zo te werk bent gegaan, maar u hebt hem weer ziek gemaakt.'

Silkie Marsh begon er tot overmaat van ramp verveeld uit te zien en zat naar de bewonderenswaardig kleine belletjes in haar champagneflûte te kijken. Ik begreep plotseling waarom Val haar zo fascinerend had gevonden. Ze was misschien de enige persoon die hij ooit had ontmoet uit wie hij geen wijs kon worden.

'Het muzikale gedeelte van de avond begint zo. Ik wens u nog een goede avond, meneer Wilde, al...'

'De ander, die u ietwat wreder om het leven hebt gebracht, stond bekend als Jack Vingervlug.'

Haar ogen schoten onmiddellijk naar mij.

En meer had ik niet nodig. Die blik stond gelijk aan een bekentenis.

Hoe zou ze de naam Jack Vingervlug kunnen kennen als ze hem niet de avond dat ze elkaar hadden ontmoet uit de weg had geruimd, die avond dat Jack een blik had geworpen in dokter Palsgraves koets en vervolgens naar binnen was gegaan voor een bord warme kippensoep? Of ze eerst had geprobeerd Jack voor haar te laten werken zullen we nooit weten. Maar dood was hij zeker, en door haar toedoen. Ze had hem onmogelijk in leven kunnen laten toen ze eenmaal wist dat hij haar in verband bracht met de koets van dokter Palsgrave en een stil en duister pakket dat hij daarin had zien liggen.

En daarom liet ik mijn aanvankelijke aanpak varen.

'Hem moet u zonder medeweten van dokter Palsgrave hebben begraven,' bedacht ik hardop. 'Hij zou het niet hebben vertrouwd, een gezonde krantenjongen die uit het niets doodziek wordt in uw etablissement. Ik weet zeker dat u verder alleen de chronisch zieken hebt genifterd, zodat de dokter nooit argwaan zou kunnen krijgen en ik weet zeker dat u onbeschrijfelijk voorzichtig te werk bent gegaan. Maar met Jack moest u snel handelen, hij had immers een blik geworpen in Palsgraves koets en een man met een zwarte kap voor uw deur gezien. Waar hebt u hem begraven? Het verbaast me niets dat u zijn lichaam ongemerkt hebt kunnen laten verdwijnen, u bent er geslepen genoeg voor. En kopersterren had je toen trouwens nog niet.'

'U hebt geen bewijs,' fluisterde ze. 'Ik heb bovendien niets toegegeven.'

'Ik heb u al gezegd dat het afgelopen is met mijn clementie, madam Marsh. Ik bedoel daarmee dat ik dat wat u bewijs noemt geheel niet nodig heb. Ik kan u op grond van iedere willekeurige aanklacht morgen laten opsluiten. Zuiver en alleen omdat u een hoer bent en ik een politieman.'

'En daarmee wilt u me ervan overtuigen dat bekennen de beste strategie is?' riep ze uit. 'Het feit dat u niets liever wilt dan me levend begraven in die kerker die jullie de Tombs noemen?'

'Ik zou inderdaad niets liever willen,' zei ik, en ik boog me naar haar voorover. 'Maar als u me zegt hoeveel, doe ik het niet.'

Ik heb doorgaans de schurft aan dat soort omkooppraktijken. Maar ik verlangde er zo naar het te begrijpen. Meer dan ik ooit iets in mijn leven had verlangd. Ik verlangde naar Mercy, maar dat stond in mijn botten gegrift. Iedereen verlangt naar zorgeloze weelde, maar dat was hierbij vergeleken een vaag en abstract verlangen. En ik verlangde ernaar dat Valentine verstandiger zou leven dan hij deed, maar dat verlangen huisde in een onveranderlijk deel van mij.

Maar dit... ik wilde féiten, verlangde daar zo sterk naar alsof het schoon water was. Zuivere, kille, onverbloemde feiten.

Silkie Marsh zette haar glas neer. Het gekunstelde popje had het veld geruimd om plaats te maken voor een wezen dat leek op... eigenlijk leek ze nog het meest op een effectenmakelaar. Iemand die zijn kansen afweegt, patronen probeert te herkennen en een gokje waagt. Het was zonder meer knap.

'Ik heb er zeven gedood. Alle zeven waren inderdaad chronisch ziek. Ze hadden me een vermogen gekost aan medische behandelingen. Aderlatingen, zweetkuren, kompressen, medicinale drankjes. En echt doodgaan wilden die uitvretertjes maar niet. Het was pure barmhartigheid hun lijden te beëindigen. De anderen gingen onvoorzien dood, zonder dat ik een handje hoefde te helpen. Een deel van het geld werd altijd gebruikt voor fatsoenlijk eten voor de anderen, vergeet u dat niet. En ach, waarom zou ik wakker gelegen moeten hebben van hun dood, terwijl ik hun lévens zoveel aangenamer had weten te maken dan ik zelf had mogen ervaren? Ik mocht willen dat ik op hun leeftijd toen ik hetzelfde werk deed ook verse vis voorgeschoteld had gekregen.'

Ik wist niet of er van dat verhaal over haar verleden ook maar iets waar was of dat ze me er alleen mee wilde bespelen en hield daarom wijselijk mijn mond. Maar ik vermoedde dat ze de waarheid sprak. Hoe had ze anders kunnen leren zo te bestaan?

'Dank u,' zei ik. 'Mijn nieuwsgierigheid ging met me aan de haal.'

'Dat kunt u wel stellen. Maar waarom u per se het exacte aantal wilde horen zal ik wel nooit weten.'

'Jawel hoor, dat ga ik u nu meteen vertellen. Zeven kinchen. Dat staat gelijk aan driehonderdvijftig dollar, niet?'

'Hoezo?'

'Omdat ik elke cent van uw bloedgeld wil zien. In baar geld.'

Voor alle duidelijkheid: alles wat ik aanvankelijk tegen haar had gezegd, namelijk dat ik nog geen twee figuurkaarten had om samen uit te spelen, was volledig waar, dat zweer ik bij God. Ik had geen bewijs tegen haar, kon letterlijk niets aantonen. Ik kon zelfs niet aantonen dat die dode kinchen bij leven voet hadden gezet in haar etablissement. En wat Scales en Moses betrof, de ideale getuigen, die waren allebei morsdood. Had ik haar kunnen laten opsluiten voor hoererij? Ja, voor een week of twee, het hing er maar van af hoe lang ze nodig zou hebben om de juiste personen om te kopen. Net als kopersterren zijn rechters niet snel geneigd zich druk te maken om getippel. Voor een veroordeling zou ik op zoek moeten gaan naar de kerels die haar hadden gekocht en ze moeten dwingen voor de rechter te getuigen. Dat dat zou gebeuren was ongeveer even realistisch als verwachten dat zij een volledige bekentenis zou afleggen. Val zou misschien wel willen getuigen, maar Val had vermoedelijk nooit voor haar gunsten hoeven betalen. Ik had kortom weinig te kiezen. Zoals ik de zaak bekeek, waren er zelfs maar twee mogelijkheden, aangezien het weerzinwekkende idee dat ik het erbij zou laten meteen al afviel.

1. Haar zelf de nek omdraaien.

Daarvoor was ik evenmin in de wieg gelegd.

2. Haar laten betalen op een manier die ze zou voelen. De hoofdcommissaris in vertrouwen nemen. Mijn tijd afwachten.

Zoals de zaken er nu voor stonden bevond Silkie Marsh zich buiten de reikwijdte van de wet. Degene die ik wel kon straffen, degene wiens koets men had gezien, was Peter Palsgrave. Maar hem opsluiten zou een wrede en vruchteloze vertoning zijn zonder enige achterliggende betekenis. Hij had zich zo voor hen ingezet. Zozeer getracht het goed te doen. Hij zou er steeds meer van hen weten te redden, onophoudelijk, tot de dag van zijn dood. Hoeveel dodelijke slachtoffers zou ik op mijn geweten hebben als ik hem liet opsluiten, hoeveel meer dode kinchen en deze keer voor mijn rekening?

Wat madam Marsh betreft, dacht ik, die zal ik vanaf vandaag voortdurend in de gaten houden. En op een dag zal de moordenares van zeven kinderen hoog aan een touw bungelen.

Silkie Marsh hapte naar adem, maar sprak met ferme stem. 'De dag dat ik inga op zo'n schandalig…'

'Ik heb de hoofdcommissaris aan mijn zijde en in mijn zak de sleutels van het cachot in de Tombs. Met wie denkt u hier van doen te hebben? Wat maal ik nou om bewijs,' loog ik. 'Godallemachtig, ik zou er bergen van kunnen onderschuiven om me verder alle moeite te besparen. Ik wil geld zien. Driehonderdvijftig dollar.'

Ze moet nooit hebben geleerd hoe je een kerel in het gezicht spuugt. Het is de enige verklaring waarom ze dat niet deed. Madam Marsh ging alleen iets verder rechtop zitten en streek haar lange, weelderige rode rokken glad.

'Aangezien u ruim meer aan de Partij hebt geschonken, zie ik het probleem niet,' zei ik nog voorkomend.

'Uiteraard. U ziet ook verder niet veel,' beet ze me toe. 'Drink uw glas leeg, meneer Wilde. Ik heb de champagne al betaald en mijn vrienden hebt u verjaagd.'

Ik sloeg het glinsterende glas achterover en zette het terug op tafel.

'Waarom haat u mij zozeer om zaken die u verder niet raken?' vroeg ze in een laatste jammerlijk falend appèl aan mijn medeleven.

'Ze raken me zeer zeker wel. U hebt geprobeerd Bird Daly te ontvoeren en weg te stoppen in het Opvoedingsgesticht om haar daar tot zwijgen te laten brengen. Aardige zet trouwens, dat u de papieren om haar te laten opsluiten had getekend met "Wilde". En u hebt Scales en Moses Dainty geld gegeven om me te vermoorden. Die twee zult u trouwens nooit meer zien. Ik heb ze allebei koud gemaakt.'

Laat haar maar denken dat ik ze zelf heb vermoord en het gerucht in de wereld helpen dat ik een onberekenbare bloeddorstige rouwdouwer ben, dacht ik. Ik had een overtuigend destructieve broer om het beeld te completeren.

Ze dronk neerslachtig haar glas leeg. 'Zelfs al mocht u gelijk hebben, dan nog weet ik niet waarom u denkt lang genoeg te zullen leven om er profijt van te hebben. Een man kan maar zo ver meerijden op de slippen van zijn broers jas. De dood van een Scales en Moses op uw naam is niet genoeg.'

'U bedreigt me weer met de dood,' zei ik grijnzend. 'Maar u zult me niet doden.'

'Denkt u dat? Waarom niet?'

'Om dezelfde reden waarom u slechts één keer hebt getracht mijn broer te nifteren. Het was toch maar één keer? Hij moet me dat eens in detail uit de doeken doen, 't is vast een kostelijk verhaal. U hebt slechts één keer getracht mijn broer te nifteren, madam Marsh, omdat u opgelucht was toen bleek dat het niet was gelukt. Ik vermoed dat het komt omdat u Val weer bij u wilt hebben. Op een dag. En ik ben van plan hem te laten weten dat, mocht mij iets overkomen, mocht ik vóór mijn negentigste en niet van pure verveling sterven, u daar achter zit. Ik mag hem vaak tekortdoen, maar dit kan ik u wel over hem vertellen: als dat gebeurt, krijgt u hem nooit meer. Het gaat nog eerder vriezen in juli zodat we op de schaats naar Londen kunnen. '

'U bent een monster,' grauwde ze.

'Een monster om wiens gezondheid u zich altijd zorgen zou moeten maken. En ik wil die driehonderdvijftig dollar in klinkende munt. Overhandigd door een ongevaarlijke bode. Voor zonsopgang.'

Madam Marsh streek met haar vingertoppen langs haar nek en wierp me een glimlach toe die me deed denken aan een pas geslepen scheermes.

'U hebt gelijk,' zei ze. 'Ik ga u niet nifteren en het gaat mijn bevattingsvermogen te boven hoe u kon denken dat ik ooit zoiets wreeds zou hebben overwogen. Maar iets anders ga ik wel doen, want u bent een dief en dieven zijn het allerlaagste schuim.'

'En dat is?'

'Ik ga u kapot maken.'

Ik zou liegen als ik zou beweren dat ik dat graag hoorde. Of dat ik niet dacht dat het reden tot zorg was. Maar verbaasd was ik allerminst.

'En ik vraag me af, meneer Wilde, of u weet hoe ellendig iemand eraan toe kan zijn zonder daadwerkelijk te creperen. Er zal een dag komen waarop u begrijpt wat ik bedoel.'

'Dat zal ik zeker,' zei. 'En ik zal me hier steeds verder in bekwamen. In dit politiewerk. Het is mij namelijk op het lijf geschreven. Daar zult u ook nog achter komen, ik ben namelijk niet van plan de stad te verlaten.'

Ik vertrok.

In de tuin beneden blonken lichtjes in allerlei uitvoeringen: nerveuze vuurvliegjes in de bosjes en papieren lantaarns in de bomen en daarboven een hemel bestrooid met sterren in de oneindige verte die nog maar net begonnen te flonkeren. Bezoekers liepen lachend door het schemerduister, wuifden met hun waaier voor hun gezicht en morsten drupjes champagne op het gras. Om een niet nader verklaarbare reden vond ik het een geruststellende gedachte dat de drie soorten licht iedereen gelijkelijk raakten, van de sterren en de kaarsen tot en met de glimmende vliegjes. Alle mensen werden door het donker opgeslokt toen het daglicht de geest gaf, hun aanwezigheid was alleen nog zichtbaar in zilveren silhouetten en de oplichtende lucifers die dunne sigaartjes aanstipten.

Toen pas begreep ik dat mijn droom om op een veerboot over de Hudson te varen altijd een droom was geweest over ergens anders zijn. Een stukje grond hebben op Staten Island of in Brooklyn, werk doen waarvoor je veel buiten kunt zijn en je eigen roestende en door het zilte water getekende bron van inkomsten moet bezitten en onderhouden, dat valt onder de dromen die een barman wel moet hebben. Eigen bezit, daglicht en vrije natuur. Ik had zo vaak gedroomd van die zomer toen ik twaalf was en op het water en met het zout in mijn haar overspoeld werd door een geluksgevoel omdat ik nadien zo vaak ongelukkig was geweest. Alleen daarom. Het is net zoiets als een mooi plaatje dat op de muur van een raamloze huurkazernekamer is bevestigd. Niet meer dan een herinnering dat andere levens anders zijn, misschien ook dat er een moment is geweest dat je je vredig voelde en dat dat nog eens zou kunnen gebeuren. Een melodietje dat je bedenkt om de dagelijkse pijn weg te fluiten.

Ik had het laks aangepakt, een droombeeld genomen waarvan ik aannam dat het me wel zou passen en nooit de moeite genomen te onderzoeken of het me wel echt goed zat. Want ik had New York niet zelf uitgekozen. Mensen komen hierheen, dagelijks, duizenden en nog eens duizenden, ellendige drommen, zovelen van hen dat sommigen vrezen dat ze ons zullen bedelven. En niemand die beseft dat zij degenen zijn die het getroffen hebben. De immigranten beslissen zelf waar ze thuishoren. Ze beslissen uiteraard net zo min als ieder ander wat ze zullen worden en of ze geluk in het leven zullen hebben, maar ze beslissen wel wáár ze zijn. Geografie en wil ineengestrengeld in een voorwaartse golf.

Dat ik tegen Silkie Marsh had gezegd dat ik niet van plan was de stad te verlaten gaf me een goed gevoel. Alsof ik voor het eerst welbewust ergens voor had gekozen en me niet alleen met de gunstigste stroming liet meevoeren. Ik had mijn vlag in de grond geplant. Mijn keuze zou vandaag of later mijn vroegtijdige dood kunnen betekenen, als zij daar althans iets over te zeggen had, maar de inzet en het land waren van mij.

En daarom trok ik mijn masker van mijn gezicht. Het had al niet meer helemaal goed gezeten, was sinds die rel aan één kant gaan rafelen en ik heb nooit goed overweg gekund met naald en draad. Ik liet het bij de uitgang van Niblo's vallen, waarna ik de op en top verzorgde gazonnen en de silhouetten van de flaneurs en de talloze lichtjes achter me liet.

Ik trof George Washington Matsell aan in zijn kamer in de Tombs. Hij zat voorovergebogen over zijn stapel papier Flash woorden en hun betekenis op te tekenen terwijl achter hem de donkerblauw getinte hemel langzaam zwart werd.

Hij zag er niet verslagen uit door de rel, zelfs niet erg vermoeid. Ik nam hem dat bijna kwalijk. Zelf was ik doodop en voelde de aanstaande instorting hard en meedogenloos achter mijn oogleden tril len. Maar toen werd me duidelijk dat hij het lexicon schreef om de dingen beter te kunnen begrijpen, want ik besefte ineens dat de hoofdcommissaris al talloze rellen had meegemaakt en nog geen twee maanden geleden had moeten toekijken hoe Lower Manhattan voor de helft was afgefikt om alleen wat treurige statistieken achter te laten, dat hij toen nog een rechter was geweest en we nog geen politie hadden gehad.

'Wat voor de duvel komt u hier doen?' vroeg hij zonder de moeite te nemen op te kijken. 'U had zich in augustus moeten melden.'

'Het is nu september. De eerste, volgens mij,' antwoordde ik verwonderd. 'U hebt gelijk, het was me helemaal ontgaan.'

'Misschien dat het u niet ontgaat dat ik niet in een al te best humeur ben. En is het u toevallig evenmin ontgaan dat ik dertig man heb moeten opsluiten en dat acht van mijn kopersterren in het ziekenhuis liggen? Of dat de Five Points een immense zee van gebroken vensterruiten is? Ik vraag me af of het u ook zal ontgaan als ik u dadelijk ontsla, mag uw broer zijn wie hij is.'

'Het is voorbij, hoofdcommissaris. We zijn klaar met de zaak. Ik heb alles opgelost.'

Hoofdcommissaris Matsell keek hogelijk verbaasd op. Hij streek met zijn vingertoppen langs zijn kaaklijn, sloeg zijn armen stevig over elkaar voor zijn enorme blauwe vest en keek me onderzoekend aan. Toen viel alles op zijn plaats en glimlachte hij.

'U hebt alles vanaf het eind tot aan het begin uitgeplozen?'

'Alles.'

'En de dader gevonden?'

'Tweeënhalve dader. Het waren er in totaal tweeënhalf.'

Hij knipperde met zijn ogen en zijn grijze wenkbrauwen kronkelden als rupsen. 'En in totaal eenentwintig slachtoffers? Geen nieuwe narigheid?'

'Juist.'

'Hoeveel arrestaties?'

'Geen.'

'Meneer Wilde,' zei hij, terwijl hij zich vooroverboog en zijn dikke vingers boven zijn lexicon in elkaar vlocht. 'U bent doorgaans beter van de tongriem gesneden. Ik stel voor dat u uw welbespraaktheid herwint. Nu.'

En toen vertelde ik hem alles.

Bijna alles. Sommige stukjes kon ik zelf nog niet het hoofd bieden en die verzweeg ik vooralsnog. Mercy die zelf haar leven had weten te redden en nat en stil en blauw op de vloer van haar slaapvertrek lag. Dokter Palsgrave die zich zo diep schaamde dat hij een lijk in een afvalton had gestopt, dat hij het er nauwelijks over kon hebben zonder dat zijn hart het begaf.

Hoe los ik de knopen in die touwen had gelegd. Hoe uitermate onbeholpen ik de predikant op een stoel had vastgebonden.

Toen ik uitgepraat was, leunde de hoofdcommissaris weer achterover, vlijde de veer aan het uiteinde van zijn pen tegen zijn onderlip en liet alles enige tijd door zijn hoofd gaan.

'En u weet zeker dat dokter Peter Palsgrave onkundig was van het feit dat madam Marsh de dood soms bespoedigde?'

'Ik durf er mijn hoofd om te verwedden. Het zou indruisen tegen alles waar hij voor staat.'

'Dan zie ik me eerlijk gezegd niet genoopt hem te onderwerpen aan beschuldigingen van wat in feite valt onder grafroof. Temeer daar hier om te beginnen al geen graven waren,' zei hij langzaam.

'Wat u zegt,' zei ik instemmend.

'En Thomas Underhill heeft een volledige bekentenis afgelegd voordat hij zichzelf heeft verhangen?'

'Ja.'

'Meer hebt u niet voor mij? Alleen een verhaaltje?'

Ik haalde het schrift tevoorschijn uit mijn overjas en legde het op het bureau. 'Het schrift van Marcas, het slachtoffer in St. Patrick's. De predikant heeft het bij zich gehouden, God mag weten waarom. Het lag in zijn werkkamer.' Vervolgens pakte ik uit mijn vestzak het vel papier met daarop in beverige letters *Thomas Underhill, predikant*. 'Beter nog is dat pastoor Sheehy hem heeft aangewezen als de enige man die die avond met een grote zak de kathedraal is binnengegaan en de enige man die hij niet heeft zien vertrekken. De zak waarin het bedwelmde kind zat, bevond zich niet meer in St. Patrick's toen Sheehy het lijkje ontdekte. Het verklaart waarom er geen sporen van braak waren. Het klopt allemaal.'

'Bent u de predikant zo op het spoor gekomen? Via de ontdekking dat hij een zak bij zich had toen hij de bijeenkomst in de kathedraal bezocht?'

'Nee, het was andersom. Ik wist niet dat hij een zak bij zich had, maar wel dat er een bijeenkomst was geweest en geen braak.'

Een zweem van een lach speelde om hoofdcommissaris Matsells lippen. 'En dat is allemaal toevallig zo bij u opgekomen...'

'Nee,' zuchtte ik afgemat. 'Met behulp van slagerspapier.'

'Slagerspapier.'

Ik knikte en liet mijn hoofd zakken tot het op een van mijn gebalde vuisten rustte. Ik kon me niet herinneren wanneer ik voor het laatst had gegeten en de randen van mijn oogleden brandden van vermoeidheid.

'Wat ons betreft kunnen we dus stellen dat de dokter het oppakken niet waard is en de predikant zich buiten onze jurisdictie bevindt. En volgens u krijgen we Silkie Marsh niet veroordeeld voor enig vergrijp.'

'Niet als we zelf binnen de wet willen blijven. Ze moet zeer nauwlettend in de gaten worden gehouden. Vroeg of laat maakt ze een fout, dan pakken we haar op en zal ze alsnog eindigen aan het uiteinde van een stuk touw.'

'Ik denk dat u gelijk hebt. Ik neem echter wel aan dat u tegen haar uw beschuldiging hebt geuit?'

'Ter waarde van driehonderdvijftig dollar.'

Ik had het niet voor mogelijk gehouden, maar George Washington Matsells longen haperden even. Het was een prettige gewaarwording. Het deed me goed te weten dat een man die door de bank genomen niet opschrok van een aanvallende stier, van zijn stuk werd gebracht door het gegeven dat ik me voor zo'n enorm bedrag had laten omkopen.

'En gaat u het overleggen?' vroeg hij droog.

'Ik kan vijftig missen voor de Partij, als het echt moet, maar de rest is voor een van de slachtoffers.'

'Zo. Dan neem ik vijftig aan, voor een anoniem politiefonds, en dan kunt u de rest schenken aan... aan welk slachtoffer? Bird Daly neem ik aan?'

'Een slachtoffer,' zei ik onverstoorbaar.

Dat moest de hoofdcommissaris ook even verwerken. Hij kwam eruit.

'Ik wil u een aanbod doen, meneer Wilde,' zei hij, terwijl hij opstond. 'Vooropgesteld dat ze niet te arrogant of corrupt zijn geworden, sluiten we met politiemannen ieder jaar opnieuw een arbeidscontract af. Dat beleid staat me niet aan, heeft me ook nooit aangestaan. Het druist in tegen de gedachte zelf van deskundigheid. En wat betreft de corruptie... maar goed, dit is mijn voorstel. Zolang ik hoofdcommissaris van politie ben, bent u een politieman met een koperen ster. We gaan u misdrijven laten oplossen in plaats van u ze te laten voorkomen. Als u een ambtsnaam wilt, bedenk ik er een voor u. Ik ben behoorlijk goed met woorden. Het is u trouwens uitstekend gelukt mij te verrassen.'

Ik weet dat het plotselinge warme gevoel niet goed te praten valt. Ik had me nooit zo intens voldaan mogen voelen puur omdat ik die baan mocht houden. Misschien was het alleen maar een onbekende ervaring om goed te zijn in iets wat helemaal nieuw was.

'Dank u wel,' zei ik.

'Goed, dat is dan afgesproken.'

'Onder één voorwaarde.'

De hoofdcommissaris draaide zich om van het raam dat hij in ogenschouw had genomen. Zijn zilvergrijze wenkbrauwen had hij geërgerd opgetrokken. Ik was duidelijk te ver gegaan.

'Ik wilde alleen zeggen dat u Val ook zou moeten aanhouden,' zei ik aanzienlijk nederiger.

'Meneer Wilde, er komt een dag dat ik u zal doorgronden,' snoof hoofdcommissaris Matsell. Hij leunde achterover en pakte zijn ganzenpen op. Hij keek nog steeds volslagen beduusd. 'Het ene moment doet u briljante dingen met slagerspapier, het volgende bent u dommer dan een blind varken. Uw broer zal zonder twijfel politiecommandant zijn tot de dag dat hij sterft, mits hij zich niet laat mollen of gekozen wordt voor een openbaar ambt.'

'Ik ben blij dat u er zo over denkt, meneer.'

'Meneer Wilde,' zei de hoofdcommissaris, 'verdwijn uit mijn kamer. U ziet eruit alsof u ieder moment kunt flauwvallen en ik wil niet over u heen moeten stappen.'

Op weg naar de uitgang van die enorme stenen vesting kwam ik een vreemde kerel tegen die zich steels en soepel als een krab voortbewoog, met stevige schoenen aan, zonder kin, met een woeste haardos. Zodra we elkaar in het oog kregen, stoof hij op me af.

'Ik moet je inlichten over het bewijs dat we van ene miss Maddy Sample hebben verkregen, Wilde. Er gloort eindelijk licht aan de horizon,' fluisterde Piest, die mijn arm met zijn droge klauw omklemde.

'Het is al ochtend,' antwoordde ik dankbaar, terwijl buiten de maan aan zijn klim begon. 'Als jij voor brood en koffie zorgt, vertel ik je het hele verhaal.'

En het was in mijn hoofd werkelijk ochtend. Alles ging beter dan ik ooit had kunnen verwachten. Ik had zoveel van mijn welslagen te danken aan Piest, dat hij er recht op had het naadje van de kous te horen. We dronken koffie uit dampende tinnen bekers en deden ons allebei te goed aan een bord vol runderstoof met kool. Twee problemen bleven mij echter dwarszitten terwijl ik mijn collega alle ontbrekende informatie aanreikte.

Wat zal er gebeuren? dacht ik. Niet met mij. Dat leek voor nu wel duidelijk. Maar er waren twee meisjes die ik niet wilde teleurstellen, het ene aanzienlijk jonger dan het andere. Beiden met een onzekere toekomst. Beiden met een leven dat eens verstoord was en toen weer hersteld en toen weer verstoord.

En het ergste op dat moment was dat ik voor geen van beiden met absolute zekerheid kon zeggen of ze levend of dood waren.

27

De grote golf van immigranten die naar onze kusten onderweg is, kan niet meer worden gekeerd. We moeten de armen, onwetenden en onderdrukten uit andere landen ontvangen en kunnen hen het beste beschouwen als mensen wie de hoop op gelukkiger tijden en beter werk dan thuis nieuwe kracht geeft. Ik mag toch aannemen dat niemand in alle ernst zal denken dat ze met slechte bedoelingen komen.

• *De hygiënische omstandigheden onder de werkende bevolking van New York*, januari 1845 •

Toen ik bijna thuis was, werd ik geplaagd door een uiterst onaangename wirwar van onrustige gevoelens. Ten eerste was daar het feit dat ik mezelf niet kon opsplitsen en daarom niet gelijktijdig ook kon gaan kijken of het al weer beter ging met Mercy, en ten tweede de angst dat er niemand zou zijn. Dat Silkie Marsh wellicht in staat zou zijn vogels opdrachten toe te fluisteren en ze naar naamloze moordenaars in Harlem kon laten vliegen. Raven die 'dood Bird Daly' krasten en vervolgens loom terugwiekten naar de stad.

Maar toen ik de voordeur opendeed smolt dat gespannen gevoel weg. Valentine zat aan de kneedtafel bij mevrouw Boehm. Hij had een karaf korenbrandewijn voor zich staan en twee borrelglazen met daarnaast de kostbare voorraad chocola van mijn hospita, een schaal met fijner gebak dan ze normaal maakte en een spel kaarten. Er hing een sterke boterlucht in de kamer. Mevrouw Boehm had een opgewonden kleur en zo'n brede grijns op haar gezicht dat ze er de karaf mee van tafel had kunnen stoten. Ze had blijkbaar net haar kaarten op tafel uitgelegd en ik kon vanaf mijn plaats zien wat het was. Een full house.

'Daar hebt u geen antwoord op, hè?' zei ze, en ze klapte in haar handen. 'En ik ben echt geen... zeg het nog eens. Hoe noemen jullie iemand die valsspeelt met kaarten ook al weer?'

'Een wiepsjer,' antwoordde Val. 'En het is me een eer om van zo'n volbloed republikein als u te verliezen, al ben ik minder trots op de woorden die ik u leer. Timothy Wilde! Smeris, die je er bent! Je ziet eruit alsof de dood je voorbij is gegaan omdat hij dacht dat de klus er al op zat. En je verband is er ook af, maar dat ziet er wel puik uit.'

'Wat een zegen om jullie hier samen te zien.' Ik slaakte een zucht van verlichting. 'Ik moet Bird nog wat vragen.'

'Ze is waarschijnlijk nog wel wakker.' Mevrouw Boehm schonk Valentine nog eens bij en nam toen met Duitse keurigheid een slokje van haar eigen glas. 'Als u niet te lang wacht.'

Bird sliep nog niet, maar lag wel al in het bed dat onder dat van mevrouw Boehm vandaan was getrokken. De eenvoudige gordijntjes waren dicht. Toen ik zachtjes naar binnen liep, priemde Birds vierkante kinnetje meteen mijn kant op.

'U bent er nog,' zei ze. 'Ik wist het wel. Meneer V zei al dat hij er alle vertrouwen in had dat u zich door niemand zou laten tegenhouden.'

'Natuurlijk. Mag ik je wat vragen, Bird?'

Ze ging verwachtingsvol zitten en trok de sprei over haar gekruiste benen.

'Toen je een tijdje geleden zei dat je dacht dat ik de vrouw op de tekening die ik had gemaakt had gekust, hoe bedoelde je dat toen?' vroeg ik zachtjes. 'Je keek er zo verontrust bij en je kent Mercy Underhill. Je hebt haar vast wel eens ontmoet in het huis waar je woonde.'

'O,' fluisterde Bird. 'Ja.'

Ze dacht net iets te lang over haar antwoord na. Lang genoeg om mij het idee te geven dat ze ervan uitging dat dat mij niet zou bevallen. Maar ik wachtte geduldig, want ik zat ermee in mijn maag.

'Nou, ik vond haar een beetje vreemd. Zij deed… hetzelfde, precies hetzelfde als ik, dus toen u haar portret had, dacht ik…' Bird maakte haar zin niet af en zocht moeizaam naar woorden. 'Ik dacht dat ze wel uw geliefde moest zijn, omdat u haar portret had. Maar ik begrijp haar niet. Wie wil zoiets nou alleen voor… en als je niet gedwongen wordt, waarom…'

'Stil maar,' zei ik, toen ik de paniek in haar ogen zag. 'Ik ben blij dat je het me hebt verteld. Het is niet makkelijk te begrijpen, maar ik wil wel dat je weet… dat ze graag wilde… dat ze het jullie niet toewenste. Dat begrijp je toch wel?'

'Jawel,' zei Bird, en ze knikte. 'Alle anderen waren gek op haar. Alleen ik niet. Maar als u me vraagt om miss Underhill echt aardig te vinden en niet te doen alsof, dan zal ik dat doen.'

'Nee, dat zou ik nooit vragen.' Ik gaf haar een kneepje in haar schouder. 'Ze heeft genoeg mensen die van haar houden. Niemand gaat zoiets ooit nog voor jou beslissen.'

Ik was nog net op tijd beneden om Valentine door de deur naar buiten te zien glippen en liep hem snel achterna. Ik had al een keer eerder de onvergeeflijke fout gemaakt niet achter mijn broer aan te gaan en was niet van plan die misser zo snel nog eens te herhalen. Toen Val, die al met zijn voet op de onderste van de drie treden naar de straat stond, de deur dicht hoorde klikken, keek hij om. Niet direct achterdochtig, maar wel op zijn hoede. Ik nam vermoeid mijn hoed af en trok een wenkbrauw op naar mijn broer – die aan de expressievere kant van mijn gezicht.

'Het zit erop,' zei ik. 'Ik heb het opgelost.'

'Bravo.' Val viste een sigarenpeuk uit zijn zak op en stak die in zijn mondhoek.

'Is dat alles wat je te zeggen hebt?'

'Geweldig,' antwoordde Val met een knipoog.

'Wil je niet weten hoe het is gegaan?'

'Dat hoor ik morgen wel van Matsell. Die kan beter vertellen.'

'Wat ben je toch een mieskwal,' zei ik hoofdschuddend.

'Als je graag wil dat ik hier morgenochtend nog wat van weet, zou ik er verder maar geen woorden aan vuil maken,' stelde mijn broer voor, en hij keek op zijn zakhorloge. 'Ik moet er trouwens toch vandoor naar een clandestiene partijvergadering. Ik moet een stel Ieren keuren om te bepalen wie er geschikt is om binnenkort de stembussen te bewaken. Ik heb dus wel wat beters te doen.'

Maar zo gemakkelijk kwam hij niet van me af. Ik leunde met mijn rug tegen de zijmuur van het huis. 'Nog even over vanmiddag. Toen je Bird en mevrouw Boehm weer naar huis hebt gebracht. Dat was al heel geschikt van je. Daar heb je me echt mee geholpen. Maar dat je ook nog bij ze bent gebleven tot ik terug was zonder dat je wist wat ik van plan was?'

'Hmm?' zei hij, en intussen was hij al druk om zich heen aan het kijken of hij ergens een rijtuig kon ontdekken. Hij liep achteruit Elizabeth Street in, zonder enige aandacht aan mij te schenken. Zo gaat het nu altijd.

Razendmakend is dat.

'Bedankt,' riep ik hem na.

Valentine bleef midden op straat staan en haalde zijn schouders op. De wallen onder zijn ogen werden even iets minder zwaar toen hij naar me keek. 'Dat stelde niks voor.'

'Ik zie je morgen wel in Liberty's Blood. Probeer je in te houden met de morfine, zodat je niet half in coma ligt tegen de tijd dat ik aankom, goed?'

Op zijn gezicht verscheen die rare grimas die hij trekt als hij lacht. Maar die maakte al snel plaats voor zijn blikkerende wolvengrijns.

'Klinkt puik. Wil je dan in de tussentijd proberen om niet zo'n verschrikkelijk oud wijf te zijn, Timothy?'

'Dat lijkt me een redelijk verzoek,' antwoordde ik naar waarheid.

Ik ben nooit meer teruggegaan naar de kerk in Pine Street, noch naar het huis van de Underhills.

Piest, aan wie ik mijn hele verhaal had gedaan tijdens onze gedeelde maaltijd, had het lichaam een halfuur nadat ik hem erover had verteld in het schuurtje 'gevonden'. Ik had hem zelf de sleutel gegeven. De eerwaarde Thomas Underhill was klaarblijkelijk gewurgd, maar getuigen waren er niet. Noch sporen. Noch verdachten. Het was een treurig misdrijf en duidelijk een moord.

Maar wat kon de politie onder de gegeven omstandigheden beginnen?

Mijn collega zorgde ervoor dat het lichaam nog geen vijf uur later was begraven, op een rustig plekje onder de vertrouwde appelbomen op het kerkhof in Pine Street. We hoorden later dat de aardse bezittingen van de predikant allemaal terugvielen aan de kerk. Hij was trouwens altijd al een vrijgevig man geweest die veel arme protestantse gezinnen had gesteund. Na de begrafenis was alleen het huis nog over, dat eigendom was van de parochie, en de inboedel, die enkel waarde had als herinnering. Zijn uitgebreide bibliotheek had hij bij testament nagelaten aan een armenschool in de buurt. En dat paste precies bij hem, vond ik. Het leek nooit bij Thomas Underhill te zijn opgekomen dat zijn dochter meer nodig zou kunnen hebben dan ze al had, waar zoveel anderen zoveel minder hadden.

Ook dat was ik niet voornemens hem ooit te vergeven.

Nadat ik een paar uurtjes had kunnen slapen, bleef ik de rest van de nacht thuis wachten op een klop op de deur.

Toen die aarzelend klonk, ging ik naar buiten om een geweven tasje aan te nemen van een bedelvrouw die meer tanden kwijt dan rijk was. Ik gaf haar een geldstuk voor de moeite, hoewel ze me zelf vertelde dat ze al ruimschoots was beloond voor de belofte om niet in de tas te kijken. En dat als ze hem wel zou hebben opengemaakt, de afzender dat zou weten en de varkens haar zouden opeten als ze voor dood op straat lag. Ik vroeg waar ze vandaan kwam en ze wees naar een kruidenierswinkel verderop in de straat. Daar stond een man op de stoep zwijgend en somber naar ons te kijken van onder de rand van zijn strooien hoed.

Ik groette hem niet. Ik bedankte het wijfje in haar lompen, stopte het tasje in mijn zak en ging op pad naar Pine Street.

Waar ik echter nooit aankwam. Toen ik langs de rijen bescheiden bakstenen huisjes liep waarvan de witgeverfde lateien oplichtten en ik de ochtend zich voor de derde keer op rij botergeel en dik over de stad zag uitrollen, zag ik Mercy in tegenovergestelde richting lopen. Dat wil zeggen, op mij af.

Ze had een duifgrijze jurk aan die haar niet helemaal paste. Van de goede stapel kleren voor de lommerd in de kerk, nam ik aan, want hij was schoon en vaardig genaaid. De klokrok hing alleen wat los om haar middel en de wijde hals lag iets verder over haar ene schouder dan gebruikelijk bij haar jurken. Ze had minder tijd aan haar haar besteed dan anders en ik kon van een afstandje al zien dat haar lippen gebarsten waren en haar handen in het verband zaten.

Zo ziet Mercy eruit in een afgedankte grijze jurk op de laatste dag dat je haar ooit zult zien, dacht ik, terwijl we midden op het trottoir van Pearl Street voor elkaar stil bleven staan.

'Wilde,' zei ze.

'Dag,' zei ik.

Het was een begin.

'Mijn vader is dood,' mompelde ze. 'Jij was er, jij... je wist het al, denk ik.'

'Ja.'

'Die politieman was heel vriendelijk, maar hij liet me niet bij hem. En hij had het over moord. Maar zo is het niet gegaan. Dat geloof ik niet.'

'Het spijt me.'

'Jij hoeft je nergens voor te verontschuldigen. Jij hebt alleen maar geholpen. Jij wilde niet dat ik zou moeten... dat ik wist wat er werkelijk was gebeurd.'

Ze had gehuild, maar niet heel lang. De randen van haar ogen waren lichtrood en glinsterden nog een beetje, maar de pijnlijk rode kleur die het gedwongen ijsbad had achtergelaten was aan het wegtrekken. Voor het overige waren ze heel blauw en haar haar dik en felzwart. Mercy had me nog geen enkele vraag gesteld en ik wist opeens waarom. Wat haar vandaag was overkomen, het duistere, akelige besef, de uitgekomen geheimen waaraan je je brandde als je ze aanraakte... Dat alles kon niet beter worden door er meer over te weten te komen. Ik vroeg me af of Mercy ooit nog in mijn bijzijn een vraag zou stellen.

'De begraven kinchen waren van lijkschouwingen,' vertelde ik haar op zachte toon. 'Ze waren niet ontwijd, maar na hun overlijden door dokter Palsgrave gebruikt voor wetenschappelijke doeleinden. Het is een ingewikkeld verhaal, maar een veel betere uitkomst dan we hadden kunnen hopen. Ik heb hem niet gearresteerd en zal dat ook niet doen. Maar ik wilde je komen vertellen dat alles... nu voorbij is.'

Ik zei niets over Marcas en de deur van de kerk. Dat beeld stond al op haar netvlies gebrand. Ze staarde me aan zonder iets te zeggen, verbouwereerder en gekwetster dan enig wezen dat ik ooit had aanschouwd.

'Ik heb nog iets voor je.' Ik hield haar het tasje voor.

Mercy zette haar tanden in haar onderlip. Maar ze stelde geen vragen.

Wie had ooit gedacht dat het ergste wat je kon overkomen zou zijn dat Mercy zonder vraagtekens zou komen te zitten, dacht ik, en ik dwong mezelf daar niet verder bij stil te staan.

'Er zit driehonderd dollar in. Het komt van een zeer... gepaste gever. Eentje tegenover wie je je nooit verplicht zult hoeven voelen. Het is niet van mij of van Val of van wie je maar denkt, het is van jou en jij gaat ermee naar Londen. Driehonderd is genoeg om je mee te redden, hoewel... Het is wel erg vervelend dat je je kleren kwijt bent. Of kun je petroleum uit kleding wassen?'

Ik zweeg.

Toen ze het sluitkoordje losmaakte en het geld zag, viel Mercy's mond wijd open, als de lus van een strik.

'Ik zou niet weten hoe dit van mij zou kunnen zijn.'

'Geloof me nou maar,' drong ik aan. 'Ik weet dat ik op het moment in jouw ogen niet helemaal betrouwbaar ben, maar wat dit betreft moet je me geloven. Het spijt me dat het zo is gegaan. Je kunt hier nu weg. En als je uitgekeken bent op Londen en er weg wilt, of als je ergens anders heen gaat, naar Parijs of Lissabon of Boston of Rome, en later toch weer terug wilt naar New York... dan ben ik hier.'

Er zaten te veel blaren op Mercy's vingers. Ik wilde ze gladstrijken. Het was in zekere zin een opluchting te weten dat ze niet van me hield. Ik kon gewoon verder met mijn leven zoals dat was.

Zolang het maar goed was voor Mercy. Veel meer telde er niet.

'Ben jij...' Mercy zocht moeizaam naar woorden. 'Ben jij dan van plan voorgoed in New York te blijven?'

Daarna ging het ademhalen me een stuk makkelijker af. En wat een vraag voor haar om antwoord op te willen. Het was genoeg.

'Ik heb hier nu werk,' antwoordde ik. 'En een broer die in een kierebusgesticht verdient te worden opgesloten. Geen van die twee klussen bevalt me erg. Integendeel, maar ik denk wel dat ik voor alle twee de aangewezen man ben.'

Mercy's wimpers trilden. 'Nee. Ik kan dit niet van je aannemen.'

'Ga naar Londen,' zei ik, en ik duwde het in haar handen.

'Waarom doe je dit, Timothy?'

'Omdat je daar een kaart gaat maken.' Ik begon al van haar weg te lopen.

'Maar waarom wil je dat ik dat doe?' riep ze me zachtjes na.

En daarmee stelde ze me nog één onschatbaar waardevolle vraag.

'Daar heb ik een heel goede reden voor,' zei ik, terwijl ik door bleef lopen. 'Als je ooit wilt dat ik iets begrijp, iets wat met jou te maken heeft... nou. Als je een kaart hebt gemaakt, dan weet ik tenminste waar ik moet zoeken.'

Twee weken later was duidelijker te merken dat het september was. De houtskoolschetsen in City Hall Park die bomen moesten voorstellen barstten uit in felrode tinten en vervaagden daarna weer tot lijntekeningen. Het was ook een stuk frisser buiten. Bij de haven rook het nu naar teer en vis en zweet en rook, in plaats van altijd maar naar rottende dierenresten. Het zag er een stuk vrolijker uit in het getemperde licht. En in de drie tot vier dagen dat september nog duurde voor de winter zou invallen was iedereen, maar dan ook iedereen, opgewekt.

Inmiddels wilde ik mijn broer ook weer het liefst vermoorden, maar ik haatte hem nog niet en ik hoopte dat dat niet meer zou gebeuren.

Ik kwam erachter waar een vingervlugge leerling het zondagse bestek van zijn leermeester had verstopt en dat was de tweede misdaad die ik in even zoveel weken oploste.

Dat voelde goed.

Op een heerlijk frisse zondagochtend sloeg ik de *Herald* open aan de keukentafel en las deze passage:

Het kantoor van de Ierse Immigrantenvereniging is tegenwoordig gezeteld aan Ann Street nummer 6, in een eenvoudig, pretentieloos gebouw. In dat kantoor spelen zich zo nu en dan amusante taferelen af. Drommen nerveuze wachtenden zitten daar elke minuut van de dag

gespitst op een kans. Zodra er een werkgever binnenkomt op zoek naar
een vaste kracht of een betrouwbaar meisje, gaan, zoef, *de neuzen van*
de vijftig kandidaten die een buitenkansje ruiken de lucht in en sprin-
gen ze als één man overeind.

Ik kon er weinig amusants aan ontdekken en gooide de krant in de
broodoven zodra ik hem uit had. Niet dat de pers de politiebelan-
gen niet gediend had. Zeker niet. George Washington Matsell had
in een vlaag van genialiteit die ik nooit had kunnen voorzien aan de
kranten gemeld dat het kinchin met de naam Marcas, dat zo gruwelijk afgeslacht was aangetroffen in St. Patrick's, was vermoord door
een stel gestoorde Nativistische politieke radicalen die criminele
banden met Engeland onderhielden en een waslijst aan daden van
buitensporig geweld uit naam van een verachtelijk soort Europese
anarchie op hun naam hadden staan. Ze stonden bekend onder de
namen Scales en Moses Dainty en waren allebei op dezelfde dag
dat ze hun godvergeten, anti-Amerikaanse moord hadden gepleegd
omgekomen bij de rel in de Five Points. Eén verslaggever had het
lef gehad te vragen of ze soms politiemannen waren geweest. Matsell had nee gezegd. Toen ik zelf de archieven raadpleegde, bleek
Matsell nog gelijk te hebben ook, wat alleen maar bewijst dat de
hoofdcommissaris niet alleen slim is, maar ook grondig en dat hij
weet wanneer het voor de politie heilzaam is om bepaalde namen
van het dienstrooster van Wijk 8 te verwijderen. Er waren uiteraard
genoeg mensen die beter wisten en enkele die van nog meer op de
hoogte waren, maar de gemiddelde New Yorker is een misdrijf
meestal na twee weken wel vergeten. Het gewone leven hernam
zijn loop: hardvochtig, inhalig, heftig en geheimzinnig, maar met
minder geruchten over krankzinnige Ierse kindermoordenaars.

Mevrouw Boehm en ik kwamen tot een besluit. En om Bird Daly
daarvan op de hoogte te stellen, nodigde ik haar uit voor een uit-
stapje naar Battery Park.

Na een paar uur en verschillende pauzes voor een bescheiden
picknick, stond de zon al laag aan de einder en waren we uitgewan-
deld. Het gras wordt daar beter bijgehouden dan op de rest van het
eiland en de nabijheid van de zee was nog steeds eerder aangenaam
dan vervelend koud, dus toen we de behoefte kregen om ergens

neer te strijken, gingen we onder het bladerdak van een enorme eik zitten, vlak bij de plaats waar ik tussen een stapel bijbels begraven had gelegen toen Valentine me had gevonden. De herinnering daaraan begon al minder pijnlijk te worden.

De tijd leek rijp, dus ik vatte moed. Ik vertelde Bird dat ze in een tehuis zou gaan wonen dat door pastoor Sheehy was opgericht en daar naar school zou gaan. Een Ierse katholieke school. Mevrouw Boehm en ik hadden zelf niet veel scholing gehad en scholing was nou eenmaal heel belangrijk.

Het ging minder goed dan ik had verwacht.

Dat wil zeggen dat ik wel had verwacht dat het niet goed zou vallen. Maar ik zal de eerste minuten dat Bird een tirade afstak overslaan, evenals de verschillende baantjes die ze aanbood te zullen zoeken als wij haar niet konden onderhouden en de taal die ze uitsloeg waarvoor ze nog veel te jong was. Dat zou haar in een te weinig flatterend daglicht stellen en ik denk maar liever niet aan de mogelijkheid dat ze misschien gedacht heeft dat we haar gezelschap beu waren. Bird Daly vormt uiterst aangenaam gezelschap en daar wist ik haar uiteindelijk van te overtuigen. En dus bleef ze met haar boze frons en haar woedende sproeten stil zitten staren naar de vele voorbijgangers.

'Ik denk niet dat ik dat aankan,' zei ze ten slotte. 'Ik denk dat ik u zou missen en mevrouw Boehm en... en... ik denk niet dat ik dat aankan.'

'Weet je wat ik denk? Zal ik dat zeggen?'

Bird knikte en haar grijze ogen blikkerden als zilveren geldstukken op de bodem van een diepe bron.

'Volgens mij hoef je mij helemaal niet te missen, want we kunnen elkaar zo vaak zien als je wilt. Misschien soms zelfs wel als je het niet wilt, want ik zal ook wel eens onaangekondigd langskomen en dan zul je je sommen in de steek moeten laten of het hinkelspel waar je net mee bezig bent. En het zal niet lang duren of je wilt daar helemaal niet meer weg om een volwassen jongedame te zijn, omdat er daar zoveel andere kinchen zijn die je zult missen als het zover is.'

Bird leek te worstelen met iets kiezelstenigs in haar keel.

'Zijn daar ook andere... zouden er kinchen zijn zoals ik?'

Ik hoefde er niet lang over na te denken om te weten wat ze bedoelde. Toen ik zover was, keek ik heel ingespannen naar een passerende koets alsof ik de dame met de onwaarschijnlijke hoed met veren op haar hoofd die door paarden werd rondgereden kende, opdat Bird niet zou zien wat er in werkelijkheid gaande was op mijn gezicht.

'Kinchin-mabs?' zei ik met heldere stem. 'Heel veel. Afgezien van degenen die ik er zelf heen heb gestuurd, bedoel je? Neill en Sophia en de anderen?'

Mijn vriendinnetje knikte. Gelaten, maar gerustgesteld.

En zo bleven we zitten kijken naar de mensen die voorbijkwamen en over wie we van alles wisten. Allebei. We wisten dingen door de vlekken op hun mouwen en de harde blik in hun ijskoude ogen. We wisten dingen over hen voordat zij die wisten en voelden ons daardoor veiliger en rijker. En met een warm gevoel bij de wetenschap dat we dezelfde letter van hetzelfde woord op elke afzonderlijke menselijke bladzijde lazen.

Zonder een woord tegen elkaar te zeggen.

Nadat ik Bird de volgende dag bij een tiental van haar oude en toekomstige vrienden en vriendinnen had achtergelaten, ging ik terug naar huis. Het huis was een stuk leger zonder Bird, maar mevrouw Boehm lachte me gul toe met haar brede mond toen ik haar op de trap tegenkwam. En ik lachte terug. Dat was tenminste iets.

Ik had nog steeds geen noemenswaardig meubilair. Maar tot dan toe had ik er ook geen behoefte aan gehad. Misschien kon ik er nu over gaan nadenken. Matsell had mijn salaris heimelijk verhoogd tot veertien dollar per week. Ik raapte het tijdschrift op dat al een tijd op de grond bij de deur van mijn kamer lag te wachten tot ik er klaar voor was om het op te pakken en ging onder mijn raam zitten om de laatste aflevering te lezen van *Licht en schaduw in de straten van New York*.

De keukenmeid die door de edelman was verleid stierf in het kraambed. Maar haar dochtertje werd bij de graaf afgeleverd, die in tranen uitbarstte over zijn eigen kilheid en het kind in zijn armen sloot. Ondanks het clichématige onderwerp was het een zeer beeldrijk verhaal dat getuigde van veel mensenkennis. Net als de rest van de serie ging het over hartstochtelijke mensen die in ellendige omstandigheden verzeild raakten omdat ze niet wisten hoe ze het anders hadden kunnen doen.

Ik strekte me uit op mijn stromatras en viel midden op de dag in slaap. Als een blok.

Ik droomde dat Mercy naar Londen ging, waar ze een rijke graaf leerde kennen met wie ze trouwde. Maar al snel veranderde het beeld. Ze had veel vrije tijd en zoveel papier als ze wilde.

Opeens zat ik haar boek te lezen:

Ik vlieg in razende vaart door de hoofdstukken heen. De verteltrant is nu veel zijdelingser, veel meer zoals Mercy praat dan zoals ze schrijft. Er worden toespelingen gemaakt op grote liefdes en verliezen, maar een echte plot is er niet. Aan het eind staat ze als een standbeeld van Geduld toe te kijken hoe de inwoners van New York als de brekende golven van de Atlantische Oceaan om haar heen stromen.

Ik zoek naar mezelf in woorden die als mij klinken. In de witte plekken tussen punt en hoofdletter.

Natuurlijk doe ik dat. Dit is mijn droom.

En dus zoek ik naar een man, krachtig gebouwd maar klein van stuk. Met lippen die tegelijkertijd bitter en bedachtzaam staan en blond haar dat in een volle lok over zijn voorhoofd valt. Ik kijk turend rond bij haar soireetjes – tafels vol lege oesterschelpen, de lucht doortrokken van de geur van geroosterde bietjes, een zwarte fiedelaar die onder het raam staat te spelen. Op zoek naar een stel groene ogen die te veel hebben gezien en die van haar houden.

Maar ze heeft me verstopt, dat spreekt vanzelf. Ze houdt me gevangen in metaforen, heeft me opgesplitst in personages die slechts een bijrol spelen. Cafébazen en knechten. Ik volg het inktspoor dat ze heeft achtergelaten, ja, maar tegelijk weet ik nog hoe ze altijd naar me keek, met ogen die van onder haar wimpers steevast een glimp probeerden op te vangen van iets anders.

Ik kan nooit helemaal doorgronden wat ze van me wilde. Zelfs niet in die droom. Alleen waarin ze me heeft veranderd.

Badend in het zweet werd ik wakker en gooide het raam open. Zo warm was het buiten al niet meer, nu de herfst gestaag aan kwam marcheren. Maar het stof lag nog steeds als een deken van zonnige glinstering over Manhattans velden en kerken. Te fel om direct naar te kunnen kijken. Ik deed mijn ogen dicht.

En omdat ik haar buiten elke redelijkheid om liefheb en merkte dat ik de woorden die ze in mijn droom geschreven had al weer aan het kwijtraken was, deed ik de grootste moeite om ze me in te prenten.

Hij had allerlei koosnaampjes voor me. Zoveel zelfs dat toen de edelman uiteindelijk mijn ware naam hardop zei, het de enige ware uitdrukking van mezelf leek te zijn, alsof alle mannen hem tot dan toe verkeerd hadden uitgesproken of hem waren vergeten.

Een zinloze exercitie. En dwaas. Ze had het helemaal niet over mij.

DE GODEN VAN GOTHAM: HISTORISCHE VERANTWOORDING

De geschiedenis van de Five Points in New York wordt gekenmerkt door mythes, veronderstellingen en tegenstrijdige
meningen, maar ik heb getracht de toenmalige verhoudingen zo
correct mogelijk weer te geven. In 1849 publiceerde de *Herald* een
sensatieverhaal over een zuigeling die was aangetroffen 'in de gootsteen van het pand op Doyer Street nummer 6. Het kind vertoonde
onloochenbare sporen van gewelddadigheid, want rond de hals van
het onschuldige ding was een touw gebonden waarmee het was gewurgd'. Ondanks de ernstige armoede die in Wijk 6 heerste, was
moord allesbehalve aan de orde van de dag. De bewoners die het
lichaampje vonden waren dan ook ontzet en lieten onmiddellijk de
politie komen. Toen de mannen met de koperen ster ter plekke
arriveerden, wezen medebewoners hun de kamer van de moeder.
Eliza Rafferty zat 'heel rustig in een stoel in haar kamer een jurk te
naaien, wat haar werk was'. De lijkschouwer constateerde dat de

zuigeling vermoord was, al bleef Rafferty hardnekkig beweren dat het kind al dood was geweest voordat ze het in de gootsteen had gelegd. Welke omstandigheden haar precies tot kindermoord hebben gedreven, is niet bekend, maar veel bewoners van de Five Points leefden van de hand in de tand in zulke uitzichtloze, ellendige omstandigheden dat overleven een dagelijks terugkerende geestelijke uitputtingsslag was.

Het politiekorps van New York werd aanzienlijk later opgericht dan dat in andere grote steden zoals Parijs, Londen, Philadelphia, Boston en zelfs Richmond in Virginia. Die vertraging had vele oorzaken, niet in de laatste plaats het feit dat New Yorkers zich nooit graag de wet hebben laten voorschrijven. De revolutionaire geest van autonomie en onafhankelijkheid was bovendien in de periode voorafgaand aan de Amerikaanse Burgeroorlog springlevend. Die is trouwens tot op de dag van vandaag voelbaar. Maar in 1845 werd, na een fase van toenemende criminaliteit en burgerlijke onrusten, definitief besloten dat het niet langer doenlijk was het zonder toezicht op straat te moeten stellen. Zo werd de nu legendarische NYPD opgericht, ondanks heftige proteststemmen en politieke verdeeldheid. In hetzelfde jaar begon een nieuwe plantenziekte, de zogenaamde *Phytophthora infestans*, zich uit te breiden over heel Ierland. Het was het begin van de Grote Hongersnood, die tot de dood of verhuizing van miljoenen Ieren leidde en een sociale aardverschuiving teweegbracht die tot op heden bepalend is voor het gezicht van New York.

New Yorkers zijn altijd enthousiaste theaterbezoekers geweest en dat gold al helemaal voor de krantenventers en schoenpoetsers uit de Five Points. Het theater van de krantenjongens bevond zich feitelijk in Baxter Street, waar de jongens alles verzorgden, van de rekwisieten tot en met de muzikale omlijsting, en waar ze volwaardige producties op de planken zetten van scripts als *The Thrilling Spectacle of the March of the Mulligan Guards*. Het theater bood plaats aan vijftig bezoekers. Eén keer zat onder het publiek de Russische groothertog Alexis, die op bezoek was in de beruchte achterbuurt. Nadien doopten de jongens hun theater trots om tot *The Grand Duke's Opera House*.

Halverwege de negentiende eeuw zag in de stad New York, die

toen reeds het onbetwiste middelpunt van de Noord-Amerikaanse uitgeverijwereld vormde, een nieuw genre het licht: het non-fictioneel stedelijk sensationalisme dat vorm kreeg in afwisselend aangrijpende en stichtelijke vertellingen over het leven in de ellendige straten van de jongste megametropool van het Westen. In tegenstelling tot oudere hoofdsteden, zoals Londen en Parijs, woonden er volgens de Noord-Amerikaanse volkstelling van 1800 in New York niet meer dan 60.515 mensen, maar in 1850 was dat cijfer al gestegen tot een half miljoen. De stad had er dientengevolge een lastige taak aan om gelijke tred te houden met de veranderingen op het gebied van bevolkingssamenstelling, armoede en infrastructuur, op cultureel vlak en ten aanzien van sociale beperkingen. De schokkende gebeurtenissen die voortvloeiden uit deze veranderingen vormden in gedramatiseerde vorm het materiaal voor stedelijk sensationalistische verhalen. Schrijvers zoals de verslaggever George G. Foster trachtten in hun werken, met titels die varieerden op onderwerpen als 'gaslicht en schaduwen' of 'schaduw en zonneschijn', de erbarmelijke staat van de nooddruftige bewoner van Manhattan voor het voetlicht te brengen, ook voor lezers in landelijkere gebieden die geboeid kennisnamen van deze andere wereld. Mercy's artikelen zijn op die werken gebaseerd.

George Washington Matsells *The Secret Language of Crime: Vocabulum or the Rogue's Lexicon*, zijn woordenboek van het Flash, verscheen in 1859. De noodzaak van het schrijven van een dergelijk boek verraste zelfs Matsell, die in zijn voorwoord droog constateert: *Dat ik een lexicograaf zou worden, is nooit mijn opzet geweest noch heeft het ooit een rol gespeeld in de toekomstdromen die ik als jongeman had. En als een welmenende vriend me zou hebben gezegd dat ik op een dag die rol zou vervullen, had ik hem eenvoudigweg beschouwd als rijp voor een daartoe bevoegd instituut.*

Matsell was een zeer belezen, uiterst intelligente en op barse wijze dominante man, die in arbeidersbuurten allesbehalve geliefd was en niettemin een fervent onderzoeker was van sociale fenomenen als bendeoorlogen en straatkinderen. Hij schrijft dat voor de politie kennis van het jargon van de onderwereld cruciaal is, maar dat ook de gemiddelde burger zijn voordeel zou kunnen doen met zijn woordenboek, aangezien de oude Britse dieventaal in rap tempo opgeld deed in de hogere kringen woonachtig aan en rondom Fifth Avenue. De uitbreiding van het Flash naar het spraakgebruik van de gewone bevolking zou uiteindelijk zorgen voor een blijvende verschuiving in de Engelse taal. Een Amerikaan die vandaag de dag bij het afscheid *so long* zegt tegen een *pal*, staat in een subversieve culturele traditie uit 1530 die ooit is begonnen met dieven in Derbyshire die een eigen geheimtaal ontwikkelden.

DANKWOORD

Enerzijds kun je zeggen dat er vele mensen nodig zijn om een boek te maken, maar anderzijds is er maar één van levensbelang en daarmee bedoel ik niet mezelf. Als mijn man Gabriel me niet keer op keer had verzekerd dat ik het juiste vak had gekozen als ik weer eens zeker wist dat ik me eigenlijk beter tot havenwerker kon laten omscholen en me niet steeds weer naar de bibliotheek had gestuurd in plaats van te zeggen dat ik maar eens een echte baan moest gaan zoeken, had ik *De goden van Gotham* nooit geschreven. Dank je wel, Gabriel, dat je hebt gezorgd dat dit boek er is gekomen en dat je bent wie je bent. En dank jullie wel, familieleden, die hardnekkig de krankzinnige aanmoedigingszinnen herhaalden die hij maar bleef spuien.

Ook veel dank aan Amy Einhorn en alle geweldige mensen die bij Amy Einhorn/Putnam werken, bedankt dat jullie van het manuscript een veel beter boek hebben gemaakt dan ik ooit had durven dromen. Amy, je bent een onvermoeibare voorvechtster van het vertellen van mooie verhalen en een even geestdriftige lezer als redacteur, en ik ben je dan ook ongelofelijk dankbaar voor je inzichten. Heel erg bedankt voor je hulp bij het tot leven brengen van deze mensen.

Erin Malone leerde Timothy Wilde kennen toen hij nog maar in zes vreselijk overgestileerde hoofdstukken bestond en wilde hem merkwaardigerwijze toch in druk zien verschijnen. En toen er zevenentwintig vreselijk overgestileerde hoofdstukken waren, maakte zij er iets moois van. Erin is mijn Mickey Goldmill. Heel erg bedankt dat je in dit boek geloofde. En ook de andere briljante geesten bij William Morris Endeavor wil ik bedanken, inclusief, maar geenszins uitsluitend, Cathryn Summerhayes en Tracy Fisher, omdat ik keer op keer paf stond van de omvang van jullie kennis. En al mijn buitenlandse uitgevers: heel erg bedankt dat jullie om deze personages geven en hun reis naar andere delen van de wereld willen begeleiden.

Ik ben veel dank verschuldigd aan de geschiedkundigen en andere wetenschappers van wie ik zo afhankelijk was om deze wereld zo authentiek mogelijk te kunnen maken. Bedankt, Bryant Park Research Library en de New-York Historical Society dat jullie bestaan en bedankt, Tyler Anbinder, Edwin G. Burrows, Timothy Gilfoyle, Mike Wallace en vele anderen dat jullie me onderdompelen in de geschiedenis van de fascinerendste stad ter wereld. Alle blunders die er nu nog in staan, komen geheel voor mijn rekening. Veel van mijn belangrijkste bronnen waren originele documenten, dus veel dank ook aan alle negentiende-eeuwse dagboekschrijvers en journalisten en pamflettenschrijvers en toesprakenschrijvers die broodkruimels hebben achtergelaten in het bos.

Dank u wel, Sir Arthur Conan Doyle, voor uw lessen in hoe heldenverhalen eruitzien en dank je wel, Jim LeMonds voor je lessen in hoe ze te schrijven en zelf te redigeren.

Ik heb een onschatbaar netwerk van vrienden die met hun liefde en steun invulling hebben gegeven aan het begrip vrijgevigheid en die ik niet een voor een durf te noemen uit angst er een te vergeten. Maar al degenen die voor me hebben gezorgd, mijn eerste lezers, Feastergasten, collega-zangers en -acteurs, cabaretiers, fotografen, musici en kroeglopers, het Shakespeare in the Park-publiek, alle Sherlockians en het personeel van het Markt Restaurant en de vaste klanten van BLT Steak, de mensen met wie ik een liefde voor speciaalbieren deel en die zo aardig zijn de producten van mijn kookkunst op te eten: mede dankzij jullie is dit gelukt. Bedankt. Ik heb het enorm getroffen.

VERKLARENDE WOORDENLIJST

In *De goden van Gotham* is een belangrijke rol weggelegd voor het Flash, de taal van de straat in het negentiende-eeuwse New York. Bij het vertalen van zo'n dialect is het zaak te zorgen dat het de lezer opvalt dat de spreker ervan zich uitdrukt op een wijze die afwijkt van de standaardtaal, maar ook dat het vertaalde dialect overkomt als een geloofwaardige Nederlandse subtaal. Het mag daarbij niet te veel doen denken aan een bestaand Nederlands dialect; de Flash-sprekers in het verhaal lopen immers rond in New York en niet in de Achterhoek of de Jordaan.

Voor het vertalen van het Flash uit 1845 hebben wij gebruikgemaakt van verschillende bronnen om tot een zo natuurgetrouw mogelijke vertaling te komen. Daarbij hebben we met name veel gehad aan de volgende twee historische woordenboeken:

J.G.M. Moorman (ed. Nicoline van der Sijs), *De geheimtalen*, L.J. Veen, Amsterdam-Antwerpen, 2002

W.L.H. Köster Henke, *De boeventaal, Zakwoordenboekje van het Bargoensch of De taal van de jongens van de vlakte*, Schaafsma & Brouwer, Dokkum, 1906

Hieronder volgt een lijst van de gebruikte woorden en hun betekenis.

balo	varken
bedibberen	vertellen
bidkeete	kerk
bokje *of* bokkie	soort sigaar
branie	praatjesmaker
deize	hou je stil
dekkel	agent
faro	kaartspel
flik	krant
fokke broger	rijke heer
grandig	geweldig
grijnzer	schedel
grommetje	kind
helle	slim
haaie goozer	stoere kerel
kalletje	hoertje
katsen	spreken
kierebusgesticht	gekkenhuis
kievig	goed
kinchin	kind
kinchin-mab	kindhoertje
koeienwijn	melk

koperen bout	agent
knak	sigaar
krabbedaaier	vechtersbaas
kwaaie schijt	dysenterie
liemen	een oogje hebben op
loenenaar	opportunist
lood	geld
neurie	sterkedrank
nifteren	vermoorden
olmse niese	oude vrouw
paffelen	roken
pegelen	drinken
poekelen	vertellen
prames	aandeel
schaken	inrekenen
spekkerd	slager
teefie	meisje
til	theater
tippelen	lopen, wandelen
verblassen	wurgen
verkleffen	verklikken
verlunzen	verstaan
zich kin houden	zich stilhouden